NELSON MOTTA
DE CU PRA LUA
DRAMAS, COMÉDIAS E MISTÉRIOS DE UM RAPAZ DE SORTE

Copyright © 2020 por Nelson Motta

Todos os direitos reservados. Nenhuma parte deste livro pode ser utilizada ou reproduzida sob quaisquer meios existentes sem autorização por escrito dos editores.

revisão: Hermínia Totti, Melissa Lopes e Tereza da Rocha

projeto gráfico, capa e diagramação: Luiz Stein Design (LSD) com Victor Hugo Cecatto

fotos de miolo: Victor Hugo Cecatto (1), Thereza Eugênia (199); J.C. Volotão (294); Fernanda Gueiros (302); Cristina Granato (317); Estevam Avellar/TV Globo (376); Christine Nazareth (402); Mariana Turbiani (480); todas as outras: acervo pessoal de Nelson Motta

impressão e acabamento: Lis Gráfica e Editora Ltda.

CIP-BRASIL. CATALOGAÇÃO NA PUBLICAÇÃO
SINDICATO NACIONAL DOS EDITORES DE LIVROS, RJ

M875d	Motta, Nelson, 1944- De cu pra lua / Nelson Motta. Rio de Janeiro: Estação Brasil, 2020. 480 p.; 16 x 23 cm. ISBN 978-65-5733-004-3 1. Motta, Nelson, 1944-. 2. Compositores – Brasil – Biografia. 3. Autobiografia. I. Título.
20-66189	CDD: 780.92 CDU: 929:78.071.1

Todos os direitos reservados, no Brasil, por
GMT Editores Ltda.
Rua Voluntários da Pátria, 45 – Gr. 1.404 – Botafogo
22270-000 – Rio de Janeiro – RJ
Tel.: (21) 2538-4100 – Fax: (21) 2286-9244
E-mail: atendimento@sextante.com.br
www.sextante.com.br

**Para meu pai e sua regra de ouro:
"Quem recebeu mais tem que dar mais."**

Para Drica, minha maior sorte.

OS MISTÉRIOS DA SORTE

Em 1974, numa viagem a Salvador, Gilberto Gil e sua mulher, Sandra "Drão", me levaram ao terreiro de Mãe Menininha do Gantois, em uma noite de festa para Oxum. Fiquei maravilhado com a atmosfera espiritual, os cantos e batuques, o cheiro das ervas, com a figura majestosa e sorridente de Mãe Menininha, uma rainha sentada num grande trono de palha. E sobretudo com as filhas de santo que dançavam no centro do terreiro e incorporavam entidades, cada qual com danças e movimentos próprios. Senti medo quando se aproximaram. E se um santo incorporasse em mim?

Então imaginei um conto em que o personagem está numa dor de corno monumental e vai a um terreiro em busca de alívio. Lá, sem querer, é possuído por uma entidade. O que aconteceria? Como ele se sentiria? Fiquei muito interessado pelo tema e comecei a pesquisar sobre a natureza do transe, incluindo muitas leituras e conversas com mães e filhas de santo que recebiam entidades, mas nenhuma delas se lembrava de nada depois do transe.

Ninguém sabe nem ciência alguma explica o transe místico e a possessão por entidades em terreiros de candomblé, ao ritmo hipnótico de cantos e batuques, ou pelo Espírito Santo em igrejas batistas do Harlem, ao som do órgão e do coro gospel. É o mesmo mistério.

O estudo do transe me levou ao da sorte, que para alguns se apresenta em forma de proteção e intervenção divinas, e para outros é puro mistério. O que faz alguém estar no lugar certo na hora certa? Ou longe do lugar errado? Como entender "coincidências" e "acasos" improváveis e implausíveis? Por que alguns têm sorte e outros não? Que sorte tem o espermatozoide que chega primeiro?

Ser atingido por um raio só pode ser explicado pela falta de sorte. Mas ser atingido duas vezes por um raio, como aconteceu a um lavrador brasileiro, e não morrer é o máximo da sorte. Ou ser como Joãosinho Trinta, recém-chegado ao Rio de Janeiro vindo de São Luís, sem comer há dois dias, que achou uma nota de 100 cruzeiros no Jardim da Glória. Ou alguém perder o voo que caiu. Ou ser assaltado e não sofrer nada.

Coisas ruins acontecem a todos, mas nem sempre são falta de sorte: significam oportunidades para a verdadeira sorte se manifestar no desfecho, geralmente associada a talento, esforço, determinação, competência, dedicação e capacidade de aceitar e aprender com fracassos e derrotas e saber que ninguém faz nada sozinho. Assim como a vida, a natureza e o cosmos, a sorte não é justa, não beneficia só quem merece.

Mas a sorte pode ser enganadora e traiçoeira. Às vezes, um acontecimento que parece ser sorte depois se revela ser o inverso, aquela palavra de quatro letras que não se fala. Pessoas que são a boa sorte para uns podem ser a má sorte de outros. A sorte pode ter consequências nefastas; já provocou a morte e desgraçou a vida de alguns sortudos que ganharam grandes prêmios na loteria.

A primeira inspiração para este livro foram os mistérios da sorte manifestada ao longo da trajetória de um personagem que conheço bem, mas do qual precisei me distanciar para ficar mais à vontade para contar suas aventuras e desventuras e explorar a presença da sorte em sua vida.

N.M.

Nota do autor: Alguns personagens retratados neste livro tiveram os nomes alterados para terem sua privacidade protegida.

SUMÁRIO

1944 São Paulo 13
1943 A pequena leoa 17
1946 Amores e onças 22
1950 Sorte grande 24
1950 Os Brito Franco 27
1957 O pequeno turfista 29
1953 Prisão feliz 32
1954 Chapa-branca 37
1957 Society juvenil 39
1958 Nas garras dos jesuítas 41
1960 Grand Monde 44
1960 Turma da rua 47
1960 O upgrade 49
1960 Epifania musical 51
1958 Vida esportiva 53
1958 Primeiras Coca-Colas 55
1959 A primeira vez 58
1959 O mundo musical 60
1960 Sob o céu de Brasília 62
1959 A volta aos jesuítas 65
1960 A vida real 67
1965 Paixão de verão 69
1963 A viagem do século 73
1964 A descoberta da forma 77
1965 Verão em Portugal 80
1966 Romance em Paris 83
1966 Vida acadêmica 89
1967 Tarde de núpcias 92
1965 Vida dupla 94
1965 Gravando! 97
1965 Bigamia 100
1966 Primeiros dinheiros 103
1966 Lugar e hora certos 106

1966 O "jacaré" 113
1967 Descoberta da América 115
1967 Grande chance 118
1966 Risco de vida 121
1967 Um segundo lar 123
1967 O charme do raposão 128
1967 A pequena grande Globo 132
1968 O francês 135
1970 Caçando talentos 138
1970 Bodas e bodes 141
1970 Vida de casado 144
1970 O avô maravilha 147
1969 O velho e a baixinha 150
1971 A diva escrachada 155
1972 O reverso da sorte 161
1973 A professora aloprada 165
1973 A volta ao jornal 170
1975 O rei da noite 174
1976 Dores do fracasso 176
1975 Melodrama lusitano 178
1979 Voo solo 181
1980 A Night to Remember 185
1980 Noites paulistanas 189
1981 Adeus, Baixinho 194
1981 Lacan na folia 197
1982 No divã 200
1982 Nilópolis-Manhattan 202
1982 Adorável doidivana 205
1983 Na lama 209
1983 Anos romanos 211
1984 Uma noite com Chet Baker 217
1985 O craque e a estrela 220
1986 Praia à italiana 222
1987 Estrela supernova 227
1989 Midas de araque 230
1988 Cores e dores 233

1988 Assalto cordial 237
1989 Driblando a morte 241
1990 Roubadas 243
1991 Lugar certo, hora errada 245
1991 Uma miragem opaca 248
1991 África-Nova York 253
1992 Os anos americanos 257
1992 Bloqueio defensivo 260
1992 Primeira grana 262
1992 Sonho e pesadelo 265
1992 O chinês que caiu do céu 269
1992 Partners in crime 274
1993 Bem-vindo ao mundo digital 276
1994 Music and business 280
1994 Latin lover 283
1994 Rapsódia americana 285
1995 Jeca set 289
1996 Sexo no colo 291
1996 La bella donna 293
1998 Bye bye New York 300
1995 Moralismo de araque 303
2000 Scholar de samba 306
2000 Volta ao lar 308
1996 Primeiros e últimos 311
1996 Fullgás 313
2002 Sob o sol de Ipanema 315
2003 O primeiro processo 319
2004 É a artéria, estúpido! 322
2000 Coração boleiro 325
2002 No mundo da fantasia 328
2004 A musa armada 331
2006 Ao som do mar 334
2006 Doutor em axé 338
2007 Som, fúria e gargalhadas 342
2007 O banco de respostas 345
2008 Folhas ao vento 348

2018	O novo velhismo	353
2006	On the road	356
2011	O dragão e a bananeira	358
2014	Contando histórias	363
2011	Um gênio da alegria	367
2012	Ator de documentário	369
2012	Páginas da vida	373
2013	A sereia cantou	375
2013	O gato comeu	379
2014	Tim na tela	382
2014	Elis revisitada	385
2014	Por um fio	389
2014	Em nome do pai	391
2014	Anjos e demônios	394
2014	O inverno do patriarca	396
2014	Xixa forever	399
2014	Pepe in the Sky with Diamonds	403
2018	O melhor e o pior	409
2015	World Fado	411
2015	Match Point em Lisboa	417
2014	Viva Marília!	419
2016	A redenção de um zumbi	425
2016	A volta do primeiro mestre	429
2016	Tecnologia do desapego	430
2016	A Big Loura	432
2017	A saga	435
2017	A morena e o Moreno	440
2017	Anitta e seu borogodó	443
2018	Home studio	447
2018	No castelo do rei	449
2019	Música e sentimento	455
2019	O au revoir do mestre	457
2019	Dias de dança	461
2017	A morena tatuada	467
2015	Flashback	470
2017	A volta da morena tatuada	474

44
SÃO PAULO

"O Nelsinho nasceu com o cu pra lua", dizia sempre o tio Vito, maior cabeça e talento da família. Catedrático de História da Arte na Faculdade de Arquitetura da Universidade de São Paulo, o professor Flávio Motta era adorado pelos alunos por seus conhecimentos de arte, sua verve e seu humor, além das eventuais doideiras. Numa ocasião, se empolgou no fim da aula, disse que tinha já transmitido aos alunos tudo o que sabia e, exaltado, esvaziou os bolsos na mesa, tirou o terno, a camisa, a gravata e ficou só de cuecão. Foi ovacionado pelos alunos. E, pouco depois, aposentado.

Pintor de imenso talento e muito culto, Flávio Motta, o tio Vito, também teve que enfrentar uma internação psiquiátrica depois de jogar fora seu dinheiro e todos os documentos e sumir no meio de uma plantação no interior de São Paulo. Nelsinho achou até poético e libertário, mas sua avó dizia que era maluquice mesmo e explicava que o organismo dele secretava alguma substância alucinógena que o deixava viajandão.

Nos braços do pai, Nelsinho recém-nascido de cu pra lua.

Nelsinho o adorava. Tinha 10 anos quando o tio Vito construiu para ele e a irmã mais nova, Cecília, uma casinha no alto de uma grande árvore na fazenda em Teresópolis onde passavam as férias. As crianças praticamente se mudaram para a cabana. A brincadeira acabou quando Nelsinho deixou cair lá de cima uma garrafa de Coca-Cola perto da cabeça de Cecília, que escapou por pouco e por sorte.

A avó Elza Lichtenfels, Dadá para os netos, era de origem austríaca, uma matrona alourada e de olhos azuis, carinhosa e liberal, ingênua e desorganizada, que tinha uma maneira peculiar de zelar pelo conforto dos filhos. Acordava antes a fim de desligar o despertador deles, "para descansarem mais um pouco", e os fazia chegar atrasados ao serviço militar e pegar cana. Quando pequenos, às vezes ela não os deixava ir à escola porque "estava frio demais". Nelsinho a via como um gatão amoroso. Dadá se apaixonou perdidamente pelo primeiro neto, nascido num domingo de 1944, "dia de Cristo Rei", como sempre o lembrava.

Dadá era rica. Ou melhor, tinha sido. Fora educada em Lausanne, na Suíça, e preparada para ser uma grande dama. A vida inteira falou *chauffeur* e *taxi* com pronúncia francesa. O pai dela era austríaco de Viena e veio para o Brasil fugindo do serviço militar e da Primeira Guerra. Louro, de olhos azuis, o engenheiro Bernardo Lichtenfels construiu uma usina hidrelétrica em Sorocaba, que foi desapropriada na Segunda Guerra como se alemã fosse, e ficou pobre. Era o que se contava na família. Apesar de terem convivido só dois anos, Nelsinho se lembraria para sempre de cada nota e cada verso da canção de ninar que o bisavô lhe cantava em alemão.

Dadá era casada com Dodô, como os netos chamavam o advogado, escritor e político Cândido Motta Filho, conhecido nos meios acadêmicos, jurídicos e políticos como Mottinha. Dodô era de classe média, um moreno baixinho, muito culto e inteligente, de uma tradicional família de juristas e intelectuais. Dadá foi pedida em casamento por Dodô durante uma partida de pingue-pongue em Sorocaba. Na noite de núpcias, quando ele buscou a legítima conjunção carnal, a noiva, espavorida, tentou fugir pela janela; não tinha ideia do que era sexo, ninguém lhe avisara nada a respeito. Tiveram cinco filhos em oito anos.

Apaixonado por Êlza, como Dodô dizia na pronúncia alemã, seu estilo era oposto ao dela: um avô tímido – tanto que escreveu o livro *Ensaio sobre a timidez* (1969) – e pouco afeito a beijos e abraços, mas amoroso no miolo. Quando Nelsinho estava tentando completar o álbum de figurinhas que vinham nas balas Futebol, compradas uma a uma na quitanda, Dodô lhe deu de presente de aniversário de 10 anos uma caixa inteirinha dessas balas. Eram umas cem, a própria caverna de Ali Babá. Nelsinho quase completou o álbum, mas teve uma baita dor de barriga – chupou todas as balas, que eram açúcar puro e só serviam mesmo para enrolar figurinha.

O doce Dodô era o oposto do avô materno, o impetuoso e bravo Dolor de Brito Franco. Isso mesmo, um homem chamado Dolor. A mãe dele se mudou recém-casada e grávida para Portugal, e lá morreu-lhe o marido, um português rico. Desgostosa e inconsolável, castigou o menino com o doloroso nome, que, nesse caso, não determinou seu destino. Como que para contrariá-lo, Dolor se tornou um advogado e político farrista e mulherengo, inteligente e culto, bom de papo e de copo, e ganhou o mais apropriado apelido de Lôlo, sua vingança contra o nome. Teve uma filha fora do casamento e fez questão de levá-la ao altar, para desespero de sua mulher, a beata vó Laura.

Lôlo era divertido mas esquentado. Os netos morriam de medo de sua fúria. Embora fumasse como uma chaminé, acender um cigarro na frente dele era esporro certo e tapa na mão. O avô Mottinha contava que o conheceu esbofeteando um sujeito numa livraria de São Paulo.

Baixinho e folgado, Dolor fez política no interior de Minas entre tocaias e tiroteios. Em São Paulo, travou amizade com Oswald de Andrade, com quem fundou a revista *O Pirralho*. Foi deputado federal por Minas Gerais, adorava fofocas políticas e saudava os netos adolescentes com um "Como vai esse devasso?", só que o devasso era ele. Os netos adoravam suas histórias do tempo dos cassinos.

Dolor e Laura tiveram três filhos – Raul, Carlos e Dolorzinho – e cinco filhas – a severa e sonhadora Dalka, a doce Laurinha, que repetia o nome da irmã que havia morrido aos 4 anos, e as belas Déa e Cecília, conhecida por todos como Xixa, a mãe de Nelsinho.

43
A PEQUENA LEOA

Xixa também nasceu com o cu pra lua.

Com seu narizinho arrebitado, lábios bem desenhados, olhos escuros e agudos, era bem baixinha e toda gostosinha, além de muito inteligente e ambiciosa. Falava com sotaque carregado do interior mineiro, de amorrr, de carrrne, de morrrte, mas não parecia caipira. Misturava sua natural doçura à fé católica da mãe e ao temperamento explosivo do pai. Aos 16 anos, entrou para a Faculdade de Direito de São Paulo e, com a irmã Déa, esteve entre as primeiras mulheres a se formarem no Largo de São Francisco.

Embora as duas provocassem frisson entre os colegas de faculdade, nenhum deles despertou maior interesse delas, que preferiram se concentrar nos estudos e se diplomaram entre as melhores da classe.

Doutora de anel no dedo, sempre bem-vestida com as roupas costuradas pela mãe, primorosamente penteada e maquiada, a bela Xixa estava cansada de ser pobre. Queria subir na vida, então foi procurar trabalho. Ouviu dizer que havia vaga na seção paulista do Departamento Esta-

A jovem leoa Xixa, advogada formada, encontrando o amor.

dual de Imprensa e Propaganda, dirigido pelo doutor Cândido Motta Filho, que tinha como assessor seu filho Nelson, estudante de Direito. Com olhos puxados de japonês, bigode grosso, cabelos emplastrados de brilhantina e simpatia irradiante, o jovem sentiu um calor no corpo e o coração acelerado quando viu Xixa. E teve absoluta certeza: "Vou me casar com essa mulher."

Além de advogada, Xixa era prendada – tocava piano, sabia costurar e cozinhar. Queria um marido de preferência bonito e rico, e chegou até a ter breves namoricos com dois pretendentes com esse perfil. No início, não se empolgou muito com a corte apaixonada de Nelson. Mas acabou completamente seduzida pela inteligência, o charme e a paixão avassaladora dele, e se casou com o pé-rapado que na época trabalhava como repórter e cronista mal pago do *Correio Paulistano* e ainda levaria dois anos para se formar advogado. Mas Xixa sentiu grande potencial naquele homem, o pai de Nelsinho.

Xixa o admirava muito e o amava porque ele a amava de maneira desvairada, tratando-a como uma rainha e fazendo todas as suas vontades. Ou quase. Durante toda a vida, quando o filho Nelsinho tinha uma namorada que aparentava estar apaixonada por ele, Xixa comentava no almoço da família, sem se importar com a presença do eternamente apaixonado Nelson: "Amar é muito bom, meu filho, mas ser amado é muito melhor." Então ria dengosa e mandava um beijinho para o marido.

Leonina orgulhosa e mandona, era de uma doçura extrema com os filhos e sobretudo com os netos, desde que fizessem o que ela queria. Gostava de usar a metáfora dos bichos que adoram quando lhes alisam o pelo no sentido em que nascem. Se for no contrapelo...

Tinha opinião sobre tudo, lia os jornais de cabo a rabo e livros de vários gêneros. Expressava-se não só por metáforas, mas também por máximas e provérbios. Um de seus preferidos era "Quem meu filho beija, minha boca adoça", que usava quando Nelsinho ou as irmãs recebiam um elogio. Ou então advertia sobre o exibicionismo, comentando que "Macaco que muito mexe quer chumbo". E nos momentos de fúria em uma briga com um filho, lançava sua terrível maldição, a verdadeira "praga de mãe": "Filho és, pai serás; assim como me fazes, assim te farão."

Tão elevada era sua autoestima que parecia não ter superego e considerava como grande termômetro da qualidade das pessoas simplesmente o fato de gostarem dela. "A Sheila é ótima. Ela me adora", falava com naturalidade.

Sempre se gabou para filhos e netos de que, quando criança no colégio interno, em Taubaté, era tão boa aluna que não lhe bastava a nota dez. Várias vezes lhe davam nota onze ou doze, excelência máxima na escala de valores das freiras. Xixa se considerava uma mulher nota doze.

Foi por essa mulher que Nelson se apaixonou perdidamente e dedicou a vida a amá-la, servi-la e protegê-la. Por ela abandonou a carreira de jornalista que tanto apreciava e que o levou a chefe de redação aos 23 anos a fim de se formar advogado e ganhar dinheiro para dar conforto e alegria a Xixa e aos filhos. Ele mesmo pouco ligava para isso. Exagerava que poderia viver como um franciscano e dizia que o que lhe importava mesmo eram a família e a advocacia. Tinha grande fé em sua inteligência e seus sentimentos generosos.

Embora preparadíssima pelos excelentes estudos e pela assertividade e a determinação leonina que teriam feito dela uma ótima advogada, Xixa teve que renunciar à carreira porque Nelson não admitia que trabalhasse e via isso como uma humilhação. O macho era o chefe da família e o provedor. Ponto final. Além disso, ele não se aguentaria de ciúme com ela trabalhando fora.

Aquariano visionário, romântico e idealista, tão trabalhador que o tio Vito sempre o chamava de "burro de carga", Nelson fazia a faculdade de manhã e trabalhava até tarde da noite no jornal, era um dos principais repórteres de Assis Chateaubriand no *Diário de São Paulo*. Só melhorou um pouco de vida quando entrou para *O Cruzeiro*, a maior revista da época, assinando reportagens com o fotógrafo francês Jean Manzon, e passou a ganhar o suficiente para se casar e manter um sobradinho com uma salinha na parte de baixo e dois quartinhos em cima, no bairro de Perdizes, a poucas quadras do casarão na rua Bartira onde morava a família Motta.

Chamada por eles de Bartirão, era uma bela casa cor-de-rosa de dois andares, muros altos e um pequeno jardim, com uma palmeira na frente e um vasto quintal gramado nos fundos. No térreo havia uma ampla sala de jantar e uma grande biblioteca e sala de estar com janelas para o jardim. No andar de cima ficavam os quartos do casal e dos seus cinco filhos. A vida era confortável e alegre no Bartirão.

No início do namoro, quando mais queria impressionar Xixa, Nelson era vítima frequente do histrionismo de seu irmão Vito, o erudito, que aos 25 anos já dava aula de história da arte e fascinava Xixa com sua cultura e seu humor. Vito podia aparecer "por acaso" num encontro deles na Confeitaria Vienense, na rua Barão de Itapetininga, vestindo o mesmo terno que Nelson havia usado no encontro anterior e sugerindo que a vestimenta era dele. E, claro, aceitar um lanche grátis. Ou surgir de repente na Confeitaria Fasano, todo molambento e com luvas de lã puídas, a fim de constranger Nelson. Xixa adorava. E Vito se tornou seu palhaço favorito.

A família se encantou com a beleza, a inteligência e a educação de Xixa. Todos a paparicavam, desde o futuro sogro, Mottinha, que via com bons olhos seu amor pela leitura e lhe dava livros, até os irmãos de Nelson: Paulo, o mais bonito e mais novo; Candão, o mais viril e brigão; Vito, o mais culto e engraçado; e Leza, batizada de Maria Tereza, criatura adorável, superprotegida pelos pais e irmãos. Nelson era o mais velho, mais sério e mais generoso, e foi o primeiro a se casar. Mas todos os irmãos se casariam com Xixa sem pestanejar.

Casaram-se em janeiro de 1944. A lua de mel seria na cidade de Poços de Caldas, em Minas Gerais, no famoso Palace Hotel, com seus jardins e cassino, presenteada por um fazendeiro rico amigo dos Brito Franco. Nelson estava tão preocupado em não perder o trem para Poços de Caldas depois da tão esperada noite de núpcias que deu uma gorjeta generosa logo ao entrar no hotel após a festa, para que o acordassem na hora. Só de manhã descobriu que o hotel em que passaram a noite ficava em frente à estação ferroviária.

Ele estava tão apaixonado que decidiu fazer abstinência sexual absoluta durante um ano antes do casamento. Xixa era virgem, mas estava pegando fogo. E Nelson, enlouquecido de desejo com os beijos e intimidades do noivado, deu seu jeito de se guardar para ela até a noite de núpcias.

Em Poços de Caldas, a atividade amorosa foi intensa, e exatos nove meses depois nasceu Nelsinho.

Primeiro nude de Nelsinho com a máquina de escrever em que o pai ganhava a vida.

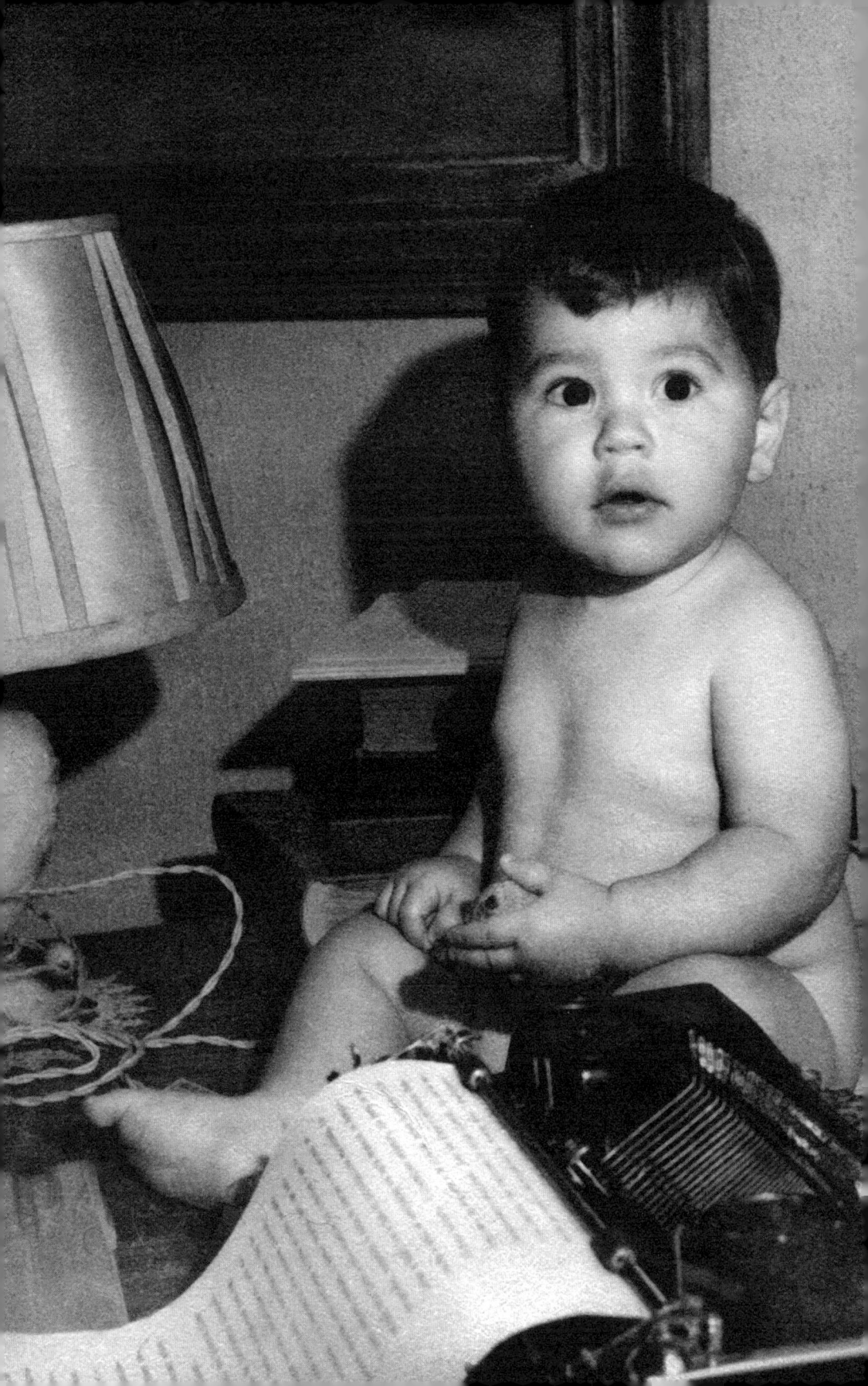

46
AMORES E ONÇAS

Aos 2 anos, Nelsinho sentiu pela primeira vez o que parecia ser amor. Na sua festa de aniversário, passou o tempo todo grudado na prima Cida, um ano mais velha, e até emprestava seu novo velocípede tico-tico para ela. Só para ela. Achava Cida linda, com seus cabelos cacheados e seu bocão. Passaram a tarde indo e vindo de velocípede por um corredor ao lado da casa que levava ao quintal, que não era mais do que um quadradinho de terra e uma estreita passagem entre a casinha e o muro, mas que, do ponto de vista de Nelsinho, eram espaços imensos.

Além da descoberta da atração amorosa, o aniversário ficou marcado pelo presente de que ele mais gostou: uma onça forrada de tecido emborrachado amarelo com pintas pretas que chamou de Genoveva. Ela o acompanhou durante toda a infância e também marcou o início de um amor, que duraria a vida inteira, por esses felinos.

Genoveva teve várias reencarnações, com diferentes tipos de recheio ou de tecido de cobertura, e a última, com 4 anos de vida, foi com uma pele de jaguatirica que Nelson e Xixa trouxeram de uma viagem ao Rio de Janeiro. Assim, Genoveva foi forrada com uma autêntica pele de onça, que Nelson disse ter caçado no Pão de Açúcar – provavelmente nas lojas para turistas da estação do bondinho.

Além de Genoveva, Nelsinho conheceu outra forma de amor: a babá Lurdes, uma mineira negra de pele clara, um pouco mais jovem que Xixa, e que ele, e depois todos, chamavam de Údi. Passava mais tempo com ela do que com a mãe e as avós, e a adorava. Ela fazia todas as suas vontades, era carinhosa e amorosa. Palmeirense, discutia futebol com Nelsinho, que era corintiano por influência do avô e dos tios Brito, pois os Motta não ligavam para futebol.

Com 2 anos, Nelsinho foi à formatura do pai, na Faculdade de Direito do Largo de São Francisco, nos braços de Xixa, já advogada formada. Nelson trabalhava na revista *O Cruzeiro* para sustentar a família e ao mesmo tempo começou a advogar em um escritório de São Paulo. Uma de suas primeiras causas mudaria sua vida: a defesa de um cliente num processo movido pelo poderoso Joaquim Rolla, que fez fama e fortuna na era dos cassinos e foi dono do Cassino da Urca, do Quitandinha e de outros espalhados pelo Brasil. Com a proibição do jogo em 1946, Rolla teve que mudar de ramo, dedicando-se à hotelaria e ao turismo.

Embora tivesse perdido a ação, Rolla gostou tanto do trabalho daquele jovem advogado simpático e cordial que lhe havia ferrado que o convidou para representar suas empresas no Rio de Janeiro. A competência e a simpatia eram de Nelson, mas a sorte era de Nelsinho, ao se mudar para o Rio de Janeiro em 1950, em plenos Anos Dourados da capital da República.

SORTE GRANDE

A primeira manifestação de sorte grande de Nelsinho aconteceu quando ele tinha 6 anos, a irmã Cecília, 5, e haviam se mudado pouco antes com os pais para o Rio de Janeiro. Numa bela manhã de sábado, Nelson saiu com a família em seu pequeno Skoda preto e, ao cruzarem a Barata Ribeiro, um lotação furioso avançou o sinal, pegou em cheio e jogou longe o carrinho, que capotou várias vezes antes de parar numa árvore, de rodas para cima. Para quem testemunhou o acidente, os prognósticos eram tenebrosos.

Nelsinho se lembrava de um barulhão e de tudo começar a girar até sentir que alguém o puxava do banco de trás revirado. Era seu pai, numa espécie de parto, tirando-o de dentro do metal retorcido. Em meio aos vidros estilhaçados e ao cheiro de gasolina derramada, saíram todos ilesos, ou quase: Nelson com um pequeno corte na coxa e Xixa com um baita galo na testa. Para espanto do povo que cercava o carro destruído, voltaram caminhando para casa, onde foram medicados.

Um dos grandes ícones urbanos do Rio de Janeiro nos anos 1950 e

1960, os lotações eram micro-ônibus com a metade dos assentos de um ônibus comum que deram origem a um temido tipo popular carioca: o "chofer de lotação". Aproveitando a maior mobilidade daqueles bólidos de lata colorida que cruzavam as ruas do Rio, os motoristas costuravam pelo trânsito, disputavam corridas, davam fechadas e frequentemente se envolviam em colisões e atropelamentos. Eram um intermediário entre motorista de caminhão e de ambulância.

Calças arregaçadas até os joelhos, camisa aberta no peito e uma flanela enrolada no pescoço, supostamente para enxugar o suor e enfrentar o calor da cidade e do motor, eles dirigiam sempre com o braço esquerdo para fora da janela, geralmente dando uma banana para os retardatários.

Para os que viajavam em pé, o cobrador gritava seu bordão: "Vamos dar um passinho à frente que o meio do carro está vazio!" Se os passageiros não obedecessem, o chofer logo dava uma freada brusca e uma guinada para o lado. Quando o lotação estabilizava, o meio do carro já não estava vazio: os passageiros haviam se distribuído uniformemente pelo corredor entre os bancos. Os profissionais chamavam essa manobra de "freada de arrumação".

Por essas e outras, a prefeitura acabou proibindo passageiros em pé nos lotações e passou a fiscalizar e multar os desobedientes. Mas a criatividade carioca logo se manifestou, com a criação do truque do "abaixadinho", em que os passageiros viajavam de cócoras, com a cabeça no nível dos sentados, enganando os fiscais na calçada.

Os choferes de lotação eram tão temidos que circulava uma piada em que dois homens esperam condução na calçada. Ao avistar um lotação se aproximando em velocidade, um deles avisa: "Cuidado que ele já te viu!"

Quando veio ao Brasil nos anos 1960, o cineasta Jean-Luc Godard ficou fascinado com os lotações e reclamou que o "Orfeu negro", no filme de Marcel Camus, não deveria ser um favelado, mas um chofer de lotação.

50

OS BRITO FRANCO

Nelsinho foi o primeiro neto e o primeiro sobrinho dos Motta, e o segundo dos Brito Franco, que moravam no bairro da Aclimação num sobrado modesto, com saleta e sala de jantar embaixo e quatro quartos apertados em cima. Num deles dormiam Xixa e Dalka. Em outro, o lindo e adorável Dolorzinho, que herdou o doloroso nome, mais ridículo no diminutivo e amenizado pelo apelido de Dôzinho. O outro quarto era dividido pelo estudioso Raul e o não menos bonito, mas doidão, Carlos, mais conhecido como Britinho.

Simpaticíssimo, muito inteligente, com voz rouca e fala veloz, nariz arrebitado e um bigodinho fino sobre os lábios, Britinho se formou advogado a duras penas. Sempre gostou de beber e de fumar e foi um dos primeiros rapazes da Aclimação a experimentar um cigarro de maconha e, depois, uma fileira de cocaína, no fim dos anos 1950. Os sobrinhos o adoravam, pelo seu temperamento alegre e por suas aventuras na cozinha, como o insuperável canapé "Matinho".

Pica-se um monte de salsinha, bem miudinha; amassam-se com um

Getúlio Vargas achando graça de um comentário do Dr. Mottinha na ABL.

garfo pequenas porções de anchova enlatada; acrescentam-se, com parcimônia, rodelinhas de pimenta-dedo-de-moça; e mistura-se tudo com o próprio óleo das anchovas e bastante limão. Serve-se em torradas ou pedaços de pão. Mas cuidado! Provoca dependência.

Para Nelsinho, o tio Britinho tinha outro atrativo especial: adorava corridas de cavalos, como ele.

57
O PEQUENO TURFISTA

Aos 13 anos, Nelsinho sabia de cor a filiação e o resultado das últimas performances de todos os quinhentos cavalos do Hipódromo da Gávea, reconhecia as fardas dos jóqueis e a pelagem dos animais, sabia se suas ferraduras eram de ferro ou de alumínio ou se correriam desferrados. A primeira coisa que lia de manhã era a página de turfe do jornal, e também estudava detalhadamente os programas das corridas da semana na revista *Vida Turfista*. Sempre que vinha ao Rio, Britinho o levava "ao prado", e eram tardes de glória. O tio apostava por ele e lhe dava os lucros. E quando Nelsinho ia passar férias em São Paulo, o tio o levava ao Hipódromo de Cidade Jardim.

Com o colega Miguelzinho, do Colégio Santo Inácio, também turfista adolescente, matava aula às quintas-feiras à tarde para ir às corridas, onde jogavam até o último centavo das mesadas. Nelsinho chegava a apostar o dinheiro que a mãe lhe dava para o lanche. Perdia mais do que ganhava. Uma vez teve que ir a pé do Jockey ao Flamengo, onde morava, pois não sobrara dinheiro nem para o bonde, e mendigar estava fora de questão.

Torciam apaixonadamente por jóqueis, cavalos e studs. Nelsinho era fã de Luiz Rigoni; de cavalos como o Escorial e o Narvik, que conquistaram o primeiro e o segundo lugar no Gran Premio Carlos Pellegrini, na Argentina, na maior derrota turfística da terra do cavalo; e do Stud Seabra, com sua farda verde e preta em listras verticais. E adorava os nomes sofisticados dos puros-sangues criados no Haras Guanabara, como Emerson, Lohengrin, Canaletto, e as éguas Dulce e Emerald Hill, que também ganharam Grandes Prêmios na Argentina. Era como torcer para um time de futebol, soltando o grito de guerra quando entravam nos 400 metros finais: "Dá-lhe, Rigoni!"

Rigoni usava pouco o chicote na anca do cavalo e preferia colocá-lo junto à orelha do animal, como se tocasse um violino, "empurrando-o" para a vitória. O público delirava. Por isso Rigoni ganhou o apelido de o Homem do Violino.

Após uma queda séria, ficou meses em recuperação, e sua volta às pistas emocionou Nelsinho. Num páreo contra três adversários, Rigoni venceu, tocando seu violino e sendo ovacionado pelo público. Depois se descobriu, pela filmagem do páreo, que seus dois principais adversários tinham gentilmente facilitado a vitória do mestre, e com isso os dois foram suspensos pela comissão de corridas.

Como não tinham idade para jogar, Nelsinho e Miguelzinho pediam a algum adulto na fila que apostasse ou recebesse por eles. Que emoção ouvir os alto-falantes anunciando: "O resultado está confirmado. Pooodem pagaaar!" E que alegria receber aqueles montes de notas. Se perdessem, era rasgar as pules e estudar o próximo páreo.

Um dia foram denunciados e punidos com três dias de suspensão no Santo Inácio. O caso era grave. Os pais foram chamados ao gabinete do padre-diretor. Com grande espanto e constrangimento, Miguelzinho e Nelsinho foram acusados diante dos pais de matar aula para ir ao Jockey, não para jogar, mas para assistir aos cavalos e éguas se acasalando. A mente pervertida do padre não fazia ideia de que os cavalos só copulam nos haras e não nas cocheiras do Jockey Club, onde imaginava haver um bordel equino, com os dois garotos assistindo de mãos dadas. E não entendia nada de turfe. Imaginem um craque das pistas dando uma rapidinha antes de correr!

Nelsinho diria a vida inteira que o problema dos jesuítas é que você pode sair deles, mas eles nunca saem de você.

53
PRISÃO FELIZ

Antes de enfrentar os jesuítas, Nelsinho passara dois anos no internato do Colégio de São Bento, no Alto da Boa Vista, aprendendo e sendo feliz com os beneditinos, alemães em sua maioria. Seu lema era *Ora et labora*, "Reza e trabalha", ao passo que o dos jesuítas, criado por um ex-militar, era *Ad majorem Dei gloriam*, "Para maior glória de Deus".

Xixa e Nelson estavam preocupados com a vadiagem da turma da rua em Copacabana, com as "más companhias", e resolveram internar Nelsinho no São Bento e Cecília no Sacré Coeur de Jesus, um em frente ao outro. Ou talvez quisessem mais tempo para viver o amor deles, ir dançar no Vogue ou no Sacha's, assistir aos shows de Dick Farney e Dolores Duran, ou às revistas luxuosas de Carlos Machado no Golden Room do Copa com os amigos.

Nelsinho não se abalou com a notícia do internato, geralmente visto como um castigo para crianças indisciplinadas, uma prisão de luxo. Sentia-se tão preso em casa, com Xixa marcando em cima e multiplicando as proibições, que achava que não haveria grande diferença.

Certo dia, Nelsinho ia jogar futebol com a turma da rua na praia, que ficava a poucos quarteirões, mas Xixa vetou. Não por castigo ou vagabundagem nos estudos, mas por medo dos perigos de Copacabana para crianças de 9 anos soltas. Humilhado diante da turma, foi chorar trancado no quarto.

Banhado em lágrimas e com o coração transbordando de raiva, jurou vingança. Um dia, quando ficasse famoso – só não sabia como, já que não tinha nenhuma habilidade especial – e lhe perguntassem, como nas entrevistas que via com artistas e jogadores de futebol, qual a maior tristeza de sua vida, Nelsinho cravaria: "Foi o dia em que minha mãe não me deixou jogar futebol na praia com meus amigos."

A despedida de Xixa na porta do colégio foi dramática. Ela caiu em um choro incontrolável ao ver seu Nelsinho com a malinha, entrando em fila com outros garotos como se fosse para o corredor da morte.

O colégio era ótimo. Só uma centena de garotos, entre 10 e 11 anos, divididos entre a quarta e a quinta séries, bons professores e padres disciplinadores, que no máximo davam um cascudo no faltoso. Mas que cascudo! Tinha piscina (só aos sábados), quadra de vôlei, jaqueiras e jambeiros gigantescos, quadra de croquet gramada e um imenso campo de futebol de terra batida.

Deu sorte. Até a comida era boa. Os padres tinham uma boa horta e ótimos cozinheiros. O cardápio era variado, mas era obrigatório comer tudo. Nelsinho detestava peixe, só que não havia a opção de não comer com o temido bedel – o seu Karlos, um alemãozão gordo e careca, que Nelsinho fantasiava ser um ex-oficial nazista foragido – fiscalizando a enorme mesa com cinquenta garotos de cada lado. Nelsinho misturava o peixe com o purê de batatas, prendia a respiração e engolia com água. Também não se podia conversar durante as refeições.

Os alunos se tratavam por seus respectivos números, como nos presídios. O time de futebol de Nelsinho era 9, 25 e 104; 12, 55 e 17; e no ataque, 23, 66, 68 e a dupla de irmãos 82 e 86, na formação 2-3-5 da época. Nelsinho era o 23, ponta-direita, e usava uma camisa do Flamengo. Corria muito, mas não jogava nada, era muito ruim de bola. Nas peladas de rua ou de campinhos no Bairro Peixoto, em Copacabana, às vezes tinha que jogar no gol, mesmo sendo o dono da bola. Era a pior coisa: além de ser baixinho, morria de medo de levar uma bolada.

Mas no internato era bom na bola de gude. À vera. Quem ganhava levava as bolinhas do outro. Foi aperfeiçoando a mira e os tiros e virou um dos mais temidos jogadores do colégio. De manhã, os que já estavam prontos, de cama arrumada, como Nelsinho, podiam ficar no dormitório exibindo sua coleção de lindas bolas de gude coloridas que um dia haviam sido de alguém, guardadas num grande saco como conquistas de guerra. Até a campainha tocar para as orações na capela e o café.

E se comovia com seu pai, nas visitas de domingo, querendo jogar bola de gude com ele. Era um amador contra um profissional. Ficava com pena. Não sabia se ganhava ou se perdia de propósito.

Havia um grande recreio depois do almoço e outro depois do jantar, das 18:30 até as 20:30, hora de ir dormir. Para Nelsinho, era meio melancólico, com a iluminação fraca lançando sombras sobre o campo de futebol e os garotos jogando bola de gude ou brincando de polícia e ladrão, cercados pelas massas verdes da floresta da Tijuca adormecida.

O que lhe dava mais saudade de casa eram a televisão, mesmo em preto e branco e com dois canais, e os gibis que lia aos montes, emprestados dos garotos do prédio. Não sentia falta de pai e mãe, que o visitavam aos domingos no colégio no período de adaptação e depois passaram a buscá-lo domingo de manhã, para dormir em casa e voltar na segunda cedinho. Na estação do Largo da Carioca, o irmão Ambrósio os esperava e comandava o embarque para a longa e linda viagem pela floresta até o Alto da Boa Vista.

Outra grande vantagem do São Bento eram as temperaturas. Deitado em sua cama no dormitório do quarto andar, Nelsinho via pela janela o grande letreiro de neon verde da Clínica Dr. Xavier do Prado, pois o clima no Alto da Boa Vista era bom para tuberculosos. Enquanto Nelson e Xixa se esvaíam em suor nas noites tórridas em Copacabana, com um ventilador que só deslocava o ar quente, no Alto da Boa Vista, Nelsinho e os colegas dormiam de cobertor. Era o ponto mais frio do Rio de Janeiro.

O colégio tinha uma ótima biblioteca juvenil, onde Nelsinho leu todos os vinte volumes do Tesouro da Juventude; as obras completas de Monteiro Lobato; os clássicos juvenis de Júlio Verne e Emilio Salgari; *A Ilha do Tesouro*, de Robert L. Stevenson, e *As aventuras de Tom Sawyer*, de Mark Twain. Quando, por indisciplina, às vezes ficava sem saída no domingo, lia sem parar e conversava com os outros punidos, sempre os chamando pelo número. Não havia estudos nesse dia; era só um domingo longe de casa.

No São Bento, a disciplina era germânica. Quem fosse advertido cinco vezes durante a semana perdia o direito de sair. Foi o tempo em que Nelsinho mais teve prazer em estudar: gostava das aulas, prestava atenção, e chegou aos primeiros lugares de sua classe. O colégio tinha um ambicionado Quadro de Honra do mês, com os nomes e as notas dos melhores alunos, em caligrafia gótica e com moldura dourada, pendurado no corredor de entrada.

Para entrar no quadro, não bastavam ótimas notas: era preciso ter no mínimo média oito nos itens comportamento e aplicação. Um dia, dom Rafael, o reitor, procurou Nelsinho no recreio e lhe disse que, embora suas notas fossem as melhores da classe, seu comportamento deixava muito a desejar. Mas, como as faltas não eram graves, lhe daria seis, que, somado ao dez em aplicação, chegaria à média oito, levando Nelsinho ao topo do Quadro de Honra, com seu nome escrito na bela caligrafia, que exibiu depois orgulhoso aos pais.

Tinha predileção especial pelo professor Adauto, de português, um maranhense boa-praça que gostava de ensinar, de ver os alunos crescerem; adorava literatura e poesia, e promovia torneios de leitura de textos e poemas, com votação secreta. Os competidores deitavam a cabeça na carteira para não ver os votantes. Nelsinho ganhou várias vezes. Gostava de declamar, treinava antes. Quando perdia, ficava fervendo por dentro. Foi o professor Adauto que o estimulou em seu amor às palavras, indicando livros e autores, fazendo concursos de redação.

No primeiro deles, o tema foi "Autobiografia", e Nelsinho caprichou na escrita. Achando difícil encontrar sua maior tristeza, acabou atribuindo-a não à tarde do futebol proibido pela mãe, afinal ainda não era famoso, mas à morte de sua bisavó velhíssima que mal conheceu e chamou de "querida bisavozinha".

Nelsinho ficou pasmo de admiração com o texto vencedor, que não foi o seu. A redação vitoriosa começava com: "Vi pela primeira vez a luz do dia numa manhã luminosa de abril..." E se seguiam todos os clichês típicos de um texto autobiográfico. Sem imaginar que o pai ou a mãe do garoto vencedor é que tinha escrito aquelas palavras, Nelsinho se sentiu humilhado. Aquilo é que era escrever. Mas começou a gostar de metáforas e ganhou o segundo concurso, cujo tema foi "Férias".

Uma vez, por repetidas indisciplinas na aula, o professor Adauto cancelou a saída de domingo do 23 e do 68. Porém, mortificado, voltou ao colégio no domingo de manhã com dois sacos de balas e chocolates para os punidos, apesar de os doces serem proibidos no internato.

54
CHAPA-BRANCA

Um dia, Nelsinho foi chamado em plena aula. Sua tia Leza o esperava na portaria. Ele ficou com o coração tremendo. Mas era só porque o avô Mottinha tinha sido nomeado ministro da Educação do governo Café Filho. Sem entender a relação de sua saída com a nomeação do avô, Nelsinho adorou a volta à televisão e aos gibis, proibidíssimos no internato.

A notícia logo se espalhou no colégio. O professor de matemática – que Nelsinho detestava, pois matemática era a matéria em que tinha suas maiores dificuldades e frequentemente ficava de castigo depois da aula escrevendo cem vezes no quadro-negro frases idiotas – logo veio cumprimentá-lo pelo avô e entregou-lhe um papelzinho com o nome de um sobrinho pedindo que o transferisse do Pedro II da Marechal Floriano para o do Engenho Novo. Entregou o bilhete ao avô e o professor nunca mais o obrigou a escrever frases idiotas na lousa. Passou a protegê-lo tanto que o deixava constrangido, cumulando-o de elogios e notas altas. Nelsinho começou a conhecer a alma brasileira.

Depois de dois anos felizes no São Bento, único período de sua vida em que estudou com prazer e esteve entre os primeiros da classe, Nelsinho se preparou para prestar o exame de admissão no Santo Inácio, tradicional colégio da elite carioca onde o avô Mottinha havia estudado. Para isso, durante as férias, frequentou um cursinho preparatório no próprio Santo Inácio. Passou a duras penas. O colégio teve que fazer uma nova prova de matemática, já que a maioria absoluta não havia passado na primeira, inclusive Nelsinho. Ô sorte.

No Santo Inácio, o ensino era muito mais puxado que no São Bento, e o currículo, carregado: latim, português, inglês, francês e espanhol. Além de matemática, ciências, história, geografia e religião. E o professor de português era chatíssimo: só valorizava a gramática e as regras decoradas, nada de literatura. Sua frase bordão era "Seu vagabundo, zereta na caderneta".

Nelsinho passou raspando na primeira série ginasial, mas na segunda capotou. Ficou de "segunda época" em 1956, ou seja, teria que estudar nas férias e prestar um exame em fevereiro do ano seguinte para conseguir os pontos necessários para a aprovação. E justamente em português.

Como nada sabia de gramática, Nelsinho escrevia "de ouvido" e confiava que se salvaria na redação, mas esta acabou saindo péssima e ele foi reprovado. Teria que repetir o ano, todas as matérias de novo. E, pior ainda, teria que sair do colégio. E dar a notícia em casa.

57

SOCIETY JUVENIL

No Santo Inácio, Nelsinho conheceu a elite carioca – filhos de políticos, empresários, empreiteiros, garotos do Country Club, com sobrenomes longos e tradicionais, e também músicos iniciantes, como Marcos Valle, Edu Lobo e Sidney Miller, o "Ratinho", com quem dividia uma carteira no fundo da sala e que, muito mais aplicado, generosamente lhe passava cola nas provas.

Começou a ir a festas de garotos grã-finos, como as no belo apartamento do colega Assunção, em Copacabana, onde conheceu a moreninha Beth, de cabelinho Chanel, que estudava no Colégio Jacobina, só para meninas, a poucas quadras do Santo Inácio, estritamente masculino. Como as aulas terminavam no mesmo horário, os meninos iam esperá-las na saída e alguns namoros, ou quase, floresciam na bonbonnière da esquina.

Embora fosse um péssimo dançarino, Nelsinho dançou várias vezes com Beth, sem esfregações, no maior respeito, no máximo aproximando-se para lhe sussurrar algo ao ouvido. E sentir seu perfume. Ao longo de toda a vida ele nunca esqueceria aquela fragrância, unindo a memória amorosa à olfativa. Chegou em casa apaixonado pela moreninha de nariz arrebitado e cabelo Chanel.

Começaram a trocar longos telefonemas, interrompidos por reclamações familiares através das várias extensões da casa. "Não sai desse telefone! Preciso falar!" Nelsinho a encontrava na saída do Jacobina e passou a lhe dar carona na ida para o colégio no Ford Fairlane 55 de Nelson, que era preto e branco e tinha estofado vermelho, com um motorista português. Mas tinha vergonha de se declarar.

Num domingo de muita chuva, Nelsinho foi à missa – Xixa obrigava todos os filhos a irem – numa igreja perto de casa, no Flamengo. Estava hospedando um primo e comentou com ele que estava apaixonado e descreveu a garota. O primo não acreditou muito. Mas quem estava nas primeiras fileiras da igreja? Ela mesma, a perfumada Beth, com a família. Sem entender o que eles, que moravam em Botafogo, faziam ali tão longe e debaixo daquela chuva, com o coração na boca, Nelsinho apontou-a para o primo incrédulo e recebeu dela um sorriso e um adeusinho.

Nunca se declarou, com medo de ser rejeitado. Restaria o perfume.

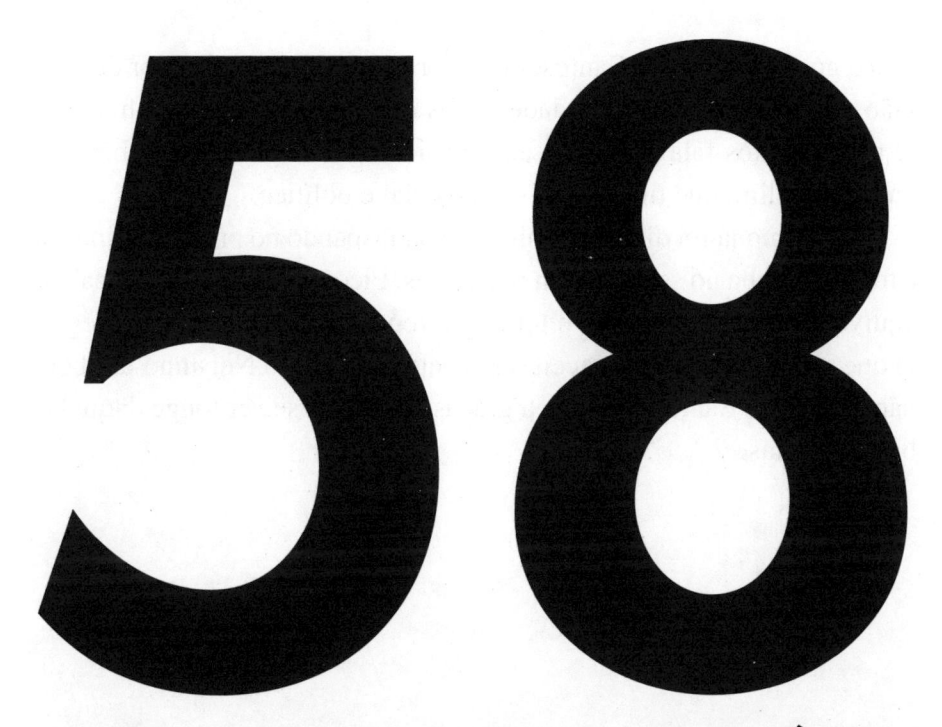

58
NAS GARRAS DOS JESUÍTAS

Os adolescentes do antigo curso ginasial, que entravam ao meio-dia com sufocantes uniformes de brim cinza, de paletó e ridículas calças curtas, ficavam maravilhados quando cruzavam com a saída do pessoal do colegial, como Arnaldo Jabor e Zózimo Barrozo do Amaral, que estudavam de manhã, não usavam uniforme e fumavam na porta do colégio.

O pior era jogar uma hora de futebol sob o sol escaldante e depois ter que colocar o paletó sobre a camisa encharcada de suor e voltar à sala de aula.

Nelsinho não sentiria saudades dos jesuítas. Odiava a noção de viver em pecado e de tudo ser proibido, a exacerbação da culpa incutida nos meninos. Tinha medo das histórias de padres que bolinavam e beijavam alunos. Um deles fazia mágicas com lenços, cartas e outros objetos para encantar os garotos. Diziam que se alguém fosse ao quarto deles as mágicas seriam outras, como a do "brinquedo japonês, que cresce na mão", debochavam no recreio.

Só gostava do padre Santos, que, teoricamente, era professor de religião, mas discutia com liberdade temas políticos, comunismo, história. O padre Santos falava até de sexo e psicologia. E gostava também do padre Angelim, que tinha forte visão social e política.

Mas, como já foi dito, Nelsinho passou raspando no primeiro ginasial e tomou bomba no segundo em português. Ficou de "segunda época" (o equivalente à recuperação) e teria que repetir o ano em outro colégio, já que o Santo Inácio não aceitava repetentes. Como Nelsinho também não aceitava o Santo Inácio, deu graças a Deus de se ver longe daquelas batinas pretas.

Portrait *de Nelsinho feito em poucos minutos por Flávio Motta, o tio Vito.*

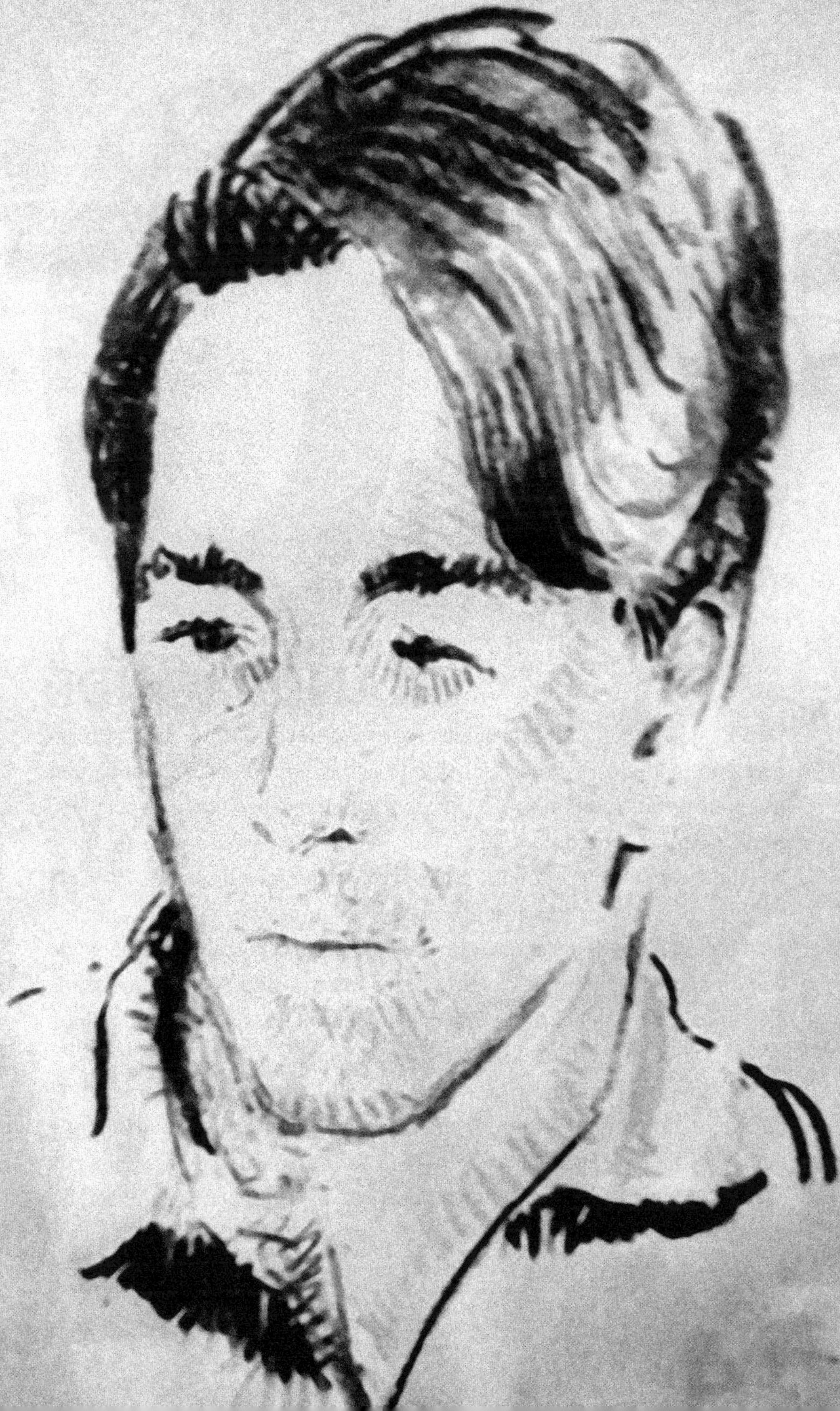

60
GRAND MONDE

Depois de levar bomba no Santo Inácio, o destino de Nelsinho foi o pequeno Instituto Princesa Isabel, na rua das Palmeiras, para onde iam os expulsos dos melhores colégios do Rio que não aceitavam repetentes. Mas era uma boa escola, que só tinha os quatro anos do ginásio, onde Nelsinho repetiria a segunda série e faria a terceira e a quarta.

Para ele, ir para um colégio pequeno numa casa de dois andares com uma quadra de basquete cimentada nos fundos era uma espécie de downgrade, ou "passar de cavalo a burro", como dizia Xixa. Pelo menos não tinha uniforme, era só colocar qualquer camisa branca com calça azul-marinho; e, melhor que tudo, tinha meninas.

Nelsinho passou fácil, mas teve uma professora de português que odiava, e era correspondido. Dona Sílvia era uma gaúcha muito feia e dura, de sotaque carregado, que fustigava os erros dos alunos com sarcasmos e deboches. Sempre dava notas baixas às redações de Nelsinho e vaticinava: "O senhor jamais saberá escrever."

Ah, as meninas... com suas saias azuis e blusas brancas. No primeiro dia de aula, os garotos acharam todas feias, tudo bagulho, nada que se aproveitasse. Com o convívio e o conhecimento, no fim do ano todas passaram a ser vistas como lindas e capazes de despertar paixões.

Como a de Nelsinho por Márcia, uma lourinha de 14 anos, alta, magrela, de olhos verdes e longos cabelos lisos. Como uma atriz francesa, imaginava ele. Fez versos para ela, e até uma música, mas Márcia disse a Nelsinho que não ia namorá-lo porque era mais alta do que ele. Nocaute.

Um dia, Márcia ligou e pediu que ele cantasse a música ao telefone. Mas botou para ouvir o namorado, mais velho e mais alto do que ela. Quando terminou, Nelsinho ouviu as risadas deles e uma saudação debochada do namorado, que tinha o apelido de Jacaré.

"Quando a luz da lua lá no céu se apagar/ quando o poeta não mais sonhar/ quando se apagarem as estrelas..." A musiquinha seguia com outras impossibilidades, até o final brejeiro e perdedor: "Quando tudo isso acontecer, aí, sim/ ela vai gostar de mim." Com todo esse otimismo, ficava mesmo difícil... Mas só depois Nelsinho viria a descobrir que era Márcia que não estava à sua altura.

Nelsinho encontrou no ruivo Aristóteles Drummond um amigo inseparável e parceiro na paixão por Márcia. Com a cara cheia de espinhas, andando encurvado como um velho e fumando como uma chaminé em gestos nervosos, era péssimo aluno e um outsider. Tinha mania de política e de fazer discursos exaltados e, por isso, era considerado um tanto excêntrico. Com suas chances com Márcia reduzidas a zero, contentava-se em assessorar e orientar Nelsinho sobre como conquistá-la.

Os dois discutiam a política de 1959, no governo desenvolvimentista e otimista de Juscelino Kubitschek, o esplendor dos anos JK. Mas Aristóteles era anticomunista roxo e fã exaltado do paulista Adhemar de Barros, político populista que, com o slogan "Rouba, mas faz", se confessava ladrão e foi candidato à presidência da República, sendo derrotado por JK.

Com voz embargada, Ari arremedava, como se estivesse num palanque, os discursos demagógicos de Adhemar, como o que começava com "Meu povo, ouço daqui o ronco dos vossos estômagos", para as gargalhadas de Nelsinho.

Aristóteles também era fascinado pela alta sociedade carioca, que chamava de Grand Monde, e depois, com mais intimidade, de Grand, do qual ele e Nelsinho tinham que fazer parte. As amizades com Christiano Kerti, José Antonio d'Orey, os irmãos Bento e Luís Felipe Figueira de Mello e Othon Berardo Carneiro da Cunha facilitariam as coisas. Poderiam frequentar a Hípica e o Country Club como convidados, as festas com música ao vivo, e conheceriam meninas lindas. Aristóteles se especializou em cumprimentar desconhecidos: beijava a mão das senhoras como os country boys, plantava notas nas colunas sociais. Nelsinho se divertia.

Foram à sua primeira festa com música ao vivo no bar mitzvah dos irmãos Rosemberg, num apartamento luxuoso na avenida Rui Barbosa, de frente para a baía de Guanabara. Havia um conjunto de piano, baixo e bateria, e o crooner Murilinho de Almeida, da boate Sacha's, famoso como o número um das noites cariocas. Clássicos de Cole Porter e do repertório de Frank Sinatra, sambas de Dorival Caymmi, "Night and Day", "Cheek to Cheek", "Mister Sandman"... Era como se os garotos de 14 e 15 anos, todos de paletó e gravata, bebendo uísque e fumando, estivessem no Sacha's.

Murilinho, o crooner, era baixinho e cantava muito bem, com um estilo viril e uma voz poderosa, embora fosse ostensivamente gay na fala e nos gestos. Fora do palco, era desbocado e provocador. Ficou encantado com todos aqueles meninos bonitos e cheirosos, e depois de alguns uísques até fez uns galanteios, que provocaram risos nervosos nos machinhos.

Sempre curtos de grana, Aristóteles e Nelsinho planejaram seu primeiro business: vender mate na praia. O custo para fazer um latão de 20 litros e dos copinhos de papel era irrisório, daria um puta lucro – todo mundo tomava mate e havia poucos vendedores na praia. O problema era saber quem carregaria o tonel de 20 litros debaixo de sol a pino na areia quente...

Nelsinho descartou a ideia. Aquela era uma explícita exploração do homem pelo homem.

60
TURMA DA RUA

A proximidade do Colégio Princesa Isabel com a rua da Matriz levou Nelsinho a fazer parte de uma turma, algo que tanto queria e nunca teve enquanto viveu na rua Paissandu, no Flamengo. Nelson e Xixa se mudaram para lá depois de cinco anos no Bairro Peixoto, onde moravam num apartamento de três quartos, no terceiro andar de um prediozinho sem elevador, que venderam ao escritor e tradutor Paulo Rónai.

A turma da Matriz incluía vários turfistas, e eles tinham até a comodidade de um bookmaker na rua, escondido nos fundos de uma casa com um leão de chácara na porta. Ali também bancavam uma roleta de dez números que pagava dez para um, mas tinha o zero, quando ganhava a banca.

A paixão – e os prejuízos – de Nelsinho continuavam. Entretanto, pelo menos pertencia a uma turma de verdade, de garotos e garotas de classe média, que gostavam de futebol, cavalos e festas. Todo mundo fumava, jogava e, nas festas, era livre o sarro dançante. Ao som da orquestra de Ray Conniff ou do conjunto de Waldir Calmon na vitrola, podia-se dançar bem agarrado com uma garota que gostasse de ficar batendo coxa e esfregando o corpo, o que inevitavelmente deixava o rapaz de pau duro, obrigando-o a uma saída meio suspeita da pista, cruzando as pernas e se curvando para tentar disfarçar a ereção indiscreta.

Mas não levava a mais nada, nem a beijo nem a amasso. Era só na pista. Algumas garotas se incomodavam com aquela coisa lhes batendo nas coxas e iam afastando o corpo e afastando e afastando, tanto que pareciam estar empinando a bunda para a lua. Enquanto isso os rapazes iam se curvando para trás e tentando manter a pressão pubiana de baixo para cima.

60
O UPGRADE

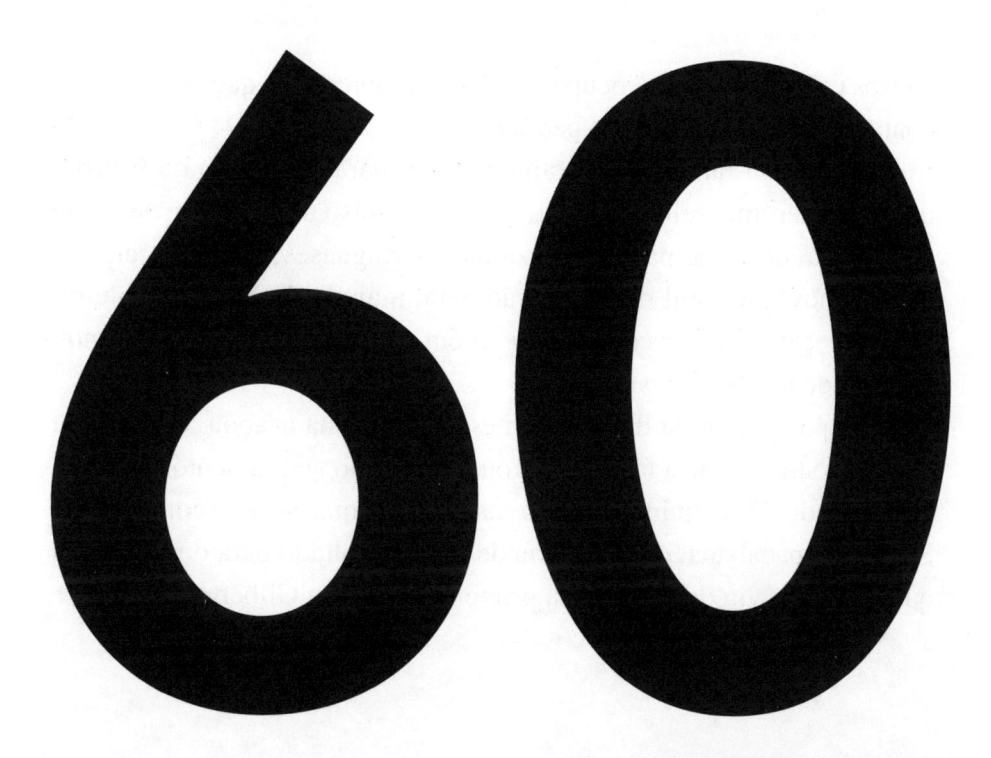

O novo apartamento era enorme, com 400 metros quadrados, na Paissandu, uma linda rua ladeada por palmeiras imperiais que começa na Praia do Flamengo e desemboca no Palácio Guanabara. O escritório de advocacia de Nelson ia bem e ele começava a ganhar dinheiro.

Xixa foi muito exigente na escolha do imóvel. Odiava corretores e às vezes bastava abrirem a porta e ela dar uma mirada geral para se indignar: "Mas como o senhor tem a ousadia de me mostrar um muquifo desses? Não vou nem entrar. Vamos embora."

Depois de escolha rigorosa e várias descomposturas em corretores, optou pelo apartamento da rua Paissandu, num belo edifício de doze andares dos anos 1940, com cômodos enormes e pé-direito alto. Ele tinha a particularidade de reunir todos os quartos de empregados no décimo segundo andar, uma espécie de senzala com liberdade. Diziam que ali as noites eram animadíssimas e as brigas, frequentes entre seus moradores. Tudo se passava nos corredores e nos 24 quartos de 3 x 4 metros com duas camas, ocupados por 48 empregados que se divertiam contando as fofocas de seus patrões.

Xixa gostou tanto do apartamento que, para desespero de Nelson, decidiu fazer uma reforma geral, que incluía piso de mármore na saleta de entrada, papel de parede de azulejos portugueses, quartos acarpetados e renovação total da decoração, com a ajuda de Mário Monteiro, que começava a fazer cenários na recém-criada TV Globo e se tornou seu grande amigo.

Com previsão para durar seis meses, a reforma acabou levando um ano, período em que a família morou num amplo apartamento de cobertura alugado de Joaquim Rolla, na rua Souza Lima, esquina com a Nossa Sra. de Copacabana, com um grande terraço voltado para o mar. Foi lá que Nelsinho viu de perto, pela primeira vez, João Gilberto.

60
EPIFANIA MUSICAL

Sua vida poderia ser dividida em antes e depois de João. Não ligava para música, até que, aos 14 anos, ouviu-o pela primeira vez cantando "Chega de saudade" num rádio de pilha, durante as férias em São Paulo na casa dos seus primos no bairro da Aclimação.

Nelsinho ficou chocado, sem saber se tinha adorado ou detestado. Logo tocou de novo, em outra rádio, e ele se encantou pela batida diferente do violão, pelas idas e vindas da melodia sinuosa, pelos abraços e beijinhos e peixinhos a nadar no mar da letra de Vinicius de Moraes. E se apaixonou pelo jeito de cantar de João, que parecia meio afeminado, mas era preciso e suingado, sem exageros, muito diferente daqueles vozeirões da Rádio Nacional que Nelsinho detestava. Comprou o disco de 78 rotações e tocou-o até gastar os sulcos da camada de goma-laca que o cobria, manuseando-o sempre com cuidado. Se caísse no chão, se espatifaria.

Como cada volta da agulha pelo disco raspava os sulcos da gravação, quanto mais tocava, mais gastava; o som ia ficando baixo e distante, até que se ouviam mais ruídos, estalos e chiados do que propriamente música. E aí Nelsinho comprava outro.

Ficou louco pela bossa nova, assim como Xixa, que o levou a um show de Nara Leão, Sylvinha Telles, Carlos Lyra e outros bossa-novistas no auditório da Escola Naval. Graças ao primo de Nelson, Gugu Mello Pinto, que era amigo de Ronaldo Bôscoli, um jornalista que namorava Nara e liderava o movimento no Rio, começou a frequentar festinhas de bossa nova com os pais, e logo Xixa também passou a recebê-los no seu apartamento – e no seu piano.

Com muita gente pelo chão, sem sapato, de uísque numa das mãos e cigarro na outra, como mandavam o intimismo e a informalidade da bossa nova, Nelsinho conheceu Johnny Alf – sempre com um sobrinho ou afilhado –, Nara Leão, Sérgio Ricardo, Roberto Menescal, Luiz Carlos Vinhas, Baden Powell, Chico Feitosa, Normando Santos, o barbudo Luís Carlos Miele – que não cantava nem tocava nada, mas era muito divertido – e André Midani – um sírio criado na França que havia trabalhado na gravadora Odeon e a quem Nelson estava ajudando na montagem de uma companhia de venda de discos a domicílio, a Imperial Discos. Estiloso, com calça de veludo e botinhas de camurça, Midani seria um personagem-chave na vida de Nelsinho. Era uma imensa sorte conhecê-lo.

Foi na cobertura de Nelson e Xixa em Copacabana, numa festinha para poucos convidados, que João Gilberto apareceu com o violão e tocou a noite inteira. Ficou encantado com Nelson, que lhe disse que no seu canto as palavras pareciam pedras que iam rolando pelo rio até se tornarem seixos lisos e arredondados.

Verdade. João só cantava uma música em público depois de meses, anos, treinando e aperfeiçoando a integração da voz com o violão. Com ele, Nelsinho aprendeu que o melhor método de preparação de um cantor é a repetição incansável, que na verdade não é repetição, porque, depois de horas cantando uma música, a última versão será sempre muito diferente da primeira. É assim que as pedras viram seixos.

58
VIDA ESPORTIVA

Com a mudança para a rua Paissandu, estavam a poucas quadras do Fluminense, na rua Álvaro Chaves, com seu estádio, piscinas, ginásio e sede luxuosa. Nelson então decidiu: seriam sócios do clube.

E Nelsinho passou a treinar toda manhã, como integrante da equipe de natação infanto-juvenil do Fluminense. Nadava 3 mil metros por dia, fora os tediosos treinos de pernada com prancha. Na primeira competição, chegou em segundo, mas nunca venceu uma prova.

Logo descobriu que, além da meditação obrigatória – contemplar os ladrilhos no fundo da piscina e pensar em nada ou quase nada –, os primeiros 100 metros do dia eram sempre muito penosos. Mas, depois, era como se ligasse o piloto automático: podia nadar 3, 4 ou 5 mil metros sem notar, só parando quando o treinador mandasse. Nas férias não quis ir com a família para uma fazenda em Teresópolis, emprestada por Joaquim Rolla, para não perder os treinos e ficar fora de forma. Não deu certo. A solução foi nadar num pequeno lago de águas escuras e fundo de lodo, com cheiro de podre e repleto de girinos nojentos. Voltou ao

Rio fora de forma, e aqueles primeiros 100 metros na piscina do Fluminense nunca foram tão penosos.

A grande contradição era competir pelo Fluminense mas ser Flamengo por causa do "tio" Marcelo, amigo da família e o único que o levava ao Maracanã. Os fabulosos times do Flamengo no tricampeonato de 1953-1954-1955 também ajudavam. Nelsinho nunca esqueceu Garcia, Tomires e Pavão; Jadir, Dequinha e Jordan; Joel, Rubens, Adãozinho; Índio e Esquerdinha. Como atleta disposto a dar o sangue nas piscinas defendendo o clube, assumiu naturalmente a "tricoloridade", afinal todos os seus colegas atletas eram tricolores. Nunca se sentiu um vira-casaca, mas um tricolor por opção, mesmo quando o Flamengo dominava o futebol carioca.

58
PRIMEIRAS COCA-COLAS

Nas férias em Teresópolis, Nelsinho leu seus primeiros livros adultos. Ficou perturbadíssimo com a sexualidade baiana e se apaixonou pela Gabriela, cravo e canela, de Jorge Amado. E nunca se esqueceu da cena de *O encontro marcado*, de Fernando Sabino, com o menino sendo lavado e alisado pela babá na banheira e dizendo: "Tem um osso no meu piru."

Quase se esvaiu em punhetas, mesmo acreditando que seu sêmen poderia acabar e que seria melhor economizar ou não sobraria para ter filhos. Mas não conseguia. Chegou a fazer uma tabela diária em que marcava o número de orações, horas de estudo, atos de caridade e punhetas – raramente conseguindo baixá-las a menos de cinco.

Muitas vezes contava com a inspiração de fotos de vedetes de biquíni na coluna de Stanislaw Ponte Preta: Anilza Leoni, Carmem Verônica, Angelita Martinez. Não havia fotos de mulheres nuas, nem mesmo de peitos de fora, em lugar nenhum. O máximo que se conseguiam eram revistas suecas de nudismo, ultrabrochantes, com senhores e senhoras branquelos e pelancudos na praia. A maioria dos garotos da turma nunca tinha visto uma mulher nua, nem mesmo em fotos. Às vezes acontecia de imaginar mulheres conhecidas, amigas de sua mãe, tias... Mas de preferência com peitos grandes, cintura fina, coxas grossas e bundão – o padrão de gostosura da época.

Só os catecismos de Carlos Zéfiro o salvavam de verdade, com mulheres e homens pelados e todas as putarias imagináveis em desenhos toscos, fodas explícitas em várias posições, boquetes e minetes – como se chamava na época a cunilíngua –, paus descomunais, bundas gigantescas. Zéfiro fez a educação sexual de gerações de brasileiros.

Com a cara cheia de espinhas e um olhar baixo evidente de culpa ao sair do banheiro, Nelsinho virou alvo da chacota dos tios Paulo e Candão e dos amigos do pai que, baseados na lenda de que crescia cabelo na mão dos punheteiros, passaram a chamá-lo de "Mão de cabelo". Chegaram ao ponto de, numa visita ao Hotel Quitandinha, anunciar pelo serviço de alto-falantes: "Senhor Mani di Capelli, repetindo, senhor Mani di Capelli, por favor, se apresente na recepção."

"É com você. Vai lá", os tios riam.

O tio Candão o chamou carinhosamente de "Capelli" durante toda a vida. Com ele Nelsinho fez seu primeiro livro, aos 10 anos, mas como ilustrador. Era a história de uma caçada de leão na África, que começava com o caçador bêbado e nostálgico num bar em Londres, lembrando-se de um amor do passado e voltando à selva para a grande aventura, com safári, romance e sustos. Era um dom de Candão, que se tornaria um ótimo redator de publicidade e dono de uma das primeiras agências de São Paulo, a General Advertising, que em 1964, prudentemente, mudou o nome para Agência Nacional de Propaganda.

Desde pequeno, o único dom aparente de Nelsinho era para o desenho, tal como seu avô Mottinha, que desenhava muito bem e com estilo próprio; e como o tio Vito, um desenhista e pintor talentosíssimo.

Quando morava em São Paulo, ia com a babá Údi ao Parque da Água Branca, que tinha um bosque e grandes viveiros de pássaros, onde passava horas desenhando e pintando o que via, achando que o papel estava igualzinho à realidade. Seu problema era querer terminar logo para começar outro, deixando o desenho mal-acabado. Era uma característica que o acompanharia pela vida, às vezes com consequências desastrosas.

Quando ainda nem sabia o que era sexo, por volta dos 8 anos, sentia vez por outra umas comichões na piroca. Ficava horas em devaneios, imaginando que tinha um barco e várias mulheres, todas bonitas e peitudas, que viajavam com ele sem rumo pelo mar, talvez até uma ilha deserta. Acordava, comia e dormia com elas. O melhor momento era o banho, quando as ensaboava no chuveiro, alisando seus corpos e muito especialmente seus peitos. Gostava dos peitos, de lamber os bicos, de mamar neles. Não se interessava por boceta, nem sabia direito o que era e para que servia.

Quem lhe contou que tinha visto o tio cuspindo no pau e o enfiando na tia, e que era assim que se faziam os bebês, foi um garoto da sua idade, um caipirinha sobrinho do caseiro de uma chácara que o vô Mottinha tinha no distante Embu. A três horas de viagem de São Paulo por estradas estreitas e poeirentas, passando por Santo Amaro, Itapecerica e Taboão da Serra, o Embu era uma rua de terra, uma igreja, um armazém e algumas casas, com um riozinho passando em frente à chácara dos Motta.

Sua lembrança mais doce é um passeio de charrete com o avô até a fábrica de guaraná da Antártica, que ficava a alguns quilômetros da chácara. O avô era advogado da empresa. Ah, a inesquecível visão das torneiras enchendo as garrafas de um líquido dourado borbulhante e aquele cheiro inebriante e doce do guaraná! O melhor de tudo é que podia beber quanto quisesse, e de graça.

Não entendia como podiam comparar o Guaraná Champanhe da Antártica com a recém-lançada Coca-Cola, um líquido preto e doce, cheio de gás, que Nelsinho odiou na primeira golada. E na segunda e na terceira. Pouco depois, por influência de primos e amigos, começou a gostar – e não parou mais. Não só ele, mas também os tios e os mais velhos, que detestaram no início, passaram a tomar "a bebida da juventude".

59
A PRIMEIRA VEZ

Aos 15 anos, explodindo de testosterona, Nelsinho conheceu outra Lurdes, xará de sua querida babá Údi. Era uma baiana cor de canela, de 23 anos, linda, de nariz fino, lábios grossos sorridentes e olhos brilhantes, que foi trabalhar como cozinheira na casa de seus pais. Era muito alegre, simpática e educada, com um corpo esguio que se revelava sob as roupas leves. E cozinhava muito bem.

Nelsinho logo gostou dela. E, aparentemente, ela gostou dele também. Lurdes sempre o olhava e sorria de um jeito que o deixava louco de tesão. E lá ia Nelsinho tocar uma punheta pensando nela.

Num sábado em que os pais viajaram com suas irmãs, Nelsinho estava estudando piano na sala, tocando o "Samba de Orfeu", e ela veio ouvir toda animada. Começou a dançar, rebolando, levantando a saia e mostrando as coxas morenas. Sentou-se no banco do piano ao seu lado; seu corpo tocava o dele, que sentia as coxas dela, o pau começando a endurecer. Até que Lurdes se levantou e disse que ia tomar banho. E o chamou. Nelsinho a seguiu até o chuveiro. Lá estava ela, nua sob a água, o corpo moreno se mexendo, os dentes brancos e lábios carnudos sorrindo e chamando por ele.

Que emoção beijar pela primeira vez uma mulher de verdade, que enfiava a língua em sua boca com ele sem saber direito o que fazer, que apertava o corpo contra o dele debaixo do chuveiro. Sempre sorrindo, Lurdes se encostou na parede, abriu um pouco as pernas e se ofereceu. Ela o abraçou e começou a se remexer até que ele gozou pela primeira vez com uma mulher.

Parecia aquelas velhas histórias de sinhozinhos e escravas, mas isso nunca passou pela cabeça de Nelsinho. Não foi ele quem a assediou; foi ela que o seduziu e se divertiu com ele. Já que transar com uma garota da sua idade, todas virgens, era impossível, a alternativa para a perda da virgindade eram as putas. Ou as empregadas domésticas. Havia garotos – e pais – que tentavam estuprá-las como se lhes pertencessem. Alguns pais insistiam em levar os filhos ao bordel, e os garotos se viam apavorados, alguns brochavam. Muitos ficavam intimidados com as mulheres; outros se apaixonavam. A sorte de Nelsinho foi ter cruzado com Lurdes, que transou com ele porque estava com vontade. Pena que foi só uma vez... Pouco depois, sentindo cheiro de queimado, Xixa a despediu. Nelsinho chorou.

Para compensar a bomba levada no colégio e ganhar algum dinheiro, foi trabalhar durante as férias como office boy no escritório do pai, na rua São José, ganhando um salário mínimo. Levava e buscava correspondências no centro da cidade, e ia ao Fórum todos os dias para saber o andamento dos processos do escritório – principalmente os despachos do juiz – e não perder os prazos. Adorava a sensação de ter o próprio dinheiro, fazer compras, e a liberdade de conhecer todo o lindíssimo Centro Histórico do Rio de Janeiro.

59
O MUNDO MUSICAL

Depois do primeiro LP de João Gilberto, Nelsinho passou a gostar de Ary Barroso e Dorival Caymmi, e suas canções "Rosa morena", "Doralice" e "Morena boca de ouro", mas daquele jeito que João cantava, sincopado, com uns acordes diferentes, a voz e o violão parecendo uma coisa só. Então foi estudar violão para cantar aquelas músicas e ter alguma chance com as garotas.

Nelsinho amava a música, mas não era correspondido. Sem noção de ritmo, desafinado, ruim de ouvido, tudo para ele era difícil: aprender a batida da bossa nova, treinar as passagens dos acordes, tirar músicas ao violão sozinho. Apaixonado e obcecado, treinava horas e horas, todo dia, e não faltava a uma aula de Roberto Menescal.

Mas a cada acorde ficava evidente que todo o seu esforço não bastava diante da facilidade, do ouvido e do talento com que cantavam e tocavam seus amigos Wanda Sá, Edu Lobo, Marcos Valle, Dori Caymmi e Francis Hime. Por mais que estudasse, sabia que jamais tocaria como eles.

A saída foi pela palavra, aproveitando a carência de letristas na turma, numa linguagem que conhecia e onde podia mostrar algum talento. Era o jeito de continuar na música sem ser músico.

Três anos depois, aos 18, começou a fazer letras para Wanda Sá e Dori Caymmi. E as festas se multiplicaram, no mesmo formato da bossa nova, com uma roda de cantores e o violão passando de mão em mão. Assim, a música, a vida noturna e o cigarro encerraram a breve carreira de nadador de Nelsinho.

60
SOB O CÉU DE BRASÍLIA

Em 1956, nomeado por Juscelino Kubitschek, o vô Mottinha virou ministro do Supremo Tribunal Federal. Com a mudança do STF para Brasília em 1960, Nelsinho e Aristóteles foram passar as férias de verão na casa dos avós, na recém-inaugurada capital.

Era como se estivessem na Lua. As ruas eram vermelhas, de uma poeira que se entranhava em tudo. Não havia sinais de trânsito nem esquinas, não se via ninguém circulando. Os gramados estavam todos queimados pela falta de água; as árvores eram mudas recém-plantadas e não davam sombra.

Existia só uma lanchonete na cidade, na W3, a única rua comercial em funcionamento. Além dos edifícios públicos futuristas e deslumbrantes, o que havia eram as primeiras superquadras, onde moravam autoridades dos três poderes, e um único hotel, o Brasília Palace, à beira do lago Paranoá, com uma boa piscina no gramado e um bar animado. Ali seria a parada diária de Nelsinho e Aristóteles.

A outra opção de divertimento era o Iate Clube, ainda em construção, onde era possível alugar uma lanchinha e navegar pelo lago. Num desses passeios, Nelsinho se apaixonou pela carioca Virgínia, de pele muito clara, olhos verdes e cabelos lisos cor de mel. Mas tudo não passou de alguns encontros e longos telefonemas que não deram em nada. É que Nelsinho tinha medo de se declarar e ser rejeitado. Pouco depois, ela passaria a namorar um conhecido dele da turma da Matriz.

Por insistência de Aristóteles e levados pelo motorista do avô, boa--praça e bagaceiro, certa noite foram à Cidade Livre, na periferia, em busca de um bordel. Parecia cenário de filme de faroeste: ruas poeirentas, casas de madeira, vendinhas, botecos, charretes, cavalos, motos. Lá viviam os trabalhadores que construíam Brasília. O bordel era um casebre de madeira e a mulher, uma jovem nordestina cansada e desanimada. Não durou nem três minutos. Saudade de Lurdes.

Aristóteles odiava quando Nelsinho ficava horas ao violão tocando a mesma música. Era hiperativo e queria movimento, fofocas políticas. Foi dele a ideia de roubarem o carro do avô para darem umas voltas por Brasília adormecida, com Nelsinho ao volante ziguezagueando pelo Eixão e, milagrosamente, voltando inteiros para casa – e jamais sendo descobertos.

O desinteresse de Aristóteles pela música e a dedicação total de Nelsinho aos exercícios e treinamentos de violão, insuportáveis para quem ouvia, os distanciou um pouco, mesmo que mantivessem o interesse comum na política e nas festas do Grand. Aristóteles ficava puto porque, em vez de dançar, coisa que não sabia e de que nem gostava, Nelsinho ficava horas em frente ao conjunto musical, prestando atenção em como o guitarrista tocava.

O melhor eram as domingueiras dançantes na Hípica, como convidados de algum amigo sócio. O quarteto liderado pelo pianista Tenório Junior, um craque das noites do Beco das Garrafas, tocava o fino da bossa com pegada jazzística. E foi numa daquelas tardes inesquecíveis que Nelsinho ouviu pela primeira vez "Garota de Ipanema", ainda sem letra, com um suingue espetacular. Ficou louco pela música, pediu que repetissem várias vezes até aprender. Enquanto Aristóteles divertia as meninas e provocava os rapazes com sua inteligência, imaginação e histrionismo, Nelsinho se sentava ao lado dos músicos como uma groupie, tomando cuba-libre.

59
A VOLTA AOS JESUÍTAS

Depois de terminar o ginásio no Princesa Isabel, Nelsinho voltou ao Santo Inácio para fazer o primeiro ano do clássico, que não tinha física, química e matemática como no científico, mas línguas, filosofia e história. Foi quando iniciou uma promissora carreira de estelionatário.

O pai de um colega era dono de uma gráfica, e eles tiveram a ideia de imprimir centenas de carteiras de estudante de um fictício Colégio São Rafael, com espaço para a assinatura do diretor e principalmente para a data de nascimento, com o objetivo de assistir a filmes proibidos para menores de 18 anos.

Os estelionatários pegavam os dados do portador, preenchiam à máquina a carteirinha, assinavam como padre Henrique Rodrigues, colavam a foto 3 x 4 e a cobriam com duas folhas de plástico, seladas com ferro de passar. Vendiam muito – mas não para os pirralhos do ginásio, que poderiam desmoralizar o São Rafa.

O São Rafael se foi com a saída de Nelsinho do Santo Inácio, onde, logo na primeira série, mais uma vez ficou de segunda época, mais uma vez em português, e mais uma vez foi reprovado. Confiou na redação e se deu mal. O tema era "A leitura é o pão do espírito", sobre o qual até Rubem Braga teria dificuldade para fazer uma crônica decente, e tirou nota dois, quando precisava de quatro. O professor não teve piedade, convencido de que aquele garoto jamais saberia escrever.

A imagem que guardou do professor Maurício, careca, de bigode mexicano e barrigudinho, foi vestido de diabo, de malha de algodão vermelha com joelhos amassados, touca, rabo e chifres, numa montagem do *Auto da barca do inferno*, de Gil Vicente, no auditório do colégio.

Como dar a notícia da bomba em casa? Quando ele ou a irmã Cecília chegavam de uma prova dizendo que havia sido moleza – ou, no jargão turfístico adotado por Nelsinho, uma barbada –, Nelsinho já estava acostumado a ouvir de Xixa: "Humm, sinto cheiro de pólvora."

Quando a bomba estourou, Xixa não demonstrou surpresa, limitando-se a uma descompostura: "Não vai se formar e não vai ser doutor. Quer ser chamado a vida inteira de 'seu' Nelsinho?"

Nelson, que antes de se tornar brilhante jornalista e advogado tinha repetido não uma, mas duas vezes a segunda série ginasial, ficou cool e apenas comentou: "Quer estudar, estuda; não quer, não estuda. Eu não pago mais."

60
A VIDA REAL

Com 16 anos, Nelsinho foi trabalhar como corretor de imóveis na imobiliária de um amigo da família, de paletó e gravata, mostrando apartamentos durante o dia. Era o meio de pagar o curso noturno que preparava para o duríssimo exame supletivo que iria prestar no fim do ano, no Colégio Pedro II, obtendo assim o certificado de conclusão do colegial e tornando-se apto a prestar o vestibular.

Depois do expediente na imobiliária, ele ia direto para o modesto Curso Severo, no edifício Marquês de Herval, conhecido como Balança Mas Não Cai, num dos últimos andares de um dos prédios mais altos do centro da cidade, quase todo vazio à noite.

Nelsinho ficou chocado ao ver os colegas, quase todos trabalhadores humildes, mais velhos, alguns bem mais velhos, pais de família exaustos de ralar o dia inteiro, num esforço para tentar entrar em alguma faculdade e melhorar de vida. Logo percebeu, com o coração partido, que a maioria deles não tinha nenhuma base nem qualquer chance de ser aprovado.

De terninho e gravata, sentiu vergonha de seus privilégios e molezas, encheu-se de brio, e aquele foi o ano de sua vida em que mais estudou e prestou atenção nas aulas, estimulado pelos bons professores do Severo. Sobretudo por Amir, um árabe barbudinho que ensinava história e, de quebra, comunismo, e fazia a cabeça de Nelsinho com ideias novas e generosas.

Durante sua breve carreira de corretor, sentiu-se quase ofendido e pensou em recusar quando recebeu de uma madame sua primeira gorjeta, de 10 cruzeiros, depois de lhe mostrar um apartamento em Copacabana. Mas acabou embolsando o dinheiro e tomou um sorvete no Bob's. Nunca vendeu sequer uma quitinete, mas passou no supletivo, em que menos de um décimo dos candidatos foi aprovado, com boas notas em história, filosofia, inglês e até em português.

Depois, frequentou por dois meses o cursinho Hélio Alonso e, com o que tinha estudado para o supletivo, passou com facilidade no vestibular da Faculdade Nacional de Direito, com nove em latim. Com 17 anos e o diploma na mão, entraria na faculdade na frente de seus ex-colegas do Santo Inácio, que ainda teriam que suportar por mais um ano os jesuítas bufando nos seus cangotes.

65
PAIXÃO DE VERÃO

No verão escaldante de 1964, já cursando, isto é, faltando a todas as aulas na Faculdade Nacional de Direito, Nelsinho conheceu, no Arpoador, Francisca, uma garota um pouco mais velha, morena de corpo espetacular e rosto de traços meio indígenas, com maçãs salientes, olhos escuros bem vivos e cabelão até a cintura. Ficavam tocando violão na praia, tomavam chope no pé-sujo Mau Cheiro, que na verdade cheirava a maresia, de frente para a praia de Ipanema. Frequentavam as festas em torno de Vinicius de Moraes. E, domingo à tarde, as *jam sessions* no Little Club, onde tocavam Sérgio Mendes, Tenório Junior, Raul de Souza e grandes jazzistas.

Apaixonou-se perdidamente por Francisca. Trocavam longos telefonemas todo dia. Ela gostava muito dele, mas agia com Nelsinho como se fora uma amiga mais velha. Pertencia à turma moderna do surfista Arduíno Colasanti e das pioneiras do biquíni Ira Etz, Marina Colasanti e Danuza Leão, o que fazia Nelsinho imaginar, e com isso ficar ainda mais incendiado, que talvez não fosse mais virgem. Ela frequentava o Black

Horse, de Hubert de Castejá, com a juventude dourada das colunas sociais jovens. Sabia todas as danças do momento: twist, surfe, hully gully. Mas não dava a menor pista de ter um interesse maior por Nelsinho, que morria de ciúme de todos que se aproximavam dela, mesmo que fosse o amigo Mauro, o "Escrotossauro mimoso". E até seu bróder Luiz "Pelé", o futuro Dom Pepe.

Quando Francisca partiu para passar duas semanas em uma fazenda, Nelsinho se sentiu viúvo e escalou o amigo de infância Luiz "Pelé", assíduo e popular frequentador da praia do Arpoador, o Arpex, para ouvir suas mágoas de amor. Chegou até a fazer uma música chorosa falando dela e de seu cenário, a praia e o sol. Mas nunca teve coragem de se declarar. Sofria, e muito, em segredo. Chorava por um amor que achava impossível.

Até os pais ficaram preocupados. Xixa não tinha a menor simpatia pelo visual moderno de Francisca, com um anel de ferro no indicador e um "look Iemanjá", e pelo tanto que fazia sofrer o seu filho. Em vez de "Garota de Ipanema", Xixa a chamava de "Fera de Ipanema", embora Francisca fosse doce e inofensiva e gostasse muito de Nelsinho – mas não para namorar.

A primeira namorada seria Gabi, de 17 anos, garota do Leblon que frequentava com a amiga Wanda a mesma academia de violão que Nelsinho, onde eram alunos de Roberto Menescal. Nas reuniões na casa de Wanda, no Leblon, com os amigos músicos Edu Lobo, Marcos Valle, Dori Caymmi, Francis Hime e sua futura mulher Olívia Leuenroth, conheceu Gabi e logo gostou dela.

Era uma gatinha de cabelos lisos e olhos verdes, toda moderninha e gostosinha, uma graça de menina, doce e amorosa. Com Wanda de intermediária, só depois de várias confirmações Nelsinho afinal se declarou e experimentou a sensação inesquecível do primeiro beijo, da plena aceitação, do desejo correspondido.

Foram intermináveis beijos na boca e, com o tempo, mão na coisa, coisa na mão, nos cantos escuros das festinhas. E também nos fins de semana, quando os pais de Edu viajavam para Cabo Frio e o apartamento de Copacabana ficava vazio. Edu e Wanda iam para o quarto, e

Nelsinho e Gabi ficavam na sala, mas sem coragem de chegar aos finalmentes. Quando era hora de voltar para casa, depois de horas e horas de excitação, a dor no saco era insuportável.

Naquela época não havia motéis na Zona Sul, só os chamados "hotéis suspeitos" e sórdidos, como o Trampolim, em São Conrado. Hotéis insuspeitos exigiam certidão de casamento na recepção. Além disso, o Trampolim era caro para bolsos adolescentes e inviável para quem não tinha carro. Tampouco era lugar para levar moças de família.

Quando leu o conto "O vampiro de Curitiba", do livro homônimo de Dalton Trevisan, Nelsinho se identificou com o sinistro personagem e seu xará, roendo as unhas e olhando de soslaio nas madrugadas geladas e perigosas da capital paranaense. O Nelsinho do livro encarna o anti-herói que ao mesmo tempo odeia e adora as mulheres e as persegue incansavelmente. Com tramas brutais e personagens desesperançados, as narrativas de Dalton Trevisan, o maior contista da época, são impregnadas de sexo e violência.

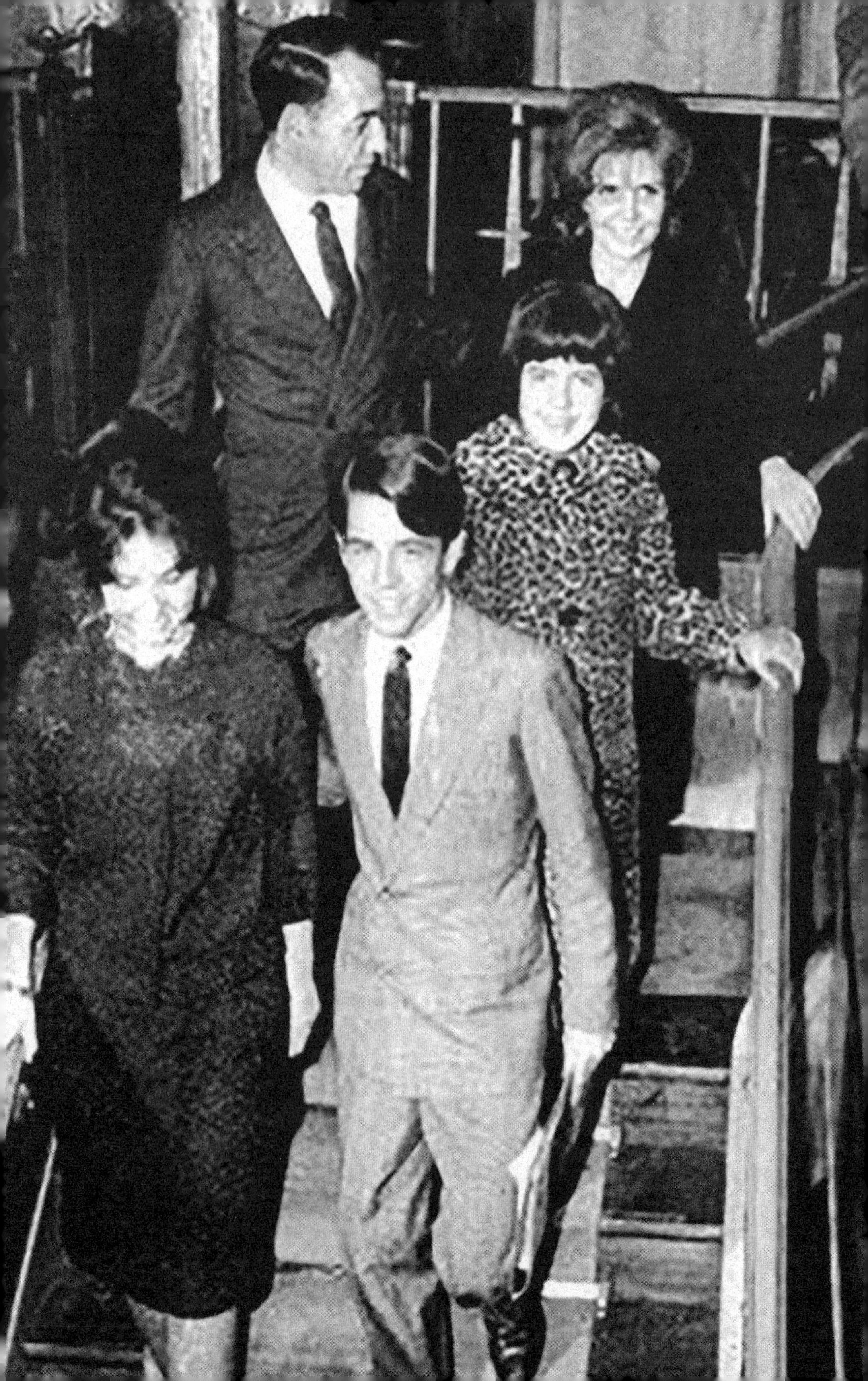

63
A VIAGEM DO SÉCULO

Nelsinho comemorou seus 19 anos na cabine de um trem noturno que tinha saído de Paris e atravessava o Canal da Mancha numa balsa que ia de Calais a Dover, onde o trem desembarcava e seguia para Londres. A viagem, que havia começado em Lisboa, era o sonho dourado de Xixa. E resultado de uma pressão amorosa para o marido trabalhar mais, ganhar mais dinheiro e gastá-lo com a família numa viagem de sonhos, que ela chamava de "Operação sic transit gloria mundi" (assim passam as glórias do mundo). As palavras de Nelson ecoariam a vida inteira na cabeça de Nelsinho: "Nunca diga 'ganhei dinheiro'. Dinheiro não se ganha: se arranca."

Então, depois de um ano de expectativas diárias, finalmente Xixa anunciou, orgulhosa, que Nelson tinha ganhado uma causa milionária para um cliente. A "viagem do século" os levaria a passar um mês e meio na Europa. A volta seria no transatlântico francês *Provence*. Primeira classe, naturalmente.

Nelsinho nunca tinha saído do Brasil e se emocionou com o DC-8

Cecília, Nelsinho, Graça de onça, Nelson e Xixa partindo para um sonho.

da Panair sobrevoando a paisagem de casas baixas e pequenas plantações em lotes perfeitamente organizados ao se aproximarem de Lisboa. E depois com os inesquecíveis telhados da velha cidade, cuja imagem o acompanharia por toda a vida. Parecia estar chegando a outro planeta.

No primeiro almoço no Hotel Tivoli, na avenida da Liberdade, os garçons chamavam Nelson de excelência e tratavam as crianças como verdadeiros príncipes. Nelsinho se sentia até um pouco envergonhado. Em pleno salazarismo, viu pelas ruas de Lisboa uma gente triste e amedrontada, de roupas escuras e cabeça baixa. Pareciam todos velhos, de chapéus e mantilhas. Ele se perguntava se não havia jovens em Lisboa. A cidade era linda e limpíssima, os táxis eram todos Mercedes a diesel, o comércio era pobre e atrasado, o clima parecia pesado.

A programação cultural era intensa desde cedo, com direito a um guia. Torre de Belém, Castelo de São Jorge, Mosteiro dos Jerónimos, longas e diárias aulas de história obrigatórias durante toda a viagem. Nelsinho gostou muito da heroica Era dos Descobrimentos. Quanta coragem daqueles portugas, para atravessar o oceano em barquinhos tão toscos!

E que visão do paraíso deve ter sido quando chegaram, imundos, exaustos e famintos, ao que parecia um paraíso tropical que superava qualquer lenda ou mito, com frutas exóticas e doces lhes caindo na cabeça, pássaros jamais vistos, à beira do mar azul e morno do sul da Bahia, recebidos nas praias por índias nuas.

Em Paris, as atividades culturais se multiplicaram durante uma semana, com visitas a museus e monumentos, todos os dias, durante horas e horas, deixando as crianças exaustas, mas menos ignorantes em história e arte. Nelson se deslumbrava com os pintores impressionistas no Museu Jeu de Paume e com as estátuas do Louvre. Xixa, por sua vez, chorava com as bandeiras ensanguentadas no túmulo de Napoleão nos Invalides.

Xixa chorava à toa. Quase nunca de tristeza – em geral, de felicidade ou de admiração pelo grande triunfo de algum artista. As ovações a faziam chorar de emoção. Mas também chorava muito por qualquer suposta ofensa ou desobediência dos filhos, fazendo drama e os comovendo.

Inicialmente, iriam de Paris a Londres de avião, mas, como chovia muito, Xixa, que tinha pavor de voar, decretou: "Não entro nesse avião nem amarrada com corda de aço!" E Nelson teve que comprar bilhetes para o trem noturno.

Mesmo com o frio do início de novembro, muita chuva e fog, a programação cultural continuou intensa: Museu Britânico, Torre de Londres, Westminster, Castelo de Windsor, Tudors, Henrique VIII, Ana Bolena, séculos de arte e civilização, múmias, animais pré-históricos e os parques de um verde brilhante que Nelsinho nunca tinha visto. Um gramado que dava até vontade de comer. Uma das melhores lembranças foi, depois do passeio a Windsor, chegar às quatro da tarde, molhado de chuva, morto de frio e esfaimado, à pequena Trattoria Toscana, no Soho, e comer uma lasanha gratinada e borbulhante numa travessa de barro.

Nelsinho descobriu também que, ao contrário do que pensava, os franceses em geral eram bem caretas. Tinham Pigalle, Moulin Rouge, Crazy Horse, um ou outro bar de striptease, mas a capital da putaria era Londres, o Soho noturno, com prostitutas na rua, capas de revistas com mulheres nuas bem à vista, uma atmosfera pecaminosa muito mais densa do que a de Paris.

Para seguir viagem a partir de Londres, nada de avião: uma limusine de sete lugares, que atravessaria o canal de balsa, com um motorista italiano, bonitão e muito simpático. Nelsinho ia na frente com Roberto; Nelson e Xixa, no banco de trás; Cecília e Graça, nos assentos dobráveis. Como adorava futebol, Roberto ia ensinando italiano a Nelsinho em papos intermináveis.

A jornada prosseguiu pelo interior da França, depois pela Suíça, passando por Genebra e Lausanne, onde tinha estudado a vó Dadá. Nelsinho viu neve pela primeira vez em Chamonix. Em seguida, chegaram à Itália. Milão, com outra programação cultural intensa; Florença, com todos os seus museus e igrejas, e as histórias escabrosas dos Médici e dos Bórgia que os guias contavam. Um mergulho profundo na melhor arte do mundo.

Roma foi o ponto alto. Depois de um mês ao lado de Roberto, Nelsinho já falava um italiano bem razoável e podia entender melhor as visitas a incontáveis museus e monumentos, toda a grandeza do Império Romano e a loucura de imperadores, tudo com a ajuda de guias bilíngues, alguns deles hilariantes, como é tradição e talento dos italianos.

De Roma a Nápoles, Capri e, por fim, Gênova, para pegar o navio francês *Provence* de volta ao Brasil. Na primeira classe, pois Xixa não admitia menos. Cabines amplas, comida maravilhosa, restaurante silencioso cheio de velhos. A segunda e a terceira classes, para onde Nelsinho escapava, eram bem mais animadas, com festas todo dia e muitos jovens, entre eles a argentina Verónica, que gostava de dançar e de beijar. O companheiro de Nelsinho nessas incursões era o jurista cinquentão Ronaldo Guimarães, representante brasileiro na Organização Internacional do Trabalho, amigo de seus pais e também passageiro da primeira classe, com sua cabeleira prateada, sua simpatia e sua animação na pista de dança.

Nelsinho voltou feliz, com uma guitarra elétrica vermelha comprada em Roma. E atravessou o Atlântico lendo encantado os dois volumes de *Os Maias*, de Eça de Queirós.

64
A DESCOBERTA DA FORMA

Como tinha odiado a faculdade e não aparecia nas aulas, era preciso tomar um rumo depois de um ano de vagabundagem, vivendo de mesada curta, com eventuais extras de Xixa e da vó Dadá. Vendo que Nelsinho não demonstrava nenhum interesse pelo Direito, o pai foi o primeiro a aconselhar: "Larga essa merda. Isso não tem nada a ver com você." Pelo menos ele leu muito e assistiu no Cine Paissandu, a uma quadra de casa, a grandes filmes dos mestres italianos do drama e da comédia, dos franceses cabeça e verborrágicos, dos espanhóis anárquicos, dos poloneses sombrios, inclusive vários deles com Xixa e Nelson, que gostava de comentar filmes franceses difíceis e intrincados. Tio Paulo brincava: "Vai passar o explicador."

O cinema era a paixão da geração de Nelsinho, e o Cine Paissandu, a sua meca. A cada semana degustava produções de Buñuel, Truffaut, Resnais, Godard, Bergman, Kurosawa, John Ford, Fellini, Visconti, Antonioni, comédias de Mario Monicelli e Vittorio de Sica, além do fino da nouvelle vague, bem como os primeiros filmes do Cinema Novo.

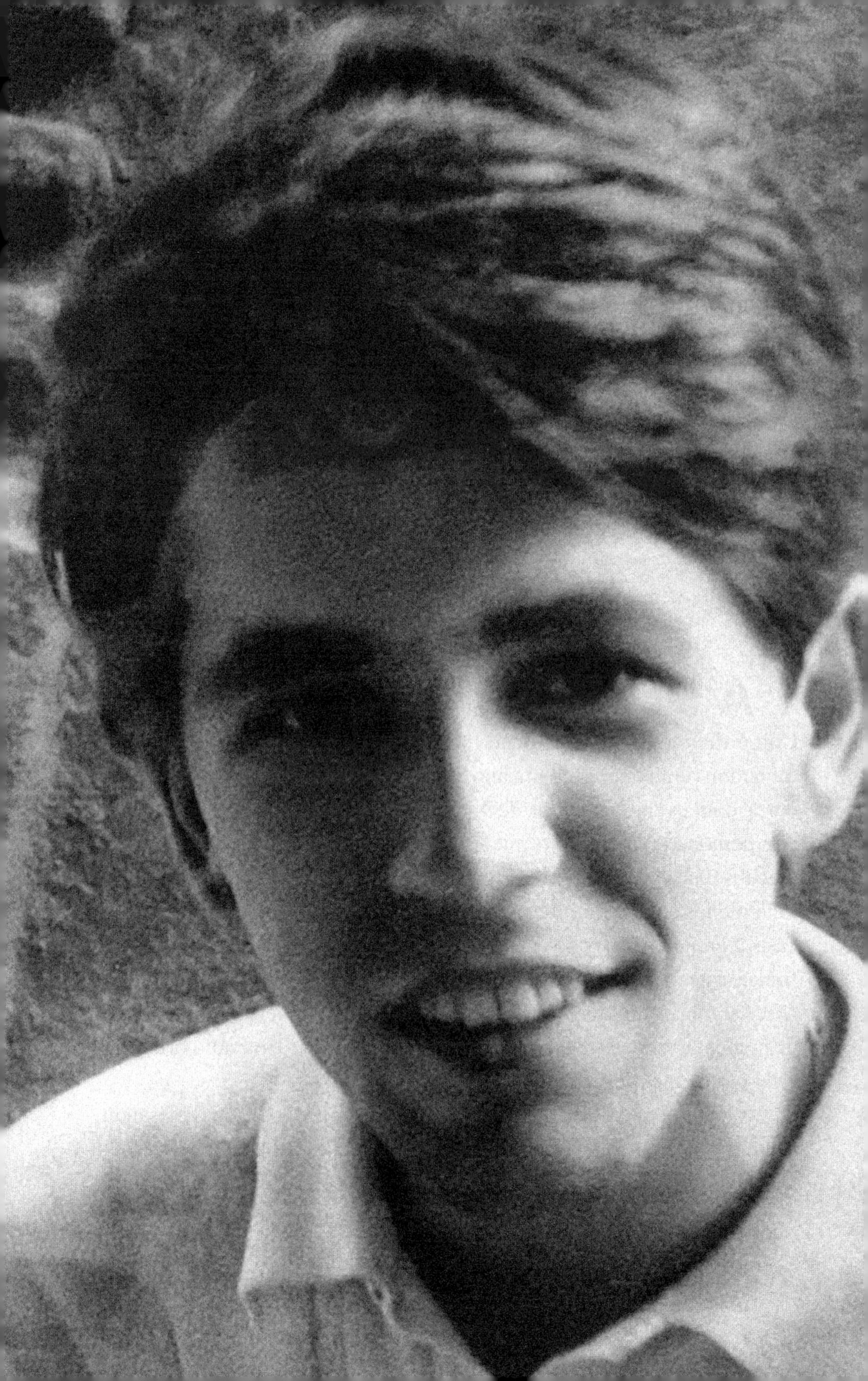

Cada estreia, sexta à noite, era um evento cultural, e as discussões e interpretações dos filmes entravam pela madrugada nos bares próximos e continuavam na praia no dia seguinte. Discutia-se cinema como se discutia a própria vida. E Nelsinho só tinha que atravessar a rua. Ô sorte.

Chegou a sonhar em estudar cinema, a mais moderna e completa das artes, no IDHEC – Institut des Hautes Études Cinématographiques, em Paris. Sem chance. Depois pensou em arquitetura, que tinha um lado mais artístico, mas sem se animar de verdade. Sem futuro na música e já começando a se conformar em ser "Seu Nelsinho" pelo resto da vida, soube que havia sido inaugurada uma maravilhosa escola de design no Rio de Janeiro, com professores alemães e suíços.

A Escola Superior de Desenho Industrial (ESDI) fora criada pelo governador Carlos Lacerda, que, embora politicamente conservador, tinha uma visão moderna da educação e da cultura. O Brasil não poderia só ficar fabricando réplicas de eletrodomésticos, móveis, carros e outros importados. Era preciso capacitar profissionais para criarem a forma e a identidade visual dos produtos brasileiros.

O grande amigo de Nelsinho era o pintor Renato Landim, que tinha o apelido de Oscarito, pela semelhança com o comediante rei das chanchadas. Não tinha nada de bonito, mas era dotado de inteligência, simpatia e charme irresistíveis, uma espécie de Belmondo carioca. Viram juntos a estreia de *Jules e Jim*, de Truffaut, e saíram extasiados, imaginando-se numa amizade assim, compartilhando o amor de uma mulher. Iam ao boliche e bebiam e fumavam mais do que jogavam. Liam Hemingway sem parar e repetiam frases de *O sol também se levanta*, com o bonde de expatriados americanos em Paris indo para a feira de Pamplona atrás de bebedeiras, festas, romances complicados, touros e toureiros. Também adoravam Dalton Trevisan, cada vez melhor e mais sintético, que um dia seria capaz de escrever um livro de contos de uma única frase cada um, contando uma história inteira. Estavam sempre esperando um novo disco de João Gilberto e um novo livro de Guimarães Rosa.

Nelsinho na ESDI, num clic acidental feito por Dário Silva Filho numa Rolleiflex.

65
VERÃO EM PORTUGAL

É nessa altura que entra o tio Max na vida de Nelsinho. Não era parente de verdade, mas um judeu paulista e rico que trabalhava com comércio internacional, morava em Genebra e, de cliente do Dr. Nelson, passou a grande amigo da família. Max tinha sido cassado pelo governo militar sem ser acusado em qualquer processo e não conseguia sequer saber se era tido como corrupto ou subversivo, os dois alvos da revolução. Como não era nem um nem outro, chamou o Dr. Nelson, que tinha sido recomendado por amigos, a Lisboa para trabalhar na sua defesa e tentar reverter a cassação.

Quando soube da história, Nelsinho vislumbrou a possibilidade de outra viagem internacional: "Pai, é claro que eles vão te mandar uma passagem de primeira classe, então você podia trocar por duas econômicas e me levar junto." Nelson riu. Mas, duas semanas depois, Nelsinho estava ao lado dele na primeira classe da Panair, um luxo dentro do luxo que eram as viagens internacionais.

Verão em Portugal. Max e seu cunhado Mendel estavam esperando no terraço do aeroporto, os dois narigudos e de óculos escuros, como dois mafiosos. O bigodão de Max impressionava.

Nelsinho não ficou em Lisboa, mas no Hotel Estoril-Sol, com vista para o Atlântico e a baía de Cascais, a meia hora de trem – ou de comboio, como diziam – da capital. No Estoril, conheceu a filha de Max, uma gatinha dois anos mais nova, gorduchinha e com uma carinha linda, cosmopolita como uma moradora de Genebra. Nelsinho se sentia meio caipira e deslumbrado, mas escondia isso de Vera, sempre animada e simpática, que o levou à praia de águas geladas de Cascais, a noites dançantes com amigos portugueses nas duas boates da moda, o Caixote e a Van Gogo, a passeios de lancha e festinhas.

Convidados por Max, Nelsinho e o pai foram a uma pescaria noturna na baía de Cascais. O filho nunca tinha pescado, nem pretendia, e só estava ali pela companhia. Era bonito o céu estrelado visto do mar escuro, com as luzes da costa piscando, e ele imaginou as caravelas zarpando para o desconhecido. Fora isso, uma chatice, uma séca, como diziam os portugueses. No meio da escuridão, além do sacolejar do barco e do papo dos pescadores, nada acontecia. Nelsinho bebeu várias garrafinhas de cerveja Sagres, enjoou, vomitou no mar e dormiu.

Muito melhor foi o Cassino do Estoril. Max e Nelson adoravam jogar roleta. Nostálgico do Quitandinha, Nelson tinha métodos próprios – não para ganhar, mas para se divertir. Escolhia seus doze números de sorte entre os 36 do pano verde e cobria-os de fichas, que também pegavam metade ou um quarto dos números vizinhos. Tinha um terço de chance de ganhar, um terço de recuperar uma parte e um terço de perder. Quando dava um de seus números de fé, cercado de fichas, era um turbilhão.

Às vezes passava várias rodadas perdendo ou só recuperando uma parte, ou perdendo tudo quando dava o zero. Depois voltava a ganhar, aumentava as apostas, ganhava, aumentava mais, perdia. Sempre com os mesmos números. E assim se passavam horas movidas a excitação e adrenalina, e algum uísque, com o eventual prejuízo sendo considerado um preço por ter se divertido durante aquele tempo, totalmente entregue à pura sorte. E vez por outra até saía ganhando – para perder no dia seguinte. Por que alguns números dão mais do que outros num dia?

Os vários tribunais e autoridades que receberam a defesa preparada por Nelson no Brasil não poderiam reverter a cassação, por ser esta um "ato revolucionário". Max continuaria sem direitos políticos por oito anos, o que em nada atrapalhava sua próspera vida profissional em Genebra. Mas essa era uma questão moral para ele. Encontrara em Nelson um grande amigo, um amor à primeira vista, que com sua simpatia conseguia arrancar sorrisos de sua cara sempre fechada, de óculos, com seu bigodão e aparente mau humor. Mesmo morando em Genebra, Max se tornaria um dos amigos mais próximos e queridos de Nelson e Xixa. E seria elevado, com o tempo, à categoria de tio.

Além de pesca e roleta, Max adorava assistir a jogos de futebol e estava começando a gostar de golfe. Tal como Nelson, que era sócio do Gavea Golf Club, onde começou a dar suas primeiras tacadas. Junto com ele, passaram a jogar golfe o tio Paulo e Nelsinho, aos 14 anos.

Da natação ao golfe foi uma virada de jogo. Não exigia força física nem velocidade, tampouco resistência; a questão era concentração e habilidade para acertar na bola e mandá-la para onde quisesse, o mais próximo possível do buraco cercado por um tapete de grama. Depois, bastava embocá-la no menor número possível de tacadas. Exigia treino constante e, ao contrário das aparências, podia ser exaustivo e muito emocionante. E até lucrativo.

Cada um dos percursos no meio da natureza deslumbrante e dos gramados manicurados que levam aos dezoito buracos tem de 150 a 500 metros de distância desde o ponto de partida e pode ser cumprido em várias tacadas. Ganha quem completar o percurso de cada buraco em menos tacadas. É um pretexto para apostas desvairadas que aumentam a cada buraco e que, no final, fazem pequenas fortunas mudarem de mãos, como entre os milionários americanos e alguns brasileiros no Gavea Golf. Tudo em dólar.

Como é jogado geralmente entre duas duplas, as apostas também se multiplicam em confrontos cruzados de todos contra todos. Sem fundos próprios, Nelsinho jogava bancado por um eventual parceiro com mais dinheiro e menos jogo. Quando ganhavam, levava o seu; quando perdiam, não pagava nada.

66
ROMANCE EM PARIS

Foi nos gramados do Gavea Golf que o tio Max convidou Nelsinho, com 22 anos, para assistir à Copa do Mundo de 1966. O torneio seria na Inglaterra, e ele já tinha ingressos para todos os jogos. Nelson hesitou. Não havia nenhum motivo para o filho ser premiado com essa viagem. A passagem era cara, o hotel também, mas o tio Max disse que o hospedaria no London Hilton por sua conta e o levaria aos jogos do Brasil em Liverpool. E ainda o convidou para, antes da Copa, passar uma semana assistindo ao Aberto Britânico de Golfe nos históricos gramados de St. Andrews, na Escócia, onde nasceu o esporte.

Nelsinho iria direto para Edimburgo, na Escócia, onde encontraria o tio Max e um amigo dele para assistirem ao Aberto de Golfe, com multidões seguindo grandes craques, tais como Arnold Palmer, Jack Nicklaus, Billy Casper, Roberto de Vicenzo e o brasileiro Mário Gonzalez. Nos gramados ancestrais à beira-mar, fustigados pelos ventos frios e constantes, pela primeira vez Nelsinho comeu um sanduíche de pão com alface, que era o que se vendia nos quiosques do campo.

Nelsinho ficou incógnito por dois dias no hotel em Edimburgo, depois de o tio Max perguntar na recepção por todos os nomes possíveis e não o encontrar. Pela descrição que deu a um porteiro, acabou localizando-o: estava registrado como "Mr. Filho". Para sua surpresa, o tio Max e seu amigo Mariano, um businessman carioca simpaticíssimo que falava como um pato rouco, chegaram com duas belas mulheres de contrabando. Muito educadas e simpáticas, não pareciam profissionais, mas talvez aceitassem viagens e presentes.

Como entre a final do golfe e o início da Copa do Mundo em Londres ainda havia uma semana, Nelsinho decidiu passá-la em Paris. Poderia ficar no apartamento que o tio Max mantinha alugado perto da Champs-Élysées. Era uma boa economia para quem tinha que sobreviver até o final da Copa com os 500 dólares em traveler's checks dados pelo pai, sem contar um reforço generoso do tio Paulo, que daí para diante sempre pingava quinhentão nas viagens internacionais de Nelsinho e de outros sobrinhos.

Foi uma sorte encontrar no Bar des Théâtres, então na Avenue Montaigne, suas amigas Lila, que era irmã de Ronaldo Bôscoli e ex-mulher de Vinicius, e Jô, dona de uma loja de roupas para grávidas em Copacabana. Eram duas quarentonas divorciadas, conhecidas das festinhas, dos shows e da praia, boas de copo e de papo. Lila era magrela e de uma beleza dura de rainha má, de vilã de filme francês, mas era uma mulher muito interessante, com uma voz grave e rouca e um humor malvado. Jô era uma paraibana boa-praça e divertida, uma morena bonita e toda gostosinha. Com elas estava Beto, um conhecido de academias de violão em Copacabana, que estava terminando a faculdade em Houston, no Texas, para trabalhar com engenharia e máquinas no Rio e começava um romance com Lila. Combinaram todos de jantar num bistrô na Rive Gauche.

Depois do jantar, do vinho e das ótimas conversas, lembrando casos de João Gilberto, Vinicius, Tom Jobim, Samuel Wainer e a turma de Ipanema, foram caminhando até a pequena boate Le Perroquet.

Após alguns chá-chá-chás e hully gullys, o discotecário baixou as luzes e partiu para o repertório romântico. Para dançar junto. E Nelsinho foi dançando junto, cada vez mais junto, de Jô, enquanto tocava o sucesso do momento, "Strangers in the Night", com Frank Sinatra. Ela começou a acariciar-lhe a nuca, aproximou seu rosto e seus lábios se abriram para os dele em um beijo que durou toda a música. Outras músicas e beijos e drinques depois, pagaram a conta e pediram ao porteiro a indicação de algum hotel nas redondezas.

Num velho hotel parisiense, com elevador de grades e porteira mal-humorada, Nelsinho acordou mais feliz do que nunca, com o sol entrando pela janela e revelando os telhados de Paris, enquanto uma bela mulher nua dormia a seu lado. Não havia comparação entre uma mulher madura e experiente, e que gostava de sexo, e aquelas garotinhas bobas da praia. Sentiu-se imensamente grato, pelo prazer e pelo aprendizado. Imaginou que, em vez de fazer o serviço militar, os garotos de 20 anos deveriam ter um caso com uma mulher com o dobro da idade deles. Aprenderiam muito mais da vida.

Saíram três dias seguidos para jantar, três noites de amor com Jô, mas Nelsinho começava a ficar preocupado: pagando todas as contas como um gentleman, fez o bloquinho dos traveler's checks minguar perigosamente. E ainda teria pela frente a Copa do Mundo inteira em Londres, para onde Jô também estava indo. Teve que pedir ao pai autorização para usar os 500 dólares de reserva que havia levado "só para emergências sérias". Nenhuma emergência era mais séria que um romance em Paris.

Como Jô não disse que queria continuar a história, Nelsinho ficou inseguro e – também por absoluta falta de fundos –, ainda que de coração partido, não a procurou em Londres, onde ela engatou um affair com um jornalista da velha guarda.

Na Swinging London, Nelsinho passeava por Chelsea e King's Road e saía todas as noites com Vera, filha do tio Max, e amigos dela para a boate Annabel's, sempre indo dormir bem tarde no Hotel Hilton. Mas acordava cedo com o tio Max todo animado ao telefone, convocando-o para jogar golfe num campo a meia hora de Londres no seu Jaguar. Exausto e estremunhado, Nelsinho levantava da cama a contragosto, mas, afinal, era o mínimo da cortesia devida ao tio que estava pagando a conta. Certa manhã, estava com tanta preguiça que tentou dar uma desculpa para não ir. Levou um esporro daqueles e foi. Em seu estado físico deplorável, acabava sempre derrotado pelo tio.

Começou a Copa! Foi grande a emoção de entrar no velho estádio de Wembley, construído em 1923. Com bancos e coberturas de madeira, o estádio parecia todo feito de madeira. Nos bares, todos bebiam uísque, nacional *of course*, e cerveja morna. No gramado impecável, a Inglaterra enfrentou a Argentina em um jogo duro e disputado, com os hermanos catimbando e provocando, e que quase virou batalha campal quando o meio-campista Rattín chutou um inglês, foi expulso e afrontou a torcida. Deu uma certa vergonha sul-americana. E a Inglaterra ganhou.

Na ida para Liverpool, onde jogaria o Brasil, enfrentaram hordas de brasileiros que invadiram o trem na Victoria Station. Mas o grupo do tio Max foi salvo pelo velho Mariano, que, com sua voz de pato rouco, gritava, eufórico, que já havia molhado a mão do chefe do vagão, um senhor de casaca vermelha, cabeleira branca e cartola, que Mariano chamava o tempo todo de Chacrinha. O sujeito tinha bloqueado pessoalmente os assentos para a comitiva do tio Max. Uma vitória da malandragem brasileira sobre a honestidade inglesa.

Em Liverpool, nem mesmo caminhar pelas ruas em que pisaram os Beatles consolou o fiasco da seleção brasileira que havia se sagrado bicampeã no Chile. Com Garrincha decadente, ganhou mal de uma Bulgária fraquíssima, levou um baile da Hungria, o melhor time da Copa, e foi massacrada, também fisicamente, por Portugal, com gols de Eusébio, o craque da Copa, e Pelé saindo de campo abatido por um coice do zagueiro Simões.

Nelsinho assistiu entediado à final entre Inglaterra e Alemanha, com um gol inglês pra lá de discutível definindo a partida. Eram dois times de que João Saldanha debochava, chamando de "cinturas duras", ruins de drible, e que tinham como estilo o chuveirinho sobre a área. Era o triunfo do "futebol-força" (e velocidade) sobre o futebol-arte exibido pelo Brasil em 1958 e 1962. A primeira Copa a gente nunca esquece.

Mesmo na derrota, a sorte de Nelsinho se manifestou ao conhecer um amigo do tio Max, que fazia parte do grupo em Liverpool. Nesuhi Ertegün era um turco-americano baixinho e animadíssimo, grande crítico de jazz e sócio (com o irmão Ahmet) da Atlantic Records, que se tornaria uma lenda na indústria fonográfica. Mas Nesuhi estava ali porque adorava futebol, que não existia nos Estados Unidos, e era grande fã da seleção brasileira, que tinha visto jogar na Suécia e no Chile. Tornaram-se amigos. Nelsinho também era louco por música e futebol, mas jamais se imaginou trabalhando em uma gravadora, muito menos numa de Nesuhi, um dos homens mais poderosos da indústria do disco.

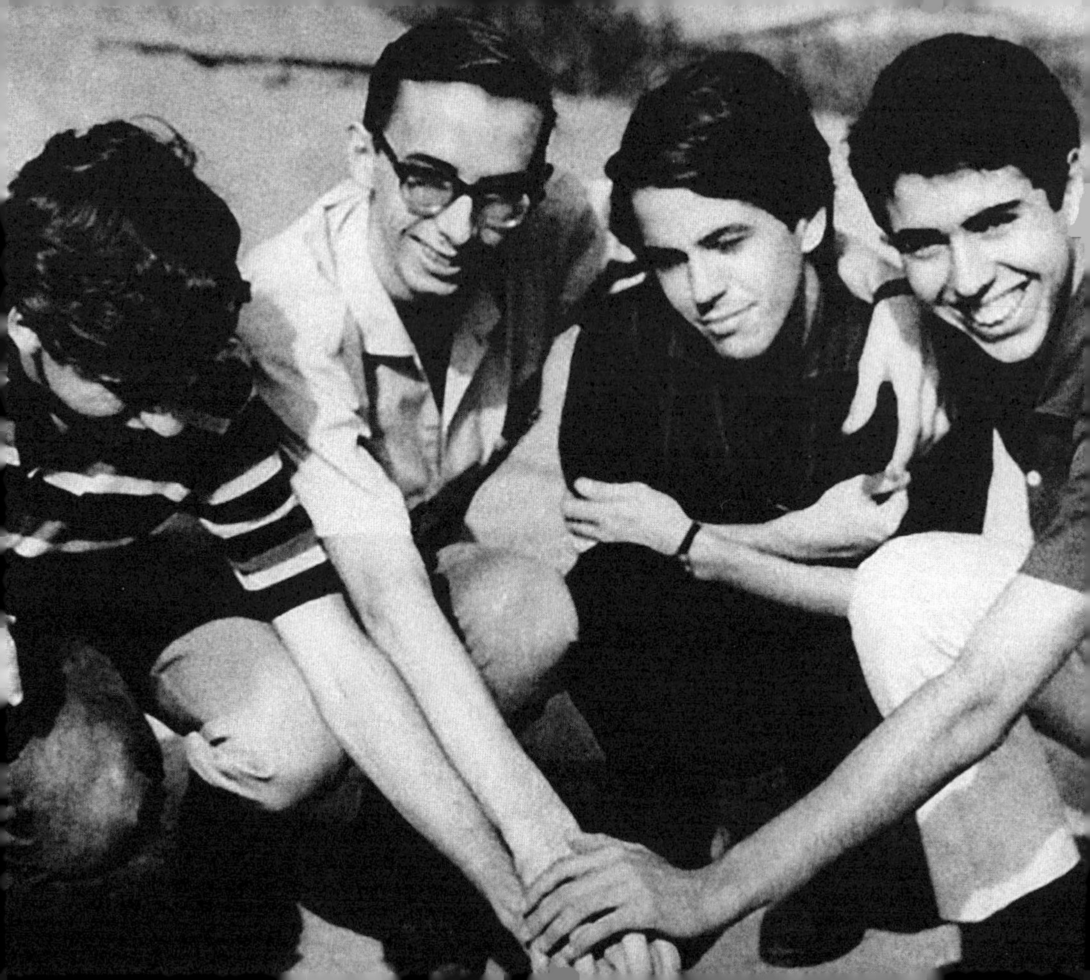

66

VIDA ACADÊMICA

Dois baixinhos inseparáveis, Renato Landim e Nelsinho fizeram o vestibular juntos e passaram entre os setecentos concorrentes às trinta vagas da Escola Superior de Desenho Industrial (ESDI). Renato, porque pintura não era profissão, e Nelsinho, porque música não era profissão – e o design era o que mais se aproximava do temperamento artístico deles.

Na ESDI, Renato começou a namorar Tânia, uma linda morena lânguida e esguia de cabelos lisos e negros como a graúna e lábios cor de açaí, que morava no mesmo prédio que Nelsinho, na rua Paissandu.

Pintor de muito talento, aluno de Ivan Serpa e amigo de Antonio Dias, Rubens Gerchman, Carlos Vergara e Roberto Magalhães – promessas da Geração 65, o nascimento da pop art brasileira –, Renato era um artista, uma palavra quase maldita na ESDI, que formava designers, técnicos, profissionais da forma, que não tinha nada de arte e inspiração, era informação e tecnologia. Seguia a escola alemã radical, para a qual forma é função, ou seja: a forma é determinada pela função dos objetos produzidos em massa. Enfeites e adornos eram abominados como arte-

Abraçado pelos colegas não identificado, Freddy Van Camp e João de Souza Leite.

sanato. "Mas por que os produtos não podem ter uma forma eficiente e que também crie beleza?", perguntava-se Nelsinho.

A ESDI ficava num grande terreno que ia do Passeio Público ao quartel da Polícia Militar, na rua Evaristo da Veiga, e era uma antiga vila com várias casinhas separadas por uma rua de paralelepípedos. Fundada pelo governador Carlos Lacerda, a escola começou a funcionar em 1963 e não era vinculada a nenhuma universidade federal ou estadual, mas ligada diretamente ao gabinete do governador, que tinha um lado visionário e um xodó pela escola que iria formar designers brasileiros, dar forma brasileira aos nossos produtos, à nossa comunicação visual. Para isso chamou o fino do fino dos professores, herdeiros da Bauhaus alemã e formados na legendária Hochschule für Gestaltung, de Ulm, a Escola Superior da Forma, então a meca dos designers modernos.

Quem queria fazer arte deveria ir para a velha e careta Escola de Belas Artes. A paleta de cores alemã era restrita a preto, branco, cinza e bege, também nos figurinos dos professores. Qualquer exuberância cromática era tabu, debochada como "artistagem".

Graças a verbas generosas, a ESDI foi montada com o que havia de melhor em professores e equipamentos. Tinha oficinas de gesso, madeira e metal, laboratório de fotografia, projetores e até uma moviola, uma das duas existentes no Rio de Janeiro, de pouco uso pelos alunos, mas onde foram editados vários clássicos do Cinema Novo.

Na sala da moviola, Nelsinho assistiu à montagem de vários desses filmes. Ficou amigo de Cacá Diegues e Gustavo Dahl, viu *A grande cidade* (1966) ser montado do início ao fim, acompanhou Glauber Rocha montar *Terra em transe* (1967) com Eduardo Escorel e aprendeu bastante sobre a importância da montagem cinematográfica. A sala da moviola ficava nos fundos do terreno, separada da vila, e era o lugar ideal para matar aulas chatas. Pena que a sobriedade germânica tenha mandado pintar de cinza-escuro todas as casas, que logo ficaram conhecidas entre os alunos como "campo de concentração".

A rigidez germânica e certo desprezo pela arte eram compensados por professores como o crítico de arte Flávio de Aquino, que educava e formava o olhar dos futuros designers em aulas maravilhosas de história da arte, analisando projeções das grandes obras; o poeta concretista paulista Décio Pignatari, que ensinava teoria da comunicação e propunha revoluções de linguagem; e o mineiro carioquíssimo Zuenir Ventura, que dava aulas, teoricamente, de comunicação verbal, mas na prática ensinava os designers a escrever ensaios e projetos, falava muito do novo jornalismo, da linguagem escrita, da comunicação popular. Os alunos adoravam o professor Zuenir por sua sábia simpatia, seu otimismo e seu amor à arte.

67

TARDE DE NÚPCIAS

A grande notícia era que a mãe de Renato, não aguentando mais o cheiro de tinta espalhado pela casa, tinha dado dinheiro para ele alugar um ateliê em Copacabana, no 12º andar de um prédio caindo aos pedaços. A arte era secundária para Nelsinho e Renato; o principal era ter um lugar para ficarem sozinhos com as namoradas.

O "ateliê" era um quarto e sala caótico todo sujo de tinta. Renato pintava grandes quadros usando sprays, e o cheiro era insuportável. Para piorar, pouco depois do início das operações, o ancestral elevador quebrou. Corroído pelo tempo e a maresia, com portas de grades de metal enferrujadas que eram fechadas manualmente, o velho monstro resfolegou e parou, talvez para sempre. Não havia qualquer previsão de conserto. O prédio era uma cabeça de porco de conjugados decadentes, sem esperanças de os condôminos bancarem um elevador novo.

Nada disso diminuiu o amor e a testosterona dos rapazes. Nem a animação das moças, que tinham que subir doze andares de escadas para chegarem ao ninho de amor. Renato logo contou a Nelsinho que ele e Tânia tinham rompido "a última fronteira" e que tinha sido maravilhoso. O amigo o encorajou a fazer o mesmo, já que, se Gabi também queria, era um medo idiota. O namoro com Gabi tinha chegado a uma fase em que só faltava aquilo. Mas Nelsinho hesitava, morria de medo da responsabilidade e do mundo pecaminoso e punitivo dos jesuítas. Passavam tardes na cama, na beijação e pegação, mas hesitavam no último momento. Até que um dia, depois de subirem doze andares a pé, Nelsinho e Gabi tiveram a sua tarde de núpcias, feita de amor, delicadeza e tesão. E fôlego juvenil.

65

VIDA DUPLA

Tudo corria bem para Nelsinho. Estava na escola que adorava, tinha uma namorada boa moça, como recomendava Xixa, e o pai achava que ele afinal encontrara sua vocação profissional.

Logo nos primeiros dias de aula na ESDI, porém, Nelsinho se encantou com uma morena paulista de beleza aristocrática e corpo modelado por anos de dança, a verdadeira paixão dela. Mas como dança não era profissão, o mais próximo era a comunicação visual. Séria e estudiosa, Maria Lúcia tinha 18 anos e era filha de uma sumidade da crítica literária. Veio morar com os tios no Rio para fazer a ESDI. Cabeçorra hereditária, era culta e sofisticada, gostava de literatura e cinema, se vestia com discrição e usava expressões antiquadas como "adamado" ao se referir a gays. Maria Lúcia logo começou intensas conversas com Nelsinho, sempre culturais, naturalmente.

Olhando-se no espelho, Nelsinho se achava bem feioso, dentuço e magrelo. Era melhor investir na qualidade de seus conhecimentos e de suas conversas, mas principalmente na simpatia e na boa educação. Um bom moço de verdade. Mas que admirava os bad boys.

Xixa aprendeu piano com a mãe e tocava de ouvido. De um ouvido, porque do outro não ouvia nada, consequência de uma infecção grave na infância. Mas que ouvido! Bastava escutar uma música algumas vezes e logo a tocava ao piano, com seu estilo floreado, cantando com voz pequena e afinada. Então começou a compor. Não como trabalho, mas por diversão, dizendo que as canções apareciam prontas em sua cabeça, letra e música, era só tocar ao piano.

Sonhou ser compositora. Talento não lhe faltava, mas Nelson não queria a mulher metida em rodas musicais, vivendo na noite e convivendo com artistas. Mesmo assim, ele a ajudou a encontrar um maestro para transcrever suas músicas e mostrá-las a cantores. Sua primeira composição gravada foi interpretada por Roberto Luna, cantor da noite e dos cabarés. Xixa achou muito cafona.

Depois ficou amiga da maravilhosa cantora Alaíde Costa, que frequentava as festinhas de bossa nova na rua Paissandu e gravou "É mentira nosso adeus", um belo e triste samba-canção. A música começava com "Eu bem sei que o nosso amor morreu/ mas não posso te dizer adeus/ leva contigo a certeza da minha saudade/ deixa comigo a lembrança da felicidade".

Nelson ficou cabreiro, achando que era um recado. Xixa disse que era só fantasia, ficção. Afinal, o final era feliz: "Mas se um dia/ Ao cruzar uma esquina qualquer/ Um perfume, um olhar/ Te fizer lembrar/ De quem nunca te esqueceu// Volta, meu amor/ Vem me dizer/ Que nós nos enganamos/ Que sempre nos amamos/ Que é mentira o nosso adeus."

Nelson ficou mais tranquilo.

Era muito difícil conseguir gravações das músicas sem sair de casa, sem frequentar o mundo musical. Xixa compunha compulsivamente, mas não sabia o que fazer com as canções, a não ser tocá-las para filhos, amigos e parentes. Tornou-se amiga da turma de Nelsinho – Edu, Francis, Wanda, Dori –, mas nunca se atreveu a mostrar uma composição sua. Achava seu estilo antigo. E gostava dos modernos.

Sabia que Nelsinho era esforçado mas não tinha talento musical, e se alegrou com suas primeiras letras. Poderia se realizar como compositora através dele. Ou até junto com ele.

Dia após dia, aula após aula, Nelsinho e Maria Lúcia não se desgrudavam. Os tios dela eram amigos dos pais dele, e ele passou a frequentar o apartamento onde ela morava, na rua Barata Ribeiro. Era evidente o encanto mútuo, movido a discussões filosóficas, culturais e artísticas, que Nelsinho via como enriquecedoras e estimulantes, tanto quanto o rosto clássico, os olhos cor de avelã e as pernas de bailarina. Ficou louco quando a encontrou na praia do Arpoador com um maiô preto inteiriço, mas bem cavado, que revelava e valorizava seu corpo. Mas Maria Lúcia era absolutamente virgem: nunca tinha sequer beijado na boca.

Das mãos dadas ao primeiro beijo foi um longo caminho. Ela hesitava em abrir a boca, não sabia o que fazer. Nelsinho se lembrou de seu primeiro beijo com Lurdes debaixo do chuveiro. Apaixonado por Maria Lúcia, tentava conquistá-la pela inteligência e a cultura, encontrava nela a interlocutora ideal para suas pretensões intelectuais. Metido a moderninho e boêmio de Ipanema, brincava com o comportamento conservador e abstêmio dela.

Enquanto isso, no Leblon, seguiam normalmente, ou quase, o namoro com Gabi e as festinhas com a turma da música, além dos ensaios de Os Seis em Ponto, seu conjunto musical com Francis Hime, com o qual gravaria um disco na RGE.

Nelsinho passou a levar uma vida dupla. De dia, pretendente a designer e intelectual; à noite, boêmio e músico iniciante. A grande diferença não era só nas conversas, já que com Gabi havia sexo, e era muito bom; com Maria Lúcia, ir além de um beijo era muito difícil, e quebrar o tabu da virgindade, impensável.

65

GRAVANDO!

O primeiro dia de gravação do *Os Seis em Ponto*, num velho estúdio da CBS de três canais, perto da praça Tiradentes, foi aflitivo para Nelsinho. Sem unhas compridas para usar de palheta, os dedos escorregavam pelas cordas provocando um grande chiado no microfone ultrassensível. A solução foi oferecida pelo engenheiro de som Umberto Contardi: lambuzar os dedos da mão com óleo, para deslizarem pelas cordas. E funcionou – ou quase.

Penosas e cansativas, as gravações do ótimo repertório, com músicas de Edu Lobo, Carlos Lyra e Vinicius de Moraes, Menescal e Bôscoli, três de Tom Jobim, quatro de Francis Hime, terminaram com uma grande humilhação para Nelsinho.

Só faltava gravar o seu solo, o único no disco, um "improviso" escrito por Francis, que Nelsinho decorou mas não conseguia tocar. Errava o ritmo, trocava as notas, os dedos sem unhas escorregavam pelas cordas, playback após playback, até o fatídico "mais uma vez" de Umberto na cabine de som, onde toda a banda esperava impaciente.

Desesperado, Nelsinho estava nas cordas como um boxeador, se arrependendo de ter pedido um solo, sem coragem de implorar a Francis algo mais simplesinho, quase chorando. Aí, milagrosamente, apareceu do nada o fabuloso trombonista Raul de Souza, que tinha ido receber um pagamento na CBS. Conhecido de Nelsinho do Beco das Garrafas, foi convidado para um breve solo e logo sacou o trombone, pediu para tocarem a base uma vez e em seguida fez um improviso de verdadeiro jazzista. Além disso, como baixista amador, ainda refez com muito suingue o "bumbo de cordas" de Carlos Eduardo na mesma faixa, que ficou uma das melhores do disco.

A capa, em estilo alemão clean, foi desenhada por dois colegas da ESDI, Otaviano Mello e Raul Vogt, com fotos de Renato. Altão e de cabelos louros quase brancos, Raul era um suíço-brasileiro muito talentoso, da primeira turma da ESDI, e frequentador assíduo dos bares de Ipanema, onde era conhecido como "Raul Vovô". Com o alcoolismo e o tempo, acabou literalmente numa sarjeta de Ipanema, onde foi encontrado por um amigo, imundo e pedindo esmola.

A ESDI não tinha provas finais. Não dava para estudar na véspera e passar raspando. A cada aluno era dada uma grande mesa em um galpão, para que expusesse seus trabalhos do ano, peças em madeira, metal e gesso, desenhos técnicos, trabalhos teóricos e práticos, que seriam avaliados pelos professores em conjunto. A reprovação representava a expulsão da escola. Vagabundos não podiam ocupar a preciosa vaga de um novo aluno.

Entre a noite e o dia, entre Maria Lúcia e Gabi, entre a música e o design, não sobrou muito tempo para Nelsinho se dedicar aos trabalhos, que foram feitos em cima da hora, mal-acabados, e por isso levou mais uma bomba. Foi a mais dolorida de todas, porque amava a escola. E amava Maria Lúcia.

Dedicado à paixão por Tânia e pela pintura, Renato também foi reprovado, mantendo a dupla inseparável, mas agora na desgraça. Tânia e Maria Lúcia foram aprovadas.

Envergonhado e desesperado, Nelsinho acreditava que podia ser um bom designer e não tinha nenhuma outra carreira em vista. O que mais faria na vida? Comovido com a tristeza do filho, Nelson pensou como advogado e encontrou uma saída. Ou uma entrada.

"Como você não é mais aluno da escola, volta a ser um cidadão comum, com diploma do colegial, e tem todo o direito de fazer vestibular para qualquer escola superior. Por que não a ESDI?"

Para espanto dos professores, Nelsinho e Renato enfrentaram de novo setecentos candidatos no vestibular, que, além de português, matemática, inglês, história e desenho, tinha no final uma temida e decisiva entrevista com uma banca de professores.

Pela cara sorridente do professor Zuenir e até dos duros alemães e suíços, e pela cordialidade da entrevista, Nelsinho percebeu que eles admiraram e respeitaram sua atitude como uma prova de humildade e amor à escola e ao design.

Renato e Nelsinho passaram nos primeiros lugares e, quando a lista dos aprovados foi divulgada, foram ovacionados pelos novos calouros que se aglomeravam em frente à secretaria da ESDI.

65

BIGAMIA

A volta às aulas também era importante para manter a proximidade com Maria Lúcia, agora um ano na sua frente, enquanto sustentava a duras penas o noivado com Gabi. Sim, ao sentir os primeiros sinais de esfriamento do romance, em vez de pensar numa saída, Nelsinho preferiu oferecer-lhe uma aliança de noivado de ouro branco, que os dois passaram a usar na mão direita, sem a menor intenção de se casarem.

Talvez visse nisso uma compensação pela responsabilidade e a culpa pelo desvirginamento da namorada, que criava quase uma obrigação de assumi-la como esposa, num tempo em que muitos homens se casavam obrigados pela família da noiva ultrajada, alguns sob a mira de armas. Era uma questão de honra familiar. Apesar de metido a liberal moderninho, embora Gabi não exigisse nada, Nelsinho se sentia comprometido moralmente com ela, como se a decisão tivesse sido só dele.

Com a pudica Maria Lúcia eram só beijos tímidos, amassos leves e olhe lá. E muita conversa. Com Gabi, o papo era só sobre o mundinho da música. E Nelsinho ambicionava altos papos cabeça, literatura, cinema; queria aprender, aumentar a altura do sarrafo cultural, o que o convívio com Maria Lúcia lhe dava. Mas a relação com Gabi lhe proporcionava sexo, música e alegria.

Uma não sabia da outra. Milagrosamente, a bigamia resistiu por mais de um ano, mas chegou uma hora em que a bomba amorosa explodiu.

Maria Lúcia iria passar um ano viajando pela Europa com a família, acompanhando o pai, que daria aulas e palestras em várias universidades. Nelsinho desabou. Ficou ainda mais apaixonado.

Pouco antes da viagem, ela ficou sabendo de Gabi. Nelsinho entrou em pânico e fez de tudo para convencê-la de que o namoro estava terminando e que ela era seu único e grande amor. Foi levá-la ao aeroporto com promessas de cartas frequentes e amor eterno, naturalmente. Estava sendo sincero.

Mas foi miseravelmente traído pelo invejoso e fofoqueiro Joaquim, amigo da família dela e frustrado pretendente que, numa primeira carta para Maria Lúcia, a informou de que, mal seu avião levantou voo, Nelsinho havia comentado "Agora estou livre para ficar com a Gabi", algo que jamais dissera. Era o fim. A primeira e longa carta de Nelsinho foi toda desmentindo a fofoca, jurando amor eterno e dizendo que estava acabando com Gabi. Só que não.

Enquanto o noivado seguia cada vez mais chocho no Rio, Nelsinho mandava cartas caudalosas e transbordantes de paixão para Maria Lúcia, fazendo comentários sobre cinema, literatura, Paris, onde ela estava pela primeira vez, os jardins, os museus, os monumentos, a casa em que estavam morando por dois meses, no Parc Monceau.

Até que o cu pra lua se manifestou mais uma vez. Xixa anunciou uma nova viagem de um mês à Europa com toda a família, mas para poucas cidades. Quando estivessem em Paris, Maria Lúcia ainda estaria lá. A ESDI abonaria as faltas de Nelsinho, que se comprometeu a comparecer ao congresso da ICSID, entidade máxima do design, em Viena.

Assim que chegou ao Hotel Claridge, na Avenue des Champs-Élysées, Nelsinho telefonou, e seu coração disparou ao ouvir a voz de Maria Lúcia. Foram almoçar, passearam durante horas por Paris de mãos dadas, viram filmes, trocaram beijos castos.

Nelsinho partiu com a família para Viena, onde assistiria ao congresso de design, e teve a surpresa – de novo o cu pra lua – de encontrar outro brasileiro inscrito, seu querido professor de teoria da comunicação na ESDI e poeta fundador do concretismo, Décio Pignatari. Durante os cinco dias do congresso, como várias apresentações eram chatíssimas, Nelsinho não desgrudava do mestre nem no almoço. Em várias palestras o teve como comentarista exclusivo. Viu-o discutir com outros professores em inglês. Se não tivesse assistido a nenhuma palestra, só o intensivão com Décio já valeria a viagem. E a inveja dos colegas quando soubessem.

66
PRIMEIROS DINHEIROS

Nelsinho ainda estava no segundo ano da ESDI, mas já se achava capacitado a fazer trabalhos profissionais de comunicação visual, em parceria com o inseparável amigo Renato. Para isso teve uma mãozinha do avô escritor, que o levou para almoçar na Editora José Olympio, que publicava seus livros e com a qual mantinha longa amizade.

Ela ficava em um predinho de quatro andares na rua Marquês de Olinda, em Botafogo, plantado em um grande terreno sombreado por árvores frondosas, onde, com grande cordialidade, almoçaram uma saborosa comida caseira. O velho Motta apresentou o neto designer, que buscava oportunidades para fazer cartazes e capas de livros. José Olympio logo o encaminhou a seu filho Geraldo, que encomendou um cartaz para a divulgação de *Primeiras estórias* e outro para *Manuelzão e Miguilim*, os dois de Guimarães Rosa.

Nelsinho e Renato viraram noites trabalhando e finalmente entregaram os cartazes, que ficaram razoáveis e foram aprovados. E foi assim que Nelsinho ganhou seu primeiro dinheiro com a futura profissão.

Não demorou muito e Nelsinho contou com a ajuda do pai para o segundo trabalho. Grande amigo de Marcello Leite Barbosa, diretor da Bolsa de Valores do Rio de Janeiro, Nelson o convenceu de que a Bolsa precisava ter uma logomarca, uma imagem gráfica. Depois de um mês de grande dedicação ao lado de Renato, trabalhando e experimentando inúmeras ideias até chegarem à forma final, entregaram-lhe uma boa marca, baseada na ideia de elos de uma corrente estilizada de linhas retas que se integrava a outra igual. O diretor adorou. A marca de fato era bonita e eficiente, teve ótima repercussão na Bolsa e seria usada até o seu fechamento, no ano 2000. E Nelsinho arrancou o seu dinheiro, fiel à máxima de seu pai.

Uma nova oportunidade de trabalho surgiu de uma grande fábrica de cigarros de marcas populares, pertencente a um grupo chinês que era cliente do escritório do Dr. Nelson. Nelsinho e Renato vibraram com a possibilidade de desenhar maços de cigarros, um marco na história do design depois que os rótulos dos cigarros Lucky Strike foram redesenhados revolucionariamente, em 1940, por Raymond Loewy, também criador do logo da Shell e da garrafa de Coca-Cola. Seria um *lucky strike* da dupla de fumantes redesenhar as cafonérrimas embalagens dos cigarros vagabundos dos chineses e ganhar uma boa grana. Ô sorte! Só que não.

O escritório e a fábrica ficavam nos cafundós da avenida Brasil e os chineses, mal-encarados, falavam um português arrevesado. O papo foi rápido. Foram levados pelo china-mor para conhecer a fábrica. Era um imenso galpão com vários tanques enormes onde ferviam e borbulhavam diversas misturas de tabaco, produzindo o pior e mais nauseabundo fedor que as narinas de Nelsinho já tinham sentido e que jamais esqueceriam. Um cheiro acre comparável ao de esgoto, enxofre e curtume, tudo junto.

Folhas de tabaco são fervidas durante dias com os mais variados "temperos" naturais e artificiais, para manter o sabor daquela determinada marca, e depois secadas e trituradas, explicou o china-chefe, enquanto Nelsinho tentava respirar só pela boca para não sentir aquele fedor dos infernos. Saíram tontos do caldeirão do diabo chinês e respiraram com alívio o "ar puro" da avenida Brasil.

Nelsinho e Renato eram fumantes inveterados, mas saíram traumatizados daquele lugar e com uma marca indelével na memória olfativa. Seria um método infalível para alguém disposto a parar de fumar: passar uma hora ou meia hora ou quinze minutos por dia respirando aquele fedor medonho. Nenhum ser humano ia querer nem ouvir falar em cigarro durante um bom tempo. Nelsinho só ousou acender um Hollywood já tarde da noite, depois daquela manhã inesquecível no inferno.

A primeira embalagem a ser redesenhada era da marca Veneza, que exibia uma gôndola tosca e uma tipografia cafona. O cigarro era intragável e integrava, com justiça, a lista dos apelidados de mata-rato. Ser obrigado a fumar aquilo também poderia ajudar alguém a abandonar o vício.

Fizeram uma embalagem clean, com uma Veneza estilizada e destaque para a tipografia moderna e as cores fortes. O oposto do gosto dos possíveis fumantes daquele mata-rato. Os chineses detestaram e não pagaram nada.

66
LUGAR E HORA CERTOS

A primeira letra de música de Nelsinho foi com o talentoso amigo Maurício Tapajós: "Amor de gente moça", que emprestava o título de um LP de Sylvinha Telles e nunca foi gravada. A primeira gravada foi "Encontro", com Wanda Sá, que a incluiu no seu primeiro disco, *Wanda vagamente*, e depois "Velho pescador", com Dori Caymmi, lançada pelo grande pianista e arranjador Luiz Eça. Pena que o disco era todo instrumental, com uma maravilhosa orquestra de cordas, mas sem letra.

No primeiro grande festival, em 1965, promovido pela TV Excelsior, entre milhares de músicas inscritas, todos da turma, Edu, Francis, Chico, Marcos e Paulo Sérgio Valle, se classificaram entre as 36 finalistas. Menos Nelsinho e Dori, que tinham inscrito "Saveiros".

A parceria Edu e Vinicius ganhou o festival com "Arrastão" e marcou a revelação de Elis Regina, de 20 anos. Chico, 21 anos, ficou em terceiro com o melancólico samba "Sonho de um Carnaval" ("Carnaval, desengano/ deixei a dor em casa me esperando... quarta-feira sempre desce o pano"), cantado por um jovem compositor paraibano, Geraldo Vandré.

Nada como um ano depois do outro. Quando foi anunciada a abertura de inscrições para o Festival Internacional da Canção, criado por Augusto Marzagão e transmitido pela TV Rio, Nelsinho e Dori correram para inscrever "Saveiros", que ainda era inédita, condição para concorrer. O FIC tinha uma novidade: uma parte internacional, com 36 países concorrendo ao Galo de Ouro, em que a vencedora da fase nacional representaria o Brasil. "Saveiros" não só ficou entre as finalistas como, cantada por Nana Caymmi, irmã de Dori, venceu a parte nacional e foi vice-campeã da parte internacional, lançando nacionalmente os nomes de seus jovens compositores. Rejeitada em um festival e vencedora em outro, quando o resultado foi anunciado, "Saveiros" foi vaiada por metade do Maracanãzinho, que torcia para "Dia das rosas", cantada por Maysa. "Quando metade te aplaude e metade te vaia, você só ouve as vaias", constatou Nelsinho, e a primeira imagem que viu ao chegar à beirada do palco foi Nelson e Xixa o aplaudindo, ela chorando.

Nelsinho era repórter estagiário do *Jornal do Brasil*, por sugestão de Zuenir Ventura, mas ainda frequentava a ESDI. No dia seguinte, a repórter Bela Stall não conseguia encontrar o garoto que tinha ganhado o festival para entrevistá-lo. Só no meio da tarde descobriu que ele estava na mesa ao lado, na redação.

Foi colher os louros com os colegas da ESDI, onde foi muito cumprimentado, mas começou a abusar da glória momentânea e acabou ouvindo do querido amigo Dário Silva: "É, Nelsinho, acho que as vaias te subiram à cabeça." Gargalhada geral.

Nelsinho teve a sorte de ser designado pelo chefe de redação do *Jornal do Brasil*, Luiz Orlando Carneiro, para participar de uma entrevista coletiva que seria concedida pelo famoso e polêmico apresentador de televisão Flávio Cavalcanti. Na entrevista, ele anunciaria sua campanha pela "moralização das músicas de Carnaval", o que parecia uma contradição, já que a graça do Carnaval é não ter moral.

Flávio era muito conservador, apoiador de primeira hora do Golpe de 1964. Católico e lacerdista roxo, imitava os trejeitos do seu líder Carlos Lacerda, gostava de polêmica e sensacionalismo e era um produtor muito criativo.

Na entrevista, Nelsinho se divertiu com as letras das músicas que, pausadamente, eram avaliadas por Flávio, em tom duro de reprovação: "A minha fantasia ninguém muda/ eu esse ano vou sair de Buda/ Levo a Buda pra cá, levo a Buda pra lá/ e se chover a minha Buda vai molhar". Depois Flávio rasgava dramaticamente o papel com a letra. Lidas por ele em tom de reprimenda, acabavam se tornando ainda mais engraçadas. Na melhor delas bastava o título: "Toco cru pegando fogo". Flávio lia sério e fazia caretas. Todo mundo ria.

Era na verdade uma campanha careta contra o humor e a malícia típicas do Carnaval, exatamente aquilo que ele tem de melhor e mais brasileiro.

Nelsinho fez algumas perguntas a Flávio, que o reconheceu como o garoto que havia ganhado o Festival da Canção. Então o apresentador mandou-lhe um convite na bucha. Ia fazer um programa de TV com seis jornalistas que julgariam, ao vivo, músicas carnavalescas polêmicas, e perguntou a Nelsinho se teria coragem de dizer, na cara dos cantores e compositores, o que achava de cada música.

Uma semana depois lá estava Nelsinho, de terno e gravata, ao lado de veteranos cronistas da noite: Mister Eco, *art name* de Eustórgio de Carvalho; Hugo Dupin, que não era crítico musical, mas diagramador do *Diário de Notícias*; o ranzinza José Fernandes, que jamais sorria; o quarentão consultor sentimental Carlos Renato, fã de Nelson Rodrigues; e o jovem colunista Sérgio Bittencourt, rigoroso e sarcástico, três anos mais velho que Nelsinho.

Sérgio merece destaque maior, uma vez que tinha uma coluna assinada no jornal *O Globo*, escrevia muito bem e, sobretudo, era filho de Jacob do Bandolim, o que lhe dava uma suposta autoridade hereditária. Não demorou muito para rivalizar com Nelsinho, a quem via como um playboyzinho da Zona Sul, um reporterzinho do "Caderno B" do *Jornal do Brasil*, sem coluna própria nem autoridade para falar de música. Além disso, era um imerecido vencedor do Festival da Canção. Sérgio e Nelsinho discordavam quase sempre – temperamentos e atitudes diferentes. O conservador suburbano e o moderninho da Zona Sul.

Nelsinho lia avidamente todos os dias a coluna dos "cronistas da noite". Alguns eram sensacionais, como Antônio Maria, e ele os invejava por frequentarem os bares de música, comerem e beberem de graça, ouvindo fofocas narradas por barmen amigos, encontrando mulheres da noite que sonhavam com uma notinha no jornal.

Não só por seu temperamento tolerante e conciliador, mas por sua vivência na música com grandes mestres da bossa nova, como Tom Jobim e Vinicius de Moraes, e a amizade com a nova geração de Chico, Caetano e Gil, Nelsinho dava sua opinião com educação, sempre com argumentos técnicos, musicais e poéticos, evitando fazer julgamentos morais ou humilhar os cantores que apresentavam as músicas. Era o contrário de tudo o que Sérgio gostava de fazer, enquanto o auditório urrava como num circo romano.

O primeiro programa foi ótimo, com polêmicas e bate-bocas, músicas muito ruins, mas algumas divertidas, justamente pela malícia que tanto escandalizava Flávio, que, apesar de tudo, respeitava as opiniões liberais de Nelsinho. E o auditório aplaudiu muito no final. Melhor de tudo: depois do programa, Flávio entregou a cada jurado um envelope com dinheiro – era metade do que Nelsinho ganhava em um mês no *Jornal do Brasil*. E ainda melhor: convidou o grupo para fazer um programa por semana até o Carnaval. Eram dois meses de salário extra para se preparar para o melhor Carnaval de sua vida.

Instigado por Flávio, que pedia a ação da Censura Federal e quebrava discos teatralmente, o júri denunciava a imoralidade e o duplo sentido das músicas. Os guardiães da moral eram agressivos, impiedosos e reduziam a lixo compositores e cantores. *Pero no mucho*.

Quando o grande sambista Osvaldo Nunes, criador de "Oba", eterno hino do bloco Bafo da Onça, lançou "Mãe-iê" para o Carnaval de 1967, foi apresentá-la ao júri do programa – que se chamava *Um Instante, Maestro!* – vestido de bebê, com touca, mamadeira e fralda. O auditório enlouqueceu. Flávio botava e tirava os óculos, fazendo caretas de estranheza e reprovação.

Osvaldo era um preto atarracado e muito forte, tinha fama de pavio curto e de brigão, desses de encarar uma turma sozinho, e era gay. "Bicha macha", como cochichou Carlos Renato aos colegas. A música era inocente, parecia de criança e fez grande sucesso no Carnaval. Ninguém no júri ousou qualquer desacato ao bebê sambista.

Até o Carnaval, as participações no programa se sucederam em paz e com poucos conflitos. Além do bem-vindo cachezinho e da repentina popularidade, Nelsinho fez uma descoberta importante, depois de ouvir garotas e senhoras gritarem "Lin-do! Lin-do!" no auditório, mesmo sabendo que a feiura dos colegas da velha-guarda facilitava tal julgamento.

Seu único concorrente na mesma faixa etária era Sérgio, a quem chamavam pelas costas de "Bitanca". Ele era magrelo, duro e sarcástico, puxava de uma perna e era hemofílico. Mas, mesmo assim, as mulheres gritavam "Lin-do! Lindo!" também. Ao lado de Sérgio, Nelsinho parecia um príncipe, talvez uma das razões para o rancor do Bitanca.

Com os gritos do auditório e as sacolas de cartas de fãs que levava para casa toda semana, Nelsinho descobriu que não era tão feioso quanto se achava, apesar de as fotos da época revelarem que, na verdade, era bem bonitinho. O problema era o seu espelho. Tímido, baixinho e dentuço, magrelo e sem dotes esportivos, teve que investir na simpatia, no charme e no sorriso para sobreviver e ter alguma chance com as garotas. E quando afinal descobriu que não só era um rapaz de sorte, mas até bonitinho, a insegurança e a timidez com as meninas sofreram um rude golpe.

Das pilhas de cartas que lhe chegavam de todo o Brasil, ele só se interessou em ler algumas, e percebeu que eram todas muito parecidas. Desistiu. Como seu pai achava uma indelicadeza deixá-las sem resposta, respondeu ele mesmo a não se sabe quantas, com uma palavra de carinho, como se fosse Nelsinho.

Um dia apareceu uma garota de Curitiba, de mala na mão, na porta de sua casa. Nelsinho a recebeu com susto, carinho e compaixão; deu-lhe dois beijinhos e foi se refugiar no quarto, desconfiando de que talvez Nelson, em sua generosidade, tivesse se comovido com algum pedido dramático e exagerado no carinho da resposta, que a fã interpretou como um convite. No final, foi ele quem resolveu a confusão, abrigando-a, dando-lhe almoço, oferecendo um banho e levando-a à rodoviária.

Passado o Carnaval, o programa se tornou permanente, no mesmo formato de sucesso, mas agora com os jurados vestidos de smoking e recebendo um cachê profissional. Nelsinho virava estrelinha de televisão e o dinheiro melhorava. O programa tinha a receita certa: cada jurado representava um tipo de espectador (que se identificava com suas opiniões) e discutia com aqueles de quem não gostava. Carlos Renato era o "especialista em amor", que ressaltava a perspectiva amorosa das músicas apresentadas; José Fernandes era um carrasco que só abria a boca para fulminar cantores e só gostava de velharias; o simpático diagramador Hugo Dupin não entendia nada de nada e mandava qualquer uma; ao contrário de Mister Eco, que escrevia bem, tinha sólida formação em música brasileira, convivera com os maiores artistas das décadas de 1950 e 1960, e era um baiano muito articulado e rigoroso, antigão mas de bom gosto, que se dava muito bem com Nelsinho. Assim como todos os outros, com exceção de Sérgio. Uma falta de sorte ter um inimigo gratuito.

Nelsinho só queria dar sua opinião com independência e sinceridade, às vezes enfrentando as vaias do auditório. Era o único representante dos jovens na mesa. Defendia Roberto Carlos e o tropicalismo, que a mesa considerava oportunismo e marketing. Na saída do auditório da TV Tupi, no antigo Cassino da Urca, encontrava fãs de todos os tipos e gerações à sua espera.

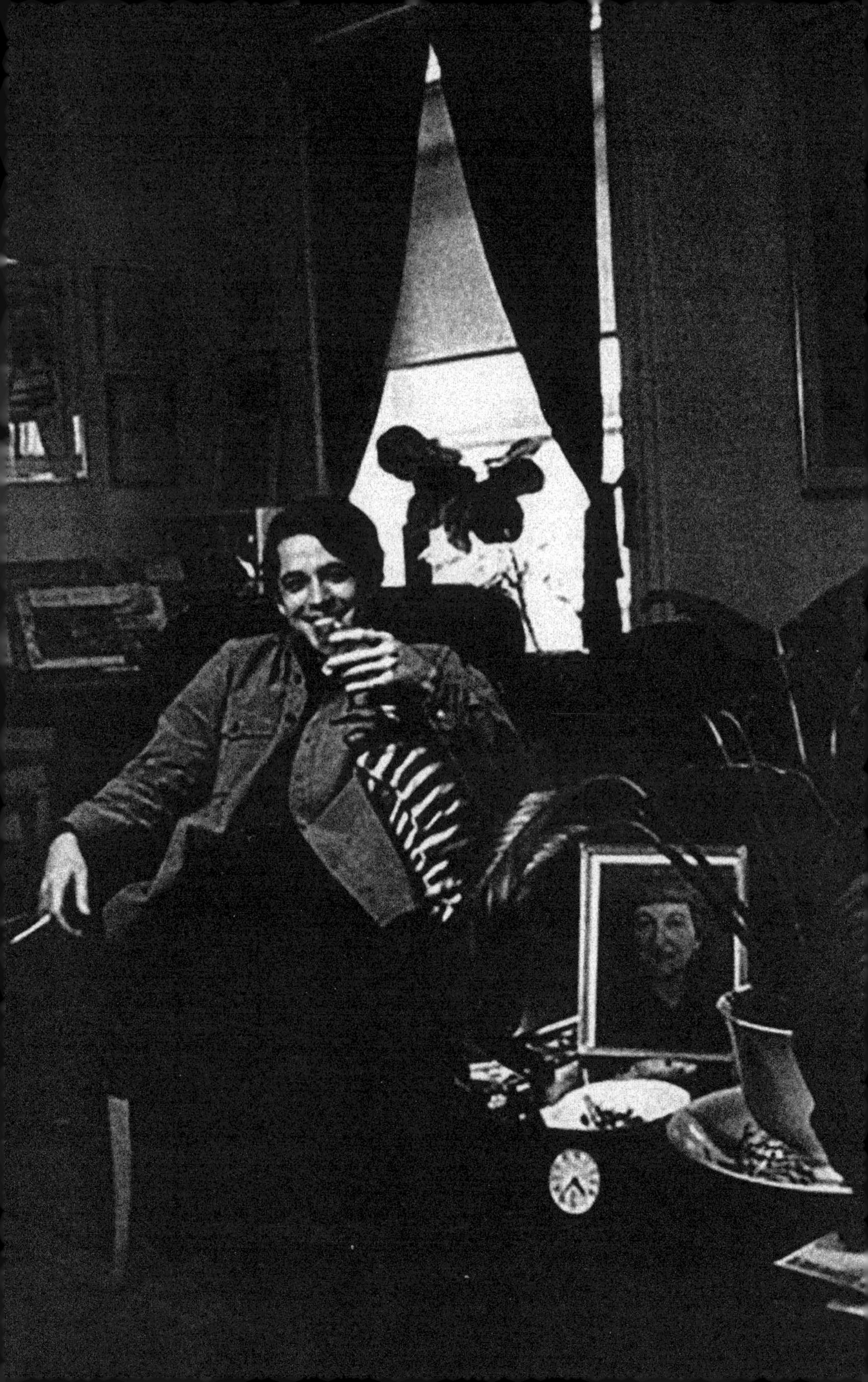

66

O "JACARÉ"

Graças ao contrato com Flávio, Nelsinho alugou um quarto e sala num predinho na rua Jangadeiros, em Ipanema, que, por ter o número 15, foi apelidado pelo amigo Paulo Garcez de "jacaré", o grupo 15 do jogo do bicho. Mantinha os confortos da casa paterna e tinha um apartamento de solteiro. Mas detestava os nomes atribuídos a ele: "garçonnière" era antigo e pedante; "matadouro" e "abatedouro" eram o máximo da escrotidão machista assassina; "jacaré" era o mais simpático. Para receber as fãs.

Foram tempos de fartura de oferta para Nelsinho, já convencido de que podia agradar as mulheres, descontando anos de penúria sexual e insegurança, podendo conhecer de perto suas admiradoras. Nunca se via como um predador, afinal eram elas que se ofereciam, e todo mundo saía feliz do aprendizado. Nelsinho foi aprendendo a importância e os meios de dar prazer às mulheres. Era sua prioridade sexual. Sentia-se um rapaz de sorte. Mas nem sempre.

Com o prêmio do Festival da Canção, ele comprou à vista um fusquinha bege, que saiu dirigindo pela cidade sem carteira e sem seguro

Fotografado por Bea Feitler em seu apartamento na rua 54, em Nova York.

por quinze dias, até que o carro foi roubado na frente de seu prédio, que não tinha garagem.

O primeiro carro roubado nunca se esquece. E Nelsinho, que conhecia todos os porteiros e leões de chácara da noite de Copacabana – Índio, Jacaré, Helinho, Ismael –, foi apelar para Mariel Mariscöt, que era da polícia – e, diziam, do Esquadrão da Morte –, odiava ladrões de carro e poderia ajudar a recuperar o fusca. Muito simpático, Mariel disse que não tinha problema: bastava deixar 300 contos para a investigação que ele trazia o carro de volta em três dias.

Antes que Nelsinho pudesse agradecer, Mariel completou:

– E ainda apagamos o vagabundo.

– Não, não! Não precisa, eu só quero o carro.

– Já tá no pacote – acrescentou Mariel, sorrindo.

Nelsinho gaguejou um agradecimento e prometeu voltar. Mas nunca mais apareceu.

67
DESCOBERTA DA AMÉRICA

Graças a uma passagem Rio-Nova York-Rio e os 500 dólares do prêmio no Festival da Canção, com o reforço da tradicional bolsa-viagem de 500 do tio Paulo, Nelsinho pôde realizar mais um sonho.

Assim que chegou a Nova York, ligou para André Jordan, um amigo do seu pai que estava na cidade e conhecia Nelsinho desde criança. Naquela mesma noite, André o convidou para o show de seu amigo João Gilberto no Rainbow Room, no 65º andar do Rockefeller Plaza, com vista circular da cidade toda acesa.

Ver e ouvir João e seu violão de perto, com aquele cenário, acompanhado apenas por Airto Moreira tocando com escovinhas uma lista telefônica, os dois de smoking, era o nirvana. Depois do show, foram falar com João, felicíssimo com sua performance, e os três desceram pela Quinta Avenida com João fazendo passos de sapateado.

Em Nova York, conheceu a designer Bea Feitler, recomendado por uma amiga ex-namorada de Bea. Ela também tinha namorado Paulo Francis, que sempre falava a Nelsinho de noites canábicas com ela ouvindo

Wagner. Bea era encantadora. Em seu charmoso estúdio na rua 54 com a Madison Avenue, recebeu Nelsinho muito bem e até o fotografou num cenário de *chiaroscuro* erguendo uma taça de vinho num brinde. Grande artista gráfica, Bea era diretora de arte da revista *Harper's Bazaar*, trabalhava muito e ganhava uma fortuna: mil dólares por mês.

Ah, como era bom estar em Nova York, ir a todos aqueles bares de jazz que conhecia das revistas, o Village Gate, o Blue Note, o Village Vanguard, e ouvir ao vivo Stan Getz, Cannonball Adderley, Thelonious Monk, Clark Terry... Infelizmente, não conseguiu ver os guitarristas Barney Kessel e Wes Montgomery, que moravam na Califórnia.

Recomendado por Sílvia, uma beatnik mineira colega da ESDI, procurou Neville d'Almeida e Jorge Mautner, que dividiam um apartamento na Bleecker Street, no coração do Village, e lá fumou seu primeiro baseado. Morrendo de medo, deu duas ou três baforadinhas, fingindo que tragava. Claro que não sentiu nada. Só medo, apavorado pelas lendas da "erva maldita" e pelas advertências dramáticas do pai sobre dependência e loucura.

Ligou para Sérgio Mendes em Los Angeles e foi convidado a acompanhá-lo numa turnê por quinze cidades, em avião fretado. Recebeu uma passagem de primeira classe para El Paso, no Texas, onde encontraria o grupo para dali seguirem viagem. Testemunhou o sucesso espetacular do grupo Brazil 66, com duas crooners americanas e músicos brasileiros misturando samba com jazz e música latina, criando o pop que chegava aos primeiros lugares da parada da Billboard e lotando ginásios de Seattle a Amarillo, de Detroit a St. Louis, de Los Angeles a Nova York.

Deu para perceber como a América real não era só Nova York e Los Angeles. Em algumas universidades, Nelsinho descobriu que havia estudantes que nem sequer sabiam onde ficava a França. Ou a Áustria. Nem se interessavam. A América lhes bastava; não precisavam do resto do mundo.

A viagem foi divertidíssima, com os dois grupos num quadrimotor Viscount: o Brazil 66 de Sérgio e o Bossa Rio, a banda que ele estava produzindo e abria os shows, com Gracinha Leporace e Pery Ribeiro de crooners.

Numa viagem de ônibus entre cidades próximas, Nelsinho teve seu segundo encontro com a maconha. Todo mundo fumava, Sérgio adorava, então Nelsinho criou coragem e deu duas tragadas. Não sentiu nada além de um enjoo, que o levou ao banheiro do ônibus para vomitar. "Por que todo mundo gosta tanto e se sente tão bem, menos eu?", ele se perguntava.

E viu pela primeira vez Miles Davis. Levado por Sérgio, foi a um jazz club de Los Angeles onde o gênio apresentava seu novo som, acompanhado por um baterista e um baixista. Bem perto do pequeno palco, Nelsinho, Sérgio e todo o público só viram Miles de costas e de óculos escuros, do início ao fim do show, sem se voltar sequer uma vez para a plateia. O baterista não era qualquer um, mas o exuberante jazzista Tony Williams, que espancava a bateria como se não houvesse amanhã, aparentemente desconectado de Miles e do baixista. Cada um parecia estar tocando um improviso diferente, sem relações de harmonia, ritmo ou melodia. Nelsinho não entendeu nada, mas não deixou de se sentir um privilegiado, que ainda não estava preparado para as novidades de Miles Davis, uma de suas maiores paixões musicais.

Na volta ao Brasil, o noivado com Gabi acabou de maneira inusitada. Convencida de que aquilo não tinha futuro, ela teve um breve caso com um dos Mutantes e engrenou um namoro com Joel, um escritor hippie viajante cuja máxima era "God is road" (Deus é estrada). E procurou o Dr. Nelson. Expôs-lhe a situação, chorou e disse que queria acabar o noivado na boa, no que teve total apoio do ex-futuro sogro, que ela adorava e que também achava que aquele romance tinha acabado havia muito. Assim, considerou, oficialmente, desfeito o noivado.

Bem que Nelsinho estranhou a ausência de Gabi no aeroporto para recebê-lo. Só quando chegaram em casa, com cuidado, Nelson lhe deu a notícia de que ele estava solteiro de novo. Oba!

67
GRANDE CHANCE

Com o sucesso de *Um Instante, Maestro!*, que introduziu o formato do júri televisivo, o esperto Flávio Cavalcanti bolou um novo programa com o mesmo time. *A Grande Chance* era um concurso de calouros de luxo, com os jurados de smoking, respeitando os cantores, para se contrapor à *Buzina do Chacrinha*, que era pura esculhambação, com calouros pavorosos escolhidos só para divertir o público. Seriam dois programas ao vivo por semana, de duas horas cada um, no auditório sem ar condicionado. E dois cachês semanais.

Como ficavam todos sentados atrás de uma bancada, logo Nelsinho passou a fazer os programas de smoking só da cintura para cima – da cintura para baixo, short e chinelo. Bebia tanta água que uma vez a vontade de fazer pipi foi mais forte que a tentativa de esperar até o próximo intervalo. Não hesitou: debaixo da mesa, encheu a garrafa de água mineral vazia com seu preciso líquido, e talvez a câmera tenha flagrado sua expressão de alívio.

Com o tempo e o sucesso, passaram a fazer dois programas por semana no Rio de Janeiro e dois em São Paulo, nos estúdios da TV Tupi, no bairro do Sumaré – o que dobrava os cachês e proporcionava viagens semanais no jato Caravelle e hospedagem em bons hotéis, que Nelsinho adorava. Além também da oportunidade de ter como diretor o doce e inventivo Fernando Faro, o Baixo, ícone da televisão brasileira.

Mas depois de um ano essa maratona começou a encher o saco. Ouvir calouros, a maioria ruins e chatos, durante duas horas em *A Grande Chance* estava ficando insuportável. No *Um Instante, Maestro!* os colegas de júri ficavam cada vez mais exibidos e previsíveis. Virou uma espécie de telecatch musical, com brigas combinadas, e Nelsinho passou a sentir um pouco de vergonha do programa que, apesar da grande audiência, era esculachado como popularesco e cafona por seus amigos artistas e intelectuais, que lhe perguntavam o que ele ainda estava fazendo ali com aquela gente. Nada o prendia além dos oito cachês.

Nelsinho estava sempre no restaurante Antonio's, no Leblon, frequentado pelo pessoal da TV Globo – os jovens diretores Boni e Walter Clark, o quarentão uruguaio José Ulisses Arce, diretor comercial –, e todos eram da mesma opinião: o programa era cafona demais e a companhia, péssima. Então acabaram por convidá-lo para trabalhar na TV Globo, sem saber bem o que ele faria. Era tudo o que Nelsinho queria! Ficou tão empolgado que aceitou na hora e nem quis discutir salário; antes de qualquer proposta, disse logo que queria receber o mesmo que ganhava com Flávio. E Boni topou. Nelsinho entrava para a turma da emissora de sucesso, que estava modernizando a televisão. E se mostrava um péssimo negociador.

Na TV Globo, em 1968, começou fazendo o *Jornal de Verdade*, uma revista de fim de noite dirigida por Borjalo e Fernando Barbosa Lima, com Otto Lara Resende, Nelson Rodrigues, João Saldanha e Tarcísio Holanda falando de improviso sobre política, futebol e assuntos do dia. Nelsinho dava as notícias culturais e fazia comentários sobre a juventude. Em seguida, iam todos para o Antonio's.

Depois de um ano no *Jornal de Verdade*, Nelsinho ganhou seu próprio programa na TV Globo com *Papo Firme*, fazendo cinco minutos de noticiário musical ao vivo, de segunda a sexta, às cinco para as sete da noite, quando entrava a novela. Era um excelente horário, que pegava todo o público que estava esperando a novela líder de audiência. Mostrava trechos de shows internacionais, comentava novidades e sorteava LPs oferecidos pelas gravadoras. O prefixo musical era a polifonia da introdução do arranjo de Rogério Duprat para "Domingo no parque", de Gilberto Gil.

Apesar do sucesso, *Papo Firme* só durou até 1973, quando a TV Globo decidiu lançar o *Jornal Hoje*, na hora do almoço, e Nelsinho foi chamado para fazer matérias na rua e apresentar notícias e comentários ao vivo.

Paralelamente ao jornalismo da TV Globo, foi convidado por Silvio Santos para participar do seu júri de calouros nas tardes de domingo, em horário que ele alugava da TV Globo para fazer sua produção independente, em São Paulo. Todos os domingos, Nelsinho pegava um Caravelle ao meio-dia para estar às duas da tarde sentado no júri. O auditório cantava "Silvio Santos vem aí! Olê, olê, olá!". O cachê era bom, mas o programa, chatíssimo, e Silvio, superautoritário, o oposto da anarquia do Velho Guerreiro. E também só aguentou Nelsinho por alguns meses, porque insistia em dar sempre sua opinião sincera e educada, mesmo contrariando o auditório e provocando vaias. Para Silvio, o gosto de suas companheiras de trabalho era sagrado.

66
RISCO DE VIDA

O caminho de Nelsinho voltou a se cruzar com o do temido matador Mariel Mariscöt pouco depois, no auge da popularidade televisiva, quando frequentava bares e restaurantes de Copacabana e conhecia artistas e era reconhecido por eles. Como a atriz Darlene Glória, uma louraça de 30 e poucos anos, sexy e exuberante, que tinha começado no teatro de revista. Darlene era namorada de Mariel.

Uma noite, Nelsinho encontrou-a no restaurante La Fiorentina, no Leme. Tomaram uns drinques e trocaram carinhos por baixo da mesa. Com sua voz rouca, ela o convidou ao seu apartamento, a duas quadras do restaurante. A única pergunta que importava não foi feita: e o Mariel?

Seguiram a pé até o apartamento de Darlene. Começaram a se beijar na entrada, foram para o quarto, ela mostrou sua nudez deslumbrante e abriu os braços, mas tudo não durou mais que um minuto. O medo venceu o tesão.

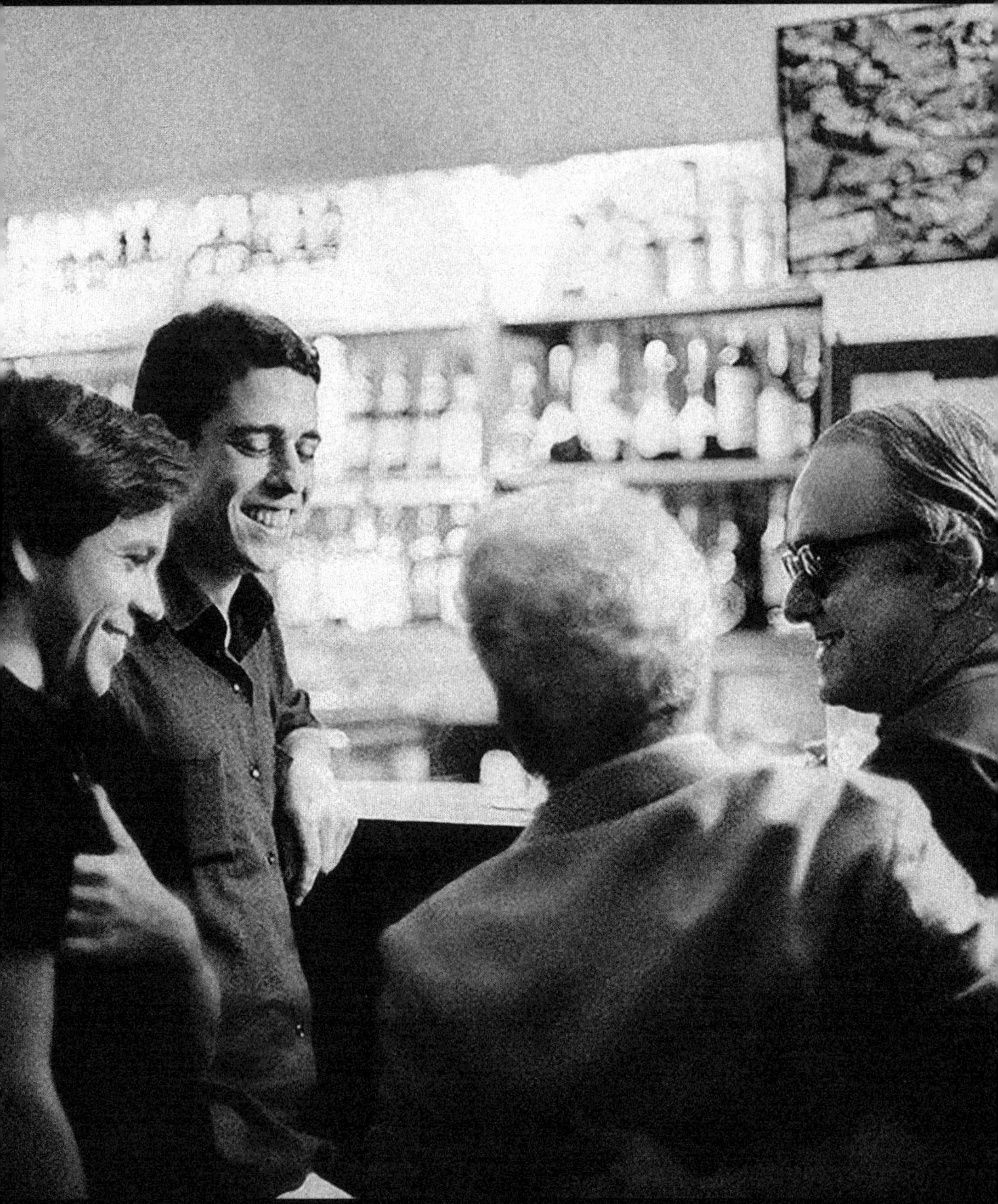

67
UM SEGUNDO LAR

Mesmo morando no Flamengo, Nelsinho ia todas as noites ao Antonio's, no Leblon. Era tão assíduo que uma vez passou à tarde só para avisar que não estaria lá naquela noite. Embora fosse de fato um restaurante, o Antonio's era mais um bar onde se comia. Era como um clube, todos se conheciam, e era possível pendurar a conta na generosidade e na tolerância dos donos, o galego Manolo e o sócio, Florentino.

Além de homens brilhantes, o Antonio's atraía mulheres bonitas, modernas e inteligentes, como Dina Sfat e Leila Diniz, a lindíssima Tônia Carrero, atrizes da TV Globo e do teatro, e as fãs dos homens renomados que se espalhavam pelas treze mesas e o balcão do bar.

Numa noite chuvosa, com o Antonio's quase vazio, Nelsinho acomodou-se num dos bancos no bar, trocou algumas palavras com o barman Florentino e ficou tomando uísque e fumando. Até que entrou uma quarentona que achou feiosa e sem graça, de óculos de grau e cara de professora, que se sentou ao seu lado e pediu uma vodca.

Começaram a conversar. A mulher era muito simpática e, sim, pro-

Com Chico e Braguinha (de costas), se divertindo com Vinicius no Antonio's.

fessora de filosofia, com uma voz e uma fala envolventes. E foi contando, como num papo de bar, as ideias de grandes filósofos, com clareza e informalidade, para Nelsinho, fascinado por tudo o que ouvia.

Com o passar do tempo, dos drinques e da conversa, Nelsinho começou a achar que ela não era tão feia assim, e que sua conversa era irresistível. Falava de Aristóteles, Platão, Epicuro, Espinoza e Nietzsche com familiaridade e humor, de uma maneira que ele nunca tinha ouvido – nem entendido tão bem. Dizem que homens gostam de olhar e mulheres de ouvir, mas era o inverso que acontecia.

A improvável aula de filosofia entrou pela noite e terminou de madrugada na cama da professora em Ipanema, com Nelsinho cheio de uísque e gratidão, retribuindo a gentileza. De olhos fechados. E aprendendo na própria carne o poder das palavras como arma de sedução, algo que lhe seria de grande utilidade vida afora, fazendo-o se incomodar menos com a aparência e valorizar mais o poder do verbo.

O cronista Antônio Maria, um de seus heróis da noite, se dizia feio como um sapo, gordo e mal-ajambrado, mas conquistou a princesa Danuza Leão, roubando-a de Samuel Wainer, que, além de elegante e charmosíssimo, era o patrão de Antônio Maria no *Última Hora* e o mandou embora.

Maria sabia que era muito feio, mas dizia que, se o deixassem falar cinco minutos, conquistaria qualquer mulher. Nelson Rodrigues provocava no Antonio's: "Dinheiro compra até amor de verdade", e gargalhava para dentro, do seu jeito, enquanto tomava as sopas e os caldinhos que sua úlcera permitia, acompanhados de água mineral. A mesa ria.

A partir de certa hora e do avançado dos drinques, as mesas se misturavam, e o Antonio's, como a Paris de Hemingway, virava uma festa, uma *moveable feast* que se espalhava pela varanda e pela calçada da rua Bartolomeu Mitre, com os carros passando rente aos bêbados que invadiam a rua.

Um de seus grandes personagens era o inteligentíssimo, cultíssimo e educadíssimo Ronald de Chevalier, economista e aluno brilhante do professor Mário Henrique Simonsen. Ele recitava Baudelaire e Shakespeare, e conhecia música clássica. Mas era como um cavalheiresco e ilustre Doctor Jekyll, que, quando bebia, se transformava num Mister Hyde desbocado e agressivo e virava o temível Roniquito, que empinava o queixo enorme, enrolava a língua e se tornava uma metralhadora de insultos, ofensas e provocações. Frequentemente era espancado por algum ofendido.

A uma embaixatriz, fina flor da sociedade carioca, que teve a má ideia de perguntar a ele, no balcão do Antonio's, onde era o banheiro:

– Depende – respondeu Roniquito. – Vai mijar ou vai cagar?

Uma de suas vítimas preferidas era o escritor Fernando Sabino, que tremia ao entrar no Antonio's e ouvir aquela voz inconfundível gritando do balcão:

– Fernando Sabino! – Então fazia uma pausa dramática para atrair a atenção da plateia. – Já leu Faulkner?

– Claro.

– Então você sabe que você é um merda.

Ou sua variante:

– Quem escreve melhor: você ou Nelson Rodrigues?

– Bem... – respondia Sabino, gaguejando. – Nelson Rodrigues, é claro.

– E quem é você para julgar Nelson Rodrigues? – Roniquito nocauteava.

Evidentemente, não se lembrava de nada quando voltava a ser Ronald. Era irmão de Scarlet Moon e muito querido quando sóbrio, mas bêbado era um monstro incontrolável que não poupava ninguém. Uma vez, expulso a tapas do Antonio's, acabou sendo atropelado na rua em frente.

Assessor de Walter Clark, o chefão da TV Globo, Roniquito também foi o criador da expressão "aspone" para designar um "assessor de porra nenhuma" e ficou famoso seu diálogo com uma grã-fina recém-chegada ao Antonio's, ouvido por Miele:

– De onde você está vindo tão chique?

– Do Theatro Municipal. Você gosta de Béjart?

Roniquito, na lata:

– Não, prefiro Foudet.

– Que grossura! Estou falando do coreógrafo Maurice Béjart!
– E eu do bailarino Pierre Foudet! – que só ele conhecia.
Às vezes anunciava na sua chegada ao Antonio's:
– Boa noite, senhoras e senhores. Aqui, Ronald de Chevalier. Em breve, depois de alguns uísques, Roniquito com vocês!
E aí chamava Tom Jobim de "cópia de Villa-Lobos" e Clarice Lispector de *wannabe* de Virginia Wolf.
No velório de seu companheiro de bebedeiras e brigão contumaz, Zequinha Estelita – que morreu ao capotar na curva do Calombo e cair com o carro na Lagoa –, Roniquito entrou na sala errada e desacatou a família que velava outro morto:
– O defunto de vocês é horroroso. Nosso morto é muito mais bonito!
E convocou o pessoal da capela 3 para uma briga contra a capela 4.
Morreu com 45 anos, de infarto, e Nelsinho se assustou ao vê-lo de olhos arregalados no caixão.

Que sorte poder estar no mesmo tempo e lugar e poder ouvir as conversas de Millôr Fernandes, Paulo Francis, Tom Jobim, Di Cavalcanti, Otto Lara Resende, Vinicius de Moraes, João Saldanha, Chico Buarque, Rubem Braga, Paulo Mendes Campos, Zózimo Barrozo do Amaral, Flávio Rangel, Glauber Rocha e do grande cronista José Carlos Oliveira, do *Jornal do Brasil*, que transformou a varanda do Antonio's em seu escritório e lá passava as tardes escrevendo, bebendo e espiando as garotas que iam e voltavam da praia do Leblon.

Uma delas era Scarlet Moon de Chevalier, a bela irmã de Roniquito, que Nelsinho conheceu na praia, com 14 anos, mas parecia 18. Era uma cavalona de quase 1,80 metro, com o menor biquíni possível para cobrir um corpo espetacular. Tinha uma beleza exótica, meio índia, talvez por suas origens amazonenses, cabelos pretos superlisos, olhos levemente puxados, dentes grandes em uma bocona que parecia ter vontade própria. Mesmo sendo muito feminina, tinha um jeitão viril e exibia uma desenvoltura incomum para sua idade, falando sobre qualquer assunto, com opiniões apaixonadas sobre tudo. Era tratada como adulta e namorava o ator Carlos Eduardo Dolabella, que era galã de novelas na Globo e tinha 30 anos na época.

Com sua precocidade, sua graça e sua independência, logo Scarlet se tornaria amiga de toda a turma do Antonio's, convivendo e sendo paparicada por homens inteligentes e famosos, sempre bem-vinda em todas as mesas por sua alegria e seu bom humor. Queria ser atriz, escritora, modelo, jornalista ou tudo junto.

67

O CHARME DO RAPOSÃO

Em 1967, o Antonio's ganhou extraordinário reforço com a volta ao Brasil do lendário jornalista Samuel Wainer, criador do *Última Hora*, de seu exílio em Paris. Sem Samuel, o jornal perdia prestígio, qualidade e vendagem, e, sentindo que havia condições políticas para sua volta, ele achou que poderia fazer a retomada do jornal e uma oposição cautelosa.

Nelsinho era amigo de Cacá Diegues desde os tempos em que acompanhara a montagem de *A grande cidade* na moviola da ESDI e também de sua mulher, Nara Leão, irmã de Danuza. Foi justamente a seu ex-cunhado Cacá que Samuel pediu a indicação de um jovem jornalista para escrever uma coluna diária sobre "o poder jovem" no *Última Hora*, uma novidade que nenhum jornal tinha e que fazia todo o sentido num momento de ascensão da juventude com os hippies, o rock, a contracultura e a vida alternativa.

Duplo golpe de sorte! O primeiro foi ter sido indicado por Cacá, e o segundo, aprender jornalismo com um mestre como Samuel Wainer num momento de efervescência do país e de protagonismo da juventude nas artes, na cultura e na política.

Nelsinho se apaixonou por Samuel. Assim como todos os que trabalhavam com ele no "novo" *Última Hora* – Tarso de Castro, Tato Taborda, Luiz Carlos Maciel, Celso Itiberê, Washington Novaes –, em uma redação velha e feia na praça da Bandeira, famosa por seus alagamentos em temporais.

Além da simpatia envolvente e da elegância europeia, Samuel, então com 57 anos, representava o ideal do repórter que vira dono de jornal: conhecia tudo por dentro e vivia o momento de fazer um novo veículo de imprensa, com uma nova equipe. Em poucos meses, o *Última Hora* começou a ganhar leitores jovens e a recuperar o velho prestígio. Com sua cabeleira prateada e revolta, seu bigodão, seus olhos azuis e seus óculos de aros pretos e grossos, era o charme em pessoa, o que levou Nelsinho e alguns colegas a se referirem a ele como "Renard Argenté" e depois "O raposão" pelas costas. Quando soube, ele adorou.

Era tanta empolgação que, com frequência, os jornalistas amigos que ralavam o dia inteiro na redação, Nelsinho entre eles, depois de fecharem o jornal, iam para a cobertura de Samuel na Vieira Souto continuar as discussões e fazer novos planos, tomando uísque na varanda de frente para o mar. Algumas vezes saíam de lá para jantar e beber e ouvir o trio de Luís Carlos Vinhas no Flag, em Copacabana, ou beber e jantar e conversar no Antonio's, no Leblon. E os assuntos eram o jornal, o jornalismo e a política.

Ninguém pensava em cobrar hora extra. Nelsinho até pagaria para participar de uma aventura como aquela. Nenhuma universidade lhe daria tanta teoria, prática e prazer ao mesmo tempo. Ô sorte.

Uma noite, na boate Sucata, Nelsinho e Samuel disputavam a atenção da mesma mulher, na beira da pista de dança. Era a lindíssima Regina Rosemburgo, musa do Cinema Novo, morena de olhos verdes que parava o Antonio's à sua chegada. Ela dançava com graça e sedução; eles faziam charme e tentavam seduzir. A certa altura, Samuel comentou com Nelsinho que eles eram como dois boxeadores: um só sabia ganhar por pontos; o outro, por nocaute. Mas acabou dando empate e Regina voltou sozinha para casa.

Foi na cobertura de Samuel que Nelsinho conheceu sua primeira mulher, Mônica. E foi o início do fim de uma bela amizade.

Na verdade, ele a conhecera uma semana antes, numa feijoada oferecida por Sérgio Mendes num apartamento alugado na Vieira Souto para comemorar sua volta triunfal ao país e rever os amigos depois do sucesso espetacular do Brazil 66 nos Estados Unidos.

Quatro anos mais velha do que Nelsinho, Mônica era uma morena linda, com um corpaço bronzeado de praia e uma irresistível voz grave e rouca. Quando a reencontrou na cobertura de Samuel, ela disse que estava "saindo" com ele, e Nelsinho entendeu, mas não desistiu, pois achou que não devia ser nada sério. Estava tão fascinado por aquela mulher que nem lhe passou pela cabeça que Samuel se importaria. Caiu matando em cima da morena e iniciou um namoro tórrido no "jacaré". Até então só havia se envolvido com garotinhas. Era sua primeira namorada adulta, e ele se viu transtornado, querendo casar e ter filhos.

Samuel ficou magoado e se sentiu traído por um garoto que tratava como filho, mas não falou nada. E, seis meses depois, Nelsinho se casou com Mônica e teve Samuel entre os padrinhos.

Só muitos anos mais tarde descobriria quanto Samuel levou a sério a "traição". Foi ao ler suas memórias e entrevistas sobre o *Última Hora* e os jornalistas que lançou – sem nunca citar Nelsinho.

Nelson Rodrigues numa noite de autógrafos... de Nelsinho! Não tem preço.

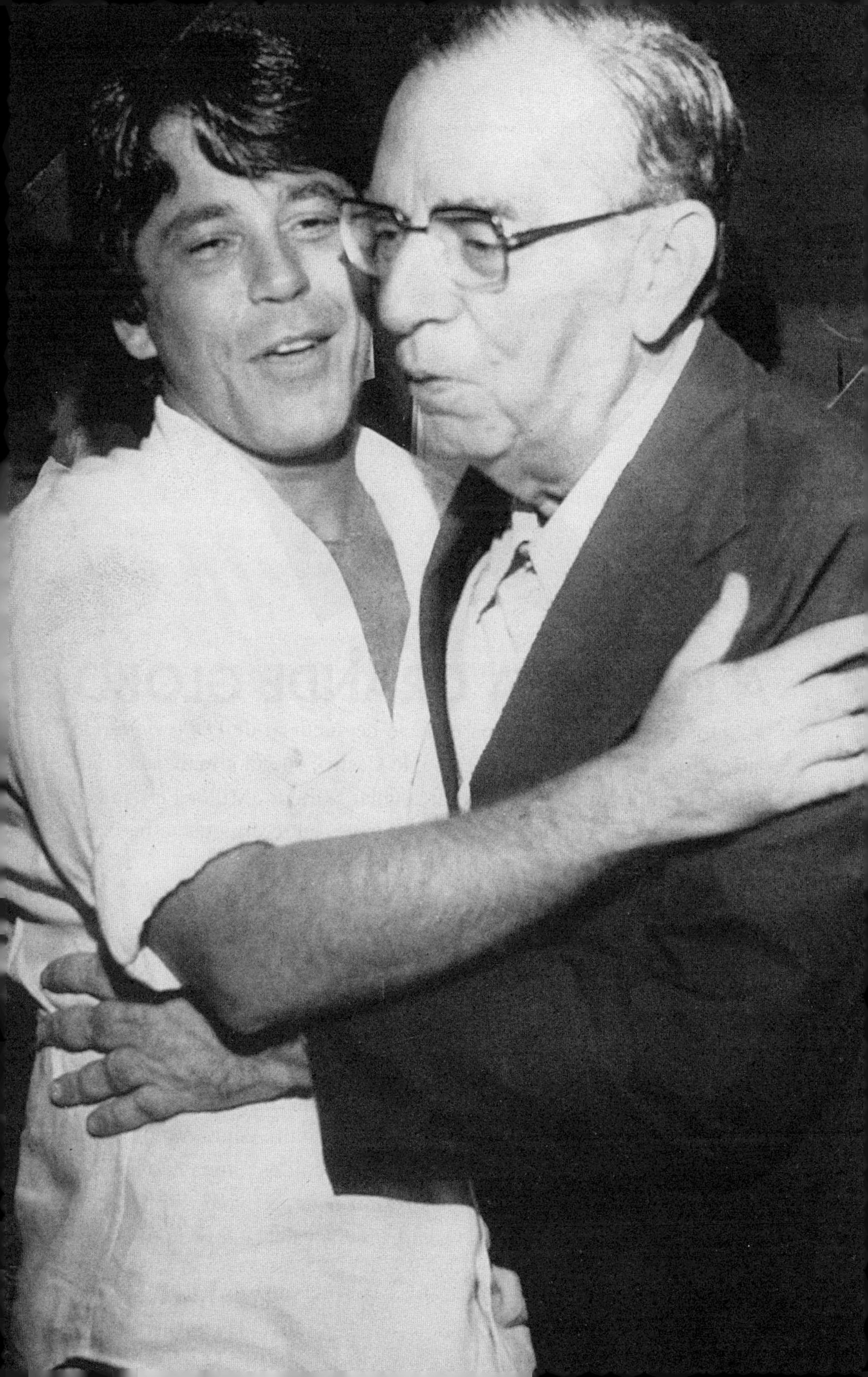

67

A PEQUENA GRANDE GLOBO

O Antonio's também era uma espécie de sucursal de *O Pasquim*, de onde despachava seu diretor, Tarso de Castro, ou eram realizadas reuniões de pauta com Sérgio Cabral, Jaguar, Ziraldo, Millôr Fernandes, Sérgio Augusto e o fotógrafo Paulo Garcez, entre drinques e petiscos servidos por Manolo. E pendurando a conta, naturalmente.

Scarlet Moon também era amiga da turma do *Pasquim*. Em 1971, com 19 anos, começou a se tornar uma das maiores amigas de Nelsinho quando os dois foram trabalhar no *Jornal Hoje*, sob a direção de Moacyr Masson e Alice-Maria. O noticiário ia ao ar na hora do almoço na TV Globo, com matérias leves e serviços para seu grande público: as donas de casa.

No *Papo Firme*, Nelsinho fazia o que queria; não tinha chefe. Brincava com o cameraman Elmar Sérgio, combinando movimentos audaciosos de câmera, nem sempre bem-sucedidos (ainda não havia o "padrão Globo de qualidade"). No *Jornal Hoje*, Nelsinho seria repórter, teria que fazer matérias externas. Precisava chegar cedo, mas não entendia bem por quê, já que não apitava nada na edição do jornal. Como tinha só que apresentar sua matéria, achava que poderia chegar meia hora antes tranquilo. Alice reclamava sempre, sobretudo quando ele ficava na bancada só fazendo comentários. "Televisão não é rádio!", lembrava com delicadeza germânica. Trabalhadora incansável, Alice era como um sargentão que tocava os telejornais da Globo no braço, enquanto o doce Armando Nogueira era o diretor-geral do Departamento de Jornalismo.

A TV Globo inteira cabia no prédio de quatro andares da rua Von Martius, onde gravavam três novelas, três telejornais, programas infantis e vários programas de auditório, como os do Chacrinha e da Dercy Gonçalves. No mesmo local ainda funcionavam os departamentos de jornalismo, engenharia, comercial, recursos humanos, além de uma cobertura onde ficava o restaurante com vista para o Jardim Botânico.

A grande e suntuosa sala do diretor-geral, Walter Clark, ficava no mesmo corredor que o departamento de jornalismo e, às vezes, no fim da tarde, era invadida por amigos que ali trabalhavam, como o publicitário Nonato "Crioulo" Pinheiro, o grande amor da cantora Dolores Duran e inspirador de suas músicas; o adorável doidão Clemente Neto, conhecido como "Demente Neto"; Boni; Arce; Daniel Filho, que estava mudando a cara das novelas; bem como amigos eventuais – entre eles, Nelsinho.

A hierarquia ia pro espaço quando rolavam as primeiras pedras de gelo para o uísque. Parecia uma extensão do Antonio's. Havia a sensação boa de pertencer a um time que estava ganhando, que estava mudando a televisão brasileira, que tinha uma imagem moderna e simpática, e onde todo mundo queria trabalhar. Numa parede da sala, um grande vidro isolava o som e podia-se ver, dois andares abaixo, o auditório do Chacrinha fervendo em silêncio. Ali surgiam ideias de programas, críticas e fofocas que moviam a TV Globo.

Walter tinha 33 anos e era um modelo para Nelsinho. Sempre elegante, com ternos bem-cortados, gravatas audaciosas e mocassins italianos, era um exemplo de liderança, com grande visão de marketing, cheio de charme, simpatia e poder de convencimento. Boni, por sua vez, era o general durão que sabia tudo de rádio, TV e publicidade, e tocava a máquina criativa de produção no grito. Arce vendia caro os comerciais, inventava novos espaços. Em menos de cinco anos a TV Globo tornou-se líder absoluta de audiência sob o comando de Walter Clark, que fazia a interface com Roberto Marinho e o consultor americano Joe Wallach.

Uma grande vantagem de ser amigo de Walter, rubro-negro doente, era o fato de ele adorar futebol. Na época, era tabu absoluto um jogo no Maracanã ser transmitido ao vivo para o Rio de Janeiro. Os videotapes dos jogos só eram exibidos domingo à noite, mas, como as imagens ao vivo geradas do Maracanã eram gravadas na TV Globo do Jardim Botânico, também podiam ser vistas em vários monitores da técnica, onde Nelsinho via os jogos do Fluminense, e num grande monitor na sala de Walter Clark, onde assistia aos do Flamengo. Com serviço de bar.

68

O FRANCÊS

Outro modelo para Nelsinho era o sírio-francês André Midani, que conheceu adolescente nas festinhas de bossa nova de seus pais. Após alguns anos na gravadora Capitol, no México, André voltou ao Brasil em 1967 para dirigir a Philips e se lembrou de Nelsinho ao ler sua coluna "Roda viva", no *Última Hora*.

Passado um ano como porta-voz da juventude, da novidade e da liberdade, a coluna sairia do ar três dias depois do AI-5, promulgado em dezembro de 1968, após matérias seguidas e provocativas sobre rebeldes estrangeiros – Bob Dylan; Joan Baez e a música de protesto; e a atriz Melina Mercouri, que desafiava os coronéis da ditadura grega –, tudo por sugestão de Samuel. A coluna tinha virado uma página inteira semanal, e, pressionada pela censura, durou pouco.

Num almoço no restaurante do Museu de Arte Moderna, no Aterro do Flamengo, veio a hora de passar de pedra a vidraça quando André Midani convidou Nelsinho para ser produtor na Philips.

– Mas eu nunca produzi um disco.

– Você já sabe tudo na teoria; agora é na prática. Vai aprender fazendo. E não é proibido errar – garantiu André, com seu forte sotaque afrancesado.

Louro de cabelos cacheados, de pai árabe e mãe judia, André tinha 35 anos, um charme europeu moderno e impressionante capacidade de liderança, ora movida a carinhos, ora a esporros. Para ajudá-lo a transformar a velha e careta Philips na melhor e mais moderna gravadora do Brasil, convocou um time de jovens produtores que incluía Nelsinho, Manoel Barenbein e Paulinho Tapajós, e alguns mais experientes, como Jairo Pires, que revelou Tim Maia, Roberto Menescal e o lendário Armando Pittigliani, que descobriu e gravou pela primeira vez Jorge Ben Jor e Elis Regina.

Sua primeira missão foi produzir o LP da cantora e compositora Joyce, uma das apostas da gravadora, que havia provocado um escândalo ao estrear em festivais em 1967 com 19 anos e uma música que começava com "Já me disseram que meu homem não me ama". Como uma garota tão jovem ousava chamar seu namorado de "meu homem"? Foi esculachada e chamada de devassa. E certamente não era virgem.

Joyce era uma típica garota de classe média de Copacabana, só que linda, inteligente, com olhos verdes vivos e luminosos, que fazia sucesso de biquíni na praia e tinha um extraordinário talento musical: tanto no violão, que tocava com muito suingue e belas harmonias, quanto na voz de soprano cool, precisa e afinada.

Grande fã de Tom Jobim e de João Gilberto, assim como Nelsinho, Joyce também foi profundamente impactada pelo início do tropicalismo, com "Alegria, alegria", de Caetano, e "Domingo no parque", de Gil, no festival de 1967, e pelos Beatles, desde sempre. Tudo estava mudando na MPB, e eles também.

O disco *Encontro marcado* tinha desde samba de roda baiano estilizado, aprendido com Dori Caymmi, até versões modernas de clássicos como "A saudade mata a gente", além de músicas próprias, nas quais buscava no violão um caminho entre a tradição e o pop.

Foi fazendo que Nelsinho começou a aprender a produzir um disco. Primeiro, colocava-se inteiramente a serviço do artista, abrindo mão de gostos pessoais em favor do que era melhor e mais adequado ao cantor, naquele momento de sua carreira. Também aprendeu a atuar como um "personal crítico" e um "psicanalista musical", buscando harmonizar as preferências do artista com sua visão de produtor, de crítico e de mercado.

Se o artista dizia "Amo essa música, quero cantar" e Nelsinho não gostava da ideia, brincava, respondendo: "Não sei não, mas talvez essa música não goste tanto de você. Mas o disco é seu." Todos riam e seguiam adiante.

Artista é bicho sensível, mas, se falar com jeitinho, sem intenções de domínio e disputas de poder, eles ouvem tudo. Mesmo as críticas mais sérias, desde que feitas com delicadeza e humildade, na base de "são minhas impressões", são bem recebidas. Eles precisam disso. Claro que tudo em sigilo absoluto, porque o que se diz a sós muda completamente diante de qualquer testemunha.

André Midani incutiu em Nelsinho uma máxima do mundo musical: "Nunca fale de outro artista para o que você está produzindo, muito menos como exemplo, bom ou mau. O artista tem que se sentir absoluto, único, com você ao lado empenhado em fazer o que for melhor para ele." E quando algum produtor reclamava do ego gigante de artistas complicados, André dizia que se não fossem assim, não seriam artistas – seriam bancários.

Como um samurai discográfico, Nelsinho se colocava incondicionalmente ao lado do artista: "Estou aqui pra te defender da imprensa, da crítica e até da gravadora, mas principalmente para te proteger de você mesmo." Risos. Confiança. Cumplicidade. Não garantem um bom disco, mas asseguram um ótimo clima, sem confrontos e brigas. Harmonia garantida.

O trabalho com André e o crescimento da Philips empolgavam tanto sua equipe de jovens produtores que, muitas vezes, depois de ralarem a semana inteira nos estúdios, se reuniam no sábado em um almoço no apartamento de André, na Lagoa, onde continuavam falando de música, discos, artistas e gravadora até anoitecer. Era um trabalho com sabor de lazer. E vice-versa.

70
CAÇANDO TALENTOS

Parte do trabalho dos produtores, a melhor parte, era descobrir novos talentos e desenvolvê-los. E, para isso, a grande vitrine eram os festivais de música que se espalharam pelo Brasil a partir dos históricos festivais da TV Record e do Festival Internacional da Canção. Foi assim que, em 1970, Nelsinho aceitou integrar o júri do Festival de Cataguases, no interior de Minas Gerais.

Pena que, alguns dias antes da viagem, acordou completamente tonto e nem conseguiu se sentar na cama. Tudo girava dentro de sua cabeça. Tentou se levantar e vomitou. Ficou deitado, imóvel e apavorado. Bastava virar os olhos e tudo parecia girar, como se estivesse numa montanha-russa. Labirintite, o médico o tranquilizou. Coisas do ouvido interno, que regula o equilíbrio. Tomou os remédios, ficou deitado e esperou passar. Até que passou. *Pero no mucho*.

Já não sentia enjoos nem a cabeça rodando, podia caminhar normalmente, ou quase, mas ainda pisava meio trôpego e desequilibrado. Mesmo assim, partiu com Mônica para o Festival de Cataguases. Valeu a viagem. O nível dos jovens talentos mineiros era alto. Beto Guedes, Lô Borges e Tavito estavam concorrendo, mas quem venceu foi uma sensacional Maria Alcina, com um vozeirão de trombone e uma presença que provocava estranheza: meio menino, meio menina; meio branca, meio preta; meio igreja, meio festa, numa síntese da diversidade brasileira. Estava claro que seria uma estrela pop. Dois anos depois, ela se consagraria, levantando o Maracanãzinho com "Fio maravilha", de Jorge Ben Jor, e vencendo o Festival da Canção de 1972. Ficou amiga de Nelsinho pra sempre.

Seu esforço para viajar ainda com um resto da labirintite foi mal interpretado por um jornalzinho local: "Quando Nelson subiu ao palco para entregar o troféu a Maria Alcina, todos notaram que ele estava visivelmente alcoolizado."

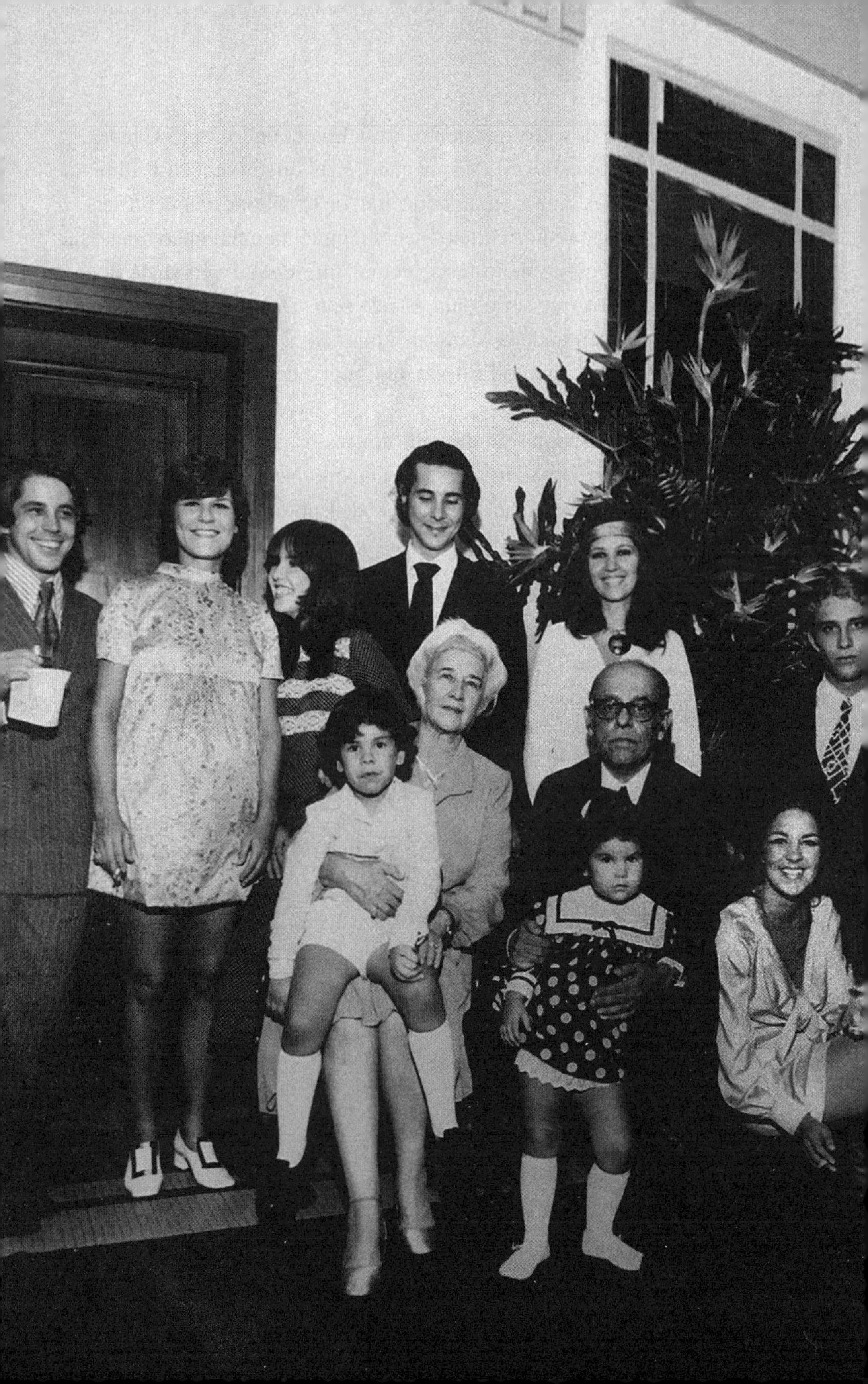

70
BODAS E BODES

Em 30 de julho de 1969, no aniversário de Xixa, Nelsinho e Mônica se casaram na capela da Reitoria da Universidade do Brasil, na Praia Vermelha, em cerimônia celebrada por dom Hélder Câmara, grande amigo de Nelson e Xixa. Joyce fez muita gente chorar com a "Ária da quarta corda", de Bach, acompanhada por um quarteto de cordas regido por Luizinho Eça. E mais ainda quando Elis solfejou "O cantador".

Xixa também chorava, não só pela emoção da música, mas porque sempre foi contra o casamento. Seria contra qualquer casamento do filho então com 24 anos, principalmente com uma moça que frequentava as colunas sociais como uma das grandes gatas da nova geração, vivia em festas e ainda era quatro anos mais velha que Nelsinho. Na verdade, em vivência, Mônica tinha muitos anos mais. Mas Xixa acabou cedendo, com seu clássico – e falso: "Se você está feliz, mamãe está feliz."

Como muitas moças de sua geração, Mônica foi educada e treinada para ser uma boa esposa. Estudou na Suíça e nos melhores colégios, morou em Nova York, falava inglês e francês, era educadíssima e capaz

Nelsinho, Mônica grávida, Graça, Fred Gueiros e Cecília, Dadá e Dodô com os bisnetos Frê e Nanda, e os netos Carlinhos e Silvinha.

de manter qualquer conversa social interessante. Perfeita para se casar com um jovem empresário rico e ajudá-lo a ficar ainda mais rico graças ao relacionamento com as mulheres de amigos e sócios, transformando jantares sociais em oportunidades de negócios. Jamais pensou em ter uma profissão, além de esposa. E Nelsinho estava longe desse perfil de marido.

Mas a vida era divertida. Costumavam ir a Cabo Frio nos fins de semana com o casal Tato e Beth e se hospedavam nos chalés de um condomínio próximo ao canal de águas limpas, onde lanchas faziam o circuito das casas nas margens, paravam para drinques e papo. Um dia, no chalé, Tato acendeu um baseado, começou a fumar com Beth e ofereceu a Nelsinho. Mônica declinou, ficou no uisquinho.

Nesse ambiente seguro e amistoso, Nelsinho se arriscou a tentar de novo. Ficou meio tonto, mas logo teve uma sensação boa, maravilhosa, de leveza, sentindo-se muito à vontade. A certa altura, ficou de pé e, como se tomado por um espírito ou uma entidade, iniciou um discurso inflamado, de palanque, cômico, com linguajar de políticos antiquados e demagógicos, talvez lembranças do amigo Aristóteles, e no final se identificou: "E quem lhes fala, meu povo, é Adhemar de Barros." Todos riam, Nelsinho, completamente descontrolado, se divertia e continuava o discurso com clichês políticos sem saber direito o que estava dizendo, só sabia que era hilariante. Depois de alguns minutos de falas bestialógicas populistas em meio às gargalhadas, aos poucos foi se acalmando, "voltando a si". O olhar recuperou o foco. Era como se o efeito estivesse passando. Só que não.

A sensação de tontura e doideira foi voltando, como ondas no mar, e logo Nelsinho retomou o discurso exaltado e se identificou: "Quem lhes fala, meu povo amado, é Adhemar de Barros... Segundo." E aos poucos ia passando a onda, o tempo parecia que parava, mas logo voltava, e ele prosseguia com o discurso tresloucado de "Adhemar de Barros Terceiro". Depois que a onda passou, sentiu-se muito bem, mas com uma fome danada, especialmente de doces. Se empapuçou de sorvete e dormiu como um anjo, apaixonado pela *Cannabis*.

A lua de mel foi em Lisboa. Otto Lara Resende, adido cultural, recebeu o casal amigo para vinhos e gargalhadas, comentando o atraso português no salazarismo. Assegurava que era frequente nos jornais a trágica manchete "Morto pelo trator que conduzia". O trator enguiçava, o camponês ia ver o que era e o trator o atropelava. Gargalhadas macabras.

E contou de um ilustre comandante militar de Lisboa, o severo e bigodudo general Buceta Martins. Não significava nada em Portugal, onde boceta é só uma caixinha. Estava nos jornais todo dia, e Nelsinho fez questão de levar uma página. Seria um sucesso no Antonio's.

De Lisboa, os recém-casados foram para Rabat, capital do Marrocos. O hotel era lindo, mas a cidade, pouco interessante. Três dias depois partiram para Tânger. Mônica tinha pavor de avião e se recusava a pegar mais um, então passaram uma noite insone apavorados num ônibus sacolejante cheio de árabes cruzando o deserto e chegando a Tânger ao amanhecer. Na cidade dos romances policiais e de espionagem, ruas e becos ancestrais, mercados fervilhantes, a música árabe e a dança do ventre fascinaram Nelsinho, empolgado com o ritmo dos tambores e o rebolado das bailarinas.

De Tânger seguiram para a Swinging London em pleno verão, explodindo em King's Road e Carnaby Street, reinado de Mary Quant e da minissaia, dos Beatles e dos Stones, da moda hippie, incenso e patchuli, roupas indianas, liberdade sexual e política, hippies distribuindo LSD de graça na feira de Portobello Road, paz, amor e rock and roll.

Pena que tiveram uma briga feia por algum motivo fútil e ficaram dois dias sem se falar, uma das piores situações que podem acontecer numa lua de mel. Mas as brigas tinham um lado bom: as reconciliações, que sempre pareciam mais intensas e emocionantes. Mônica tinha temperamento forte, e Nelsinho, apesar de doce e delicado em geral, reagia furioso, às vezes desproporcionalmente, ao ser acusado de algo, e depois se envergonhava de ter gritado como um menino mimado contrariado.

Com o dinheiro acabando, voltaram ao Brasil e surpreenderam a família desembarcando vestidos exatamente iguais, com um conjunto de calça e jaqueta jeans brancos e tênis Superga brancos, a moda unissex em pessoa.

70

VIDA DE CASADO

O casal iria morar na rua Paissandu, no térreo do mesmo prédio em que Nelson e Xixa ocupavam o quarto andar e onde Nelsinho viveu mais de dez anos. Foi Xixa quem soube que o apartamento estava para alugar e, embora Mônica não gostasse da ideia de tanta proximidade, acabou aceitando. Afinal, era um apartamento excelente, com cômodos enormes e pé-direito alto, quase 400 metros quadrados. Um absurdo de espaço desnecessário para um casal, embora o aluguel fosse mais barato do que em Copacabana, Ipanema ou Leblon.

Decisiva na escolha do apartamento, Xixa também participou ativamente da decoração junto com Mônica, não sem alguns conflitos. A Nelsinho cabia pagar a conta. Passou a viver espremido entre a mãe e a mulher, ouvindo queixas das duas, de filhinho da mamãe infantilizado a um banana dominado pela mulher mais experiente. Apesar dos conflitos, o apartamento ficou muito bonito, com a ajuda de um decorador amigo de Mônica.

Na primeira manhã, quando acordou, caminhou pela casa e viu a mesa posta para o café, Nelsinho viveu a sensação inédita de ter sua própria casa, mas se sentiu meio representando, como se aquilo fosse um cenário luxuoso num teatrinho. A empregada servindo o café. Tudo lhe parecia falso como uma cena de novela.

Uma tarde recebeu a visita do amigo Renato Landim, que abandonara a ESDI para se dedicar à pintura e ficou indignado com o luxo e a caretice de Nelsinho. Acusou-o de estar vivendo como seus pais, de ter se tornado um inimigo de classe, e o avisou que, quando chegasse a revolução socialista, viria pessoalmente desapropriar aquela merda. E saiu bravo, batendo porta.

Quatro meses depois, Mônica estava grávida. E, em agosto, nasceu Joana, no hospital da Beneficência Portuguesa, de cesariana. No dia seguinte Nelsinho foi para São Paulo fazer um programa da TV Globo. Após o jantar, ficou conversando com amigos até tarde. No dia seguinte, foi acordado cedo no hotel por um telefonema tenso do pai. Mônica estava muito doente, talvez um problema neurológico; estava toda rígida, com os maxilares travados, talvez fosse tétano... Seria levada para um hospital especializado. "Venha imediatamente no primeiro avião." O tio Paulo foi buscá-lo no aeroporto atualizando a história e foi se encaminhando para o cemitério do Caju. Nelsinho gelou.

Mas era para o hospital do Caju, vizinho ao cemitério, especializado em doenças tropicais e um dos poucos com experiência em tétano. Uma infecção terrível e muitas vezes letal, praticamente extinta no mundo civilizado e desinfetado, era tratada da mesma forma havia décadas: doses maciças de antibióticos e 50 mg de Valium por dia para o doente ficar sedado e imóvel num quarto completamente escuro e silencioso. Qualquer mínimo estímulo de som ou de luz pode desencadear uma sequência de contraturas musculares involuntárias capazes de romper ossos e paralisar os músculos dos pulmões e do coração.

Do hospital do Caju, Mônica foi transferida de ambulância para um pequeno hospital especializado em tétano, o único do Rio de Janeiro, que ficava próximo da Vila Mimosa, zona de meretrício do Mangue. Público, modesto e limpo, o hospital de três andares contava com especialistas excelentes, equipe de enfermagem dedicada e condições de oferecer um quarto praticamente à prova de som e luz onde Mônica ficaria sedada, respirando por traqueostomia e recebendo alimentação intravenosa, monitorada dia e noite.

Era rezar e esperar que seu sistema nervoso infectado não provocasse espasmos musculares, ou que ao menos não levasse a outros mais fortes. Tudo estava por um fio. Um som. Um raio de luz.

Os parentes e acompanhantes podiam passar o dia numa saleta ou no corredor do hospital aguardando notícias, mas tinham que se revezar à noite, dormindo no carro. Uma madrugada, Nelsinho foi acordado no carro por Tarso de Castro, vindo do Antonio's. O pessoal estava preocupado, sabendo que Mônica estava internada num hospital público no Mangue. Nelsinho explicou que seria inútil, além de perigoso, levá-la para outro lugar. Tétano é doença de camponês e pobre, praticamente erradicada em países desenvolvidos. A vacina antitetânica existe desde os anos 1940 nos Estados Unidos, onde a doença foi erradicada. Só no Terceiro Mundo e em hospitais públicos os médicos têm experiência de métodos e curas.

Tarso botou na mão de Nelsinho um papelote de cocaína, coisa que nunca havia visto, e disse para ele ir ao banheiro do hospital e cheirar. Nelsinho foi. Olhou, olhou o pó branco, pensou, pensou. E desistiu. Devolveu o papelote a Tarso, agradeceu e mentiu dizendo que tinha sido bom.

Nelsinho acordava no banco do carro com a luz do sol na cara e logo ia falar com os médicos. Teve contraturas? Quantas? Fortes? Fracas? A infecção está diminuindo?

Por três vezes, sempre à noite, depois de falar com os médicos, Nelson pegou Nelsinho pelo braço e foi caminhando pelo quarteirão dizendo que se preparasse para o pior. Nelsinho chorava, e o pior não acontecia. Numa noite, Mônica sofreu três paradas cardíacas. Mas sobreviveu – por milagre ou sorte, por competência e dedicação dos médicos, por vontade de viver com a filha recém-nascida ou tudo isso junto. Depois de dois meses angustiantes passados em silêncio e no escuro, finalmente curada, não se lembrava de nada e ainda estava um pouco curvada e com os músculos enrijecidos ao voltar para a casa e a filha.

70
O AVÔ MARAVILHA

Mônica foi recebida com uma grande festa – entre os presentes, a turma do Antonio's, o pessoal do *Pasquim* e da TV Globo e muitos amigos. Uma semana depois, Nelsinho seria preso.

Num sábado, no início da noite, quatro policiais militares fortemente armados chegaram em dois carros, como se fossem prender Marighella, tocaram a campainha e deram voz de prisão a Nelsinho. Estava detido à disposição do Primeiro Exército. Sem perguntas. Nem a mulher, recém-recuperada de um tétano, nem a filha recém-nascida comoveram os agentes.

Como nos filmes, pediu para dar um telefonema. A grande sorte foi seu avô Mottinha, então ministro do Supremo Tribunal Federal, morar no mesmo prédio e estar em casa. Como Nelson e Xixa estavam fora, Nelsinho conseguiu falar com ele antes de ser levado para o DOPS, na rua da Relação. O avô desceu em seguida, pegou um táxi e, como num filme, comandou: "Siga aquele carro!"

Depois de passar a madrugada confabulando com o secretário de

Segurança, o general Luiz de França Oliveira, Nelsinho – que não mantinha nenhuma relação com grupos subversivos e só havia publicado colunas de jornal meio abusadas – acabou sendo liberado sem nenhuma acusação formal, mas não poderia sair da cidade sem avisar e poderia voltar a ser convocado a qualquer momento. O general França, como era conhecido, disse a seu avô que o liberaria em atenção ao estado da esposa, mas que, entre outros motivos, ele fora detido "para atualização da ficha". Nelsinho achava que era por engano, ou para lhe dar um susto, mas ficou sem saber, pois nunca seria chamado de novo.

Sem a suprema sorte de ter um avô ministro do Supremo, que morasse no mesmo prédio e que estivesse em casa no momento, ele seria jogado numa masmorra, talvez espancado e torturado, e nada confessaria porque de nada sabia. Talvez sumisse sem que lhe soubessem o destino. O general Emílio Garrastazu Médici estava fresco e forte no poder e a ditadura, mais hostil do que nunca, aterrorizava oposicionistas.

Voltaram para casa num táxi fusca pela Praia do Flamengo, com o sol nascendo na baía de Guanabara e o avô passando o braço pelos seus ombros e pedindo que tomasse mais cuidado com o que escrevia.

E também com o que dizia, deveria ter advertido. Quando o avô ofereceu uma grande recepção a juristas, juízes, acadêmicos, intelectuais e políticos, entre eles o ministro da Justiça da ditadura, Alfredo Buzaid, que era seu velho amigo e colega na Faculdade de Direito de São Paulo, Nelsinho fez questão de comparecer, de terno e gravata. Pouco antes, o ministro havia decretado a censura prévia de livros, e assim que o avô o apresentou ao odiado Buzaid, mandou na lata: "A censura de livros é um absurdo." E saiu de cena como um menino malcriado.

Fala, Raul! Entrevistando o magro abusado para o Jornal Hoje.

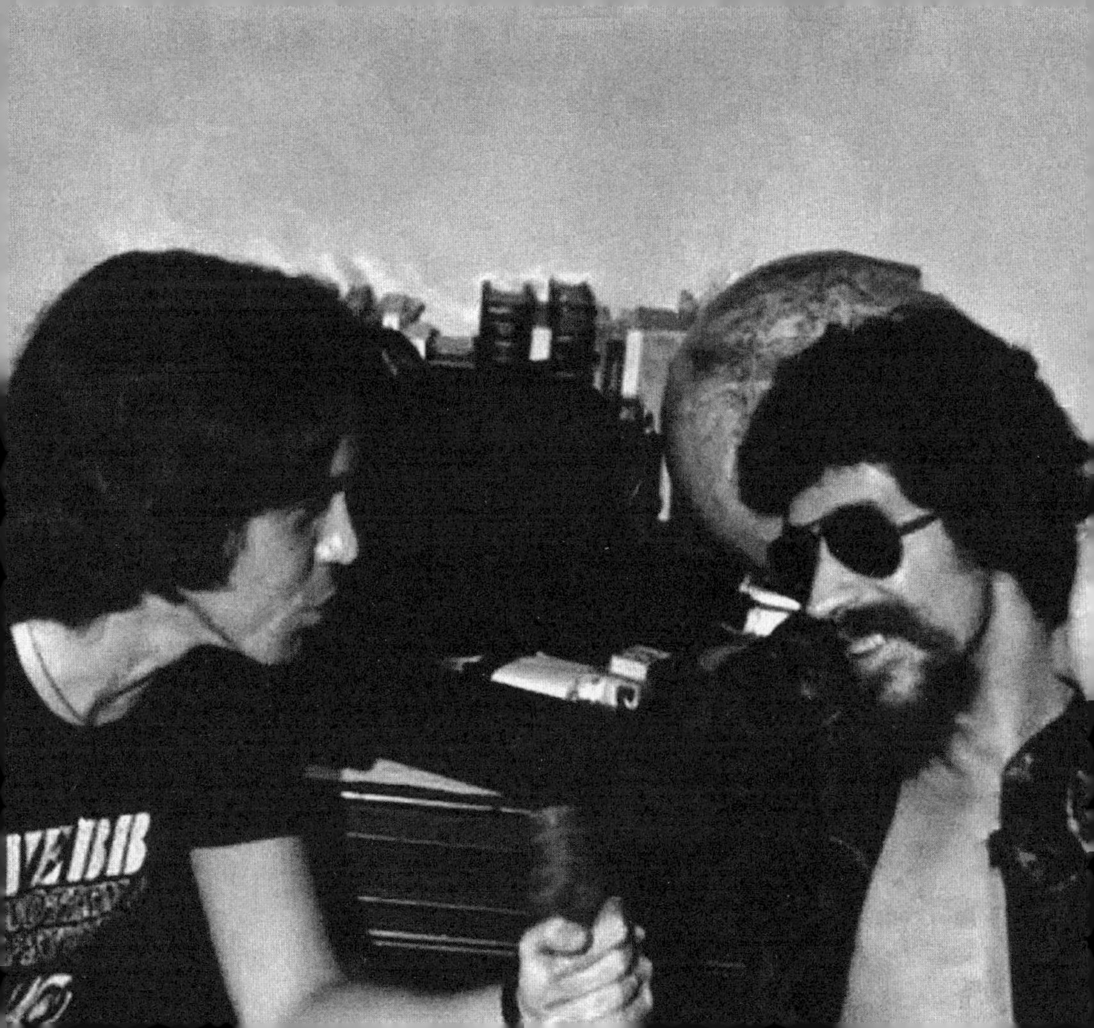

69
O VELHO E A BAIXINHA

André Midani estava preocupado com uma grande estrela de sua gravadora. Diante do turbilhão do tropicalismo e do rock, a MPB de Elis Regina, com 24 anos, estava ficando antiga. Ela havia participado da patética passeata contra a guitarra elétrica no Anhangabaú, em São Paulo, às vésperas do festival de 1967. Fez questão de tomar a defesa da MPB contra os roqueiros e jovem-guardistas, mas seu público de universitários queria novidades. André indicou Nelsinho como o produtor capaz de dar uma atualizada em Elis – indicação que ela recebeu com reservas, mas que seu marido Ronaldo Bôscoli aprovou com entusiasmo.

Afinal, Nelsinho era visto por ele como um jovem moderno e "safo", um dos seus maiores elogios. Depois de anos de aprendizado e amizade com Ronaldo – que cultuava Frank Sinatra, João Gilberto, Tom Jobim, a bossa nova e o Fluminense, debochava da esquerda festiva de Ipanema, de samba "quadrado", de escola de samba e música nordestina, detestava rock, hippies e maconha –, Nelsinho era seu fã e seu discípulo mais aplicado.

Virtuose da maledicência, Ronaldo sempre conseguia encontrar um ponto fraco mesmo nos aparentemente mais perfeitos e não hesitava em lançar a bomba do ridículo por meio de apelidos cruéis ou comentários escrachados. Como contraponto, era um gênio do elogio, sua principal arma na conquista de amigos e namoradas. Também sabia encontrar o ponto certo para tornar mais eficaz sua bajulação inteligente e sempre engraçada.

Já Nelsinho era louco por Ronaldo, compositor de "Lobo bobo", "Se é tarde me perdoa" (com Carlos Lyra) e "O barquinho" (com Menescal), produtor de shows de Sérgio Mendes, Elis e Simonal no Beco das Garrafas, jornalista e produtor de TV, sempre com as maiores gatas do pedaço, ex-namorado de Nara Leão, de Maysa e da lindíssima modelo Mila Moreira, um sedutor profissional. Ele era tudo o que Nelsinho queria ser quando crescesse.

Na produção do disco de Elis, o objetivo de Nelsinho era modernizar o repertório, mostrar-lhe coisas novas, ajudá-la a escolher o que fosse melhor para ela e para o avanço de sua carreira. Então mostrou-lhe James Taylor e Carole King, que ela nunca tinha ouvido, Elton John e Crosby, Stills, Nash & Young. Apresentou-lhe Tim Maia e ela gravou imediatamente a bossa-soul "These are the songs", e ainda convidou Tim a gravar com ela, num dueto que virou um duelo de excelência e suingue.

Nelsinho e Elis passavam tardes e noites ouvindo música. Ele trazia cassetes de novos compositores, entre eles Ivan Lins, com o samba-soul "Madalena", que seria um dos maiores sucessos do ano e um grande avanço para Elis. Encomendou novos sambas a Baden Powell e Paulo César Pinheiro, como "Vou deitar e rolar", que seria um grande hit, apelidado de "Quaquaraquaquá" pela gargalhada musical de Elis. Reaproximou a antes adversária do tropicalismo de Gil e Caetano, que de Londres lhe mandaram músicas. Estimulou-a a gravar Roberto e Erasmo, ex-adversários da MPB nos programas que Elis comandava no auditório da TV Record de São Paulo.

O disco *Em pleno verão* foi muito bem-sucedido e reposicionou Elis na crítica e no mercado. Para ela, porém, não só representou um movimento de carreira como também exigiu uma transformação pessoal, uma abertura para o novo e o abandono de velhos preconceitos. Por outro lado, Ronaldo, que estava com 41 anos e havia muito era chamado e se chamava de "O velho", estava ficando antigo e desgostoso com a modernização de Elis. Em meio a um casamento conturbado, as brigas ferozes, muitas vezes na frente de muita gente, faziam os bate-bocas de *Quem tem medo de Virginia Woolf?*, com o casal Elizabeth Taylor e Richard Burton, parecerem Sessão da Tarde.

Com o convívio intenso e a confluência dos gostos musicais e do sentimento de mudança, deu-se o inevitável, e de produtor Nelsinho passou a namorado secreto de Elis. Isso o levou a se separar de Mônica e voltar a morar na casa dos pais, que haviam se mudado para o Alto da Gávea. Elis falava horrores de Ronaldo todo dia e dizia que ia se separar, mas continuava morando com ele na casa branca do Joá, onde havia começado o seu romance com Nelsinho, numa noite de lua cheia e viajando com uma mescalina orgânica presenteada por Tim Maia.

O romance foi intenso e arriscado, em hotéis espalhados pelo Brasil nas gravações do *Som Livre Exportação*, da TV Globo; no King's Motel, o único da Zona Sul; no apartamento do irmão dela, Rogério, na Joatinga; na casa de André Midani, no Leblon, onde vivia com a belíssima apresentadora do *Jornal Hoje*, Márcia Mendes, que também era amiga de Nelsinho e de Elis e protegia o romance secreto.

Depois de alguns meses, a aventura acabou mal. Nelsinho, de passagem comprada para Londres, onde passaria seu aniversário com Elis, recebeu um telefonema dela, dura e seca, dizendo que estava ao lado da cama de Ronaldo, na Clínica São Vicente, desmentindo indignada os boatos de seu caso com Nelsinho e acusando-o de espalhar mentiras irresponsáveis. E bateu o telefone. Perplexo e transtornado, ele tentou de tudo para falar com ela – mandou cartas, flores e recados por amigos. Nada. Era o fim, no estilo Elis. Mas foi uma sorte enquanto durou. Para os dois.

Com *Em pleno verão*, Elis fez um dos melhores discos de sua vida, e Nelsinho teve seu maior triunfo como produtor. Depois de uma semana perplexo e magoado, sem entender direito o que tinha acontecido, viajou para Londres sozinho, divertiu-se muito, viu todos os filmes que não passariam no Brasil e, ao voltar, conheceu Marília Pêra.

Encontrou-a num corredor da TV Globo, ainda no predinho da rua Von Martius, onde todo mundo se conhecia. Nelsinho a cumprimentou pelo sucesso na novela *O cafona*, como a loura cafona e divertidíssima Shirley Sexy, e pela peça *A vida escrachada de Joana Martini e Baby Stompanato*, que ainda não tinha visto. Ela foi simpática e o convidou para a peça. Era janeiro de 1972, e, na lata, ele a chamou para passar o Carnaval na Bahia. Ela riu e disse que adoraria, mas ia sair na Império Serrano, que vinha com o enredo "Alô, alô, taí Carmen Miranda", e desfilar de Pequena Notável.

Nelsinho partiu solo para Salvador e se esbaldou. Quer dizer, se esbaldou do seu jeito, sem dançar, adorando ver os outros dançarem, como um voyeur de corpos e danças. Para quem sempre gostou de músicas de Carnaval, Salvador era uma maravilha. Mas para ouvir, dando umas puladinhas no mesmo lugar e sacudindo os braços. Quando alcoolizado, arriscava alguns passos discretos e desajeitados. Tomou banho de cerveja com Maria Bethânia na praça Castro Alves, adorou o trio elétrico de Dodô e Osmar, conheceu muita gente e foi muito bem recebido.

Não satisfeito, depois do Carnaval, tomou o rumo da praia de Arembepe, que dois anos antes tivera o seu "verão do amor", onde até Janis Joplin passou uns dias. O verão estava pegando fogo, e vários amigos estavam lá, como o poeta Waly Salomão, que ele curtia muito.

Uma viagem dos infernos numa estrada poeirenta e esburacada, mas a chegada foi deslumbrante. Uma faixa estreita de areia e coqueiros entre o mar aberto e azul e uma lagoa de águas verdes e doces cercada por vegetação exuberante e muitas flores. Apenas cabanas de pescadores. E uma vendinha hippie onde se podia comprar o básico.

Nelsinho cruzou com um conhecido que tinha alugado uma cabaninha, chão de terra, teto de palha, onde dormiu e sonhou que estava em... Arembepe. Acordou sorrindo. E faminto. O amigo indicou uma cabana onde uma baiana servia café da manhã. O café até descia, mas foi duro engolir os ovos mexidos feitos no dendê com pão dormido.

Saiu procurando Waly e o encontrou deitado numa rede diante de sua cabana, como um sultão tropical, cercado de garotas que ouviam fascinadas suas sacadas geniais. E falava baixinho, para que as garotas se aproximassem para ouvir, logo Waly, conhecido por falar altíssimo na vida real. Era um truque do poeta? Estavam todos viajando de ácido?

Estavam e era. Nelsinho logo conseguiu um ácido com uma das garotas, conhecida da praia do Arpoador, e embarcaram juntos na viagem, conversando sobre a vida em Arembepe, onde Sandrinha estava havia um mês e queria ficar para sempre. Caminharam pela praia, entraram no mar e, depois, com a pele salgada e ardendo, mergulharam na lagoa de água doce e fresca.

Se a real Arembepe era um autêntico "paraíso tropical", de uma beleza arrebatadora e uma luz que invadia os olhos e o coração, com as cores e formas ampliadas pelo ácido Nelsinho se sentia dentro de um caleidoscópio de verdes e azuis e areias brancas. Ou seria neve? O tempo parecia muito, mas muito mais lento. A sensualidade à flor da pele, com o corpo no mar, sob o sol. O rosto sorridente da garota parecia ter várias faces, seu biquíni florido brilhava e seu corpo moreno parecia uma projeção em 3D.

Nas águas paradas da lagoa, mergulhados até a cintura e sob uma luz que dourava tudo em volta, começaram a se acariciar e se beijar, e fizeram amor cercados por uma vegetação que se movia à volta deles.

No dia seguinte, vermelho como um camarão, Nelsinho conseguiu uma carona para Salvador e pegou um avião de volta para o Rio, onde tinha reunião de produção na Philips – André Midani não gostava de atrasos e não aceitava desculpas.

Marília brilhou sambando na frente da Império como Carmen Miranda. Porém, quando passava em frente ao júri, com o chão molhado e saltos altíssimos, escorregou e caiu de bunda. Ohhhhhhh! Só que não. Deitada no chão, Marília esperneou comicamente mostrando a calcinha e fazendo o público explodir numa gargalhada e numa ovação espetacular. E a Império Serrano ganhou o Carnaval.

71

A DIVA ESCRACHADA

Sucesso espetacular no Teatro Ipanema, *A vida escrachada de Joana Martini e Baby Stompanato*, escrita por Bráulio Pedroso e com músicas de Roberto e Erasmo Carlos, era um escracho com o teatro de revista. Tinha números musicais bagaceiros, esquetes cômicos e números de plateia, paralelos ao caso de um gângster com uma vedete, vividos, respectivamente, por Otávio Augusto e Marília Pêra, que comandava um elenco de boys e girls – interpretados por Marco Nanini, Zezé Motta, André Valli, Leonardo Netto, Sandra Pêra, Chico Ozanan e outros iniciantes – de uma companhia mambembe de revistas.

Em um número de plateia, Marília pedia a carteira de um espectador para fazer piadas de duplo sentido. Na noite em que Nelsinho foi assistir com Nelson e Xixa, ninguém quis dar a carteira, exceto Nelson, que a entregou, sorridente e confiante, fascinado por Marília – que naturalmente a devolveu depois de várias brincadeiras sob aplausos do público.

Outro número, que também misturava palco e plateia, era com Marília e um baixinho de terno e gravata, sentado no meio da plateia com uma maleta no colo, que não gostava das piadas de duplo sentido de Marília com sua mala, que na gíria gay é o "volume", e começava a reclamar alto. Marília revidava e o público ria, mas ele voltava a interromper a peça para reclamar, mais agressivo, e chegava a um bate-boca acalorado que terminava com a saída do homenzinho e sua maleta, pisando duro e xingando sob as vaias da plateia. Marília pedia desculpas e a peça continuava. Aí, para surpresa geral, no grande número final, com todo o elenco, o baixinho e sua mala reapareciam sambando animadamente no palco. A farsa era tão bem-feita por Pedro Paulo Rangel e Marília que ninguém desconfiava.

Mas o que Nelsinho mais gostou foi do striptease de Marília, loura platinada para a novela *O cafona*, dançando atrás e na frente de um biombo, em que conseguia fascinar e excitar a plateia com movimentos lânguidos e sensuais, despindo peça por peça até virar de costas e tirar o sutiã, ficando só de calcinha de paetês e meias arrastão, cobrindo os seios com as mãos. Parecia uma vedete gostosona, vulgar e sedutora, embora Marília fosse magrela, tivesse pernas finas e pouca bunda, mas coxas torneadas por anos de balé e peitos bonitos, numa performance impressionante. Pelos padrões da época, Marília não era naturalmente bonita, mas, com seu talento, luz e maquiagem, podia convencer qualquer um de que era linda e irresistível. Nem era uma gostosona, mas, se precisasse, ficava.

Nelsinho ficou louco. Que mulher! Quantas mulheres numa só! Voltou sozinho para outra apresentação e depois foi cumprimentá-la no camarim. Disse que ela cantava muito bem e conheceu todo o elenco. Marília lhe pediu: "Você devia produzir a Zezé Motta. Ela é que canta bem."

Marília estava estrelando no histórico cabaré Night and Day, no Hotel Serrador, à meia-noite, o musical *A pequena notável*, escrito por Ary Fontoura e dirigido por Maurício Sherman. Quando a viu montada de Carmen Miranda, cantando e dançando no palco, Nelsinho se apaixonou perdidamente. E foi cumprimentá-la no camarim e conhecer o elenco – basicamente os mesmos atores de *A vida escrachada*, todos gays, conhecidos nas noites cariocas como "marilhetes", que a acompanhavam a todos os lugares.

Final do striptease debochado de Joana Martini, encarnada por Marília Pêra.

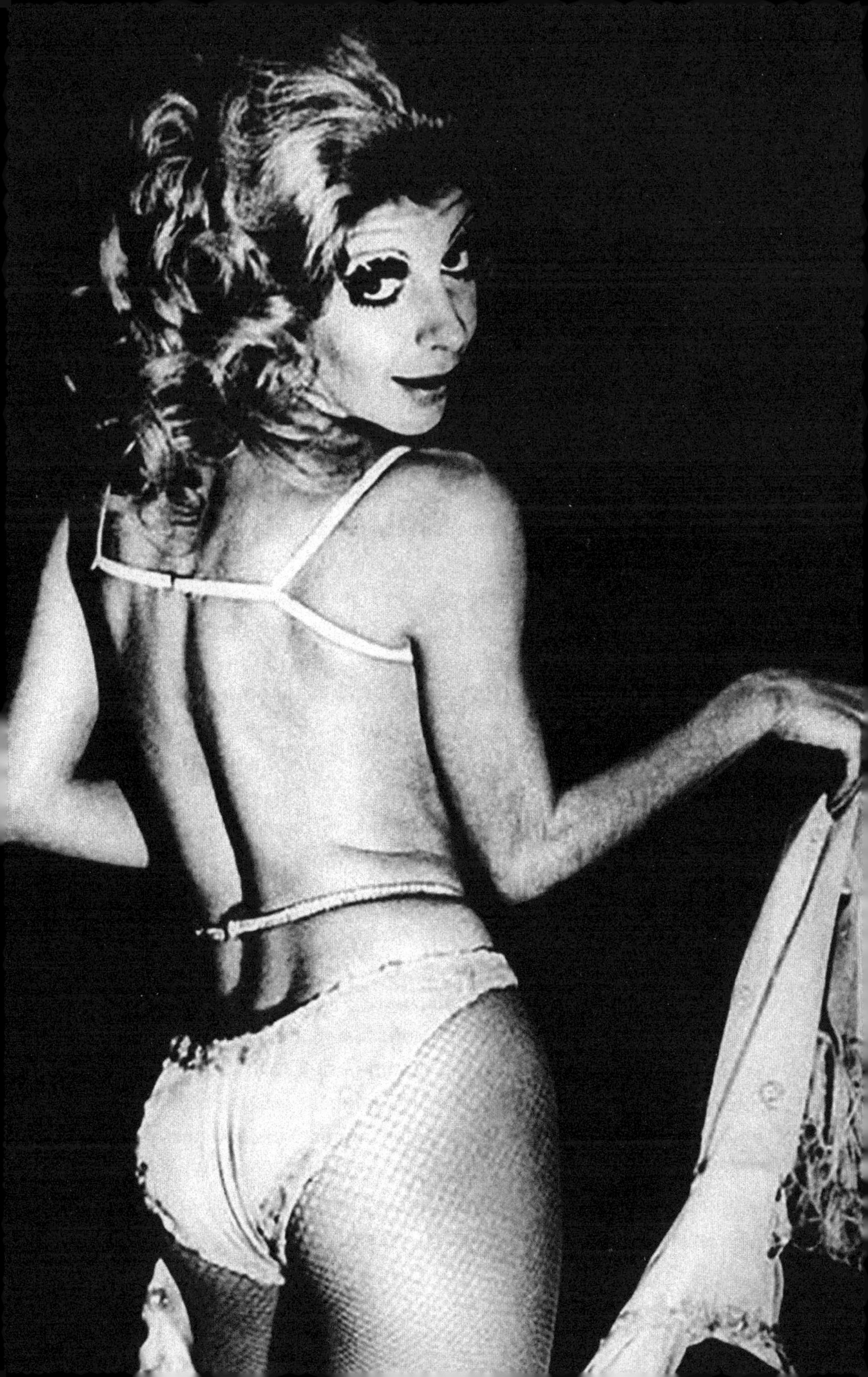

Nelsinho voltou no dia seguinte e a convidou para jantar. Ela aceitou. Depois do jantar e uma sessão de beijos e amassos no carro estacionado na praia de São Conrado escura e deserta, propôs na lata, como um cafajeste: "Vamos dar uma namoradinha?" Marília hesitou um instante, mas acabaram passando a noite no King's Motel e, quando a deixou em casa, cometeu a grosseria de se despedir com um vago "Então a gente se vê". Como assim? Marília ficou puta. Que moleque folgado!

À tarde, porém, Nelsinho estava ligando de volta, pedindo desculpas e querendo mais. Louco de paixão, passou a levá-la do apartamento dela no Leblon ao Centro e depois buscá-la todas as noites para dormir na casa dela. Assistia a trechos do espetáculo e esperava Marília no camarim, conversando com uma bichinha baixinha e muito simpática que fazia adereços e bonecos espetaculares, o maranhense Joãosinho Trinta, que queria ser bailarino.

Na real, Marília não era apenas dois anos mais velha do que ele, mas dois séculos, em experiência, em luta pela sobrevivência, em sacrifícios e privações, em combatividade, em casamentos e casos. Trabalhava em teatro desde os 4 anos. Começou como uma filha de Medeia assassinada pela mãe.

Quando acabaram as suas gravações da novela *Bandeira dois*, Marília decidiu fazer uma pequena turnê pelo Nordeste com um show em que cantava e dançava, acompanhada por Guto Graça Mello no violão e Naïla Skorpio, percussionista e mulher de Guto, que fez a direção musical e dividiu a escolha do repertório com Nelsinho. Ele só podia viajar nos fins de semana, e foi encontrá-la em Manaus, São Luís e Recife, em luas de mel intensas.

Completamente apaixonado, Nelsinho era um garoto que foi aprendendo disciplina, concentração e profissionalismo com Marília. Morria de medo dela, de contrariá-la, de uma briga feia, de ser corneado, de levar um pé na bunda. Mas Marília também estava encantada com tanta gentileza e leveza, com o romantismo de Nelsinho em poemas e letras de música. A primeira delas foi com Guto Graça Mello, irmão do primeiro marido de Marília, reunindo versos concretistas com ilha e mar, mar ilha, maravilha, Marília, e saudando o seu despertar para o amor: "Tanta alegria guardada,/ era tanta tristeza escondida,/ era um mar, navegar foi preciso..."

De volta ao Rio, viajaram para a Europa, que Marília não conhecia e era seu maior sonho, com sua irmã, Sandra, e o administrador de sua companhia de teatro, Tuta. Nelsinho se sentia em franca minoria, embora os dois fossem uns amores, delicados e divertidos. Era verão na Europa, e depois de visitarem Londres, Roma, Lisboa, Tânger, Algeciras, Torremolinos e Madri, assim que chegaram a Paris, Marília ligou para sua grande fã e amiga Rogéria, uma loura linda e sensual, com um corpaço, um travesti brasileiro que estava fazendo sucesso cantando, dançando e fazendo números de plateia no cabaré Le Carrousel lotado. Batizada como Astolfo, Rogéria não era operada nem tinha silicone, seus peitos eram pequenos mas sinceros e cresceram com hormônios. Depois do espetáculo, foram jantar, e Nelsinho ficou conhecendo uma figuraça inteligente e divertida, que se tornou sua amiga para sempre.

Entre piadas e confissões, Rogéria contou que a maioria dos homens que a procurava não era para comê-la, mas para serem comidos. Soltava uma gargalhada e baixava a voz para confidenciar: tinha um pau e-nor-me. Entre artistas, políticos e personalidades que passaram por sua cama, contou que um dos seus casos mais famosos foi com o matador Mariel Mariscöt, mas não entrou em detalhes.

Em Paris, Marília fez uma concessão e foram assistir a Joe Cocker com a Grease Band num teatro enorme. No volume ensurdecedor de uma grande banda de rock e blues, Cocker cantou com sua voz rascante e se retorceu no palco, completamente bêbado. Marília odiou. Tapava os ouvidos ostensivamente.

Em Londres, Nelsinho pagou a penitência de assistir com Marília a incontáveis musicais de teatro chatíssimos, caretíssimos e longuíssimos. E tudo o que ele queria era ir a concertos de rock.

Passaram a morar juntos depois da viagem à Europa e a Nova York. Quando chegaram ao Rio, bateram boca porque Nelsinho queria deixar suas coisas na casa dos pais, onde estava morando, mas Marília deu o ultimato: "Se for não volta mais." E, assim, ele, que acabara de comprar uma coberturazinha no Jardim Botânico, foi morar no imenso apartamento duplex de Marília em Copacabana. Era a casa dela, que ela decorou como quis, onde era a dona e quem mandava. E sempre poderia dizer "Ponha-se daqui pra fora!", temia Nelsinho.

A mulher era brava. Nelsinho lera uma entrevista dela dizendo que quis ser uma estrela de sucesso para vingar seus pais, o português Manuel Pêra e Dinorah Marzullo, atores que levaram uma vida duríssima e paupérrima com turnês mambembes e nenhum reconhecimento, pelo menos ao pai, que Marília dizia ter sido um ótimo ator e seu mestre.

A volta de Nova York para o Rio tinha sido turbulenta, com uma interminável DR no avião, com ela o acusando de não ter comprado presente para o filho dela, de 10 anos, de não gostar dele, e querendo acabar o namoro. "Se não gosta do meu filho, não gosta de mim." Desembarcaram exaustos. Só no dia seguinte Nelsinho foi à casa dos pais para buscar suas coisas. Nelson ficou decepcionado e Xixa, indignada. Marília o achava um filhinho de mamãe.

Marília era durona. Mas também muito engraçada, uma rainha da comédia capaz de gestos de amor e amizade. E se mostrava carinhosa e enamorada. Nelsinho estava completamente cego de paixão. Contra todas as evidências, inseguro e ciumento, inventava casos e suspeitas. Tinha ciúme até do passado de Marília. Certa tarde, sozinho em casa, cometeu o abuso de abrir uma caixa de cartas dela que achou num armário. E teve a infeliz ideia de lê-las, se torturando com o que ela e os namorados e maridos escreviam e ele violava. O sofrimento foi tanto que quase não sobrou espaço para a culpa.

72

O REVERSO DA SORTE

O mais importante da sorte é o que se faz com ela, uma espécie de ética da sorte, aprendia Nelsinho. Embora nunca tivesse ganhado em qualquer loteria, concurso ou mesmo uma reles rifa, fosse um perdedor vocacional em jogos de cartas que exigiam atenção e tivesse conseguido perder dinheiro até quando todo mundo ganhara na Bolsa de Valores em uma bolha no início dos anos 1970, aceitava de bom grado, como contrapartida da sorte, o destino de só ganhar dinheiro trabalhando.

Um dos principais problemas da sorte é a inveja que desperta. É compreensível. Uma pessoa se esforça, trabalha e rala, e é outra que ganha o emprego por um golpe de sorte. Ou pela sorte de conhecer alguém na hora certa. A sorte não é justa, não tem critério nem respeita mérito; é aleatória e irresponsável. Talvez o que chamam de sorte seja só interferência ou milagre de santos, entidades, deuses ancestrais e forças sobrenaturais.

A sorte de alguns poucos provoca inveja e ressentimento de outros tantos (a maioria), que sentem que por ela não foram bafejados. Por que

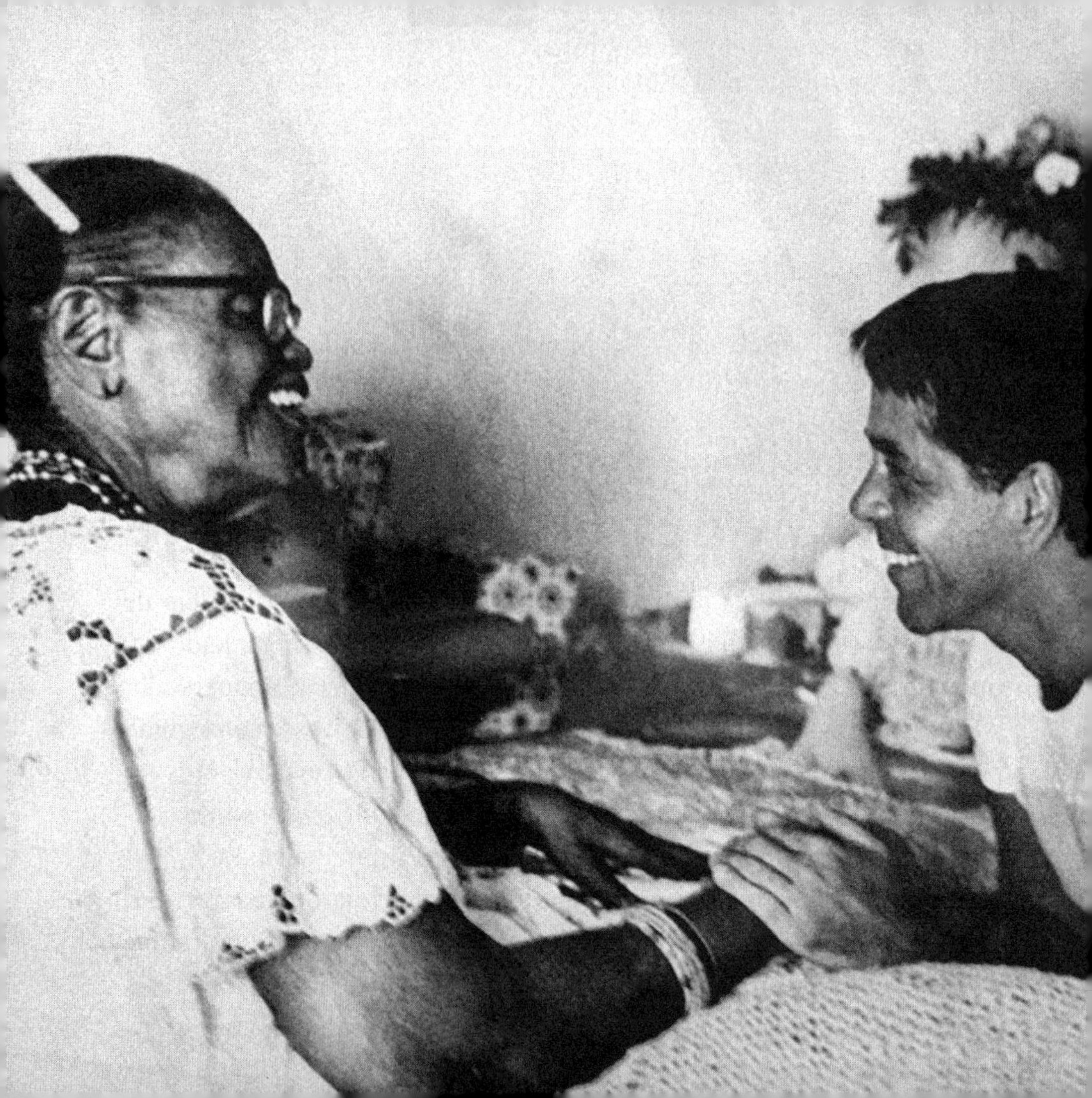

não eu? Por que a sorte desperta tanto rancor e ressentimento, mesmo quando acompanhada de trabalho, competência e dedicação?

Não existe inveja branca. A inveja não tem cor, porque quer a cor do outro. Mas é bem diferente almejar e se inspirar no grande sucesso – e na sorte – de alguém, trabalhar e lutar para ser como ele, ou mais, sem querer seu fracasso nem sua desgraça. É a inveja positiva, que se chama competitividade e move o mundo.

Na negativa, não: invejam tanto um marido que desejam sua morte para ficar com a viúva. Começou com Caim e Abel. E muitas vezes se confunde com vingança, que é outra coisa, mais ligada a reparação e justiça.

Dizem que despertar inveja pode causar danos ao invejado, mas há controvérsias. Nesse caso, as pessoas mais admiradas do mundo, por sua beleza, inteligência, riqueza ou talento, seriam também as mais odiadas. E morreriam fulminadas por uma tempestade de energia negativa. Mas a verdade é que os que invejam sofrem mais que os invejados. Uma prova do poder e do temor da inveja está nos amuletos de todos os tipos e todas as crenças para afastar mau-olhado e proteger de energias negativas, que fazem sucesso há milênios.

Quando jogou os búzios para Nelsinho, Mãe Menininha olhou nos seus olhos e foi categórica: filho de Oxóssi, o caçador da floresta, e Oxum, das cachoeiras e da doçura. E lhe deu duas "guias" de contas, uma azul-clara e outra amarelo-ouro, que o acompanhariam pelo resto da vida e seriam amarradas em momentos de grande perigo, medo e desamparo.

No bronze do verão de Salvador, recebendo a benção de Mãe Menininha do Gantois.

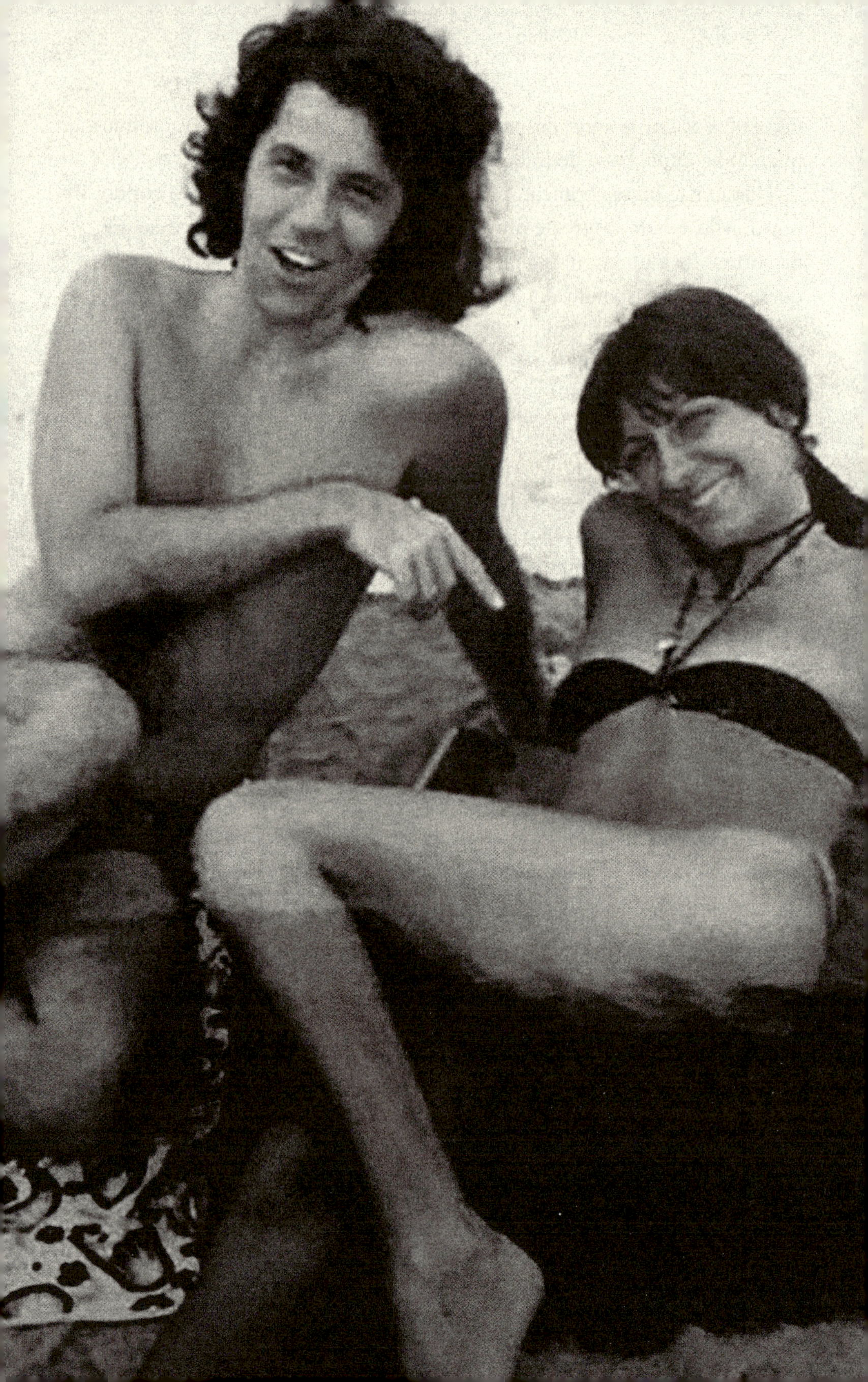

73
A PROFESSORA ALOPRADA

Marília gravava novela todo dia, mas estava sempre lendo novos textos de teatro em busca de peças para produzir. Uma delas a entusiasmou muito. Além de ser uma ideia genial para um espetáculo provocador num tempo de censura implacável, consistia em um monólogo repleto de possibilidades – e exigências – para uma atriz. *Apareceu a Margarida* era a aula de uma professora louca numa cátedra no meio do palco. Os alunos eram a plateia, tratados como crianças e esculachados por dona Margarida nos piores termos, como uma tirana desbocada. Uma metáfora quase explícita do que significava viver numa ditadura em 1973.

Era uma ideia sensacional, com um texto inteligente e sarcástico, às vezes muito engraçado, e uma personagem inesquecível dando uma aula enlouquecida sobre "as coisas da vida" entre desvarios e palavrões e ameaças aos alunos. Havia dois problemas: primeiro, achar o autor, Roberto Athayde, que tinha 24 anos, era filho do presidente da Academia Brasileira de Letras, Austregésilo de Athayde, e morava nos Estados Unidos. O segundo era mais grave: como um texto desses passaria pela

Apontando para Esperança, na barriga de Marília.

Censura? Por mais estúpidos que fossem, até os censores perceberiam a metáfora afrontosa e subversiva.

Então apareceu o Margarido: Roberto era um garotão muito bonito e inteligente, de agudo espírito crítico e megalomaníaco. Tinha certeza do sucesso da peça não só no Brasil, mas nos Estados Unidos e na Europa. Afinal, aquela não era uma situação particular brasileira – a opressão era universal, e por toda a parte havia os que mandavam e os que obedeciam.

Marília convidou o jovem diretor cearense Aderbal Freire Filho, mandou reservar o Teatro Ipanema, de pouco mais de duzentos lugares, e começou a ensaiar. Ela e Nelsinho seriam os produtores. E quanto mais ensaiava e sentia o potencial explosivo da peça, mais Marília se apavorava, não só com os militares, mas também com grupos de direita, como o CCC (Comando de Caça aos Comunistas), que, em 1968, invadiu o teatro em que Marília fazia *Roda viva* em São Paulo, espancando o elenco, quebrando tudo e expulsando os atores seminus para a rua. E, em 1973, a ditadura e a repressão estavam muito piores do que em 1968.

Aproximava-se o Dia C, não da estreia, mas da apresentação obrigatória para os censores, que às vezes liberavam o texto mas proibiam a encenação. Foi o que aconteceu com *Calabar*, musical de Chico Buarque e Ruy Guerra, que teve o texto liberado e, com o espetáculo pronto, cenários e figurinos em ordem, na véspera da estreia foi proibido pela Censura e deu um prejuízo monstruoso aos produtores Fernando Torres e Fernanda Montenegro.

Como o pai de Roberto era amigo do avô de Nelsinho – ambos membros da Academia Brasileira de Letras –, produtor e autor armaram uma jogada audaciosa para facilitar a liberação da peça. Na tarde de apresentação, quando chegaram ao teatro, os censores já encontraram as primeiras filas ocupadas por dez velhinhos da ABL e não tiveram moral para tirá-los de lá. Transformados em "alunos", os censores foram ameaçados, xingados, zombados, tiranizados e ridicularizados por dona Margarida. Enquanto os censores, constrangidos pelas ilustres presenças, fechavam a cara, no final, os acadêmicos, mesmo alguns que ficaram mais chocados, riram nervosos várias vezes e aplaudiram de pé a extraordinária performance de Marília. A peça foi liberada.

Na estreia, com um público que Roberto chamava de "alta ralé", várias senhoras saíram no meio da peça arrastando os maridos, indignadas com tanta obscenidade e baixaria. Marília agiu certo ao pedir quatro seguranças permanentes no teatro para protegê-la de algum espectador mais agressivo. Mas o final foi apoteótico, com a plateia de pé ovacionando a atuação virtuosística de Marília, sozinha no palco durante três horas.

Três dias depois, contudo, a peça foi proibida pela Censura e a porta do teatro, lacrada. Uma das mulheres que saiu no meio da peça era esposa de um general e denunciou em casa o espetáculo de imoralidades e pornografias. Foi só dar a ordem à Censura do Rio de Janeiro.

No dia seguinte, num escritório acanhado da Censura no Centro, Nelsinho conheceu o coronel Oswaldo. Gordo, bonachão e quase simpático, ele não tinha ideia do que se estava falando. O problema era a quantidade de palavrões, denunciada pela esposa de um general, que Nelsinho imediatamente se comprometeu a moderar e deixar o mínimo necessário para a compreensão da peça, que era uma metáfora do poder. Ele não entendeu nada, mas liberou com menos palavrões.

Criada por José Celso Martinez Corrêa, a tática era: acrescentar palavrões gratuitos no texto e, uma vez vetados pela Censura, bastaria cortá-los, e o que sobrasse era o texto original. Com menos algumas dúzias de palavrões, que não fizeram a menor falta, dona Margarida voltou à cena. Todos queriam ver a peça proibida. Era um desacato. Uma ideia sensacional. Um drible na ditadura. Um perigo.

Com o teatro lotado, sempre havia quem saísse no meio do espetáculo reclamando e xingando. Os seguranças ficavam de olho. Marília, sempre tensa. E aos sábados fazia duas sessões, de três horas cada, sozinha no palco, enfrentando uma plateia que podia fazer qualquer coisa, mas que toda noite a aplaudia de pé.

Nova proibição. Mas, dessa vez, veio de Brasília, do gabinete do general linha-dura Antônio Bandeira, que havia chefiado as tropas que massacraram a Guerrilha do Araguaia, fora alçado a diretor da Polícia Federal e endurecera a censura de filmes e peças de teatro.

Depois de uma semana, Nelsinho conseguiu uma audiência com o general, botou terno e gravata e partiu para Brasília. O homem era um paraibano baixinho, atarracado e sem pescoço, feio pra caramba, que parecia nunca ter rido na vida. E tinha pressa. Pornografia e subversão não seriam toleradas. Nelsinho estava inspirado e falou da qualidade da peça, das críticas unânimes e consagradoras, do trabalho de uma extraordinária atriz. Era uma peça totalmente inofensiva, uma professora maluca que xingava os alunos, mas, se o caso fosse cortar mais palavrões, sem problema, estes seriam eliminados. E assim a peça voltou à cena para uma carreira triunfal. O lema de dona Margarida não era nada sutil: "Eu mando e vocês obedecem."

E a megalomania de Roberto acabou ultrapassada pela realidade, com montagens vitoriosas em Nova York, com Estelle Parsons, e em Paris, com Annie Girardot, a que Marília e Nelsinho assistiram, numa interpretação mais contida em comparação à versão despudorada e bagaceira de Marília. Com o tempo, a Margarida teria 35 montagens em alemão, vinte em inglês e vinte em francês, sendo apresentada em turnês até no Havaí e no Alasca.

Recebido pelo Chacrinha como convidado de seus anárquicos programas.

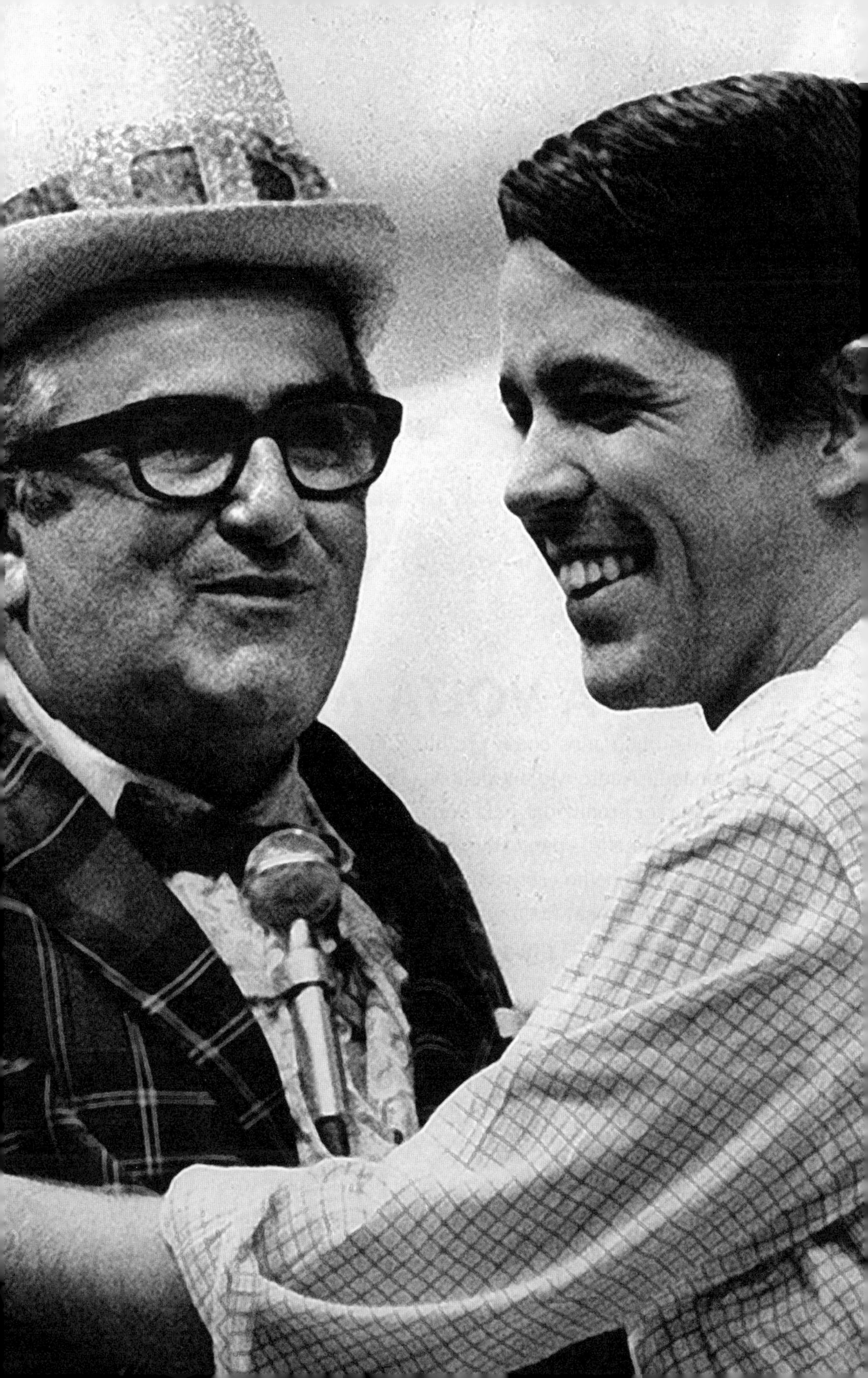

73

A VOLTA AO JORNAL

Depois de cinco anos como produtor da Philips, com Ronaldo e Elis pressionando André Midani pela sua demissão e as trilhas das novelas passando a ser produzidas pela Som Livre, Nelsinho foi transferido – na verdade, rebaixado – para o departamento de marketing, onde trabalhava com Paulo Coelho escrevendo releases e notas para a imprensa.

Na mesma época, fazia uma participação diária no *Jornal Hoje* da TV Globo, tinha uma produtora de jingles em sociedade com Marcos e Paulo Sérgio Valle e apresentava o *Sábado Som*, primeiro programa de rock internacional da TV brasileira, com trechos de shows americanos e ingleses. Mas tinha saudade do jornal. Pediu então a Armando Nogueira, seu amigo e diretor na TV Globo, que fizesse uma ponte com Evandro Carlos de Andrade, novo diretor de redação do jornal *O Globo*.

Deu certo. Nelsinho escreveria meia página sobre música aos domingos, ganhando uns trocados. Usando tudo o que aprendera na indústria do disco, caprichou na primeira coluna sobre o novo fenômeno Secos e

Molhados, misturando sociologia, sexualidade e política. A segunda foi uma análise profunda do sucesso de Raul Seixas, tratando de marketing, misticismo e anarquismo.

Na terceira semana, Evandro o convidou a escrever uma coluna diária, que, por ironia do destino, ocuparia o espaço de seu velho desafeto Sérgio Bittencourt, o Bitanca, que havia sido despedido do jornal. Claro, teve que abandonar a Philips, onde ganhava mais. Mas as amizades feitas na indústria do disco lhe seriam de grande utilidade na coluna. E as amizades feitas na época da coluna lhe seriam úteis para toda a vida.

Para Evandro, coluna diária significava trabalho de domingo a domingo, sem folga. Nelsinho teve que alugar um escritoriozinho no 18º andar de um prédio na praça General Osório e contratar colaboradores para enfrentar o massacre que era produzir uma coluna diária de quase meia página de notícias e comentários culturais. Era uma sorte. E um tormento. Mal acabava uma, começava a pensar na próxima. Precisava circular, telefonar para fontes, caçar notícias dia e noite.

Para ajudá-lo, chamou Scarlet Moon e um doidão adorável que editava sozinho o fanzine *Música do Planeta Terra*, Júlio Barroso, além de seu secretário, Leonardo Netto, e do boy, Carlos Alberto, um garoto inteligente que logo estaria colaborando na coluna. Na saleta de entrada, Luiza, uma loura linda como as secretárias de filmes policiais. De sua pequena sala, Nelsinho via o mar de Ipanema e escrevia a coluna numa Smith Corona elétrica, na qual bastava encostar o dedo na tecla que ela explodia, sim, explodia no papel com estrépito.

O barulho era forte, mas as palavras eram doces. Contrariando seu mentor, Ronaldo Bôscoli, para quem uma boa coluna tinha que ser temida, Nelsinho fez o contrário. Só falava do que gostava, ignorando o que o desgostava. Não queria desperdiçar o precioso espaço criticando shows que já haviam acontecido ou discos que não mereciam comentários. Um espaço de relativa liberdade em um tempo de repressão e censura era valioso demais para ser gasto com fofocas e maledicências, ou para praticar o esporte favorito de críticos musicais: o tiro ao ego dos artistas, que, por serem enormes, são fáceis de atingir.

Seu pai sempre recomendava falar bem de uma pessoa pelas costas. Basta uma palavra de simpatia e ela acabará sabendo. "Vai estar com Gledson? Grande figura." Afinal, o que custava um elogio? Sempre há algo a elogiar em alguém. A vaidade é o ponto fraco dos fortes.

Nelsinho tinha uma vantagem sobre a concorrência. Como também era compositor, amigo de muitos artistas, sabia de muitas notícias em primeira mão. Os artistas confiavam nele, que desafiava a norma jornalística dizendo que jamais perderia um amigo por uma notícia. Num tempo em que alguns jornalistas recebiam um "jabá" de gravadoras para divulgar seus artistas, Nelsinho virou o jogo, contratando e pagando como informantes um assessor de imprensa da Odeon, Chiquinho, e uma da PolyGram, Luana, e com isso tinha acesso antecipado a muitas notícias dos elencos das duas maiores gravadoras da época.

O escritório da praça General Osório era uma festa, ou quase. Fofocas. Planos. Novidades. Visitas. Futum de maconha. Nelsinho sempre fechava a coluna em cima da hora, muitas vezes sem revisão final, com o boy esperando como um corredor de revezamento para levar o texto ao jornal, no centro da cidade. "Vai de táxi!"

No dia seguinte, abria o jornal e começava a ler a coluna cobrindo-a com a mão e revelando-a aos poucos, "chorando" como um jogador de pôquer. Que erros teria cometido? Que merdas teria escrito? Felizmente, tinha como copidesque no jornal o grande poeta Tite de Lemos, que dava uma melhorada no texto e limpava eventuais sujeiras.

Era uma sorte ter uma coluna num grande jornal popular e poder divulgar, com relativa liberdade, artistas e movimentos culturais. Depois de uma leitura rigorosa, Evandro às vezes cortava alguma nota que tinha conotação política e, quando Nelsinho ia reclamar, fuzilava: "Se essa nota sair, o doutor Roberto põe você e eu na rua."

Parafraseando o ancestral best-seller de autoajuda de Dale Carnegie, *Como fazer amigos e influenciar pessoas*, que nunca leu, foi o que Nelsinho fez com sua coluna no jornal *O Globo*. Era convidado para todos os shows, paparicado por artistas e produtores, e recebia todo mês pilhas de LPs com os lançamentos das gravadoras – mas só poucos valiam a pena, os demais eram descartados. O amigo Ezequiel Neves, o mais irreverente dos críticos, que também recebia suas pilhas de discos, defendia que não se devia dá-los a ninguém porque, se eram ruins, só piorariam o gosto das pessoas.

O material produzido para o jornal acabou virando seu primeiro livro, uma compilação de crônicas selecionadas por Evandro, que também escreveu as orelhas. *Música, humana música* foi lançado pela pequena Editora Salamandra, do amigo Geraldo Jordão Pereira, que tinha lhe dado seus primeiros trabalhos gráficos na Editora José Olympio.

Em 1975, aproveitando a repercussão da coluna entre o público jovem, Nelsinho e o pessoal do escritório inventaram um festival de rock e conseguiram patrocínio da Souza Cruz para o Hollywood Rock: quatro sábados no estádio do Botafogo, onde se apresentaram Rita Lee, Raul Seixas, Erasmo Carlos, Os Mutantes e até os lendários Tony e Celly Campello.

Marília detestava rock, mas Nelsinho e sua turma ganharam algum dinheiro com o festival, graças ao patrocínio, porque as bilheterias decepcionaram. O maior público foi de 10 mil pessoas, no sábado de Raul Seixas, Tony e Celly Campelo e Erasmo Carlos. Em outro, no dia dos Mutantes, sob intenso temporal, o palco chegou a desabar – por sorte, sem vítimas.

75
O REI DA NOITE

Nelsinho conheceu Héctor Babenco quando o cineasta foi convidar Marília para participar do filme *O rei da noite*. Ela seria Pupe, uma prostituta e cantora de cabaré apaixonada pelo cafetão pé de chinelo Tezinho, interpretado por Paulo José, numa história que se passava no bas-fond paulistano nos anos 1950. Além de grandes atores, Paulo e Marília eram muito amigos, haviam trabalhado juntos em novelas e especiais. Mas Nelsinho ficou preocupado quando leu o roteiro e viu uma cena em que Tezinho estapeava Pupe várias vezes e depois "faziam sexo ardente".

Marília o tranquilizou, disse que era tudo de mentirinha, que não havia ambiente mais brochante do que um set de filmagem iluminado e cheio de câmeras e técnicos. Se alguém quisesse pegar uma pessoa, o pior lugar para isso seria o estúdio. Mas é verdade também que muitas histórias de amor, ou de diversão, começam com beijos "técnicos", sem língua, e evoluem para casos e até casamentos.

No dia em que filmou a cena, Marília contou a Nelsinho que Héctor fora muito cuidadoso com a luz baixa e os ângulos, e que tinha feito a cena montada sobre Paulo, mas com o robe aberto e enrolado na cintura, com uma calcinha grossa e bem disfarçada. Só os seios e as coxas à mostra. Machistinha inseguro e metido a moderno, Nelsinho imaginava horrores e sofria por antecipação.

Quando foi fazer as dublagens, Marília contou que, na tal cena de sexo com Paulo, várias vezes tiveram que interromper os gemidos, suspiros e putarias para gargalhar de si mesmos.

Pronto o filme, Héctor fez uma projeção numa pequena cabine em Botafogo para um grupo de amigos e jornalistas de cinema. Uma consagração para Marília, uma das piores noites da vida de Nelsinho. Na cena viu uma mulher bagaceira e sedutora ser esbofeteada e depois se reconciliar com o amante, enlouquecida de tesão, montada nele, botando os peitos para fora e rebolando sobre ele como se possuída por uma pombajira, gemendo e gritando, com o rosto transfigurado de prazer por dar prazer a seu amor reconquistado. Que mulher!

Uma grande atuação de uma grande atriz, tão emocional e realista que convenceu até o próprio marido: os piores pesadelos e paranoias dele se materializavam na tela – e, pior, na frente de um monte de gente. Sentiu-se meio envergonhado no escuro, vendo sua mulher fodendo e gozando com outro homem.

De nada adiantava saber que era tudo falso, de mentirinha. O que os olhos viam (e os ouvidos ouviam) o coração sentia. Não era ciúme de Paulo nem desconfiança de Marília. A cena não era para sentir vergonha, mas orgulho de uma grande atriz. Ficou com inveja de Tezinho? Se não, então era o quê? Ele não sabia, só sabia que doía de verdade.

O filme foi muito aplaudido e, na saída, Ney Latorraca, grande amigo de Marília, cumprimentou Nelsinho e, sem querer, jogou sal na ferida: "Adorei o filme. A cena da trepada é maravilhosa!"

Por mais estúpidos e irracionais que parecessem os motivos, ou a falta deles, sentiu que o casamento, que já enfrentara inúmeros temporais, mares bravios e DRs intermináveis, tinha sofrido mais um abalo.

76
DORES DO FRACASSO

O casamento sofreu outra sacudida com o fracasso de público e crítica e o catastrófico prejuízo do musical *Feiticeira*, escrito por Nelsinho e Guto Graça Mello enquanto Marília estava grávida de Esperança. Misturava Julio Cortázar, Jorge Luis Borges e Carlos Castaneda com músicas de Alceu Valença, Jorge Mautner e Eduardo Dussek, além das canções de Guto e Nelsinho. Era uma viagem familiar mágica, sofisticada e delicada, num momento de extrema tensão política em que o público queria espetáculos engajados e oposicionistas. A peça certa na hora errada.

Apresentar-se diante de uma plateia de cinquenta pessoas num teatro de quatrocentos lugares é uma experiência dolorosa para qualquer artista. Ainda mais para uma grande atriz acostumada a ser ovacionada por casas lotadas. Mesmo assim, Marília dava tudo de si, como se fosse seu último espetáculo.

De certa forma, Nelsinho sentiu-se culpado por aquele fracasso. Foi dele a ideia de usar autores latino-americanos e compositores brasileiros "malditos", como Jards Macalé e Walter Franco, e novos, como Eduardo Dussek, Alceu Valença e Geraldo Azevedo, para falar de magia e amor. Foi ele que arrastou Marília para o fracasso de sua estreia como autor teatral. Ela nunca o acusou disso, mas ele tinha certeza de que era o que ela pensava.

Como produtor, cabia a Nelsinho responder pelos prejuízos que se acumulavam. Passava as noites geladas do inverno paulista jogando pinball enquanto Marília se apresentava do outro lado da rua, no Teatro Aliança Francesa quase vazio. Ganhava muito menos que Marília na TV Globo e não conseguia acompanhar o ritmo das despesas domésticas a serem divididas. O clima piorou. Ela, procurando um bom texto para montar e superar a derrota de *Feiticeira*. Ele, correndo atrás de dinheiro para pagar as contas.

Pela primeira vez, pediu dinheiro emprestado ao pai, mas ouviu a advertência: "Nunca empreste dinheiro a ninguém. Porque o cara não paga, começa a fugir de você e, finalmente, como não tem motivo para te evitar, começa a falar mal de você, que assim perde o dinheiro e o amigo. Se quiser, dê; emprestar, nunca. Você tem mais chance de receber de volta o dinheiro dado do que o emprestado." E deu o dinheiro.

Nelsinho recebeu como uma ajuda, um presente, uma sorte. Trabalhava em quatro empregos, pagava pensão a Mônica e Joana, estava cheio de dívidas e vivendo um casamento turbulento.

75

MELODRAMA LUSITANO

Nelsinho tinha 19 anos quando foi pela primeira vez a Lisboa, em 1963, mas já conhecia a cidade com afetuosa intimidade pelos romances de Eça de Queirós: a rua das Janelas Verdes, o Bairro Alto, o Rossio, o Teatro Nacional D. Maria II, a rua do Ouro, o Chiado... Era como rever lugares queridos antes apenas imaginados.

Nas ruas, então em plena ditadura salazarista, homens e mulheres de roupas antiquadas e escuras, melancólicos e cabisbaixos, passavam como sombras. Também teve a impressão, não apenas por ser muito jovem, de que só havia velhos pelas ruas. Onde estaria a juventude daquela cidade? Sentia-se medo, derrota e resignação no ar.

Antes de cobrir para a TV Globo o Festival de Jazz de Montreux de 1975, Nelsinho passou alguns dias em Lisboa. Chegou um ano depois da Revolução dos Cravos e encontrou a cidade eufórica com a nova liberdade, as outrora imaculadas paredes pichadas com slogans libertários, alegria em todos os rostos, e, nas ruas, todos pareciam jovens e cheios de esperança.

Sua filha Esperança nascera no Brasil, no último e mais terrível ano do governo Médici. Assim que desembarcou em Lisboa, Nelsinho ligou para o amigo e grande ator Nicolau Breyner, que lhe fora apresentado por Vinicius de Moraes, para irem aos copos celebrar a chegada da miúda. Nicolau pediu que o encontrasse no teatro, mas disse que não precisava ver a peça, "é muito chata"; sugeriu que chegasse no final e o esperasse no camarim.

Foi recebido por uma simpática velhinha, camareira de Nicolau havia muitos anos. Chamava-se Esperança, um nome muito comum em Portugal mas raríssimo no Brasil. Nelsinho contou-lhe que sua filha era xará dela porque, em 1963, Marília, então com 19 anos e um filho recém-nascido, fizera uma sofrida turnê teatral mambembe pelo interior de Portugal com os pais, e uma bondosa camareira a ajudara a cuidar do bebê. Chamava-se dona Esperança e inspirara Marília a dar seu nome à filha.

Era a própria. Nicolau os encontrou abraçados e aos prantos enquanto a plateia ainda aplaudia atrás das cortinas.

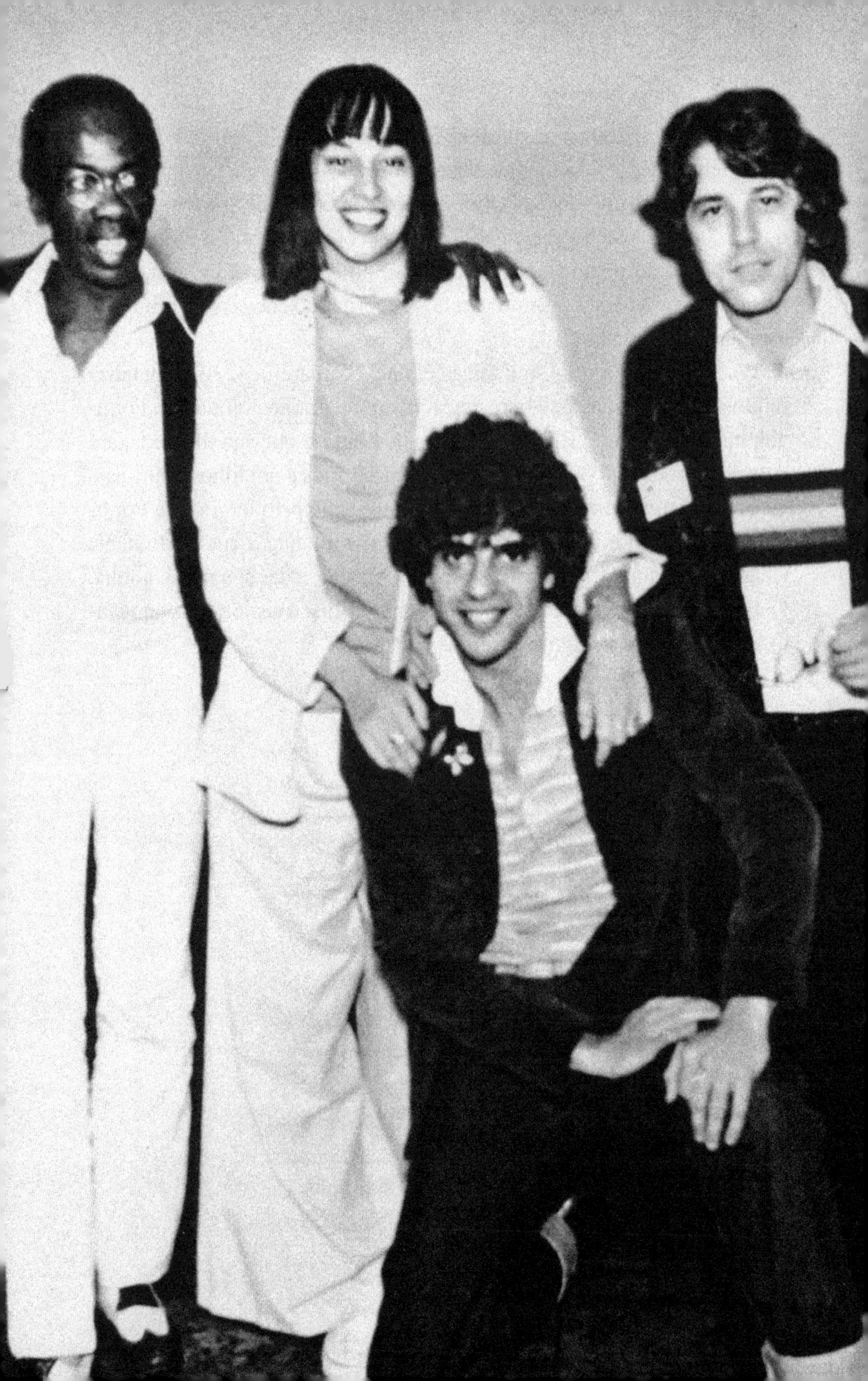

79
VOO SOLO

No fim de 1979, Nelsinho estava separado de Marília, depois de tentarem vários arranjos, namoro em casas diferentes, cada um por si, ainda que às vezes dessem "uma namoradinha". Uma dessas teve consequências: alguém fez as contas erradas e, dois meses depois, Marília contou que estava grávida. Claro que teriam o bebê, mas não havia mais nenhum arranjo conjugal em vista.

Uma noite estava dormindo no apartamento de Marília na Lagoa quando ouviu o filho dela, Ricardo, de 14 anos, batendo na porta e chamando a mãe. Marília abriu e entraram três homens armados, um deles com um revólver na cabeça de Ricardo. Nelsinho, nu, tentava se esconder nos lençóis, enquanto Marília, de camisola, passou uma descompostura no ladrão.

– Por que vocês não vão assaltar banqueiros? Artistas não têm dinheiro. Quem tem dinheiro é banqueiro! Eu estou grávida, me respeite!

O ladrão ficou desconcertado, mas logo se recuperou.

– Cadê o Oscar?

Com a turma do barulho no Montreux Jazz de SP: Dom Pepe, Scarlet e Lulu.

Ele queria um "Oscar de ouro" que ela tinha em casa. Marília soltou uma gargalhada e debochou:

– Oscar de ouro... Quem me dera, meu filho. É uma porcaria de um Troféu Imprensa de lata do Silvio Santos.

Enquanto foram pegar o Oscar de ouro na sala, dois bandidos ficaram no quarto com as armas apontadas para Nelsinho e o filho de Marília. Voltaram com o Oscar, Marília abriu o cofre e entregou todas as joias. Mas um deles estava nervoso:

– Vamos levar a garotinha – disse o bandido.

– Não! Não! A garota não! Isso vai complicar tudo. Vai virar um sequestro – reagiu Nelsinho.

Esperança, aos 5 anos, dormia no quarto ao lado sem imaginar que sua vida estava por um fio. Os bandidos encheram uma mala com o butim e avisaram que ninguém podia sair do quarto por uma hora. Um deles ia estar atrás da porta tomando conta.

Quase tão incômoda quanto a ameaça dos bandidos foi a presença da polícia depois do assalto. Uma estrela de televisão era um prato cheio. "Tinha algum inimigo? Desconfiava de alguém? É possível que Nelson tivesse outra relação?", perguntou o cana em particular a Marília, e depois a Nelson, com o mesmo ar cúmplice e sórdido. Que merda teria isso a ver com um "Oscar de ouro"?

A resposta veio rápido. Alguém tinha contado ao assaltante que Marília tinha um Oscar de ouro, alguém que conhecia a casa. Logo chegaram a um ex-motorista dela, que tinha sido mandado embora por ser preguiçoso, mentiroso e trapalhão, morava na Rocinha e tinha armado o assalto. Prenderam todo mundo, mas poucas joias foram recuperadas.

Três pessoas estiveram de cara com a morte por causa de uma combinação de ignorância e ganância. Nem o Oscar americano é de ouro. O pior de tudo foi, um mês depois, ir ao Fórum e ficar frente a frente com o assaltante para reconhecê-lo.

– O senhor reconhece essa pessoa como o assaltante que invadiu sua casa?

Silêncio. Nelsinho olhou nos olhos desafiadores do rapaz de uns 20 e poucos anos e respondeu:

– Não tenho certeza.

Marília tinha acabado de filmar *Pixote*, com Babenco, em que fazia uma putinha pobre que se junta a uma gangue de pivetes para assaltar os homens que leva para casa. A preparação do filme foi pesadíssima. Héctor não queria atores profissionais e selecionou alguns garotos da Febem, que seriam trabalhados por Fátima Toledo em seis meses de imersão profunda. Marília participou ativamente, convivendo e contracenando com aqueles jovens marginalizados que interpretariam jovens marginais num grande filme.

Mesmo entrando só nos últimos quinze minutos, Marília tomava conta do filme, fazendo uma bandida que vira uma espécie de mãe dos pivetes e chefe da quadrilha. As atuações de Marília e dos pivetes-atores, sob a direção de Héctor, resultaram em um grande filme que lotou os cinemas, teve ótimas críticas e foi premiado em vários festivais. Marília foi eleita a Melhor Atriz do Ano pela Associação dos Críticos de Nova York, depois pelos críticos de Los Angeles e, finalmente, pela Associação Nacional dos Críticos – uma atriz sul-americana desconhecida e sem dotes de beleza superando as maiores estrelas americanas. Nunca antes na história daquele país. E do Brasil.

Marília e Héctor fizeram uma temporada de entrevistas nos Estados Unidos para promover o filme, e, em Los Angeles, um repórter pediu desculpas e perguntou se ela era mesmo prostituta na vida real antes do filme. Marília soltou uma gargalhada e recebeu a pergunta como um grande elogio à sua performance.

Com três meses de gravidez, Marília assistiu pela TV à transmissão do Montreux Jazz Festival em São Paulo. Viu Nelsinho de pé na primeira fila colado numa repórter da Globo e depois várias vezes ao lado dela, todo falante e sorridente. Quando ele voltou ao hotel, Marília já ligara várias vezes. Ele não tinha ideia do que era. Ligou de volta. E ouviu uma torrente de descomposturas e xingamentos, sem espaço para defesa ou conciliação. Não falaria mais com ele até o nascimento do bebê, não adiantava insistir. E bateu o telefone. Inúmeras tentativas posteriores se mostraram infrutíferas.

Mandou recados, bilhetes, intermediários. Nada. Nelsinho esteve, sim, colado o tempo todo numa colega da TV Globo porque os dois estavam usando o mesmo cameraman. Ela, para o *Fantástico*, e ele, para o *Jornal Hoje*. Não seria louco o bastante para desafiar a fúria de Marília aparecendo em rede nacional dando em cima de uma garota.

Marília começou a ensaiar a revista *Brasil: Da censura à abertura*, de Jô Soares, em que usaria biquíni de lantejoulas, plumas e paetês, e barriga de fora até os oito meses de gravidez, cantando e dançando de salto alto.

Mas Nelsinho só a reencontrou depois de receber, no dia 30 de junho de 1980, dia em que o papa João Paulo II chegou ao Brasil, um telefonema da ex-cunhada Sandra dizendo que o bebê tinha nascido, era uma menina e Marília o autorizava a vê-la.

Ela se mostrou cordial e amistosa, quase simpática. Nelsinho, emocionado, viu aquela carinha moreninha no seu colo e perguntou:

– E como é que vai se chamar?

– Nina. Foi isso que nós combinamos, né?

– Mas é que achei que ela tem uma carinha de Morena. Vamos chamar de Morena?

– Ah, não. Nós combinamos Nina – insistiu Marília.

– E que tal Nina Morena? – propôs Nelsinho.

– Tá ótimo – disse ela, e sorriu.

Ao saber do nome da neta, o avô Nelson o achou bem teatral, "um nome para ser escrito em neon", disse aos pais dela, e diria a vida inteira à neta Nina Morena, que se tornaria atriz. Nome é destino.

80
A NIGHT TO REMEMBER

Enquanto isso, em Nova York, Nesuhi Ertegün estava cada vez mais rico e poderoso. A pequena gravadora Atlantic tinha virado parte da gigante Warner Music e reunia em seu elenco os maiores nomes do rock. Nesuhi adorava música, dinheiro e poder, mas também era louco por futebol e vivia num país onde ele não existia, o que o levava a correr o planeta atrás de Copas do Mundo e de grandes jogos. No Brasil, torcia pelo Bangu, do Rio de Janeiro. Ia aos jogos envergando a camisa alvirrubra dos "mulatinhos rosados", como a crônica esportiva chamava os banguenses.

Baixinho, gordinho, dentuço, de irradiante simpatia e inteligência rápida, Nesuhi amava o Brasil, e nos últimos anos tinha vindo bastante ao Rio de Janeiro porque estava implantando a Warner aqui, sob o comando de André Midani.

Numa dessas viagens de business & ball, foi almoçar na casa de Nelsinho, uma cobertura no Posto Seis, em Copacabana, e devorou uma feijoada completa, com muita pimenta. Repetiu o prato, se empapuçou de pudim de leite, pediu um café e um baseado. Nelsinho perguntou sobre a pimenta e ele desdenhou: "Eu sou turco, my boy."

Em 1970, Nesuhi realizara seu sonho futebolístico criando um time só para ele, o New York Cosmos, cuja maior atração era Pelé, que havia encerrado a carreira no Brasil mas acabou seduzido pela proposta da Warner Communications, com direito a escritório no Rockefeller Center.

Nesuhi também recrutou a peso de ouro outros craques em fim de carreira, como Carlos Alberto Torres, o capitão do tri brasileiro, o holandês Johan Neeskens, o goleador italiano Giorgio Chinaglia e o alemão Franz Beckenbauer, o maior líbero da história. Se história valesse gols, seria um timaço invencível, mas a idade pesava e o grupo era um pouco lento. Mesmo assim, ganhou a Liga de Futebol Norte-Americana e lotava os 60 mil lugares do estádio dos Giants, em Nova Jersey, com os novos fãs do futebol que engatinhava nos gramados de plástico da América.

Na virada para os anos 1980, Nova York estava dominada pelo crime, pela corrupção policial e pela insegurança, com as ruas imundas e perigosas. A cidade chegou quase a decretar falência em 1975, e a polícia e o funcionalismo público ficaram com salários atrasados. Nova York era barra-pesada. Áreas como o Harlem e o Lower East Side eram perigosíssimas, e os motoristas de táxi se recusavam a entrar na Alphabet City, as avenidas A, B, C e D paralelas à Primeira Avenida. O Times Square era ocupado por clubes vagabundos de striptease, lojas de revistas e vídeos pornô, *peepshows*, com putas e cafetões dominando as calçadas e a polícia fingindo que os perseguia, mas vivendo à custa deles. Não havia lei nem ordem no coração da cidade que nunca dorme.

Nelsinho teve a sorte de estar em Nova York justamente no dia do jogo de despedida de Franz Beckenbauer do Cosmos. Ligou para Nesuhi e combinou encontrá-lo em seu apartamento na Quinta Avenida para irem ao jogo com outros amigos.

Na noite do jogo, saiu cedo do hotel e pediu que o motorista do táxi o deixasse no 1.010 da Quinta Avenida. Mas aquele não era o prédio de Nesuhi, o porteiro foi categórico. Onde seria? Não tinha como telefonar para ele, pois não estava com seu telefone. Nelsinho não sabia se descia ou subia a rua e tentava se lembrar do número.

Com Nesuhi Ertegun e Carlos Alberto Torres, no vestiário do NY Cosmos.

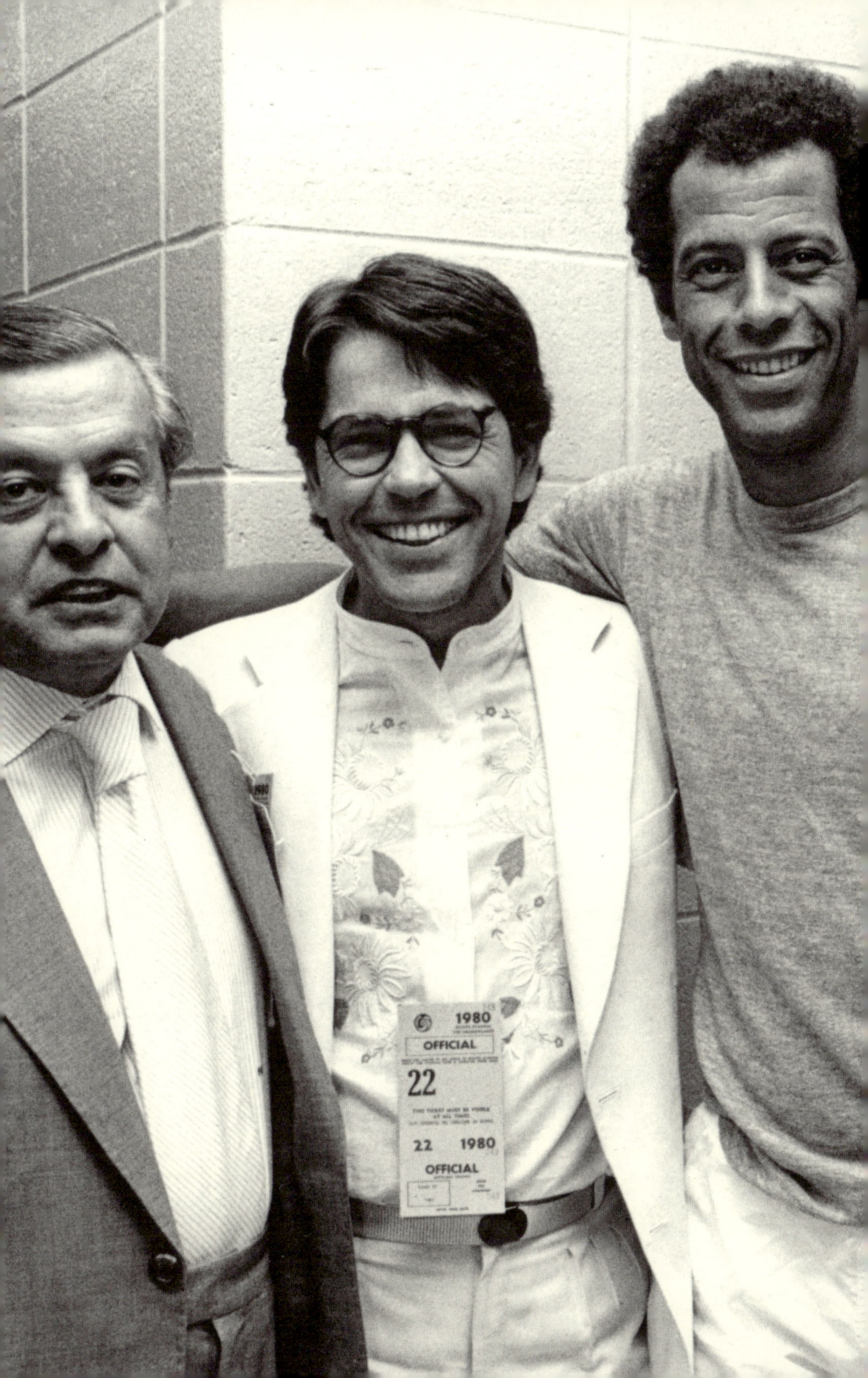
1980
OFFICIAL
22
22 1980
OFFICIAL

Pensava na lendária impontualidade brasileira. Passou por cinquenta prédios grandes, numerados dois a dois, e chegou suado ao 1.100, onde Nesuhi o esperava ansioso. Pediu desculpas, mas decidiu não revelar sua estupidez numérica.

"Agora não dá mais tempo para irmos de carro. Vamos ter que ir no helicóptero da Warner", avisou Nesuhi. Nelsinho vibrou. Pegaram um enorme helicóptero no Píer 34 e sobrevoaram Manhattan iluminada, com o rio Hudson brilhando lá embaixo, rumo ao estádio em Nova Jersey. Pousaram no estacionamento.

Deslumbrado no camarote da diretoria, Nelsinho pensava: "Nem precisa mais ter jogo." Mas teve, com o estádio lotado homenageando o Kaiser Beckenbauer. Depois, foi aos vestiários com Nesuhi e tirou foto com o amigo Carlos Alberto Torres.

Mas a volta foi de carro. Limusine, naturalmente.

80
NOITES PAULISTANAS

Na virada para os anos 1980, São Paulo enriquecia e parecia uma metrópole pujante, enquanto o Rio de Janeiro estava mais para um balneário meio decadente. Frequentemente, Nelsinho e uns amigos iam passar alguns dias em São Paulo como quem ia para Nova York. O luxo internacional dos Jardins. Os restaurantes. O Spazio Pirandello, de Antonio Maschio e Wladimir Soares, ponto de artistas e jornalistas, a fabulosa churrascaria Rodeio... Não havia nada comparável no Rio. A ebulição artística. O movimento político. A vanguarda paulistana de Arrigo Barnabé e Itamar Assumpção que estava se formando no Teatro Lira Paulistana. São Paulo fervia e, parafraseando Washington Olivetto, era a melhor Nova York do Brasil.

João Gilberto foi fazer um show no Theatro Municipal de São Paulo e gostou tanto que ficou seis meses hospedado no Hotel Eldorado Higienópolis, que tinha uma ótima piscina no jardim e um bar onde se encontravam os hóspedes cariocas.

João não ia à piscina nem a lugar algum; não saía do quarto. Mas gostava de receber. De vez em quando, convocava os amigos para visitá-lo na suíte, oferecendo maconhas maravilhosas e longos concertos informais. Quando o dia ia amanhecendo, pedia café da manhã para todos.

Ele sempre dizia que foi São Paulo que primeiro entendeu e gostou de "Chega de saudade", em 1958, e a transformou num hit. O Rio demorou mais a aceitar a novidade, foi atrás. Não por acaso, ele imortalizou o hino "Sampa", de Caetano, com sua gravação – que teve até videoclipe, o único de sua carreira, dirigido por Ricardo van Steen, com ele caminhando sorridente pelas ruas da cidade.

Em São Paulo, Nelsinho foi convidado pelos seus primos Ricardo e Henrique Amaral para se associar numa nova danceteria que iria substituir a já fechada Papagaio Disco Club, no Cal Center, uma galeria na avenida Faria Lima. A danceteria foi batizada de Pauliceia Desvairada, tanto pelo poema de Mário de Andrade como por refletir o espírito da equipe. Todo mundo cheirando, bebendo e fumando o tempo todo.

Nelsinho inventou uma decoração com sofás de onça, tapetes de zebra e pista quadriculada, e uma iluminação feita por tubos grossos de neon colorido, desses de padaria, roxos, vermelhos, amarelos e brancos, uma luz fria e artificial que não favorecia em nada as pessoas. Já na saleta de entrada, um painel ocupava a parede inteira com manchetes pavorosas de jornais populares, do tipo "Matou a mãe por um trocado", "Sodomizado até a morte", "Estuprador prefere as louras", "Nasceu o diabo em São Paulo", "Mulher dá à luz uma tartaruga". Tudo com uma luz negra fantasmagórica, que tornava o ambiente ainda mais punk.

Uma das paredes do salão foi coberta por um grafite de Bob Marley com um imenso charo na boca. A obra foi feita por José Roberto Aguilar com spray, ao vivo, durante a gravação do primeiro *Mocidade Independente*, um programa de TV dirigido por Nelsinho e uma jovem equipe de recém-formados da ECA (Escola de Comunicação e Artes da USP): Walter Silveira, Paulo Priolli, Ney Marcondes e Tadeu Jungle.

O programa era bacana. Todo gravado na Pauliceia Desvairada, teve Arrigo Barnabé e Caetano Veloso se apresentando e conversando. Depois, Raul Seixas, em papos doidos e divertidíssimos. O novato maravilhoso Djavan. Mas durou só seis edições e foi ignorado pelo público, com apenas 2% de audiência. Afinal, que mocidade digna desse nome estaria em casa sábado às oito da noite, quando o programa era exibido pela TV Bandeirantes?

Além de tudo, o programa ambicionava ser de vanguarda e ter uma linguagem experimental. Nelsinho e os rapazes viravam noites nas ilhas de edição da Bandeirantes tentando aplicar os conceitos de "montagem nuclear" de Glauber Rocha, que ninguém sabia bem o que era.

Numa das gravações, Nelsinho tinha que abrir uma cortina de contas, enfiar a cara e anunciar um clipe. Errou várias vezes, xingou, acabou acertando e vibrando. E riu muito com a surpresa de ver que, na edição final do programa, os meninos tinham inserido três takes errados e finalmente o certo, com ele comemorando. Ficou muito engraçado, como uma piada glauberiana.

Passou quase o ano todo morando em São Paulo, na casa de sua namorada e assistente no *Mocidade*, a lourinha bronzeada May. Júlio Barroso a tinha rebatizado como May East, numa piada com a vedete americana May West, quando a convidou para ser uma das Absurdettes de sua Gang 90, junto com Lonita Renaux (Denise, irmã de Júlio) e a gata Luiza Cunha, que era secretária de Nelsinho e namorava Guilherme Arantes. Ninguém cantava nada, a absoluta desafinação era exigência de Júlio – afinal, eram Absurdettes. Mas ele teve que abrir mão de seu conceito quando conheceu a holandezinha Alice Pink Pank, ajoelhou-se aos seus pés, disse "quero ser seu escravo" e deu-lhe um beijo na boca cinematográfico. Por sorte, Alice cantava muito bem, tinha até participado de gravações com o U2. A Gang 90 estouraria com "Perdidos na selva" no Festival MPB-Shell, da TV Globo, em 1980.

Foi também no MPB-Shell que, aos 61 anos, Xixa fez sua estreia em festivais, em uma parceria com Nelsinho, composta em Búzios pouco depois da morte de John Lennon. Era uma valsa lenta e triste, muito bonita e delicada. Chamava-se "John" e foi muito bem cantada por Olivia Byington e aplaudida nas eliminatórias e na noite da final. Mas não levou nenhum prêmio. Não era o ideal para concorrer com rocks e sambas e baiões animados. Para complicar, empolgado com o concretismo e a vanguarda paulistana, Nelsinho fez uma letra multilíngue, com versos em português, inglês, francês e até alemão, além de palavras inventadas, reflexo de seu momento artístico.

Quase todos os fins de semana, Nelsinho voava para o Rio para ver a família no almoço de sábado. Saía da casa de May na rua Atlântica, no Jardim Paulistano, e ia para seu apartamento na avenida Atlântica, em Copacabana. Era uma velha cobertura no histórico edifício Imperator, no Posto Seis, para onde se mudou depois de se separar de Marília. Via o sol nascer por trás do Pão de Açúcar e, à noite, o colar de pérolas da orla de Copacabana acesa. Mas o velho prédio estava caindo aos pedaços. As partes elétrica e hidráulica eram do tempo do onça; tudo era precário, exceto o terraço e a vista.

Num lance de sorte, pouco depois de se mudar, Nelsinho alugou o apartamento por três dias para a produção americana de *Feitiço do Rio*, filme dirigido por Stanley Donen – sim, o mesmo de *Cantando na chuva* –, estrelado por Michael Caine e com participação de Demi Moore em início de carreira.

Não só recebeu em dólares, como ficou hospedado quatro dias num hotel cinco estrelas vizinho, com todas as despesas pagas pela produção. Além disso, como os gringos tinham que entregar as salas pintadas e carpetadas, e o cenógrafo fosse o seu amigo Marcos Flaksman, a reforma foi feita como Nelsinho queria: para a produção, dava no mesmo. Ganhou duas novas salas.

As cenas eram absurdas. Uma serenata feita da praia de Copacabana para uma cobertura no 13º andar. Durou menos de um minuto na tela. O filme era uma bomba: uma aventura de gringos doidões pela magia do Rio, inclusive com sexo na praia e macumba de turista. Foi um fracasso absoluto. Mas as salas de Nelsinho foram completamente redecoradas.

Já Demi Moore, com 22 anos, era uma gracinha, ainda sem os peitões de silicone nem o corpo sarado, e se divertiu muito com a juventude dourada carioca nas noites do Hippopotamus. Sua maior conquista foi Pedrinho Aguinaga, eleito "o homem mais bonito do Brasil" num concurso de televisão.

E Michael Caine virou gíria para a turma do cafunguelê, porque soava como "my cocaine". "Viste o Michael Caine por aí?", perguntava-se nas festas.

81
ADEUS, BAIXINHO

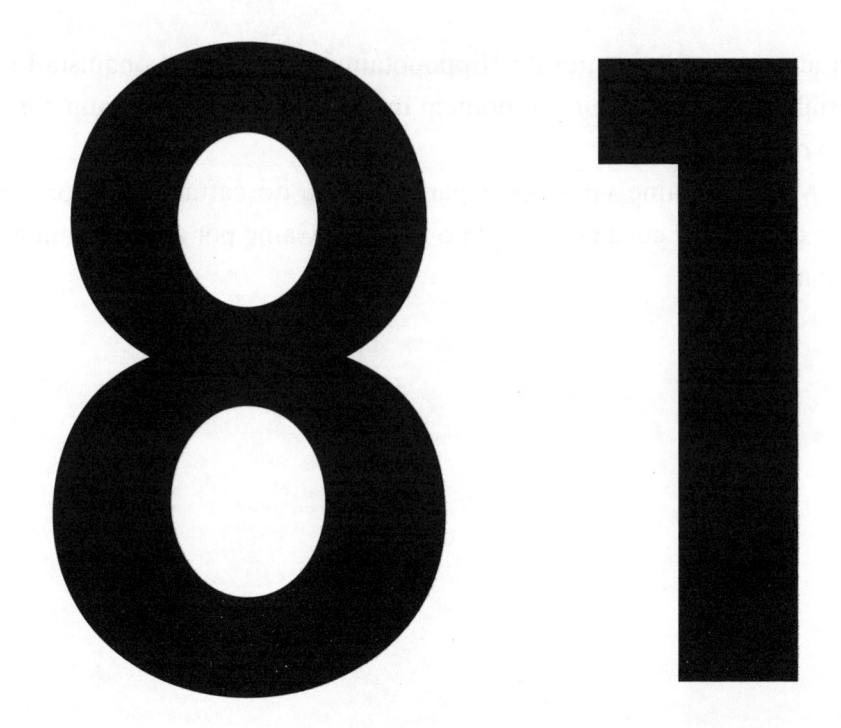

Mas nem tudo era alegria. Nelsinho soube que seu velho amigo Renato Landim, o "Oscarito" da ESDI, estava muito mal, muito triste e bebendo muito. Ele também não havia terminado a ESDI, que não era mesmo a dele, um artista. Não se encontravam havia muitos anos, desde que Renato tinha se indignado com o luxo burguês, o tamanho e a ostentação do apartamento de casado de Nelsinho em 1970. E ameaçara, "quando chegar a revolução", ir pessoalmente tocar fogo em tudo, como se fosse um bolchevique – tudo que ele, filho de famílias ricas, não era.

Nelsinho conseguiu falar com Renato. Tiveram uma longa conversa afetuosa e combinaram se encontrar no dia seguinte, na casa de Xixa e Nelson, onde Nelsinho passava uma temporada entre casamentos.

Contrariando a expectativa, Renato apareceu. Muito bem recebido por Xixa, que o amava, ele parecia bem, amoroso como sempre. Nelsinho tentou convencê-lo a passar uns dias ali, amado, cuidado, em família. Renato topou. Passaram a tarde conversando, rindo e tomando vinho, até que ele pediu para sair. Ia só buscar sua nécessaire e voltava para passar a temporada.

Nunca voltou. Algum tempo depois, Nelsinho soube que ele havia se matado, aos 37 anos, após calafetar os vidros da cozinha e enfiar a cabeça no forno. Enquanto esperava a morte, ia escrevendo seus pensamentos, não reclamando da vida, mas da demora da ação do veneno: "Porra, no Brasil até o gás é uma merda."

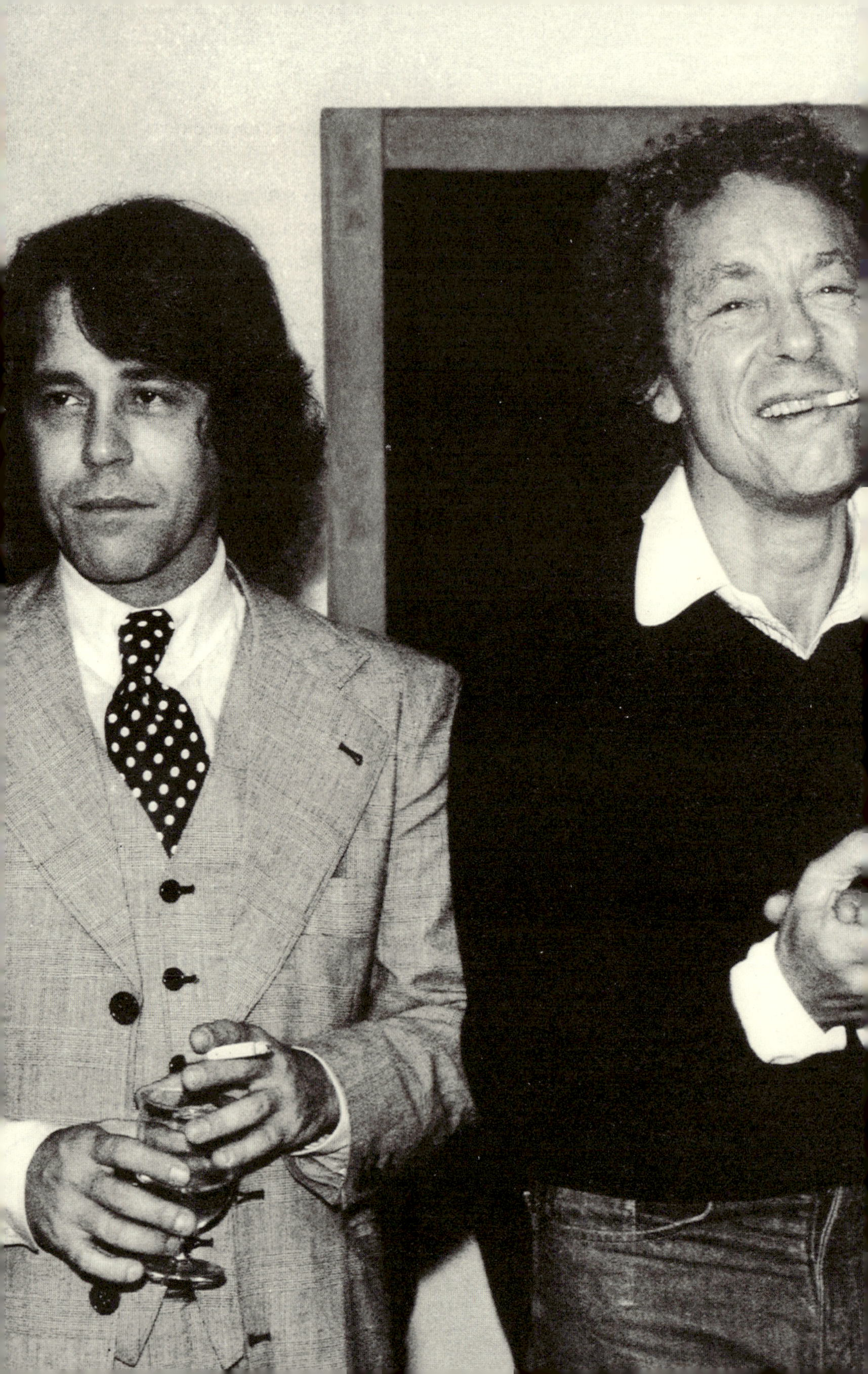

81
LACAN NA FOLIA

Na virada de década, Nelsinho começou a namorar uma psicanalista paulista que conhecera no verão em Salvador. Fátima era uma bela morena de origem libanesa, olhos profundos sob sobrancelhas grossas e lábios cor de açaí. Lacaniana de raiz, analisada pelo próprio Jacques Lacan em Paris nos anos 1970, era inteligente, culta e sedutora. E se encantou com a leveza, o espírito carioca descontraído do dublê de intelectual e dono de boate Nelsinho, tão diferente do seu formalismo acadêmico franco-paulistano.

Fátima era casada, mas ela e o marido europeu não ligavam para essas coisas. A cada quinze dias, ela viajava ao Rio para dar aulas e passava o fim de semana com Nelsinho, namorando, falando sobre as teorias lacanianas, ouvindo histórias de artistas. Juntos, iam ao Noites Cariocas do Morro da Urca, assistindo a shows de "música pra pular brasileira", trocando beijos entre as árvores com o Rio de Janeiro iluminado sob o céu estrelado.

Foram ao desfile das escolas de samba, num tempo em que os cama-

Com André Midani, comemorando o "Disco de Ouro" das Frenéticas, em 1979.

rotes da avenida Presidente Vargas eram de madeira, toscos e desconfortáveis, mas na cara da pista. Cortesia de André Midani e sua gravadora Warner, com as secretárias Luiza e Kika distribuindo bebidas e drogas variadas aos convidados e controlando os estoques de duas grandes caixas de isopor. O ponto alto foi o LSD, servido meia hora antes da entrada da Beija-Flor de Joãosinho Trinta.

Todo mundo tomou. E o ácido bateu quando a escola entrava na passarela. Tudo se transformou com o ritmo e o peso da bateria amplificados pelo ácido, as cores brilhantes e psicodélicas, as formas que se misturavam e mudavam sem cessar, os corpos seminus brilhando de purpurina iridescente. Imensos elefantes que representavam a Índia no enredo faiscavam sob as luzes como se fossem vivos, carros alegóricos pareciam muito maiores e mais coloridos do que eram, numa viagem dentro da viagem que era o enredo da escola.

A doutora adorou. Ficou amiga de Joãosinho Trinta, o considerava um gênio. Anos depois, escreveu um belo ensaio sobre o Carnaval e Joãosinho.

Com Fátima, Nelsinho aprendeu que "Todo mundo mente, mas quando começa a mentir para si mesmo, não dá mais para analisar". Aprendia muito com ela sobre psicanálise e Lacan, mas não acreditava em terapia: fizera durante dois anos com um freudiano muito conceituado, indicado por uma amiga confiável, mas não tinha dado certo. Jamais se deitava no divã; preferia uma poltrona frente a frente com o analista barbudo, sempre sério e de cara fechada. Havia sessões em que Nelsinho dormia profundamente até ser acordado no final com "Nosso tempo acabou, Nelson. Nos vemos na quinta". Desistiu.

Mas entendeu que um psicanalista qualificado pode dar certo com uns e errado com outros. Como num casamento, num namoro, numa amizade. É preciso química, interesse e confiança mútuos. Seduzido pelos argumentos de Fátima, Nelsinho aceitou fazer uma sessão experimental com um amigo dela que tinha voltado depois de anos de estudos em Paris, onde fora formado por Jacques Lacan.

No início da parceria com Lulu, fazendo bico e hits.

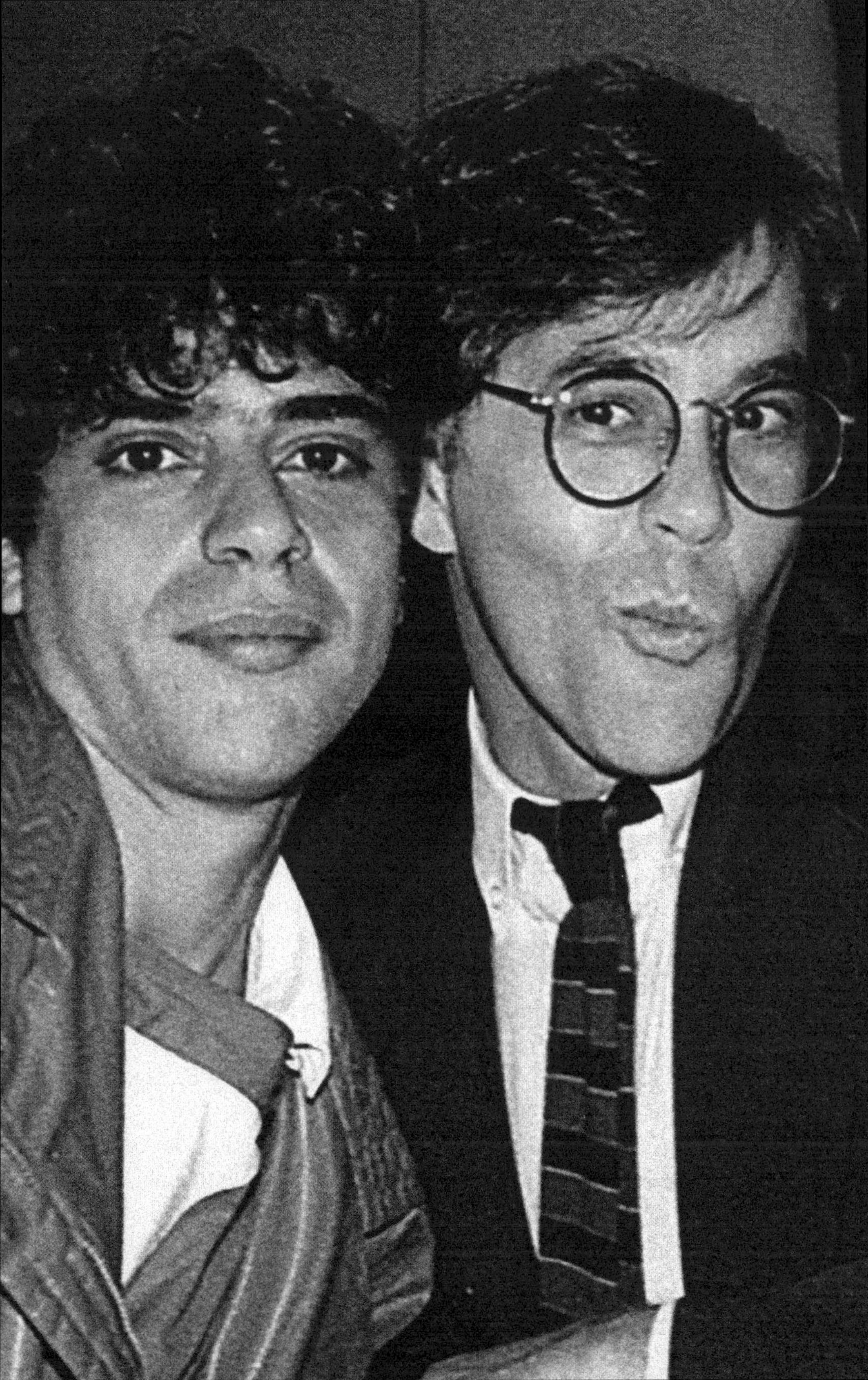

82
NO DIVÃ

Recém-chegado ao Brasil, Magno ainda tinha poucos clientes. Nelsinho foi um dos primeiros. Ele entrou cabreiro no pequeno apartamento na rua João Lira, a poucos metros da praia do Leblon, onde Magno morava e atendia.

Era um quarentão simpático, de cabelos e barba brancos e olhos brilhantes. Ao ver Nelsinho se encaminhar para a poltrona, perguntou: "Você não vai deitar no divã?" Nelsinho relutou, tentou gaguejar alguma coisa... Magno o tomou pelo cotovelo e o levou até o divã. "Ah, vai deitar, sim", e o deitou praticamente à força no confortável sofá. Como um analista de Bagé parisiense. Nelsinho adorou. Era tudo o que queria mas não sabia que queria. E que precisava. Era o início de uma bela terapia, e talvez de uma nova forma de amizade.

Além da química com o analista, Nelsinho gostou muito do conceito lacaniano do "tempo lógico" em oposição ao "tempo cronológico". A medida da intensidade e não do relógio. Às vezes, com dez minutos de sessão já tinha dito o que precisava ouvir de si mesmo, e o papel do analista era interromper ali mesmo e deixar o analisando com a memória presente e a intensidade de uma questão importante. Não esperar que ele falasse bobagens e repetisse besteiras e mi-mi-mis por mais trinta minutos, retomando velhas queixas, inventando problemas, só pelo fato de estar pagando por uma sessão de quarenta minutos.

Esse dinheiro já está gasto, não gaste o tempo também, aprendeu Nelsinho. Nada impede que uma sessão se estenda por vinte, trinta minutos ou até uma hora, se for o caso. Aprendeu também a não abusar da paciência do analista, não ficar repetindo queixas e obsessões, a tornar a sessão interessante também para ele, eventualmente fazê-lo rir, ou melhor, os dois rirem de você mesmo. Altamente terapêutico.

A ideia do "tempo lógico" não valia só para sessões de análise. Passou a servir como medida de muita coisa importante na vida – sentimentos, trabalhos, relacionamentos, nos quais a intensidade vale mais do que o relógio e o calendário.

82
NILÓPOLIS-MANHATTAN

Nelsinho era apaixonado por Joãosinho Trinta, que conhecia desde os tempos em que ele foi aderecista do espetáculo *A pequena notável*. Agora um grande artista e sempre uma pessoa adorável, parecia um pigmeu indonésio, agitado e entusiasmado, com o olhar, a sensibilidade e a inteligência faiscantes. Nelsinho ficou tão fã que, quando lhe perguntavam para qual escola de samba torcia, dizia sempre: "Aquela em que o Joãosinho Trinta estiver."

No fim de 1979, para comemorar a virada de década, convidou Joãosinho para ser o carnavalesco, no caso, o "réveillonesco", e fazer o que quisesse no Noites Cariocas do Morro da Urca, a 360 metros de altura, com o Rio de Janeiro iluminado a seus pés.

O enredo seria "No reino de Iemanjá", e a experiência começava com os convidados passando por sete cortinas de contas verdes e azuis assim que saíam do bondinho. Alegorias e adereços representando a divindade se misturavam às árvores iluminadas ao redor de uma arena com alguns degraus de arquibancada e o palco. Joãosinho cobriu as arquibancadas com centenas de almofadas, onde os convidados poderiam ficar sentados ou recostados mordiscando uvas como nas cenas de Império Romano, ou até deitados como numa tenda árabe. E botou no palco uma amostra da Beija-Flor com seus melhores componentes.

Foi uma festa maravilhosa e inesquecível, que custou bem mais do que o previsto e vendeu bem menos convites do que o esperado, resultando num prejuízo e tanto. Mas ninguém ligou. Foi como se cada sócio do Noites Cariocas tivesse pagado para receber seus convidados.

Ainda assim, inspirou a criação de uma noite da Beija-Flor, às segundas-feiras, no Morro da Urca, com bateria, passistas, fantasias, mestre-sala e porta-bandeira. Intermediado por Joãosinho, Nelsinho conheceu Anísio Abraão David, legendário bicheiro de Nilópolis e patrono da escola, e os reuniu com os donos do bondinho, a tradicional família Leite de Castro. Foi divertido ver o encontro da alta sociedade carioca com a aristocracia do jogo do bicho, em benefício de todos: mais um dia de show para a Beija-Flor, mais uma noite de faturamento para o Morro da Urca. Os turistas adoraram o combo juntando a vista espetacular do Rio e o show de samba de primeira.

Foram muitas conversas com Joãosinho sobre sua crença na "revolução pela alegria", sua estética, seus métodos, seu mundo na Beija-Flor. Um dia, ele convidou Nelsinho para a festa de aniversário da filha de 7 anos de Anísio, em sua casa-fortaleza no coração de Nilópolis. Que maravilha! Mas que pena! Estava com passagem marcada para Nova York no mesmo dia.

Mordido pelo interesse antropológico e sociológico, Nelsinho se perguntou por que não fazer um experimento de choque cultural radical levando Esperança, com 6 anos, à festa e partindo de lá direto para Nova York?

A casa de Anísio não era uma, eram várias, que foram sendo construídas ao longo do tempo, em estilos e cores diferentes, puxadinhos e puxadões, muros altos e câmeras de vigilância por toda parte. Cruzando os portões, já não parecia uma casa, mas um clube. Num belo gramado, uma churrascaria – não confundir com churrasqueira – com mesas e balcão, e um bar bem fornido, onde, entre os convidados de

Anísio, Nelsinho notou seu velho conhecido Mariel Mariscöt, mas preferiu fingir que não o viu.

Mais adiante, uma piscina quase olímpica e a joia do coroa: um campo de futebol com gramado impecável, equipado para jogos noturnos. E ainda havia um segundo campo, presumivelmente para treinos. No meio do gramado, uma enorme mesa de doces, tendo ao centro um castelo da Branca de Neve completo, com torres e portões, e até peixinhos nadando na água que corria no fosso. Mais que um bolo, era uma alegoria. No final, cada criança recebeu da aniversariante um saco não com uma lembrancinha, mas com seis ou sete presentes.

Entrando no carro com motorista que levaria o pai ao Galeão e a filha para casa, Esperança, acostumada com aniversários em casas de festa metidas a besta da Zona Sul, comentou: "Isso é que é luxo, né, pai?"

Nelsinho acordou sobrevoando Manhattan como quem chegasse à Lua.

82

ADORÁVEL DOIDIVANA

A gaúcha Neusinha Brizola, filha de Leonel Brizola, foi um dos personagens mais interessantes e divertidos da década de 1980 no Rio de Janeiro. Nelsinho a conheceu na praia de Ipanema, de microbiquíni vermelho e bonezinho do PDT fazendo campanha para o pai, que concorria a governador. Uma graça de garota e um ótimo corpitcho, virgem de qualquer outro exercício físico que não o sexo. Neusinha dizia que, quando tinha vontade de fazer ginástica, deitava e esperava passar.

Muito inteligente, engraçada e bem doidinha, logo se enturmou com a galera de Cazuza e Lobão, tornando-se uma das habituées do Baixo Leblon. Uma noite, doidona, dançou em cima da mesa do Real Astoria de minissaia. Sem calcinha.

Esperta, chamou Paulo Coelho, que ainda não era mago nem escritor, mas produtor e marqueteiro de artistas, para produzir seu primeiro disco. Compôs com o guitarrista gaúcho Joe Euthanázia o debochado rock "Mintchura", que estourou nas rádios e nas ruas. E Neusinha virou uma presença frequente nos programas populares de televisão, dando entrevistas deliciosas.

– Qual é o seu animal de estimação?

– Namorado.

Anárquica, libertária e debochada, Neusinha era um ícone daquele tempo entre o fim da ditadura e a volta da democracia, que teve em Brizola um de seus grandes protagonistas, eleito governador em 1982 contra Moreira Franco, o candidato da ditadura. O slogan "Brizola na cabeça" se tornou a marca da campanha e ajudou muito a vitória. No auge da era carioca da cocaína, que havia décadas era chamada popularmente de "brizola", o slogan foi certeiro e cumprido em todos os sentidos. Neusinha e sua turma se amarravam numa brizola.

Neusinha tinha sido criada como princesa, em palácios de Porto Alegre, filha do maior líder político do estado e de dona Neusa, de uma rica família gaúcha. Estava acostumada ao poder e ao dinheiro. Passou por um exílio dourado em Punta del Este depois do Golpe de 1964 e, em 1982, voltava a seu habitat natural, os palácios. Leonel a adorava e acobertava suas doidices, como quando foi flagrada pela polícia com cocaína, num escândalo público. Mas não foi presa. O pai arrancava os cabelos, mas conhecia sua cria. Drogada desde os 13 anos, mãe aos 21, Neusinha era dada a excessos e dava trabalho a Leonel.

Logo se tornou amiga de Nelsinho e da irmã mais nova dele, Graça. E mais amiga ainda de Xixa, que se encantou com ela. Passavam tardes tocando piano e conversando no salão de vidro sobre o riacho onde Xixa tinha seu Yamaha.

Neusinha brincava:

– Olha que eu vou casar com seu filho.

– Deus me livre, minha filha! – Xixa reagia, sincera.

E riam juntas.

Cazuza também se tornou amigo de Xixa e companheiro de tardes de piano e papos. Eles se adoravam. Ela tinha 64 anos e ele, 24. Para Xixa, nada do que diziam de Cazuza e Neusinha interessava; gostava deles pelo que eram. Divertidos, inteligentes, educados e amorosos. Com o tempo, Cazuza ficou até mais próximo de Xixa do que de Nelsinho.

João Moreira Salles, com 20 anos, também se tornou amigo de Xixa e frequentava o salão sobre o riacho. Os dois amavam música clássica e tinham a mesma professora de piano, Vilma Graça. Outro amigo de Xixa era Guilherme Arantes, 21, que estava estourando um hit atrás do outro e era parceiro de Nelsinho. Unidos na paixão pelo piano, tocavam e conversavam. Ele era o afinador oficial do Yamaha dela.

Em 1982, Nelsinho também viveu a experiência única de fazer parte durante seis meses do júri do Chacrinha, mil vezes mais divertido que os de Flávio Cavalcanti e Silvio Santos, dos quais tinha participado anos antes. O Teatro Fênix ficava abarrotado de fãs animadíssimas, cantando juntas com a bandinha. Era um calor infernal sob as luzes e sem ar condicionado, numa atmosfera de baile de Carnaval anarquista sob o comando do Chacrinha, gritando seus bordões, sacaneando os calouros, animando o auditório. Para ele não existia intervalo comercial: ficava no palco cantando músicas de Carnaval com a banda e mantendo a massa aquecida para a volta dos comerciais já com o caldeirão fervendo.

Outra grande vantagem do júri do Chacrinha era ver de perto, de pertíssimo, as chacretes, com seus maiôs cavados e rebolados que os câmeras focavam de baixo para cima e em *big close*, fazendo delas objeto de desejo de dez entre dez brasileiros. Convivendo com as chacretes nos corredores e camarins, Nelsinho ficou amigo de Rita Cadillac, da Loura Sinistra Marlene Morbeck e de Vera Furacão, Índia Potira, Leda Zeppelin...

Entre os orgulhos de Nelsinho estava uma parceria com o Chacrinha na marchinha de Carnaval "Pão, amor e anarquia", que tinha feito sozinho; o Velho Guerreiro entrou com a gravação e a divulgação. Mas ninguém cantou no Carnaval.

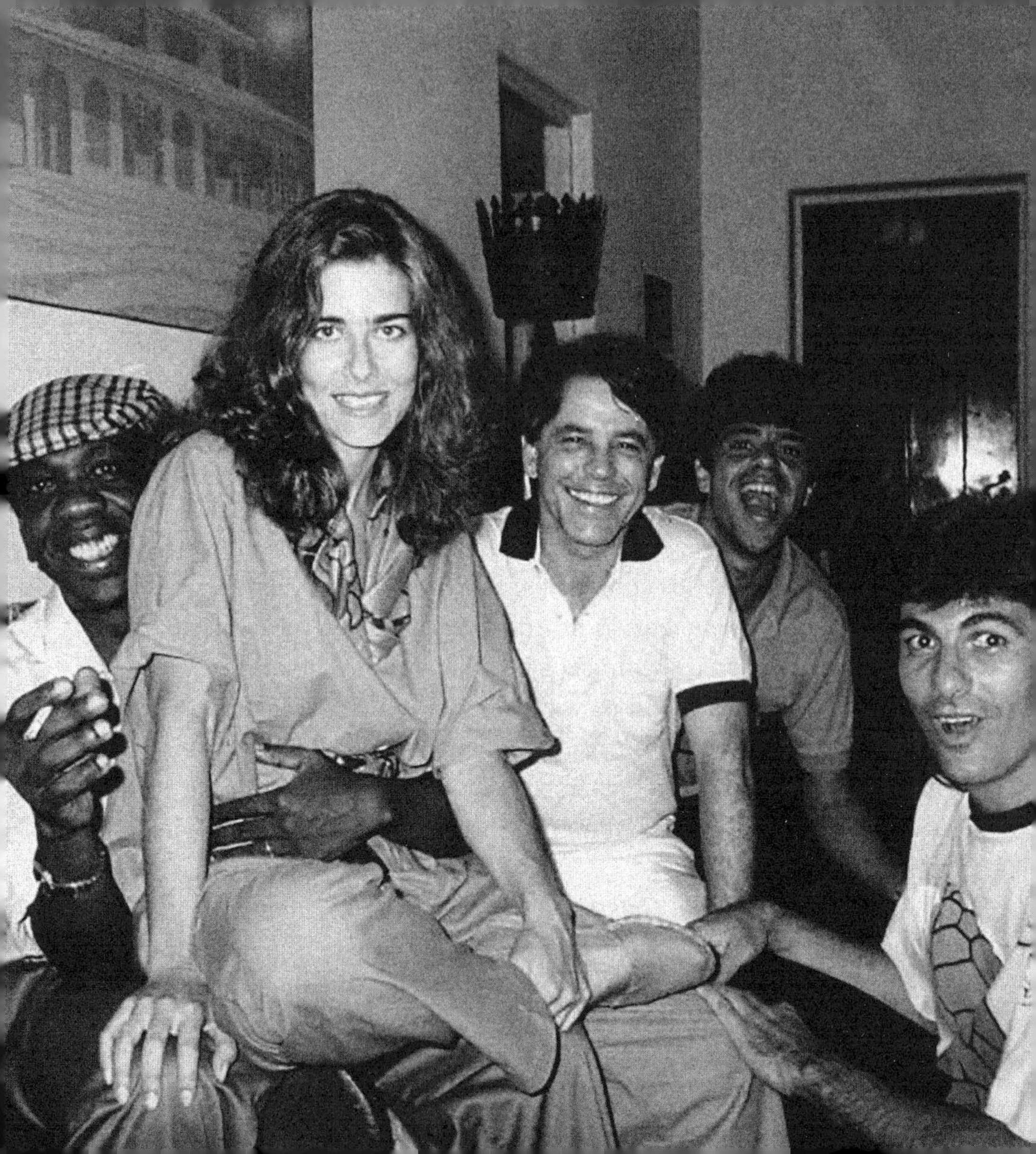

83
NA LAMA

Além dos danos fisiológicos e psicológicos, a cocaína também tinha consequências sociais funestas. Os drogados cheiravam com qualquer um, com pessoas que nem sequer cumprimentariam, a escória e a elite unidas na mesma droga. Todos precisavam de um ouvido para despejar sua fala compulsiva e incontrolável, que podia ser até, na falta de companhia, o próprio traficante que vendia a droga.

Com a mistura de cocaína e álcool, a ânsia de falar e se agitar também trazia a absurda necessidade de contar intimidades a desconhecidos. E de transar com qualquer um para aplacar a ansiedade do pó. Mas tinha um preço: depois de algum tempo de abusos, vinha a impotência, o que levava Júlio Barroso a advertir: "É ou pó ou pau."

O mais patético, por uma misteriosa associação do intestino e do esfíncter com a ânsia de cheirar, era a incontrolável vontade de fazer cocô quando a cocaína estava para chegar. Era deprimente ver um grupo de pessoas em volta de um telefone, esperando ansiosamente

Em Búzios, com Dom Pepe, Maitê, Lulu e Evandro Mesquita, todos prá lá de Bagdá.

que tocasse, e, quando afinal tocava e o traficante avisava que estava a caminho, começava a corrida ao banheiro.

Ficou célebre a discussão entre Raul Seixas e Tim Maia, com o magro defendendo a cocaína e o gordo, a maconha, alegando que o pó dava logo vontade de dar o cu. "Afrouxa o brioco."

Atolado na cocaína, Nelsinho vivia seu pior momento, e dessa fase resultou um livro caótico, em que se misturavam crônica, poesia, reportagem, memórias e ficção sob o título *Sobras completas*. Apesar do sentido claramente pejorativo, Nelsinho adorava o trocadilho tolo, que certamente ajudou o livro no merecido fracasso. Afinal, quem quer sobras?

Mas alguma coisa se salvava: "Mar morto/ sol posto/ teu rosto/ meu porto".

Ou então: "Sem tempo nem saco para tanto papo/ o príncipe tem saudades/ do tempo em que era sapo".

83
ANOS ROMANOS

Nelsinho chegou a Roma em agosto de 1983, no escaldante verão italiano. Os primeiros meses foram deliciosos, dedicando-se a conhecer a cidade, explorando sua beleza onipresente e seu cotidiano, vivendo num clima de simpatia e cordialidade. Às vezes se sentia no meio de uma comédia italiana. O objetivo principal da mudança era livrar-se da cocaína em um lugar novo, onde a droga custava caríssimo e era de péssima qualidade. Passados três meses, nem pensava mais no assunto.

Nelsinho não fazia nada além de passear pela cidade de beleza inesgotável, ver espetáculos, ir a museus, comprar livros e discos, quadrinhos de Milo Manara, visitar amigos e, de vez em quando, escrever como freelancer uma crônica de meia página para *O Globo* sobre a vida italiana, em geral muito divertida. O dinheiro para as despesas vinha do Noites Cariocas, que ia a pleno vapor, com o rock brasileiro estourando e enchendo a casa. Dava de sobra para sustentar as filhas e levar uma vida confortável.

Chegou a Roma em estado deplorável. Além da adição em cocaína,

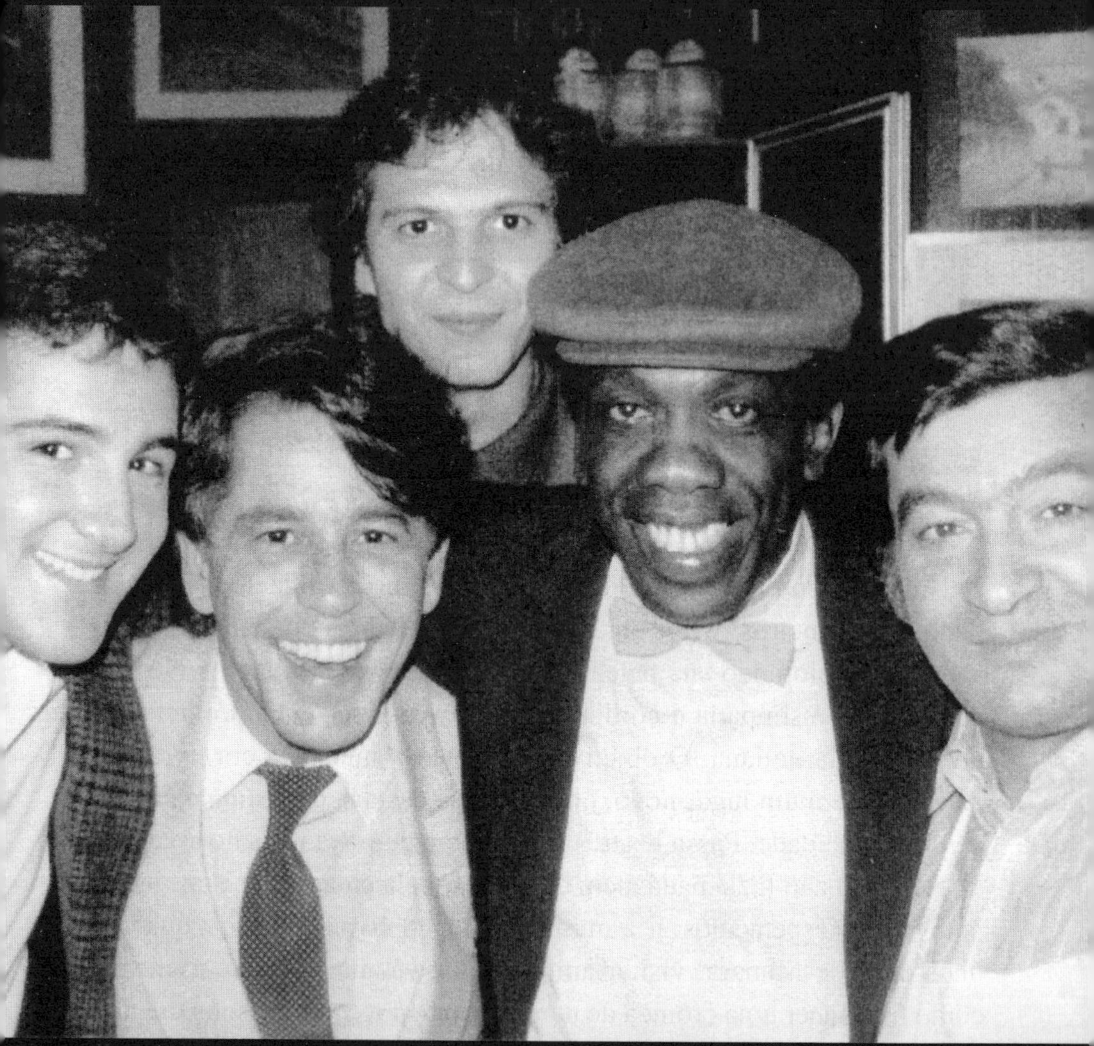

estava saindo de uma separação dolorosa de Carmen, uma psicanalista argentina de 34 anos doidivana, inteligente, sofisticada, bagaceira, devassa e muito divertida. E bonita. Era uma sedutora vocacional *full time*; fazia charme até para o garçom e o motorista de táxi. Nelsinho ficava incomodado. Ela pensava que ele não ligava.

Numa festa na Gávea, em uma casa com jardins enormes, Carmen sumiu. Voltou com um chupão no pescoço e confessou que era do filho da dona da casa, de 17 anos. Levou um esporro monumental e Nelsinho afastou-se uns dias, mas logo cedeu a seus apelos e sua sedução e voltou para seus braços. E para as noites brancas.

Estava completamente viciado em Carmen. Durante um ano, se encontravam todas as noites no apartamento dele no Posto Seis, onde cheiravam e bebiam e conversavam sem parar, ouvindo em loop o LP *Amoroso*, de João Gilberto, a noite inteira, e tudo terminava em sexo até o dia raiar. Um duplo vício.

Sua sorte, aí sim, foi quando ela o corneou e, como em "Detalhes", chegou até a "dizer meu nome sem querer à pessoa errada", no caso, Nelsinho, que a abandonou por justa causa e escapou de se casar com ela, como estava combinado, com passagens compradas para a lua de mel em Roma. Xixa sempre foi absolutamente contra esse casamento, mas repetia o clássico: "Se você está feliz, mamãe também está." Mamãe ficou felicíssima com a separação.

Como um escorpião rancoroso, mesmo não a querendo mais, Nelsinho deu-lhe o troco como um personagem sórdido de Nelson Rodrigues: o Palhares, que não respeita nem a cunhada. E começou a namorar Rosario, a irmã mais nova de Carmen – que também cheirava como um tamanduá humano –, só para sacanear. A mais nova também aproveitou a oportunidade para sacanear a mais velha. Carmen ficou enlouquecida. Não havia nada de amor nisso; era tudo raiva e rancor.

Nelsinho aproveitou a passagem para Roma para mudar de vida. Foi para o Festival Bahia de Todos os Sambas, com dez dias de shows de artistas baianos – João Gilberto, Dorival Caymmi, Gal Costa, Maria

Em Roma, com Massimiliano, Euclydes Marinho, Dom Pepe estiloso e Domenico.

Bethânia, Caetano, Gil, Morais Moreira e Nana Caymmi, entre outros –, no Circo Massimo. E também na Piazza Navona, onde o trio elétrico de Dodô e Osmar ficou entalado no pórtico de entrada. Adorou Roma e decidiu ficar por lá. Seria a melhor forma de escapar da cocaína e da adição na mulher tóxica.

Foi morar primeiro na Rezidenza di Ripetta, ao lado da Piazza del Popolo, que tinha uma pequena cozinha no quarto e o levava ao prazer de comprar queijos, presuntos, vinhos, pães frescos, frutas e doces, passeando pela rua no que os italianos chamam de "fare la spesa", fazer a despesa. Cada coisa numa loja diferente. É cultural.

Entendeu por que Roma foi das últimas cidades a aderir ao supermercado, que no Brasil existia desde 1953. Cada produto tem sua loja, seu dono, sua freguesia; não era só a compra, mas o papo, a discussão sobre os produtos, as sugestões, as fofocas da vizinhança, a parte boa da vida provinciana, coisas que o supermercado inviabiliza. Por isso, nos primeiros anos eles estiveram desertos, e os pequenos negócios sobreviveram.

Conheceu muita gente legal, pessoal de música, jornalistas, artistas, se apaixonou pela cidade que já conhecia de outras viagens. Mas agora queria se casar com ela. E também se encantou com uma jovem correspondente de um jornal de São Paulo. Érica era uma ítalo-brasileira de 32 anos, cabelos cor de palha em corte Chanel e luminosos olhos azuis. Linda aos olhos de Nelsinho, elegante e discreta, alegre e positiva, não fumava e nunca tinha experimentado drogas: era o exato antídoto da psicanalista tóxica. Pena que fosse casada. O marido morava em Paris, correspondente de uma revista carioca. Encontrava com ela em intervalos, ora em Paris, ora em Roma. Nada mal para manter o romantismo. Nelsinho tinha poucas esperanças, mas gostava cada vez mais dela.

Tornaram-se muito amigos. Ela o levava para conhecer a cidade. Passeavam e conversavam durante horas caminhando pelo Lungotevere como dois namorados. Às vezes de braços dados, mas nunca se deram as mãos, e estava claro que ela era fiel ao marido, sem dar qualquer margem para investidas, por mais insinuações e "brincadeiras" que

Nelsinho fizesse nesses longos passeios. Ela mostrava cada vez mais que gostava dele, mas sem chance de romance. Dizia que o marido também gostava dele, que o achava muito talentoso.

A Associação dos Jornalistas Italianos oferecia de graça aos correspondentes estrangeiros um andar num prédio com máquinas de telex, salas de estar, telefones, máquinas de escrever e um bom bar. Um ótimo lugar para encontrar e fazer amizades e se informar com colegas estrangeiros, que Nelsinho e Érica frequentavam bastante.

Em 1984, com a ditadura brasileira nos estertores, Nelsinho ficou maravilhado com o funeral grandioso de Enrico Berlinguer, criador do eurocomunismo, independente de Moscou, líder histórico do Partido Comunista Italiano, que levou multidões às ruas e foi homenageado e respeitado por todos os partidos, até mesmo o neofascista Movimento Social Italiano. Uma cena impensável no Brasil, onde o comunismo ainda estava na ilegalidade; afinal, detê-lo havia sido a prioridade do Golpe de 1964. Como era bonita a democracia, o respeito pelos adversários. Isso tudo mostrava como o Brasil era atrasado.

Todo dia lia notícias de jornal que eram pura comédia italiana. Como a história do chefão mafioso foragido, conhecido pelo apavorante apelido de "O'Malomo", "o homem mau" em dialeto napolitano. Mesmo com fortes desconfianças de que o telefone estava grampeado, no fim do domingo não resistiu e ligou para um amigo: "Quanto foi o jogo do Napoli?" Dez minutos depois, os carabinieri estavam na sua porta.

Também se divertia muito com a política italiana. Especialmente com o Partido Radical, de Marco Pannella, que promovia "spinellazos" – "baseado" em italiano é *spinello* –, em que os manifestantes acendiam baseados ao mesmo tempo em frente ao Parlamento.

Na Itália democrática de 1986, a anárquica Radio Radicale queria saber o que pensavam seus ouvintes e ofereceu um número de telefone gratuito, prometendo colocar no ar, sem cortes, todas as mensagens de um minuto gravadas anonimamente em secretárias eletrônicas. Durante um mês, dia e noite, todo o país ouviu estupefato uma torrente dantesca de insultos, xingamentos, preconceitos, canalhices, palavrões, blasfêmias e covardias.

Milaneses contra napolitanos, romanos esculachando sicilianos, pobres amaldiçoando ricos, ricos debochando de pobres, fascistas achincalhando comunistas e vice-versa, mulheres barbarizando homens, gays, o papa, num vale-tudo de todos contra todos, até a rádio ser fechada sob a acusação de vilipendiar as instituições e fazer apologia do fascismo.

Para estrangeiros como Érica e Nelsinho, o festival de ódio turbinado pela exuberante verve peninsular era de morrer de rir; mas, para seus amigos italianos, era de matar de vergonha. Como se odiavam, como eram ressentidos, invejosos, intolerantes, apesar de tantos séculos de cultura e civilização, lamentavam os intelectuais. Os políticos tentavam minimizar aquilo como um "desabafo nacional" passageiro.

A verdade é que a combinação de liberdade e anonimato trouxe à tona o pior dos italianos, sem qualquer censura, do fundo do coração. E, como dizia Xixa, a boca fala das abundâncias do coração. Todos os dejetos verbais revelavam mais do malfalante que do malfalado. Pelo menos eles perderam algumas velhas ilusões e ficaram se conhecendo melhor.

84

UMA NOITE COM CHET BAKER

Levado pelo amigo Massimiliano, o Max, um italianinho de 20 anos que falava português fluente – nunca tinha visitado o Brasil, mas tinha paixão pela música brasileira, despertada por uma apresentação de Jorge Ben Jor em Roma –, Nelsinho foi ver um show de Chet Baker, antes que ele acabasse. Aos 55 anos, estava um bagaço.

Era um pequeno clube de jazz, uma catacumba contemporânea, uma caverna sofisticada chamada Music Inn. Sob as luzes do pequeno palco, Chet Baker parecia uma múmia de si mesmo quando jovem, na época em que era parecido com James Dean e tão bonito quanto. O nariz pequeno e fino, os lábios bem desenhados e provocativos ainda permaneciam no rosto magro e encovado, mas ao menor movimento muscular a pele cor de cera parecia se soltar da carne. E tinha muitas cicatrizes, que se confundiam com as rugas profundas. Através dos óculos, ele fitava o público com olhos baços e baixos. Parecia calmo, triste e amedrontado, até que começou a tocar, com o trompete apontando para o chão.

A entrada foi hesitante, e dava para notar que não houvera ensaio com os músicos italianos que o acompanhavam – um flautista péssimo, um pianista igualmente ruim e um bom baixista que se esforçavam em vão. Vendo-o ali tão magro e debilitado, dentro de um paletó de veludo marrom de largas lapelas antigas, uma perna balançando frágil dentro da calça larga e marrom, Nelsinho imaginava como teria fôlego para soprar seus solos e cantar.

Mas ele soprava, com firmeza precisa e delicada, um tema desinteressante de andamento médio. Os solos dos italianos foram longos e chatos; o dele parecia um aquecimento. Enquanto o flautista solava, ele se sentou à bateria e ficou marcando o ritmo com uma baqueta no prato, bem de leve e com a expressão ausente.

Seus cabelos louros alongavam-se, esgarçados, além do colarinho, alternando tufos lisos com mechas queimadas, emoldurando o rosto esquálido em que se estampava o drama de um velho rapaz esculpido num quase cadáver. Nítidos, líricos, juvenis, traços delicados de feição que não amadureceram e se deterioraram.

Chet tocou, e até bem, a segunda música. Longos e tediosos solos dos acompanhantes, e ei-lo de novo, suave, à bateria: fazendo algo que Nelsinho nunca tinha ouvido nem imaginado. A baqueta apenas roçava o prato, o mínimo toque possível para produzir um som, mas o ritmo era ágil, leve, preciso. João Gilberto adoraria.

Na terceira música, entrou de fato o trompete, e até os músicos melhoraram: um samba bonito e desconhecido, que poderia ser assinado por Tom Jobim, com a melodia fluindo sobre arrojadas estruturas harmônicas, num ritmo balançado e vigoroso. Sem bateria.

Chet tirou o microfone do pedestal com dificuldade, encostou no banquinho e marcou o ritmo com a perna magra dentro da calça larga. E cantou, como nunca e como sempre: "I remember you/ you are the one/ who make my dreams/ come true", um clássico de jazz. E dele mesmo, que cantava com um fio de voz afinado, preciso, um fraseado elegante cuja suavidade absoluta era temperada pelo balanço das divisões rítmicas.

Improvisando com a voz – como se fosse um trompete doce –, inventou na hora uma sequência de frases musicais de grande refinamento. De olhos fechados e cabeça baixa, sabe Deus do que se lembrava quando dizia "I remember you".

Em seguida, outro número banal e cheio de clichês, e ele, cansado, avisou que faria um pequeno break. Ótimo, Nelsinho precisava respirar.

Muito jovem, Chet se tornou uma das estrelas do jazz da West Coast, cool e refinado, o melhor jazz do planeta na década de 1950. Passada a onda, na década seguinte, Chet naufragou num mar de heroína, dívidas e solidão, roçando as margens do submundo. Com os braços crivados de picadas e sem trabalho, parou de tocar.

A volta foi penosa, mas ele recomeçou a tocar e a gravar. Teve que aprender de novo a soprar, a recuperar a fundamental embocadura de seu instrumento com os dentes que colocou no lugar dos quebrados numa das surras que traficantes credores lhe infligiram.

Desde então, zanzava meio molambo pela Europa, gravando vários discos de qualidade irregular por qualquer dinheiro e perambulando pelos circuitos de jazz como um zumbi. Parecia um filme B americano em preto e branco, mas não era: no final, ele não voltou triunfante nem vencedor, não houve happy end e a heroína era a vilã da história que ainda não tinha terminado.

Chet voltou ao palco, tocou mais dois temas com os músicos italianos perdidos entre as partituras. Com uma expressão dolorida no rosto contorcido pelo esforço vocal, Chet Baker cantou: "There will be many other nights like this/ and I'll be standing here with someone new/ there will be many songs to sing/ another Fall another Spring/ but there will never be another you..."

Nelsinho fechou os olhos e pensou: "Nunca."

85
O CRAQUE E A ESTRELA

Em plena primavera romana, Nelsinho recebeu a visita da amiga Sônia Braga, movida por um motivo nobre: ela havia tido um rápido affair com o craque Paulo Roberto Falcão quando o time da Roma foi jogar em São Paulo, estava apaixonada e resolveu correr atrás.

Érica cobria jogos da Roma para o seu jornal e era amiga de Falcão. Ela e Nelsinho tentaram fazer um meio de campo para os amigos, mas o jogo estava duro. Falcão tinha pânico que os jornais de escândalos o fotografassem com Sônia, conhecidíssima na Itália pela novela *Gabriela*.

A imprensa esportiva italiana é cruel e implacável. Se o cara aparece com uma mulher e no domingo joga mal, os céus desabam. Encontrá-la escondido exigia uma operação de guerra. Marcado dia e noite pelos paparazzi, o "Rei de Roma", como o chamavam por ter dado um campeonato à Roma depois de um jejum de vinte anos, Falcão não tinha sossego. E Sônia estava cada vez mais inquieta. Até que finalmente se encontraram.

Falcão era gentil e educado. Muito elegante, gostava da moda italiana. Uma noite, convidou Nelsinho para um restaurante. Chegaram às onze da noite e já estava praticamente vazio; só então Falcão entrou com sua entourage e foi recebido efusivamente pelo maître e os garçons. Era o único jeito. Os restaurantes fechavam mais cedo para recebê-lo. Bem triste.

Durante quatro anos, Nelsinho acompanhou o time da Roma no Estádio Olímpico, a quinze minutos de caminhada de sua casa, assistindo a grandes atuações de Falcão e Toninho Cerezo. A Roma revezava no Olímpico com a Lazio, o time romano rival. Arquirrival. Associado à elite regional e ao fascismo, se opunha à Roma popular e democrática, trocando cantos de ódio, pragas e blasfêmias que estremeciam o estádio.

Estar na Itália, campeã mundial, no seu melhor momento futebolístico, com os melhores jogadores do Brasil e do mundo nos seus times, no que eles chamavam sem nenhum exagero de "Il campionato più bello del mondo", era um privilégio e uma sorte.

86
PRAIA À ITALIANA

Num belo dia de verão escaldante, louco de calor e de saudade da praia, Nelsinho aceitou o convite de um casal ítalo-brasileiro para a praia em Sperlonga, a quarenta minutos de trem de Roma. No vagão, viu várias famílias, cada qual com seu farnel, fazendo do passeio à praia também um piquenique. Essa era a "praia à italiana", eles riram. Na areia dura e acinzentada, não serviam lanches, mas refeições completas, com panelas no fogareiro, massas e molhos, garfos e facas. Queijos. Pães. Salames, presuntos e linguiças. E vinho, naturalmente.

À beira do mar, uma cena insólita: um garoto de seus 3 anos se divertia enfiando um dedinho no cu de um cachorro grande, que nem se movia e parecia estar gostando. Ocupada em comer, a mãe levou um tempo até notar e começar a amaldiçoar a criança, acabando por lhe estalar um tapa na cara. O menino nem chorou; devia estar acostumado ao estilo italiano.

Não havia ambulantes circulando pela areia e, na calçada, quiosques vendiam muita bebida e pouca comida. O mar era limpo, mas a água, gelada, e só mesmo o calor insuportável animou Nelsinho a encará-la. Voltou sacudindo no trem para Roma, todo vermelho e ardendo, se lembrando da suposta origem da palavra cafona.

Segundo uma amiga napolitana, quando os camponeses ignorantes iam à praia em Nápoles, desenrolavam uma imensa corda (*funa*, em italiano) para não se perderem na volta. E gritavam para os companheiros: "Cá funa!"

Às vezes, Érica convidava Nelsinho ao seu pequeno apartamento, num prédio antiquíssimo perto da Piazza Navona, para tomar vinho e ouvir música clássica. Ele adorava. Conhecia pouco e aprendeu muito; ouviu músicas lindíssimas e tomou gosto pelo estilo. Maria Callas, Renata Tebaldi, Jessye Norman. Inspirado, fez a letra para uma bela canção modernista de Erik Satie, "Tendrement" (Ternamente), de 1909. Chamou-a "Cenas de um amor".

>   Quando vi teu olhar,
>   teu sorriso rosado,
>   compreendi, já não sou meu,
>   meu coração tremeu.
>
>   Vinha só, quase em paz,
>   só querendo estar vivo,
>   tudo que eu queria era só,
>   só nunca mais querer.
>
>   Nessas ruas desertas,
>   sob o sol da manhã,
>   canções que ainda vão ser cantadas,
>   suave perfume de amor no ar.
>
>   Qual será teu mistério?
>   São teus olhos de céu?

Serão teus cabelos de outono?
Será teu corpo de seda marfim?

Quando ouvi tua voz
me dizendo: "Te quero",
mais eu te quis,
emudeci,
meu coração cantou.

Dar as mãos,
caminhar na cidade vazia,
tonto de alegria, sorri
e me senti feliz.

Érica adorou, achou linda. Era a cara dela, mas não disse se notou. Nada mudou. Não era mulher de ter um casinho, um affair. Só se separasse do marido, que, para piorar o quadro, era um ótimo sujeito. Nelsinho gostou muito dele quando o conheceu numa de suas idas a Roma. Conversaram bastante; era um cara muito simpático, culto e seguro. Feliz dele por ter a Érica, mesmo que de quinze em quinze dias, ou até uma vez por mês. Nelsinho continuava apaixonado, mas não ousou tentar beijá-la ou dizer "eu te amo". Ela não dava nenhuma indicação de mudança de status; se dava muito bem com o marido, o admirava e respeitava. Nelsinho o invejava.

Ao visitar Nelsinho em Roma, Xixa ficou completamente encantada por Érica. Achou-a linda, inteligente e educada, a mulher ideal para o filho. Quando voltou ao Brasil, passou a manter um vela acesa diante da imagem de Santo Antônio, com uma foto de Érica e Nelsinho. As filhas dele, de 4, 9 e 14 anos, quando foram passar as férias com o pai, também gostaram muito de Érica, convivendo intensamente. Só faltava Érica gostar dele do jeito que ele queria. Ou que o marido, num improvável acesso de loucura, a abandonasse.

Muitas vezes era torturante a convivência, de tanto desejo frustrado, tanta vontade de abraçá-la e de beijar aqueles lábios rosados. E piorou no verão, quando ela o levou a uma piscina em que podiam entrar com a carteira de correspondente internacional. Apesar da preferência dela por saias longas, Nelsinho via de relance as pernas fortes e brancas e imaginava o resto. Na piscina, deixou de imaginar. De maiô inteiriço preto, bem cavado, Érica mostrava os pernões e insinuava os seios debaixo do decote, deixando Nelsinho transtornado. E ela ainda dizia que gostava muito de sexo. Mas com o marido.

De nada adiantaram as orações e velas de Xixa a Santo Antônio nem os poemas de Nelsinho. Um fio de esperança reacendeu quando o marido foi transferido para o Brasil e suas viagens a Roma se reduziram a duas visitas por ano e um mês de férias.

Como um casal moderno e realista, eles sabiam que poderia, lá e cá, acontecer alguma coisa casual, uma estrepolia, uma aventura fugaz. Mas nunca um relacionamento sério, para casar, como queriam Nelsinho, Xixa e Nelson, Dom Pepe, as filhas e todos os seus amigos que conheciam Érica.

Um dia, Nelsinho recebeu um telefonema de Marisa Monte, que havia oito meses estava em Roma para estudar canto lírico e ser cantora de ópera. Contou que tinha desistido, que tudo era muito chato e careta e ultracompetitivo. E ainda teria que viver fora do Brasil para fazer uma carreira, então abandonara a ideia e estava voltando para casa para cantar música popular. Antes, porém, ia passar uns dias na casa de amigos em Veneza, e, como um deles era violonista amador, iam fazer um showzinho num bar. E, como se fosse ali na esquina, convidou Nelsinho para vê-la.

Nelsinho pegou um avião e foi. Não se arrependeu. Era sensacional aquela garota de 20 anos cantando músicas de Djavan, Milton Nascimento, Tom Jobim, clássicos de barzinho. O show começou com cinquenta pessoas, se alastrou pela calçada e, no final, havia gente até a beira do canal.

Ficou mais dois dias em Veneza, passeando e conversando com Marisa, que era muito madura para a idade, tinha enorme paixão pela música brasileira e grande conhecimento sobre o tema, era inteligente, alegre e educada. Inclusive era prendada: sabia costurar e cozinhar, e tinha um pequeno artesanato de bolsas de couro. Não queria ser rica e famosa, mas uma grande cantora de palco. Como sua amada Maria Callas. Era uma garota confiante e ambiciosa. Nelsinho teve certeza de que ela iria longe, muito longe.

Voltou para Roma encantado, como um astrônomo que tivesse descoberto uma estrela supernova. Não teve outro assunto com Érica, que conhecera brevemente Marisa em Roma.

Mas Érica queria dançar, então foram a um clube lotado e ficaram bebendo vinho no mezanino, ela vendo a pista de cima e dançando de costas para ele, que não resistiu e chegou mais perto, também fingindo que dançava. Abraçou-a pela cintura e, de corpos colados, dançaram um bom tempo. De vez em quando, ela virava a cabeça e sorria. Nelsinho acariciava a sua barriga e imaginou que poderia beijá-la, com boas chances de ser correspondido, mas não ousou. Foi a última vez que se viram em Roma.

Nelsinho havia decidido voltar ao Brasil, chateado com a experiência frustrante de dirigir durante um ano, para a Telemontecarlo, comprada pelo grupo Globo, um programa semanal que misturava clipes e comédia jovem mas se mostrou um fracasso de audiência, assim como toda a programação da emissora. Também estava louco de saudade das filhas e dos pais, da praia, da música brasileira. Voltaria sem casa, sem trabalho e sem namorada. Para começar outra história.

87
ESTRELA SUPERNOVA

Nelsinho teve a sorte de Marisa chamá-lo para ver um showzinho que faria num bar de Ipanema, quase na esquina do apartamento dele. Vermelho como um camarão, porque em pleno fevereiro tinha exagerado na hora de matar a saudade da praia, Nelsinho e Dom Pepe foram, e ficaram maravilhados. Era tudo amador, mas a cantora era impressionante. Nelsinho se ofereceu para dirigir seu show. Suas vidas mudaram.

O início da carreira de Marisa, depois de seis meses de ensaios, parecia um filme bem clichê sobre o surgimento de uma estrela. A manchete do "Caderno B" do *Jornal do Brasil* sobre a estreia dela no Jazzmania foi "Nasce uma estrela". Começou com apresentações em pequenos teatros, depois em locais maiores, invariavelmente lotados e com ovações consagradoras. Chegou a se apresentar no MAM de São Paulo e no Cabaré Mineiro de Belo Horizonte, cheios, sem ter dado uma entrevista, sem ter gravado um disco e sem ter aparecido na televisão. O boca a boca era intenso. Estava virando cult antes de ser famosa. O antimarketing funcionou.

As gravadoras voaram em cima, mas eles acabaram se decidindo pela Odeon, que bancaria a gravação de um show ao vivo e de um especial de televisão dirigido por Walter Salles – que tinha se tornado fã de Marisa – e por Nelsinho, com fotografia de cinema de José Roberto Eliezer.

Era de extrema ousadia para uma cantora estreante lançar um disco ao vivo, sem os recursos e os confortos de um estúdio, dependendo de sua performance no show. Marisa era coerente: queria ser uma grande cantora de palco. No estúdio, foram refeitos trechos de instrumentos e do backing vocal, mas da voz original Marisa só regravou alguns compassos por problemas técnicos. Sem photoshop.

Ainda mais ousado foi lançar o disco em janeiro, tabu absoluto na indústria do disco, por ser mês de férias, quando ninguém tem dinheiro nem está ligando para disco. Só que não. Sem lançamentos concorrentes, Marisa saiu sozinha e teve muita cobertura da imprensa, que no verão passa por um tradicional período de seca de notícias. Ela nunca teria o mesmo espaço caso saísse no Natal junto com todos os medalhões e grandes vendedores de discos.

"Bem que se quis" estourou na novela *O salvador da pátria*. Era uma versão de Nelsinho para uma música do napolitano Pino Daniele, que virou um mega hit nacional de verão; não era dançante, como pede a estação, mas romântico, muito romântico. E Nelsinho a considerava uma de suas melhores letras, porque era dolorida mas sensual e esperançosa, e muito trabalhada, tendo levado três anos para ser feita. Não era uma tradução de "E po' che fà", até porque Nelsinho não entendia nada do dialeto napolitano original, mas uma letra independente.

> Bem que se quis
> depois de tudo ainda ser feliz,
> mas já não há caminhos pra voltar,
> e o que é que a vida fez da nossa vida?
> O que é que a gente não faz por amor?
> Agora vem pra perto vem,
> vem depressa vem sem fim, dentro de mim,

que eu quero sentir
o teu corpo pesando sobre o meu,
vem meu amor, vem pra mim,
me abraça devagar,
me beija e me faz esquecer.

A letra era pura ficção. Não foi inspirada em ninguém nem em nenhum fim de caso; era apenas a fantasia romântica de uma separação e um último encontro. Nelsinho jamais imaginou que seria um hit, mas tinha certeza de que Marisa seria uma grande artista, como assegurou sua astróloga, a mesma de Marisa: "Marisa vai ser um grande sucesso. Não é só no Brasil, não: vai ser internacional."

Antes de sair para seu primeiro show no Jazzmania, nervosíssima, Marisa teve uma bênção especial. Nelsinho colocou João Gilberto no telefone para falar com ela. O que ele disse, só Marisa sabe.

89

MIDAS DE ARAQUE

A novidade e o sucesso de Marisa Monte deixaram a imprensa perplexa. Sem conseguir rotular o estilo de Marisa, que ia de Philip Glass a Waldick Soriano, de Peninha a Titãs, chamou-a de "eclética". A partir daí todas as novas cantoras que misturavam vários gêneros musicais em seu repertório se intitularam ecléticas.

Porém, Marisa era muito mais. Tinha um estilo pessoal e uma elegância que unificavam o repertório. Ela e Nelsinho gostavam da ideia de "harmonia por contraste". E foi assim que se deu o milagre de um disco de covers e versões ter se tornado um clássico e vendido um milhão de cópias.

Como efeitos colaterais do sucesso de Marisa, Gal Costa viu o show e convidou Nelsinho para dirigi-la numa turnê por Estados Unidos, Argentina, Europa e Japão. Elba Ramalho e Sandra de Sá o convidaram para produzir seus discos. Nara Leão pediu que fizesse sete versões em português de standards americanos, como "I'm in the Mood for Love", "Night and Day" e "Summertime", para seu álbum *My Foolish Heart*, que seria seu último disco. E Djavan, seu mais recente parceiro musical com o jazz-choro "Você bem sabe", o chamou para dirigir sua turnê nacional de *Oceano*.

A empresária Monique Gardenberg, que teve um breve namoro com Nelsinho em 1981 e se tornou uma de suas melhores amigas, sempre o recomendava a artistas que estavam em dificuldades, e o chamava brincando de *harmonizer*. Disso Nelsinho se orgulhava, no sentido de ser uma presença pacificadora, que sabia administrar egos gigantes e se colocava a serviço do artista como uma espécie de psicanalista musical, um samurai e grande protetor do artista, sobretudo dele mesmo – este era o seu método profissional.

Por outro lado, detestava ser chamado de "Midas da música brasileira", já que tudo o que tocava virava ouro. Primeiro, porque Midas não tinha nenhum mérito próprio. Depois, porque o destino dele foi trágico: pediu aos deuses que tudo o que tocasse virasse ouro e foi atendido. Sua mulher, suas filhas, seu cachorro, todos viraram ouro instantaneamente, até a água que ia beber e o que ia comer. Morreu de fome e sede, sozinho com seu ouro. Midas era um otário.

Para Nelsinho, talvez não fosse o seu toque que transformava música em ouro, mas ele intuir que ali havia o ouro do talento e, com sua experiência, sentir vontade de participar.

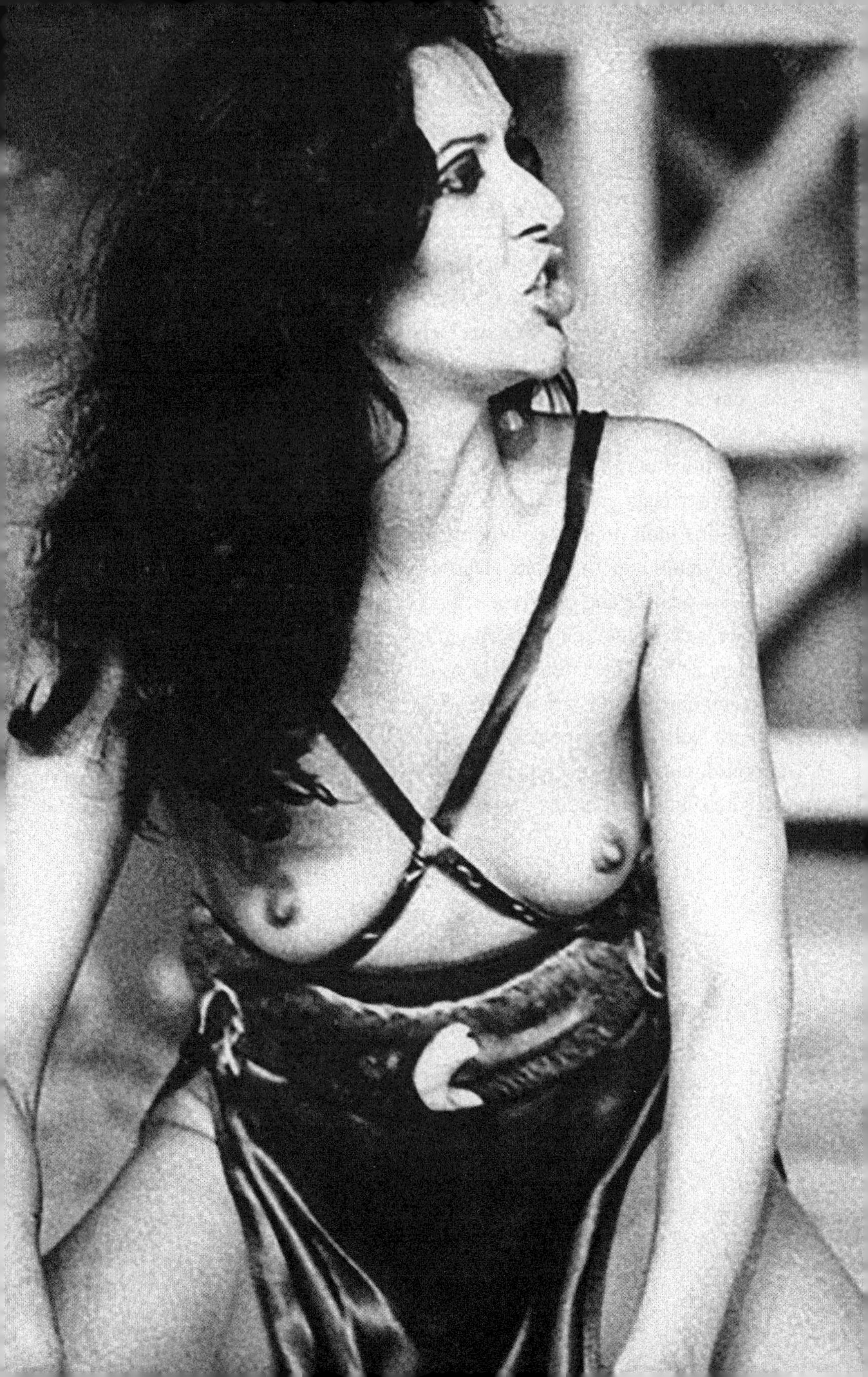

88
CORES E DORES

Mergulhado na ressaca de um desencontro amoroso e secreto, Nelsinho teve a sorte de encontrar a amiga Ítala Nandi no Morro da Urca. Primeira atriz do Grupo Oficina, era a sacerdotisa anárquica de *O rei da vela*, em que interpretava a lésbica Joana de Lesbos e aparecia vestida de homem, de chapéu e terno branco, com o paletó aberto mostrando um pouco os seios, o que a tornava ainda mais sedutora. Nelsinho assistiu à peça várias vezes no Teatro João Caetano – não só por Ítala, mas pelo espetáculo inteiro, que revolucionou sua visão sobre a potência criativa do teatro. Em pleno 1968, conheceu Ítala e ficou amigo de José Celso Martinez Corrêa e de Renato Borghi e outros artistas do Oficina.

Ítala depois quebrou tudo, aparecendo nua em pelo – e lindíssima – no final da montagem de *Na selva das cidades*, de Brecht, também pelo Oficina. Era uma gaúcha arretada, bonita, inteligente e muito atrevida e corajosa, com um corpaço, que tinha provocado um grande escândalo com uma célebre entrevista à revista *Realidade*, em 1966, defendendo o amor livre e a independência das mulheres.

Ítala Nandi no palco do Teatro Oficina quebrando tudo.

Do Morro da Urca, seguiram para a casa de Nelsinho e começaram um namoro leve e sem grandes expectativas, mais na amizade do que no amor. Para Nelsinho, no estado lastimável em que se encontrava, foi uma bênção ter ao lado uma mulher tão bonita, inteligente e de personalidade tão interessante, que gostava dele e lhe oferecia carinho e companhia.

Foram juntos ao Festival de Cinema de Gramado e saíram sorridentes de "novo par" na revista *Caras*. Mas na verdade Nelsinho continuava triste e com a cabeça ocupada o dia inteiro com lembranças dolorosas. Disfarçava bem. Depois, Ítala o convidou a ir a Curitiba para consultar um médico especialista em cromoterapia, a cura pelas luzes e cores, que ela conhecia e de quem falava maravilhas, e também para visitar a mãe dela.

A ideia era bem interessante. Grosso modo, cada cor teria o poder de atuar em um órgão, em uma parte do corpo, e de sanar qualquer disfunção. O infravermelho atua em inflamações, o ultravioleta tem efeito bactericida, o amarelo seria energizante, e assim por diante. Era poeticamente interessante: a cura pelas luzes e cores.

Não só marcaram consulta com o cromoterapeuta como Ítala agendou outra, só para Nelsinho, com a filha dele, que fazia "leitura de aura" e de vidas passadas. E, naturalmente, foi combinado um almoço com a mamma Nandi.

Depois de um exame detalhado e muitas perguntas, o cromoterapeuta não notou nenhum problema fisiológico em Nelsinho nem recomendou especialmente nenhuma cor ou mescla de cores. Com certeza intuindo que o evidente mal-estar do paciente não estava ligado ao corpo, mas à alma, mandou-o passear pelo jardim da casa entoando o mantra Om Namah Shivaya, repetidas vezes, durante quase uma hora.

Como Nelsinho não conhecia o mantra, toda vez que se distraía errava as palavras, mesmo sendo tão simples. Era uma forma de esvaziar, ou de tentar esvaziar, a cabeça de qualquer pensamento, bom ou mau, presente, passado ou futuro. Nelsinho sempre gostou da ideia zen do "vazio pleno", mas nunca chegou nem perto desse objetivo, até entender que tentar já era um exercício de concentração e entrega. Mas o melhor foi a leitura de aura.

A filha do cromoterapeuta era uma mulher de 30 anos, muito formal e educada. Pediu-lhe que se sentasse numa cadeira no meio da sala e ficasse em silêncio. Ela iria ver as cores ao redor do seu corpo numa aura de energia, e cada uma delas tinha um significado.

Baixou a luz, sentou-se, pegou um maço de folhas de papel em branco e começou: fechava os olhos, se concentrava e depois olhava para Nelsinho enquanto rabiscava freneticamente, com cores diferentes, cada folha que ia jogando no chão, como quem faz um desenho em transe. No final, recolheu todas as folhas e montou sua leitura cromática em volta do desenho de um corpo. Era uma profusão e uma confusão de cores, umas sobrepostas às outras, todas misturadas, no que a astróloga de Nelsinho, quando viu, chamou de "liquidificador de sentimentos". Era assim mesmo que ele se sentia.

Mas o que mais o interessava eram as vidas passadas. Ela disse que poderia lhe revelar brevemente quatro delas. Na mais antiga, antes de Cristo, no norte da África, Nelsinho havia sido um pastor árabe, que teve a mulher e os filhos massacrados enquanto estava fora da aldeia. Enlouquecido de dor e tomado pela sede de vingança, ele dedicou a vida a perseguir obsessivamente os assassinos. Em vão. Perdeu tudo e não encontrou ninguém, morrendo sozinho na rua como mendigo.

De temperamento naturalmente doce, mas também um escorpiano na intensidade de sentimentos, para o bem e para o mal, Nelsinho interpretou isso como uma advertência, para que não repetisse os mesmos erros nem sofresse as mesmas consequências milênios depois.

Na segunda vida, na Idade Média, ele foi um ferreiro germânico, de seus 30 anos, louro, alto e forte (Nelsinho gostou), mas de temperamento explosivo e brigão baseado em sua força física. Tantas provocou e aprontou que acabou morrendo com uma machadada na testa. Nelsinho entendeu o recado: mesmo sendo radicalmente pacífico, era preciso controlar as fúrias momentâneas, sobretudo em situações de suposta superioridade.

E se lembrou de uma das regras de ouro do pai – ser humilde com os humildes e altivo com os poderosos –, da qual deu exemplo durante toda a sua vida. A humildade de Nelson com os humildes era tanta que Xixa debochava: "O Nelson deve ter sido escravo em uma vida passada e ficou traumatizado." Nelson pedia sempre com delicadeza, se não fosse incômodo, como se fosse um grande favor, qualquer coisa a qualquer pessoa que era paga para servi-lo. Tratava os empregados com genuíno respeito, carinho e calor humano.

Sempre ficava do lado deles quando Xixa os fustigava com seu chicote verbal por causa da comida ou da arrumação da casa. Aos filhos adolescentes, Nelson dizia que eram uns filhinhos de papai, uns merdas, e qualquer pessoa que trabalhava em qualquer coisa era superior a eles e tinha que ser tratada com respeito.

Uma terceira vida transcorreu na Sevilha do século XVIII, onde Nelsinho foi um militar de média patente, sério e disciplinado, sombrio e rigoroso, um homem maduro que se casou com uma mulher bem mais jovem e sofria calado com seu ciúme generalizado e infundado e com seu sentimento de posse. Morreu triste, embora tivesse tudo para ser feliz.

Nelsinho deveria ter aprendido nesses séculos... Mas talvez essa vivência explicasse seu amor a Sevilha, onde seria sempre muito feliz em todas as suas muitas visitas na atual encarnação.

A melhor vida foi a quarta, a última que ela contou. De aparência oriental, talvez um japonês, talvez algo como um inca ou um asteca, viveu e se desenvolveu intensamente, e na velhice se tornou um grande xamã, que ensinava e curava as pessoas, era querido e respeitado como um mestre e teve um grande funeral.

Considerando que as vidas não se repetem, Nelsinho entendeu essas quatro trajetórias como sentimentos já vividos em diversas fases de sua vida e uma advertência para evitar alguns. Aos 43 anos, estava em plena fase "militar ciumento de Sevilha" e torcia para ela estar certa quanto à sua velhice de xamã.

88

ASSALTO CORDIAL

Em uma bela noite carioca, Nelsinho estava escrevendo no pequeno escritório de seu apartamento na praia de Ipanema quando ouviu barulhos e vozes que diziam "primo", "aqui, primo". Pouco depois, deu de cara com um bandido lhe apontando um fuzil, seguido por dois "primos" armados e pela cozinheira Mari apavorada, que tinha aberto a porta para eles quando se apresentaram junto com o porteiro.

Foi simples. Apenas tocaram a campainha, mostraram uma carteira falsa da polícia e o porteiro abriu as grades. Assalto. Com o porteiro na frente e uma arma nas costas, começaram assaltando os dois apartamentos do primeiro andar e foram subindo até o terceiro, onde morava Nelsinho.

Com um revólver na cara, Nelsinho sentiu pela segunda vez o bafo da morte.

– Tô te conhecendo – disse o negão. – Tu é artista.

– É, eu trabalho em televisão – gaguejou Nelsinho.

– Cadê o branco? Cadê o branco? – foi logo perguntando.

– Ah, do branco não temos, não usamos na casa, mas temos do verde – respondeu Nelsinho, mostrando uma bagana no cinzeiro e oferecendo um sacolé de maconha ao bandido, que cheirou, se animou, chamou os "primos" e baixou a arma na mesa de Nelsinho. Imediatamente pegou uma seda, enrolou um tronco, fumou e gostou, passou aos "primos" e ofereceu a Nelsinho, que declinou.

Foram para o quarto.

– Cadê os dólar?

Na gaveta da mesinha de cabeceira, Nelsinho tinha 110 dólares, que passou ao bandido. E também uns poucos cruzeiros em cima da mesa. Não tinha cofre. E nenhuma joia. E começou a ficar preocupado: como era pouco dinheiro, os bandidos podiam se irritar e lhe dar um tiro. Mas era tudo o que tinha.

Foram para a sala. Nada de valor, além de uma televisão, um toca-discos, milhares de LPs e livros e um novíssimo Walkman, recém-lançado nos Estados Unidos. Nelsinho, preocupado, pediu a Mari que lhes desse as dez garrafas de uísque Black Label guardadas no bar.

– Cadê o laser?

Era como os primeiros CDs eram chamados, videodiscos do tamanho de um LP que rodavam em máquinas com leitura a laser.

Ao lado do Walkman, havia uns cinquenta CDs, alguns trazidos de Nova York e outros comprados no Brasil. Começou a fazer uma seleção com o bandido e ia passando os discos.

– Isso aqui é música clássica, Maria Callas, Chet Baker, jazz... – explicava.

Então os descartava e oferecia Elis Regina, Tim Maia, samba, rock, que ia separando.

O bandido gostou, mas perguntou no final:

– Não tem Phil Collins não?

– Ah, infelizmente não temos. Também gosto muito.

Dentro da situação, o clima estava quase simpático entre assaltantes e assaltados.

– Onde é que tá teu carro?

– Na garagem – respondeu Nelsinho, e passou-lhe as chaves do Escort cinza.

– Olha aqui, eu não sou ladrão de carro, não – esclareceu, sério.

Há uma hierarquia entre ladrões: os de carros são desprezados pelos de residências, que fazem operações muito mais arriscadas e lucrativas.

– Pode deixar que vamos devolver teu carro – prometeu, e mandou os "primos" embarcarem a televisão, o laser e o uísque no carro.

Levou Nelsinho e Mari até o quarto do porteiro, ao lado da garagem, onde estavam trancados os outros assaltados do prédio.

– Vocês ficam aqui uma hora e depois podem sair – o bandido deu o aviso clássico e partiu com o carro de Nelsinho abarrotado, o resto do butim no carro dos "primos".

Assim que o assalto terminou, Nelsinho ligou para o pai e deu a notícia: "Pai, acabo de ganhar na loteria. Sorte grande. Fui assaltado em casa e não aconteceu nada. Não me bateram, não me xingaram, nem me ameaçaram. O que eles roubaram, amanhã compro de novo." Consideraram o assalto uma espécie de imposto adicional por morar na Vieira Souto. Nelson brincou: "Ninguém mora na Vieira Souto impunemente." As grades que proliferavam no Rio de Janeiro não protegiam ninguém de uma carteira falsa nem de outros truques.

Pouco depois de uma hora, Nelsinho recebeu um telefonema da Polícia Rodoviária perguntando se o Escort cinza tal e tal era dele. Havia sido abandonado na avenida Brasil, na altura de Belford Roxo, e seria levado para o pátio da delegacia da área. Estava intacto, com rádio, calotas, tanque cheio, documentos no porta-luvas e chave na ignição.

"Quando esse cara for preso, vou mandar um CD do Phil Collins para ele na cadeia", pensou Nelsinho.

No dia seguinte, abalou-se bem cedo até a delegacia em Belford Roxo para recuperar o carro. E sofreu um segundo assalto. Os meganhas começaram a fazer exigências de documentos, a criar dificuldades, a pedir dinheiro para agilizar a liberação.

Furioso e indignado, Nelsinho manteve a calma e prometeu a si mesmo que não cederia. E não cedeu. Venceu pelo cansaço. No fim do dia, finalmente recebeu o carro sem pagar nada.

Na saída, já dentro do carro, gritou para um cana palitando os dentes na porta da delegacia: "Eu prefiro o bandido!", e arrancou com o carro.

Dois meses depois, viu a foto do seu assaltante cordial no jornal. Chamava-se Daniel, tinha assaltado várias residências na Zonal Sul e acabou fuzilado pela polícia.

89
DRIBLANDO A MORTE

Nada mais tranquilo que uma noite no Festival de Montreux, com o lago e os Alpes ao fundo, no ameno verão suíço. Nelsinho tinha ido a Genebra para encontrar sua prima Vera e o namorado dela, o colombiano Julio, um garotão de 22 anos lindo e simpático, louco por carros, e de lá iriam juntos a Montreux. Depois dos shows de Etta James e da banda de Count Basie, pegaram a estrada de volta para Genebra com o BMW emprestado da mãe de Vera.

Poucos minutos depois, Julio começou a olhar inquieto para os pedais e pediu que Nelsinho verificasse se havia algum problema com o acelerador. Estava grudado no fundo. Julio tentava compensar com os freios em meio ao cheiro de borracha queimada. Desesperado, Nelsinho procurou em vão destravar o acelerador, com Julio fazendo curvas a mais de 100 por hora.

– Se desligar a chave, ele para. Desliga aí, Julio – gritou Nelsinho, aflito.

– Se desligar a chave, o carro pode explodir. Foi o que eu li – advertiu Julio.

Nelsinho nunca tinha ouvido falar nisso. Não fazia muito sentido o corte da ignição provocar uma explosão, ou os carros seriam bombas ambulantes. Mas não era hora nem lugar para discussões.

– É. Não dá para arriscar – concordou, e começou a rezar para que a atenção, a perícia e a calma de Julio dessem conta de enfrentar o que faltava de estrada, queimando pneus nas curvas a 120 por hora e 170 nas retas, felizmente desertas na madrugada suíça.

Cada curva, uma emoção. Nelsinho imaginou, pela terceira vez, que estava prestes a morrer. Ou com a explosão do carro ou com uma capotagem espetacular. Não poderiam rodar muito assim; os pneus acabariam antes do combustível.

Ao volante, Julio mantinha a calma, confiante em poder levar o carro até Genebra; coisas da juventude. Ele naturalmente achava que dirigia muito bem e não tinha medo de curvas fechadas e altas velocidades. Já Nelsinho estava apavorado.

O percurso que levou quarenta minutos na ida foi percorrido em vinte na volta, tal a velocidade. Assim que se aproximou da casa de Vera, Julio tentou frear o máximo possível e... desligou a chave. O carro não explodiu.

A quarta vez que Nelsinho viu a sombra da morte foi em Salvador, embarcado em um táxi fusca com o motorista enlouquecido que, ao fazer uma curva na avenida Paralela, perto do aeroporto, perdeu o controle na pista molhada e saiu rodando, com carros passando nos dois sentidos em alta velocidade. O fusca era uma bola pedindo para levar um chute. Mas escapou. Valeu-lhe Nosso Senhor do Bonfim? Ou Oxóssi?

No dia seguinte, Nelsinho foi ao terreiro do Gantois visitar Mãe Menininha. Como uma rainha sorridente, ela estava no quarto, sentada na cama com suas roupas brancas e cercada de almofadas, vendo os Trapalhões na televisão.

Nelsinho foi logo contando a ela o milagre do táxi e perguntando a quem atribuir aquilo, além da sorte.

"Ah, meu filho. Isto tudo aconteceu para que... não acontecesse nada", riu mãe Menininha. E voltou aos Trapalhões.

90 ROUBADAS

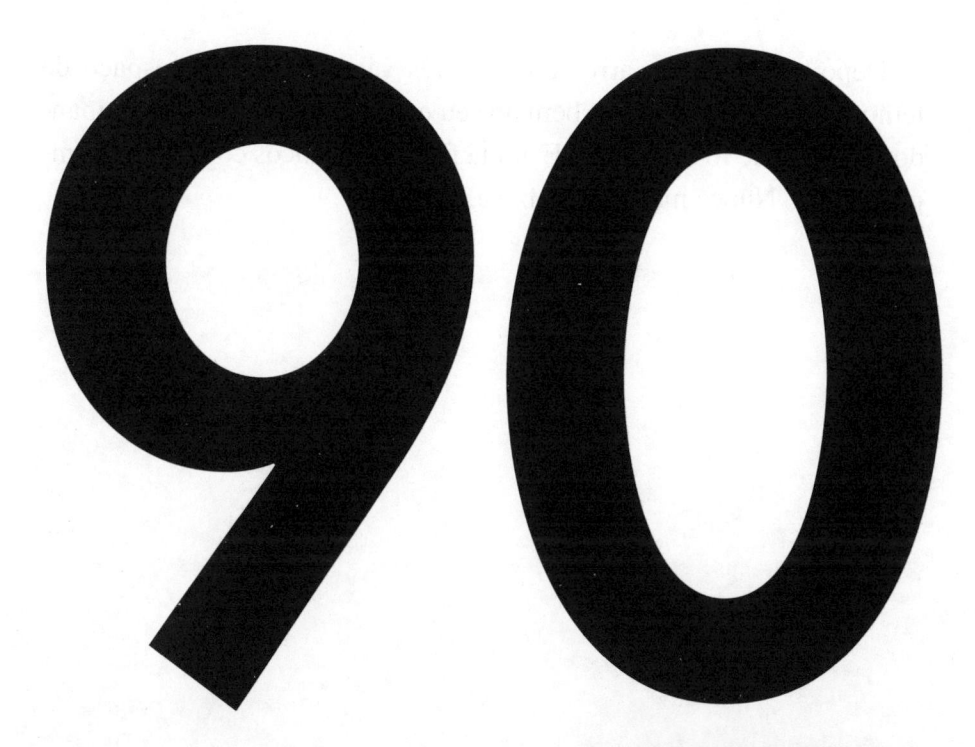

Pela segunda vez, Nelsinho teve seu carro roubado, agora um Monza estacionado perto do Teatro Fênix, no Jardim Botânico.

O mais triste nesses casos é o tempo que você leva procurando onde estacionou o carro. Talvez tenha se equivocado de lugar. Aí percorre a rua de um lado para o outro e, finalmente, pergunta a um porteiro se viu um Monza verde que estava na vaga vazia. Estava. Foi-se.

É a mesma horrível sensação de desapontamento de quando a gente volta de viagem com as malas cheias e espera, e espera, e espera junto à esteira de bagagens, até se convencer de que elas não vieram mesmo. Onde foram parar? Depois, o triste ritual de descrever em detalhes as malas que sumiram e o que continham, sem muita esperança de reavê-las. E esperar.

Certa vez, Nelsinho chegou a Roma num domingo, mas sua bagagem ficara em Nova York. Com tudo fechado, teve que pedir uma muda de roupa emprestada ao amigo Jim Porto. Quase não dormiu à noite, mas, por sorte e profissionalismo da TWA, afinal recebeu as malas no hotel na manhã seguinte. Foi como um Natal.

Depois de ter seu carro roubado três vezes num curto espaço de tempo, Regina Casé reagiu bem ao seu estilo: comprou um 4x4 e mandou pintá-lo de rosa-choque. E ainda forrou os bancos com uma estampa de onça. Nunca mais foi roubada.

91
LUGAR CERTO, HORA ERRADA

Roubada foi o convite, sonhado a vida inteira, para Nelsinho ser diretor artístico de uma gravadora – no caso, a Warner, chefiada por André Midani em Nova York e por Beto Boaventura no Brasil. E Nesuhi era, segundo Midani, "o André de todos os Andrés".

Dez mil dólares de salário, cartão corporativo, viagens de executiva, comissões e bônus de desempenho. E liberdade de ação. Segundo André, "Agora você vai poder fazer tudo que sempre quis". Só que não.

Pouco dias depois de Nelsinho aceitar a proposta de Beto, veio o Plano Collor e congelou a poupança e as contas-correntes de todo mundo por 18 meses.

Com seu *Mama África* funcionando a pleno vapor às sextas e aos sábados no Morro da Urca, Nelsinho era um dos poucos com acesso a dinheiro vivo, graças às 3 mil pessoas que compravam ingressos em cash. Depois de um fim de semana cheio, emprestou dinheiro até para os pais. Provavelmente tinha mais dinheiro em caixa do que a Warner.

E ouviu de André a rude verdade: "Filhote, você pode fazer o que quiser, do jeito que quiser, só que não tem dinheiro para nada."

O que fazer com tanta liberdade? Nelsinho riu. Restava cumprir os contratos, que previam discos de Gilberto Gil, dos Titãs e do Ira!, em que a sua participação limitava-se a assinar cheques.

Convenceu Beto a ir com ele a Salvador para contratar Carlinhos Brown, que Nelsinho considerava a grande revelação do momento, com o sucesso de "Meia lua inteira", gravado por Caetano. Passaram o dia com Carlinhos no Candeal e acertaram tudo. Ele receberia um adiantamento de 8 mil dólares para gravar seu primeiro disco na Warner. Mas pouco depois, sem dinheiro e sem confiança no projeto, Beto cancelou o contrato.

Até que, numa tarde modorrenta, Tim Maia invadiu sua sala, acendeu um "baurete" e jogou uma fita em cima da mesa. Era a gravação em dezesseis canais ao vivo do seu show no Olympia de São Paulo:

– Meu amigo Nelsomotta! Vamos fazer um disco. É só 15 mil dólares. Tá na promoção.

– Fechado!

Nelsinho riu e aceitou sem hesitar. Só não sabia como arrancaria essa grana do diretor financeiro. Mas conseguiu. Tim receberia, é claro, além do "levado", como ele chamava um adiantamento, de 15 mil dólares, os direitos de produtor, intérprete e autor. E agendou um mês num estúdio na Barra para refazer algumas vozes e instrumentos, editar e mixar. A qualidade da gravação original era ótima e o estúdio, de Marco Mazzola, excelente. Foram dias de alegria e música, assistindo a um mestre trabalhar os sons de seus grandes hits, um tremendo aprendizado para Nelsinho. Vez por outra Tim pedia sua opinião. Mas acabava fazendo o que queria. Que era sempre o certo.

O trabalho se dividia em duas etapas: antes e depois da padaria. Tim chegava cedo e abria os trabalhos com uma sucessão de baseados para aguçar a sensibilidade. E parava para açucarar a boca e encher a pança do que houvesse. Incluindo várias Coca-Colas. Voltava ao estúdio revigorado.

Acendia um "baurete", que enrolava com prodigiosa habilidade e rapidez, e oferecia, sem pilar, dava umas sacudidas nas pontas e as fechava só com um aperto. Quando Nelsinho as arredondava em forma de bico, debochava: "É torpedinho, é? Que ridículo!" E gargalhava. "Ô Nelsomotta, tu já reparou que a maconha é a única droga que atua como aperitivo e como digestivo?"

O trabalho e a diversão continuavam tarde adentro, com várias incursões à padaria, até escurecer e Tim já estar completamente chapado. E louco para jantar. O disco ficou sensacional – o único de Tim ao vivo – e logo superou os 100 mil discos vendidos num mercado devastado pelo Plano Collor.

Foi a única produção de Nelsinho na Warner. Ainda ficou mais alguns meses sem fazer nada, viajando todo mês para a Espanha, onde foi curador dos shows no pavilhão brasileiro na Exposição Universal de Sevilha, em 1992, nos quais se apresentaram Tom Jobim, Marisa Monte, Maria Bethânia, Lulu Santos, Djavan e Milton Nascimento. Nelsinho ia todo mês a Sevilha e, de cada vez, levava uma filha. Na volta, davam um rolê até Madri ou Barcelona. Puro lazer remunerado.

Saiu da Warner frustrado e com uma pequena indenização e começou a planejar sua fuga do Brasil para Madri, onde pretendia montar uma pequena gravadora de música brasileira, que eles amavam por lá e que no Brasil, dominado pelo sertanejo, ninguém mais gostava. Salvou-o, mais uma vez, seu pai: "Que burrice! Você quer ir para Madri sem falar direito a língua, com a vida muito mais cara, onde você conhece pouca gente, em vez de ir para Nova York, onde fala a língua, conhece muita gente, a vida é muito mais barata e gostam de música brasileira muito mais do que na Espanha?"

No fatídico 7 de Setembro negro de Collor, Nelsinho embarcou para Nova York com passagem só de ida.

91
UMA MIRAGEM OPACA

Depois da acachapante vitória de Collor nas eleições em 1989, Zélia Cardoso de Mello ganhou prestígio e popularidade como ministra da Economia e, com o país sob uma inflação galopante, decretou o Plano Collor, que congelava as contas-correntes e poupanças por 18 meses, corrigidas pela poupança.

Nenhum brasileiro que viu se esquece daquela tarde em que Zélia tentou explicar ao vivo, em rede nacional, um plano de confisco ultra-complexo e pra lá de duvidoso, numa entrevista coletiva caótica, comparável aos piores momentos de Dilma.

Apesar de tudo, os brasileiros começaram a se habituar à nova vida, mesmo porque não havia outro jeito. Logo se descobriu que algumas pessoas conseguiam furar o bloqueio e que alguns políticos importantes haviam sido avisados antes e levaram o dinheiro em espécie para casa. Ou para o Uruguai. Coisas do Brasil.

Depois de um sopro inicial que apagou o fogo da inflação, a economia patinava, o crescimento não vinha, a inflação subia, Zélia passou a ter conflitos dentro do governo e a situação começou a ficar insustentável, com a inflação voltando a crescer e proliferando os boatos sobre corrupção em massa no governo Collor.

Nelsinho quase não acreditou quando seu pai lhe contou que um cliente dele teve uma reunião em Brasília com Paulo César Farias – o PC –, na qual este lhe pediu uma comissão para resolver o problema.

– Dez por cento, ok? – propôs o cliente.

– Dez por cento é coisa de garçom, meu amigo. Agora é 30%.

Diante do cliente incrédulo, PC ligou para o presidente, que confirmou de viva-voz que PC falava em seu nome. O governo Collor começava a entrar em autocombustão.

Em maio de 1991, Zélia saiu do governo em grande estilo. Ainda muito popular nas pesquisas de opinião, abandonara um governo impopular que estava fracassando e voltou à cena como convidada especial da *Escolinha do professor Raimundo*, de Chico Anysio, que já comentara com amigos que arrastava uma asa para Zélia. A maioria do público interpretou a saída de Zélia como seu rompimento com o governo Collor, cada vez mais desgastado, e aplaudiu.

Ainda no início do governo, Zélia tinha protagonizado um escândalo ao namorar o deputado federal pelo Amazonas e ministro da Justiça Bernardo Cabral, casadíssimo e bem mais velho que ela. Foram flagrados dançando boleros de rosto colado numa festa em Brasília. Acabou abandonada por Cabral em Paris, que disse a ela que precisava voltar ao Rio para ir ao dentista e nunca mais apareceu.

Magoada e humilhada publicamente, Zélia se vingou revelando a triste e brega história de um amor de bolero, na qual expunha em detalhes sua fantasia romântica e seu abandono. Intitulado *Zélia, uma paixão*, o livro, escrito por Fernando Sabino, era devastador. Para ela.

Nelsinho conheceu Zélia ao entrevistá-la, juntamente com o produtor Luiz Carlos Barreto, num programa de Leleco Barbosa na TVE do Rio. O clima foi de simpatia e cordialidade. De perto, era uma mulher bem interessante, como muitos homens concordavam. Não chegava a ser bonita, mas era uma mignonzinha muito jeitosa, com belo sorriso e pernas torneadas. Ou era tudo apenas mais uma prova de que, além de afrodisíaco, como disse Henry Kissinger, o poder embeleza? E se a beleza está nos olhos de quem vê, através das lentes do poder tudo cresce. Se ainda fosse só uma assessora, achariam Zélia essa gracinha toda? O fato é que uma parte do Brasil estava enamorada de Zélia.

Um dia, Nelsinho recebeu um telefonema de Zélia, que disse ter sido colega de Guilherme Arantes e amiga da jornalista Belisa Ribeiro. Combinaram ver o show de Gal Costa no Imperator, no Méier, dirigido por Gerald Thomas. Quando soube onde ele ia e com quem, Esperança, então com 16 anos, ficou furiosa.

Entraram pelos fundos. O show estava para começar e, quando o canhão iluminou Zélia e jogou sua imagem nos telões, o público delirou em longos minutos de aplausos. Ao chegarem à mesa, encontraram Esperança já sentada, ao lado de uma amiga. Nelsinho ficou entre ela e Zélia, e viu Esperança estendendo uma lata de Coca-Cola para Zélia nas suas costas: "Pode abrir pra mim, Zélia? Estou com as unhas muito curtas." Voltou para casa levando Esperança e a amiga, o que inviabilizava qualquer atividade com Zélia.

Solteira, Zélia tinha vários pretendentes, homens e mulheres, entre Rio e São Paulo. Chico Anysio era o mais entusiasmado, mas falava-se da cantora Marina Lima e do jornalista Nirlando Beirão.

Uma semana depois, pensando "É hoje!", Nelsinho foi a São Paulo, convidado por Zélia para jantar em sua casa. Um tête-à-tête à luz de velas, imaginou. Sua animação murchou quando foi recebido por Zélia... e suas três melhores amigas. Sentiu-se numa espécie de entrevista de emprego, tomando cuidado com cada gesto e cada palavra, um duro exercício que piorou com a chegada do jantar: camarão à baiana, que Nelsinho detestava. Mas comeu – como no colégio interno, prendendo a respiração e engolindo com goles de água.

Para Nelsinho, Zélia se gabava de um passado hippie, mas nunca tinha fumado um baseado, só tomado um ácido, sem entrar em maiores detalhes. Ele não acreditou muito.

Querendo impressioná-la, Nelsinho promoveu um "chá das cinco" num sábado, no jardim da casa de seus pais no Alto da Gávea, e a apresentou a alguns amigos, como João Ubaldo Ribeiro, Elba Ramalho e

Regina Casé. A casa estava cheia. Assim que chegou, Zélia foi tomada pelo braço por Nelson e levada para uma caminhada pelo jardim. Nelson era fã de Zélia; Xixa a achava uma tonta.

Quando afinal desgrudou de Zélia, o pai veio até Nelsinho e o tomou pelo braço, assustado e excitado, com o olho rútilo e os lábios trêmulos dos personagens de Nelson Rodrigues: "Meu filho, essa mulher é completamente opaca. O-pa-ca."

Na semana seguinte, Zélia fez um grande almoço na casa de um primo milionário, que tinha o apelido de "Champa", no alto do Jardim Botânico, e todos os pretendentes foram convidados. Chico estava marcando presença; era duro competir com aquela verve toda. Depois do almoço, aproveitando o clima de modorra e dispersão, Nelsinho foi dar uma volta pela casa imensa com Zélia. Chegaram a uma pequena sala com um sofá, sentaram-se e continuaram a conversar, e trocaram beijos por alguns minutos.

Dois dias depois, em São Paulo, Nelsinho recebeu um telefonema de Zélia, com aquela voz grave e rouca que era um de seus melhores atributos, dizendo que estava indo para a Espanha e na volta ligaria.

Mas já estava com Chico Anysio. Foi o primeiro que gritou: "Eu caso!"

E casou.

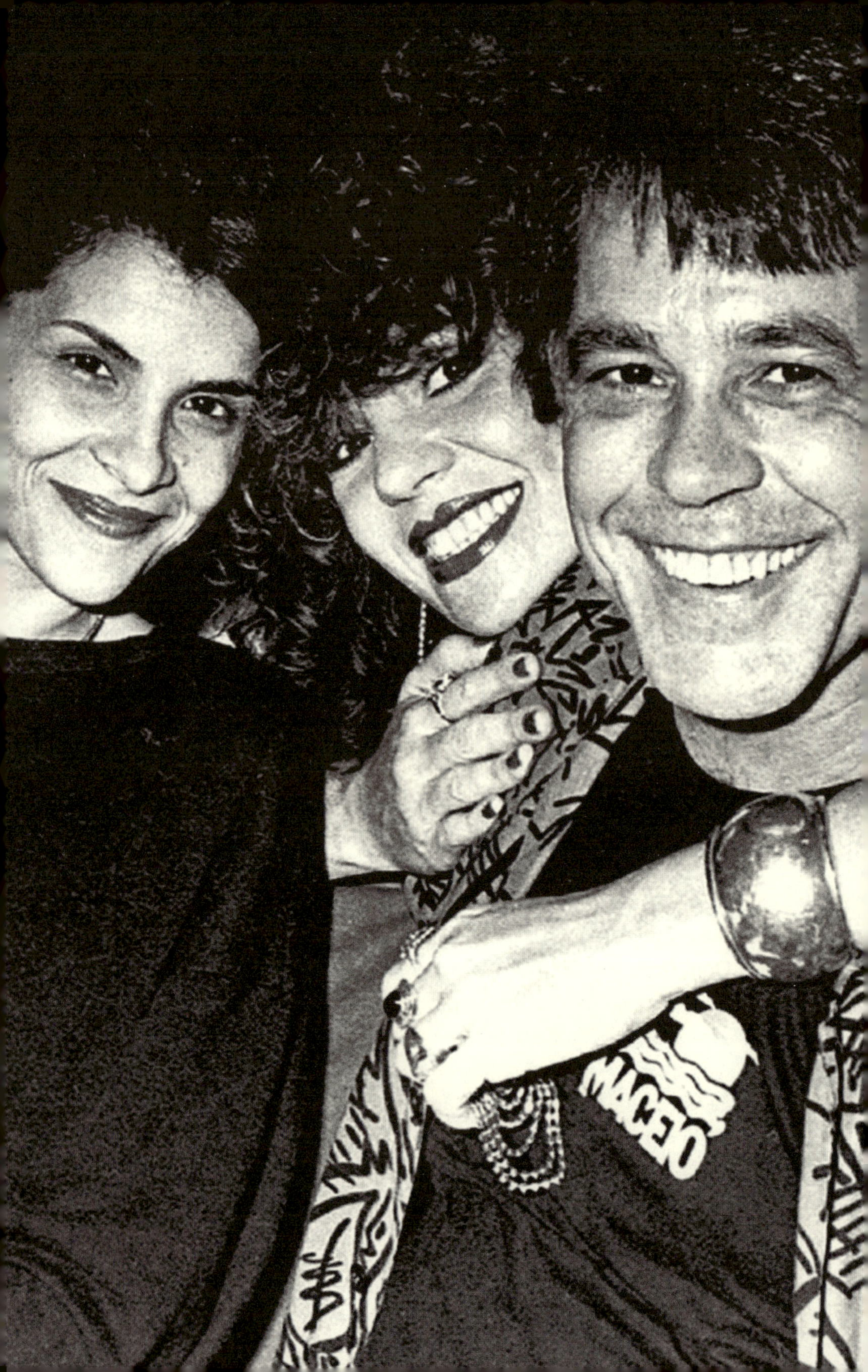
MACEO

91
ÁFRICA-NOVA YORK

O African Bar foi uma das mais bem-sucedidas aventuras de Nelsinho e Dom Pepe na noite. Acabou depois de quatro meses de completa ilegalidade: o alvará da casa era de restaurante, o zoneamento proibia dança e música ao vivo, o som vazava para a vizinhança e, de domingo a domingo, uma imensa fila de carros engarrafava a rua General Venâncio Flores, que liga a Lagoa à praia do Leblon.

Expulsos pela Justiça do chalé afro-normando do Leblon, Nelsinho e Dom Pepe saíram atrás de um novo endereço, junto com o sócio Alberico Campana, dono da churrascaria Plataforma. E acharam uma casa de dois andares na Lagoa, bem maior que a anterior. Nelsinho, que tinha visto clubes com várias salas em Nova York, planejou três pistas de dança diferentes e com isolamento de som: no térreo, a principal, comandada por Dom Pepe; outra, a "geladeira", era uma sala toda branca, com azulejos, bancos de alvenaria e piso brancos, e o ar-condicionado no máximo, como uma sauna gelada; e a terceira seria no andar superior, com mesas, para shows ao vivo. Haveria ainda um sushi bar na

Com as grandes amigas Marina Lima e Elba Ramalho, no African Bar.

varanda do andar de cima e um bar na varanda do térreo. Com o prestígio e a saudade do African Bar, tinha tudo para dar certo. Só que não.

Os frequentadores do velho African odiaram. Era outra música, outro clima, outra decoração. O novo público não entendia muito o esquema da casa e se perdia pelas salas. Só o sushi bar estava sempre lotado, mas era pouco para uma casa noturna. Nunca decolou e só deu prejuízo para Alberico, que entrou com o dinheiro para as obras e a manutenção, e também para os sócios, que trabalharam praticamente de graça, porque as participações nos lucros viraram prejuízos. Mas teve seus momentos.

Como a noite em que Nelsinho estava sentado num sofá no bar, meio desanimado, e chegou Elba Ramalho. Esfuziante aos 40 anos, estava no auge da carreira. Eram amigos de muitos anos, desde que ela chegara ao Rio, e suas pernas morenas e torneadas, com os pelos clareados, faziam sucesso na praia de Ipanema. Em 1978 a convidou para ser crooner, junto com Tania Alves, de uma big band latina regida por Guto Graça Mello no "Tropicana", que funcionou por seis meses no Canecão.

"Fui chamada para fazer um show no Blue Note de Nova York. Mas só vou se você for comigo", disse na lata.

Diante da surpresa e da aparente hesitação de Nelsinho, sentou-se no seu colo, o abraçou e lhe deu um longo e sincero beijo na boca. E ganhou um diretor para seu show em Nova York.

Era um desafio e tanto para uma cantora ainda vista por parte da crítica brasileira como regional se apresentar numa das mais tradicionais e seletivas casas de jazz de Nova York. Seriam duas apresentações por noite, durante uma semana. Começaram, então, montando uma superbanda, com músicos como o pianista e arranjador Eduardo Souto Neto, o baixista Jamil Joanes, o violonista Manassés e o acordeonista pop Oswaldinho.

Como Elba era desconhecida nos Estados Unidos, não havia obrigatoriedade de reprisar seus hits. Ela cantaria um repertório de MPB de altíssimo nível em novos arranjos adequados ao seu estilo. Músicas como "Morena de Angola" e "Vida", de Chico Buarque, "É d'Oxum", de Gerônimo, e "Nação", de João Bosco, Aldir Blanc e Paulo Emílio. Até "La vie en rose" ela cantou. E muito bem.

Quando chegaram ao Blue Note, diante do pequeníssimo palco para ela e os seis músicos, Nelsinho brincou: "Já viu que aqui só vai poder dançar sem sair do lugar. Não dá pra contar com as pernas, vai ter que ser tudo no gogó." E assim foi. Depois de exaustivos ensaios no Brasil, Elba chegou tinindo ao Blue Note. Mas com um show que nunca tinha feito antes.

Arrasou na estreia e teve ótimas críticas nos jornais. Casa lotada durante toda a temporada, sendo que metade do público era de turistas que iam ao Blue Note sem conhecer os artistas, só pelo prestígio da casa. Saiu muito aplaudida todas as noites.

Elba era uma profissional extraordinária, rigorosa, disciplinada e incansável. Tinha tanta energia que, no intervalo entre o primeiro e o segundo shows da noite, malhava no camarim. A sertaneja era antes de tudo uma forte.

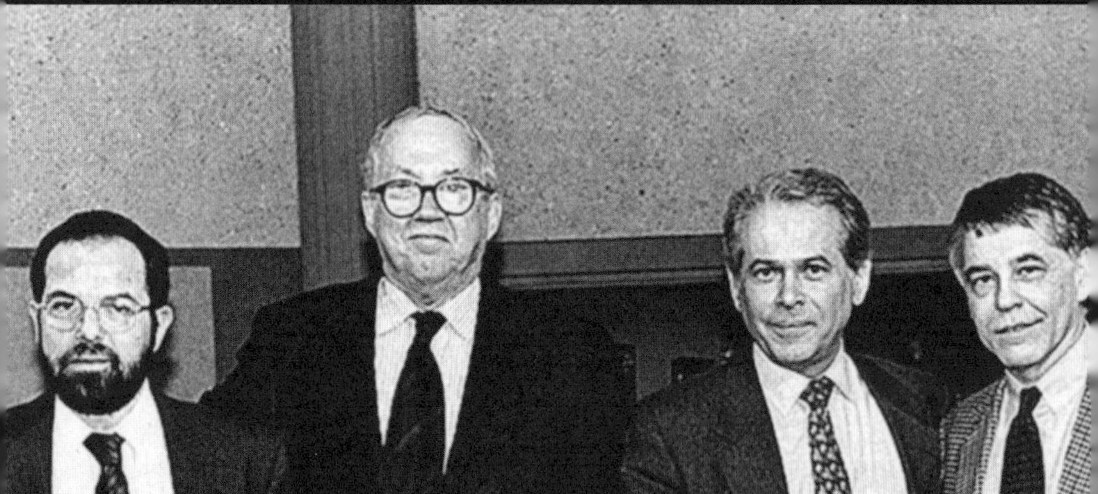

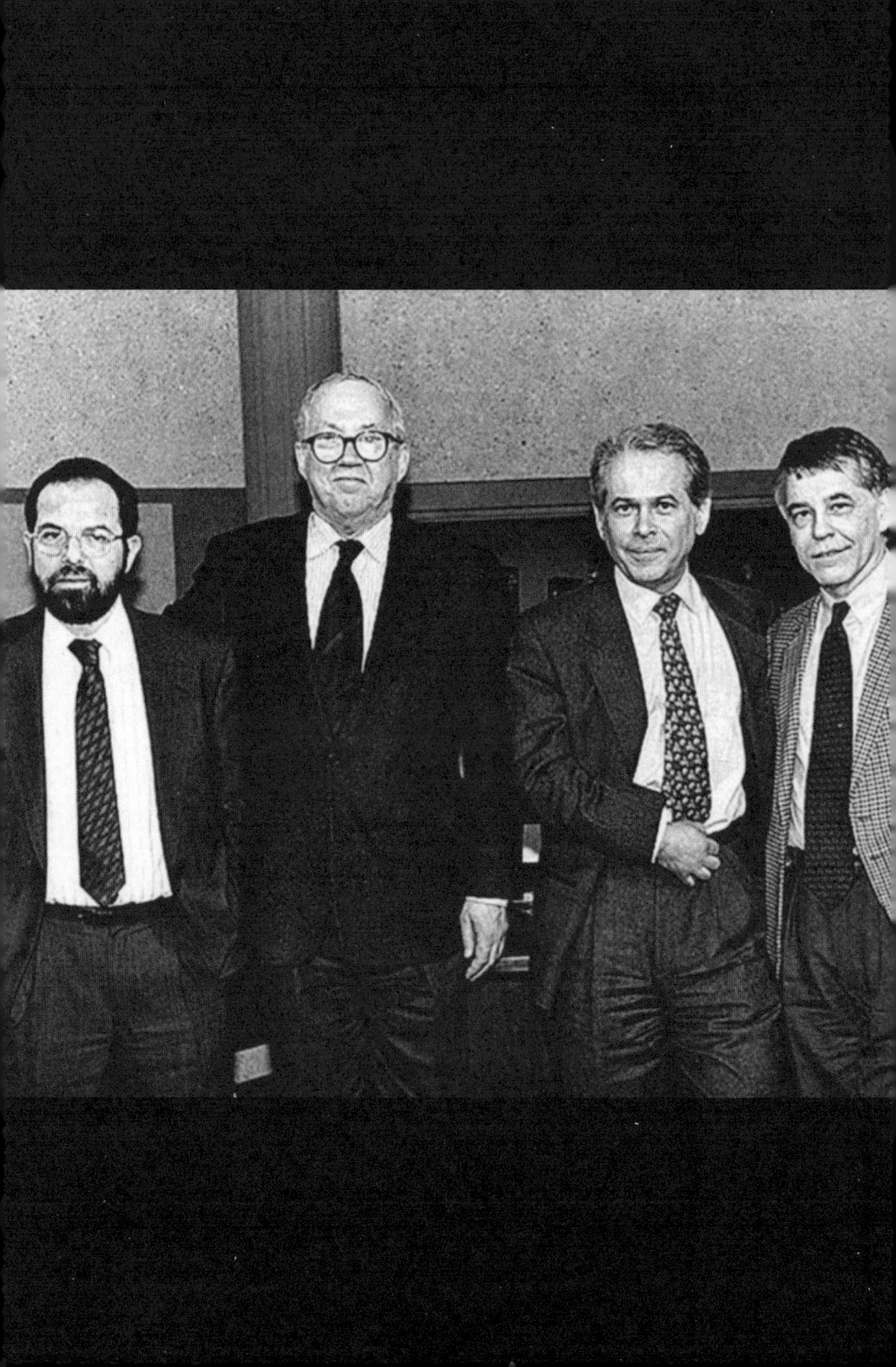

92
OS ANOS AMERICANOS

Um ano depois, quando se mudou para Nova York, Nelsinho alugou por dois meses o ótimo apartamento da amiga Belisa Ribeiro na rua 62 Oeste, pertinho do Lincoln Center e do Central Park, enquanto procurava um outro para alugar por um ano.

Belisa tinha largado o jornalismo, onde fazia brilhante carreira na TV Globo – apresentando o jornal da noite com Renato Machado –, para se tornar uma das principais colaboradoras de Collor. Produziu os programas de televisão da sua campanha eleitoral milionária e foi naturalmente muito bem remunerada.

Na primeira noite, Nelsinho foi conhecer o Banana Café, de seu primo Ricardo Amaral, na rua 22 com a Park Avenue. Entre outros amigos, ali encontrou a dupla Paulo Francis e Elio Gaspari, e ficou ao lado deles, ouvindo, aprendendo e se divertindo. O restaurante era charmoso e a comida, excelente, característica das casas do gourmet Amaral.

Depois do que chamou de "calvário imobiliário", Nelsinho por fim achou um apartamento, na rua 60 com Madison Avenue, que pudesse

Com Caio Blinder, Paulo Francis e Lucas Mendes, no primeiro Manhattan Connection.

abrigar as três filhas que viriam no fim do ano. Não era o ideal; a decoração era bem cafona, tipo "apartamento de puta de luxo". Mas, por falta de paciência, acertou de boca com a locadora, uma gaúcha gostosona e simpática, e assinaria o contrato na segunda-feira.

Estava de saco cheio de lidar com corretores insuportáveis, homens e mulheres com o estilo agressivo de vendas dos americanos. Muitas vezes dava vontade de alugar o apartamento só para se livrar do corretor. Que falta fez Xixa! Só ela para tratar os corretores como mereciam.

No dia seguinte, um sábado, voltou ao Banana Café para uma "Feijoada do Amaral". E teve a sorte de topar com a amiga Betty Lago, modelo famosa que morava em Nova York e estava começando muito bem uma carreira de atriz com a minissérie *Anos Dourados*, da TV Globo.

Feliz de reencontrar a amiga que não via fazia anos, Nelsinho cobriu-a de elogios pela atuação na minissérie. "Fiquei orgulhoso de você." Betty se derreteu. Ele contou que estava se mudando de mala e cuia para Nova York. O Brasil estava insuportável, vivendo sua maior crise econômica, política, ética e moral, e até musical, tudo ao mesmo tempo. Sua ideia era montar uma pequena gravadora para lançar música brasileira de qualidade, que no Brasil estava soterrada pela avalanche sertaneja que foi a trilha sonora do governo Collor.

Ao saber que ele tinha alugado um apartamento e ouvir sua descrição, Betty o interrompeu: "Cancela imediatamente." Havia anos ela alugava um ótimo apartamento na Park Avenue, quase esquina com a rua do Banana Café. Estava se mudando para o Brasil para trabalhar em novelas, mas não queria perder o apartamento de Nova York nem levar suas coisas agora.

Atravessaram a rua e foram ver o apartamento: elegante e confortável, tinha duas salas bem grandes, janelões para a Park Avenue, um bom quarto cheio de armários, dois sofás-camas na sala, um banheiro e um lavabo. Betty confiava totalmente em Nelsinho: ia deixar todas as suas coisas no apartamento e ele poderia usar o que quisesse, até seus preciosos xampus Khiel. Quando recebesse o boleto, bastava ele fazer o pagamento direto à imobiliária no banco. O melhor era que o contrato de aluguel era antigo.

Assim, no início do inverno, mudou-se para o apartamento de Betty e preparou-se para receber as três filhas, que passariam com ele as férias. Depois, Joana e Esperança, as mais velhas, ficariam em NY, e Nina, de 12 anos, voltaria ao Brasil para completar o colégio, mas um ano depois viria para ficar morando com o pai. Marília achava ótima essa oportunidade de ela viver e estudar em Nova York. Nelsinho também, pois poderia conviver mais com a filha e vê-la crescer na capital do mundo. Com todo o amor, até então tinha sido um "pai de fim de semana" e de viagens de férias no Brasil, na Europa e nos Estados Unidos. Agora dividiriam a casa e a vida.

Betty tinha um namorado americano chatíssimo, Robert, que ela adorava mas teve que deixar quando foi ao Brasil gravar uma novela. Planejava voltar logo a Nova York e passar uma temporada na casa dele. Nesse meio-tempo, mantiveram intensos telefonemas. Até que Robert foi delatado por uma amiga de Betty: tinha sido flagrado de mãos dadas e beijinhos com uma japinha, fazendo compras na feirinha orgânica da Union Square. Betty ficou louca. Antecipou sua volta para Nova York disposta a reconquistar Robert.

E para onde ela foi? Para o apartamento que alugava para Nelsinho e as filhas. Era locadora e hóspede ao mesmo tempo. Chorava o dia inteiro, queria porque queria o chato de volta. Nelsinho lhe dizia que certas perdas são ganhos, que o cara não valia uma lágrima e que logo ela estaria rindo desse grande engano e comemorando a sorte de ter se livrado dele. E assim foi.

92
BLOQUEIO DEFENSIVO

E Betty foi ficando, ficando, e virou parte da família. Dividia o sofá-cama da sala com Joana e as duas desenvolveram uma forte amizade tipo mãe e filha. Joana tinha 22 anos e ficava de olho no pai, sobretudo para protegê-lo do que Dom Pepe chamava de ratinhas e jararacas.

Na tarde em que o impeachment de Collor foi votado no Congresso, Nelsinho foi ouvir a sessão pelo rádio no apartamento da bela atriz cearense Luiza Tomé, uma morena apimentada que, embora estivesse fazendo sucesso nas novelas, não aguentava mais o Brasil e estava dando um tempo em Nova York. Depois de alguns baseados, foram comemorar num bar do Village cheio de brasileiros eufóricos. Apesar do clima de simpatia, a noite terminou com todo mundo em casa. Cada um na sua.

No dia seguinte, aproveitou que Betty e Joana iriam sair e marcou com Luiza num bar próximo de sua casa, na Park Avenue. Tomaram uma cerveja e ele a convidou para subir e saborear unzinho. Ela aceitou, animada.

Cruzaram a primeira porta de vidro e atravessaram o hall que terminava em dois elevadores. A porta se abriu e a cena se iluminou: Joana e Betty, que tinham se atrasado, estavam de braços dados em animado papo. Quando viram o casal, paralisaram. Joana fez uma careta para Betty.

"Ih, Joana. Tô com uma dorzinha de barriga. Acho que vou ter que voltar", fingiu Betty, cínica e deslavadamente. Joana concordou. Nelsinho apresentou Luiza e entraram todos no elevador.

Saborearam unzinho, conversaram, fizeram café, e só quando Luiza foi embora, uma hora depois, Betty e Joana se lembraram de que tinham que sair. Às gargalhadas.

92
PRIMEIRA GRANA

Em Nova York, Nelsinho conheceu o produtor e empresário americano David Wolff, que tinha levado, contra todas as expectativas, Cindy Lauper aos píncaros do pop nos anos 1980, com o hino feminista "Girls Just Want to Have Fun". "As gravadoras diziam que ela tinha voz de pato", contava David, rindo. E tinha mesmo. Mas um bom produtor faz milagres.

No início dos anos 1990, quando estava no Brasil, David se encantou com a lourinha ítalo-catarinense Deborah Blando, uma bonequinha linda de voz potente e afinada. O quarentão se apaixonou pela garota de 23 anos e, decidido a transformá-la numa nova Cindy Lauper, só que muito mais bonita, com mais voz e menos idade, levou-a para morar em Nova York, a uma quadra do apartamento de Betty Lago na Park Avenue.

David era um judeu nova-iorquino boa-praça e esperto que fazia planos e fumava maconha o dia inteiro no seu apartamento/escritório na rua 56. Sabia muito de produção e marketing, e estava desenvolvendo o talento de Deborah para o mercado internacional. Ela cantava em um inglês perfeito e também em italiano.

Todo o repertório do novo disco era em inglês. Mas antes lançaria um single em português, a provocativa "A maçã", de Raul Seixas e Paulo Coelho, e, como não era a sua praia, David convidou Nelsinho para ser coprodutor da faixa.

Com Nova York coberta de neve e um frio de rachar, foram sacolejando no metrô e fazendo planos grandiosos até o Brooklyn, onde ficava o pequeno estúdio caseiro do engenheiro de som e produtor Andres Levin, no qual Deborah gravaria a voz. A Nelsinho caberia dirigir a gravação, com atenção especial ao sotaque brasileiro e à emoção para lidar com um tema quente – o casamento aberto, o verdadeiro amor livre.

> Se eu te amo e tu me amas
> E outro vem quando tu chamas
> Como poderei te condenar?
> Infinita tua beleza
> Como podes ficar presa
> Que nem santa num altar?
>
> Amor só dura em liberdade
> O ciúme é só vaidade
> Sofro, mas eu vou te libertar,
> O que é que eu quero
> Se eu te privo
> Do que eu mais venero?
> Que é a beleza de deitar.

Na teoria, na poesia, era bonito e generoso, mas ficção. Na real, como o próprio Paulo Coelho confessaria anos depois, a beleza de deitar valia só para ele, não para sua mulher, a adorável Christina, que deveria se manter fiel.

Seja como for, a música era muito bonita, e a interpretação de

Deborah trocava para o feminino o que Raul tinha feito do ponto de vista masculino. Nelsinho traduziu e brincou com David que ele ganhara um habeas corpus preventivo: por sua infinita beleza, ele não podia ficar preso como um santo no altar.

No dia seguinte, David assinou um cheque de mil dólares, a primeira grana que Nelsinho arrancou em Nova York.

92
SONHO E PESADELO

Numa noite gelada, Nelsinho recebeu um fax do amigo e diretor de cinema Walter Salles, convidando-o a participar como roteirista e consultor de um grande especial reunindo Tom Jobim e João Gilberto no Theatro Municipal do Rio, que seria gravado pela TV Globo e codirigido por Boninho, numa estranha parceria de estilos. Fanático por João, Waltinho estava eufórico com a oportunidade.

Nelsinho voou para o Rio de Janeiro e começou a trabalhar. Primeiro escreveu e apresentou uma série de programetes de aquecimento, com histórias de vida e arte de Tom e João e da bossa nova, em frente a um lindo painel de Daniela Thomas que parecia um Malevich tropical. Teve grande ajuda de uma pesquisadora e escritora baiana adorável e competente, Edinha Diniz, que sabia tudo e mais do que qualquer outro sobre João.

Encantada pela sua magia, ela se tornara amiga de João e até se mudara para o mesmo prédio em que ele vivia. Visitava-o frequentemente e era muito querida por ele. Com sua alma de pesquisadora,

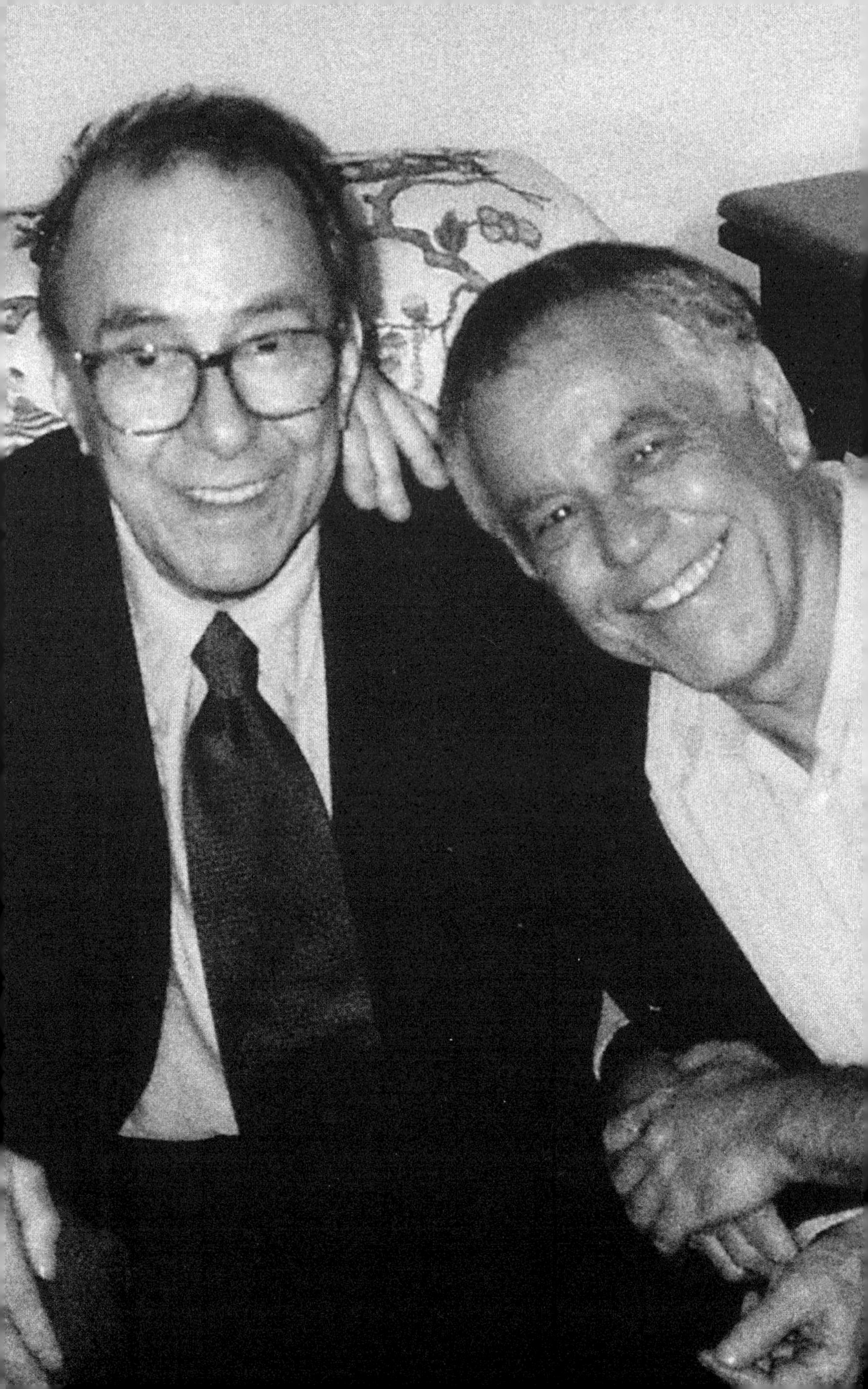

Edinha anotava todas as suas longas conversas telefônicas com ele. E quando voltava para casa de uma visita, registrava em um caderno tudo que João tinha dito. Sua religiosidade. Seus medos. Seus gostos. Seus apelidos sacanas para todo mundo. Seus deboches. Em anos de convivência, produziu um fabuloso acervo de informações sobre o misterioso João, que ouviu de viva voz.

Depois de escrever várias versões do roteiro, Nelsinho afinal chegou a uma solução que Waltinho aprovou e que não se resumia ao show, mas tinha textos em off e entrevistas com artistas das novas gerações, como Arnaldo Antunes, Herbert Vianna e Marina Lima, sobre Tom e João.

O show do grande reencontro correu tal como previsto, com Tom mais solto, de terno branco e chapéu, e João mais silencioso e concentrado ao lado do piano, cantando e tocando um repertório antológico.

Porém, quando chegou a hora de "Garota de Ipanema", Astrud Gilberto foi descoberta na plateia e chamada por Tom e João ao palco sob aplausos ensurdecedores. "Canta! Canta! Canta!" Astrud se levantou e fez gestos confusos para o palco. O público demorou um pouco a entender: estava dizendo que cantaria com o maior prazer, mas que falassem com seu advogado. Ninguém sabia que advogado era aquele.

O que ela queria dizer é que não cantaria de graça, sem receber um cachê. Subiu ao palco e negociou na hora com o publicitário Eduardo Fischer, dono da conta do patrocinador: 10 mil dólares. Fechado! E o show continuou. Infelizmente, esse confronto hilariante entre a malandragem brasileira e o profissionalismo americano não seria incluído na versão final.

Nelsinho voltou para Nova York e começou a receber faxes nervosos de Waltinho sobre a edição do programa. João não queria isso, nem aquilo, nem mais nada: queria que o programa fosse só a gravação do concerto. Ficou furioso com a sugestão de incluir depoimentos de Arnaldo, Herbert e Marina, dizendo que queriam se aproveitar dele. Queixou-se de que a edição privilegiava Tom. Falou cobras e lagartos de Nelsinho para Waltinho. E pior: exigiu que o nome dele fosse retirado dos créditos.

Com João Gilberto no Hotel Plaza de NY, depois do show triunfal no Carnegie Hall.

Em Nova York, Nelsinho sentiu o golpe. Não faria mesmo sentido assinar um roteiro que não tinha escrito. (Ainda bem que já havia recebido o pagamento.) Então passou o dia escrevendo e reescrevendo um fax venenoso e seco que, achava ele, magoaria João. Dizia que o dom de João não lhe pertencia, mas era emprestado por Deus; que era intolerável tal comportamento com amigos que só queriam ajudá-lo e a forma como usava e manipulava as pessoas. Meia página cheia de mágoa por se dar conta do lado obscuro do seu ídolo máximo. Waltinho recebeu uma cópia do fax e comentou que, durante as brigas, tinha ficado assustado com a agressividade e a violência, sim, a violência do mestre da suavidade e da delicadeza.

No fundo e na verdade, o que poderia haver de mais interessante para dizer ou mostrar do que um concerto de Tom Jobim e João Gilberto?

92
O CHINÊS QUE CAIU DO CÉU

Em um golpe de sorte, depois da gravação do show, Nelsinho foi para a churrascaria Plataforma, base oficial de Tom Jobim, e logo deu de cara com o amigo Arnaldo Jabor conversando com um chinês, ambos também vindos do Municipal. Foi convidado a se sentar e apresentado por Jabor ao desconhecido como: "Este é o homem de que você precisa. E está morando em Nova York."

O chinês era, na verdade, um sino-americano de uns 40 anos, muito simpático, chamado John Kao. O professor Kao dava aula no MBA da Harvard Business School e era autor de *Managing Creativity*, livro em que analisa novas tecnologias e formas de inovação, tendo como base a improvisação e a interação dos músicos de jazz, e que depois geraria o clássico *Jamming: The Art and Discipline of Business Creativity*, de 1996. Com o avanço da tecnologia, o que passou a fazer diferença no business foi a criatividade. E, sim, essa criatividade se ensina, exige método e disciplina, não vem por acaso ou sorte.

John adorava música, sobretudo brasileira, e até tocava um pianinho

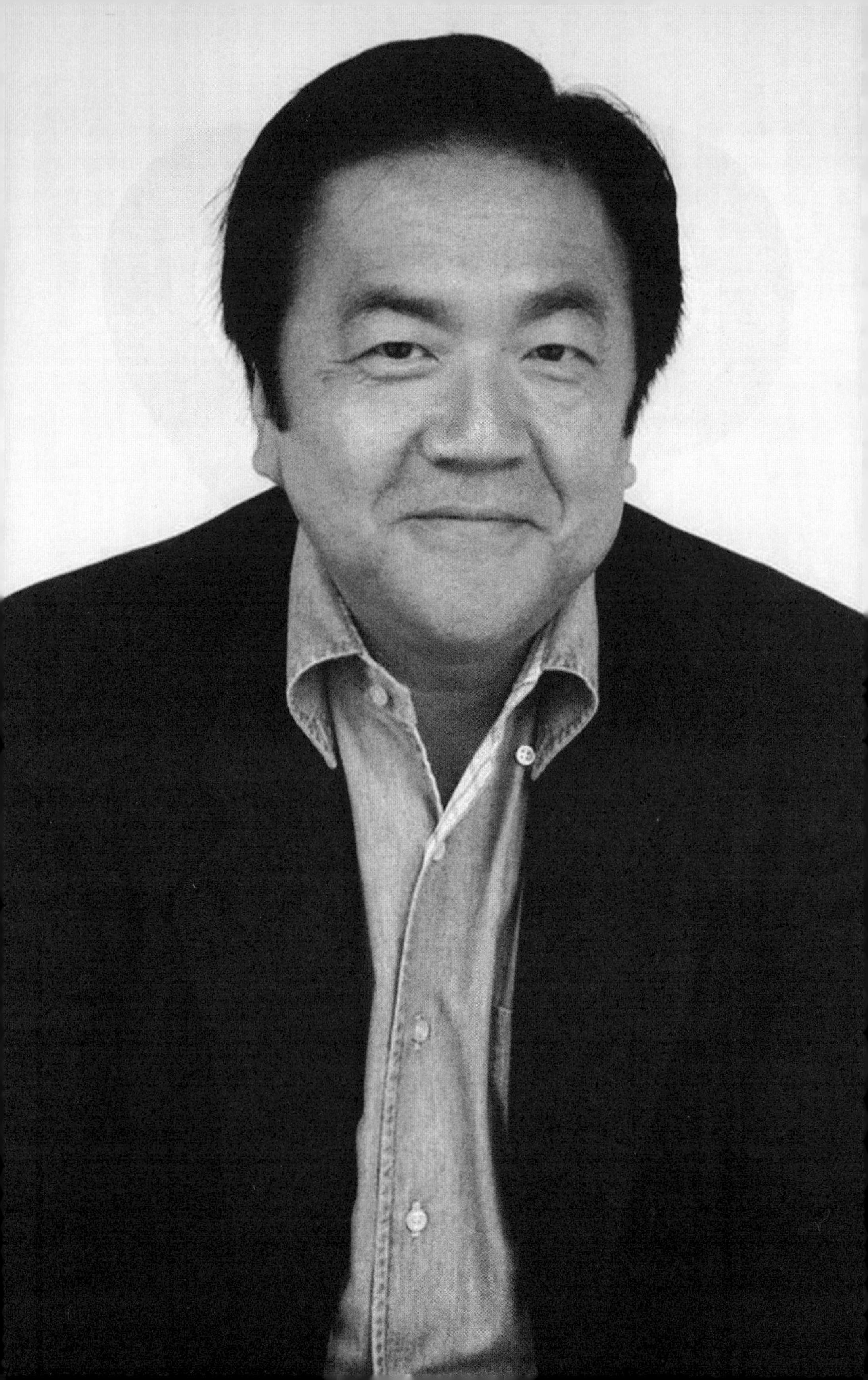

para ilustrar suas palestras, como em uma jam session. Além disso, era louco por cinema, tendo sido um dos produtores de *Sexo, mentiras e videotape*, de Steven Soderbergh. Acabara de escrever com um amigo o roteiro de um filme sobre um jovem americano que ia ao Brasil e era iniciado na ginga, na capoeira, na música e no amor por um pai de santo músico e precisava de alguém para ajudá-lo com a trilha sonora, fundamental no filme.

Entre chopes e picanhas, ficaram bróders. Nelsinho se encantou com a simpatia e a sabedoria de Kao, que se identificou com as atividades multimídia de Nelsinho e com suas ideias sobre música e cinema. Marcaram encontro em Nova York.

Assim que voltou aos Estados Unidos, Nelsinho recebeu o roteiro de *Ginga* e o discutiu com Kao, seguindo a máxima de seu pai: "Prometer menos, entregar mais." Com isso, antes do prazo preparou a lista de canções que iriam compor a trilha sonora e aproveitou para dar uma geral no roteiro, com sugestões de novos diálogos, novas cenas e cortes. John gostou muito.

"Está excelente. Vou lhe pagar 10 mil dólares pelo trabalho. Vamos em frente."

No dia seguinte, a secretária de Kao ligou pedindo o seu endereço e avisando que estava mandando o cheque de 10 mil dólares. "Não vá gastar tudo em doces, hein?", advertiu, dengosa. Foi o primeiro dinheiro de verdade que Nelsinho ganhou, ou melhor, arrancou, em Nova York.

Os dois ficaram muito amigos. Nelsinho adorou os livros do professor e teve preciosas aulas particulares de inovação, marketing e criatividade com o cara que era chamado de "Mr. Creativity" nos jornais. Ô sorte.

Certo fim de semana, John o convidou para a sua casa em Boston, uma bela mansão vitoriana de dois andares e todos os confortos. Conversaram muito, assaram steaks na churrasqueira do quintal e, quando voltaram à sala para o cafezinho, John veio com um "cubo mágico" e lançou o desafio: "Te dou um milhão de dólares se você conseguir resolver isso."

O querido amigo e mestre, professor John Kao, Mr. Creativity.

Nelsinho já havia tentado algumas poucas vezes no Brasil, com péssimos resultados, e logo desistido. Pegou o cubo, desanimado, fez uma pequena série de rápidas torções aleatórias e soltou um "yes!" triunfal. Em alguns segundos, tinha resolvido o desafio de um milhão de dólares. Nelsinho não tinha ideia de como. Às gargalhadas, concordou com a proposta de Kao de que a aposta só seria paga quando ele revelasse que forças estranhas guiaram suas mãos naqueles poucos segundos – elas mereciam pelo menos meio milhão.

Mas ser amigo de um cara como Kao não tinha preço.

Levando um lero com a chacrete Marlene Morbeck, a Loura Sinistra.

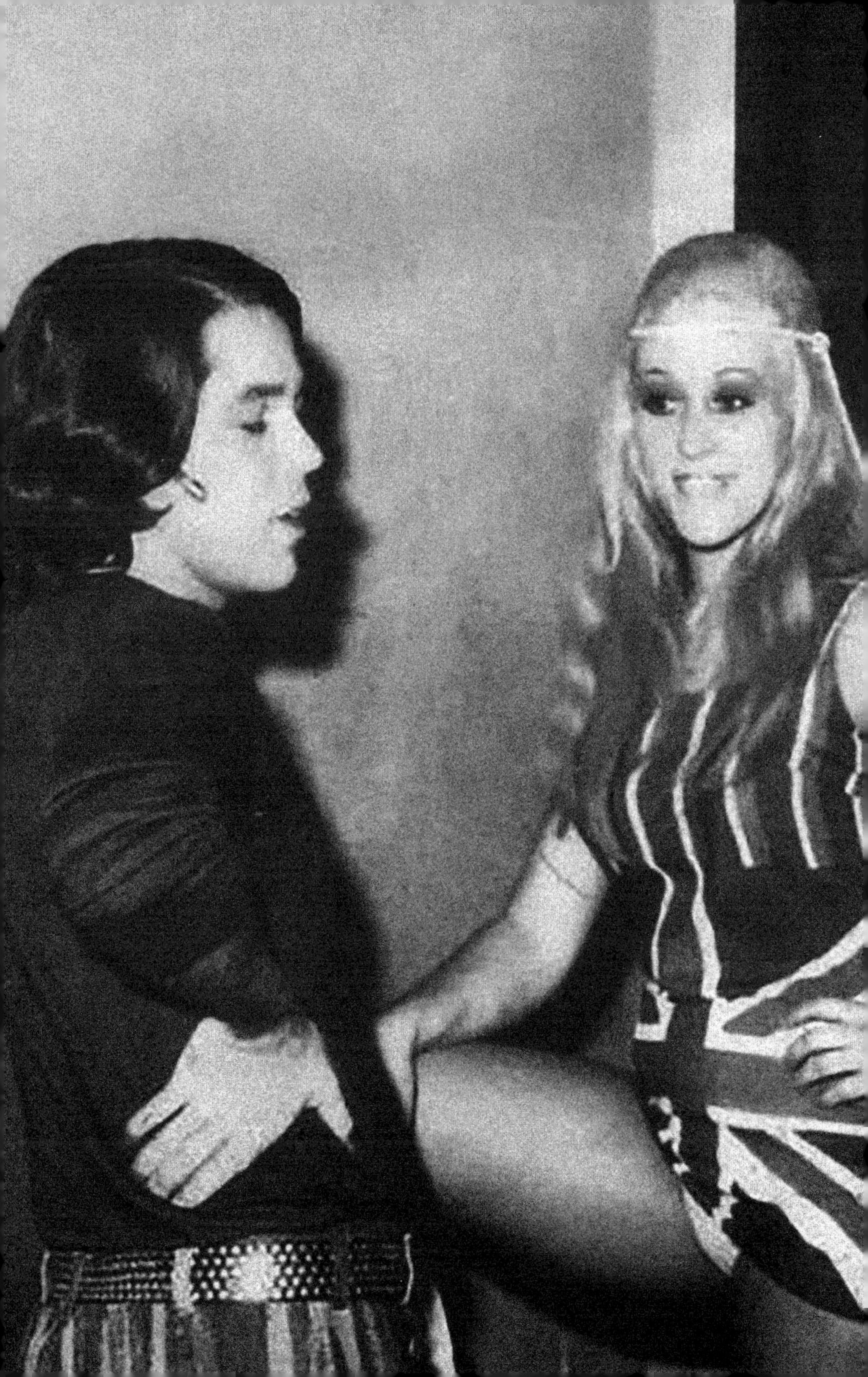

92
PARTNERS IN CRIME

Logo que chegou a Nova York, Nelsinho reencontrou sua velha amiga Maria Duha, Cotinha ou Maricota, dos áureos tempos do Antonio's nos anos 1970. Naquela época, ela era continuísta da Globo e casada com o escritor José Carlos Oliveira, tão talentoso quanto neurótico, sofrido e doidinho, que bebia e fumava de manhã à noite. Maior cronista da vida carioca dos anos 1970, ele escrevia na varanda do Antonio's. Sóbrio ou alegrinho era adorável, mas dava trabalho. Era preciso muito amor.

Toda bonitinha, baixinha e agitada, Maricota era gaúcha, muito esperta e inteligente, e uma doidinha divertidíssima, mas ótima profissional. Havia sido indicada por André Midani, de quem era muito amiga, como a parceira ideal para Nelsinho no seu plano de criar uma pequena gravadora para distribuir música brasileira nos Estados Unidos. André tinha razão. Nelsinho e Maricota tornaram-se sócios na Lux Music Inc.

Maricota já estava em Nova York havia muitos anos. Tinha se casado com seu ex-aluno de português Andrew, um simpático judeu nova-

-iorquino e advogado com clientes no Brasil, que a adorava e se divertia com as maluquices dela: "A vida nunca é tediosa com Maricota."

Orientados por Andrew, foram registrar a companhia no seu escritório. Em alguns minutos, com os dados básicos dos sócios, assinaram o contrato social.

– Agora vocês vão receber um número do imposto de renda, que é a coisa mais importante de tudo – disse Andrew.

Acostumado à burocracia brasileira, em que o processo para registrar uma sociedade comercial poderia levar semanas, Nelsinho perguntou:

– Só isso? E não tem que tirar certidões, registrar na junta comercial, no estado, na prefeitura...?

– Com a inscrição na Receita Federal, o registro é imediato e automático. Vocês já podem começar a trabalhar e emitir notas fiscais assim que chegar o que é chamado no Brasil de "número de contribuinte" – confirmou Andrew, em português.

Mas nos Estados Unidos a palavra "contribuinte" só faz sentido para causas e caridades. Quem paga impostos é chamado de... pagador de impostos, *taxpayer*. No Brasil, é contribuinte, o que já dá uma ideia de algo facultativo, tipo "O senhor poderia contribuir?", revelando bem as diferenças de cultura fiscal e o atraso brasileiro.

E começaram a trabalhar num escritoriozinho na Madison Avenue. O primeiro lançamento foi uma compilação de gravações recentes de MPB, com o título de Melting Pop, um trocadilho com *melting pot*, ou caldeirão de culturas. Tinha Caetano cantando "Meia lua inteira" (que revelava Carlinhos Brown como compositor), Gilberto Gil, Gal Costa, Marisa Monte, Rita Lee e outras estrelas do início dos anos 1990, licenciadas pelas gravadoras brasileiras.

Difícil foi vender. Mal conseguiram pagar os custos da produção, mas aprenderam muito.

93

BEM-VINDO AO MUNDO DIGITAL

Uma grande sorte da mudança para Nova York foi o timing perfeito. O lugar certo na hora certa. Explodia a revolução digital com a internet e, naturalmente, todas as inovações chegavam primeiro a Nova York. A cidade estava rica e segura, e os Estados Unidos prosperavam e não estavam envolvidos em nenhuma guerra.

Era um mundo novo se abrindo para Nelsinho, que logo trocou seu Toshibinha de 1989, comprado de uma contrabandista indicada por Paulo Coelho, por um moderno computador Mac com uma "bunda" enorme e uma pequena tela. Ele se sentia na idade do byte lascado, mas estava bem à frente de amigos brasileiros e europeus, muitos dos quais nem sabiam o que era internet. E refletia sobre a sorte misturada à intuição e à oportunidade. E sobre os meios e as mensagens.

Na adolescência, Nelsinho foi um leitor apaixonado de ficção científica. Viajava para cidades futurísticas em astronaves interplanetárias com armas atômicas. O radinho de pulso do Dick Tracy era o máximo da tecnologia; só depois viria o telefone com imagem dos Jetsons. Mas nunca tinha lido ou ouvido falar de nenhuma fantasia semelhante a uma caixinha chata com uma tela, um teclado, uma câmera e um microfone, por meio da qual se falava com qualquer pessoa em qualquer lugar do mundo, de graça, e ainda se viam filmes, fotos e quadros, se ouvia a música que quisesse, se lia e se dava opinião sobre qualquer assunto, se comprava tudo que o seu crédito suportasse. Seria absolutamente inverossímil e risível, sem qualquer base científica; nem mesmo um adolescente idiota dos anos 1960 acreditaria nisso.

Nelsinho também foi um leitor entusiasmado de pensadores anarquistas – Bakunin, Proudhon –, sonhando com a utopia de um império da liberdade e da responsabilidade individual, e o fim do Estado como pai, mãe, patrão ou religião.

Para Proudhon, "ser governado é ser observado, fiscalizado, controlado, numerado, doutrinado, avaliado, punido, autorizado, taxado, explorado, corrigido, licenciado, comandado – sob o pretexto da utilidade pública – por criaturas que não têm o direito, nem a sabedoria, nem a virtude para isso".

Ainda vale o escrito, mas o que Proudhon pensaria do mundo da internet, com sua liberdade sem limites e sem controle do Estado, de monopólios ou de burocracias partidárias? Os velhos anarquistas aposentariam as bombas e alistariam hackers libertários?

E se perguntou: e Marx? Freud? Jung? Que ideias teriam desenvolvido em um mundo com essas liberdades e possibilidades, com o planeta todo interligado e interagindo, sem intermediários, como nem a mais delirante ficção científica ousou imaginar? O que Proust faria com o Google? Que filmes o adolescente Glauber Rocha faria com um celular?

E delirou: "O que Camões, numa caravela com seu laptop, postaria em seu blog Lusiadas.com, hospedado em uma nuvem à prova de naufrágio? Que Ilíadas e Odisseias Homero digitaria em seu tablet mágico roubado dos deuses do Olimpo?"

Nelsinho sentia que estava vivendo no futuro. Todo sábado de manhã, corria até as lojas de computadores, cada vez maiores, para conhecer as novidades. E as novidades surgiam toda semana. Onde iria parar tudo isso? Não pararia nunca. Nelsinho pensava muito sobre as influências da tecnologia na arte.

Ao contrário da política da velha esquerda, em que os fins justificam os meios, na arte são os meios que possibilitam os fins. Sem o microfone, o mundo jamais teria ouvido a música suave e refinada de João Gilberto e Chet Baker. A amplificação elétrica liberou os cantores da força bruta do volume e permitiu que usassem seu talento no que mais importa musicalmente: timbre e afinação, ritmo e harmonia, estilo e sentimento.

Da mesma forma, não poderia existir rock and roll sem a guitarra elétrica. Inventada nos anos 1930, a guitarra se adaptou bem ao jazz e ao blues, que nasceram e se desenvolveram acústicos, e fez história nas mãos de Django Reinhardt e B. B. King. No rock, não – o som e a fúria das guitarras, os altos volumes são um dado estético, sua base rítmica, harmônica e ideológica, sua energia vital, sua razão de ser. Ironicamente, décadas depois, velhos roqueiros gravariam versões acústicas de seus sucessos elétricos.

Assim como não haveria rock and roll sem o som estridente das cordas de aço da guitarra, não existiria bossa nova sem o som macio das cordas de violão de náilon, criadas em 1946 e tocadas pela magia de João Gilberto. No samba tradicional, o som metálico do violão não era empecilho para os ritmos, acordes e dedilhados dos mestres, mas para a bossa nova cool, minimalista e moderna, só a suavidade do náilon daria os timbres macios que a batida e o canto de João requeriam.

O hip hop e a música eletrônica são os novos formatos musicais do século XXI e só puderam surgir no mundo digital, com as infinitas possibilidades de combinar timbres, ritmos e acordes que permitem a um músico tocar uma orquestra inteira sozinho. Bastam talento, um laptop e uma tomada.

O audiobook, com atores lendo e interpretando romances, também abriu novas possibilidades criativas. Logo, em vez de um narrador haverá uma voz para cada personagem, ruídos de cena, música de fundo e... epa! Será reinventada a velha radionovela com o nome de podcast.

Steve Jobs criou o iPod e revolucionou nossos hábitos de ouvir música, mas em casa só ouvia discos de vinil, contou seu amigo Neil Young, lenda viva do rock. Os dois não se contentavam só com música e letra, canto e instrumentos – queriam que tudo isso soasse nos ouvidos com a potência, os timbres e a integridade de sua massa sonora original.

Como Tim Maia, queriam mais grave! Mais agudo! Mais eco! Mais tudo! Porque nos fabulosos iPods, iPhones e iPads de Jobs, o som que se ouve está comprimido em MP3, com apenas cerca de um quinto dos sons que foram gravados. Para ouvi-lo mais próximo da gravação original, só em formatos como o WAV – que contém muito mais dados mas gera arquivos muito maiores. Ou em vinil.

Mais do que uma discussão idiótica de audiófilos, de loucos por som, trata-se de um debate sobre pirataria, troca de arquivos, livre circulação de músicas na internet. Como a grande maioria dos consumidores de música se contenta em ouvir uma versão "popular" em MP3, isso também sugere novas ideias sobre o assunto. Para Neil Young, esses MP3 vagabundos que rolam na rede e nas bancas piratas são como um novo rádio da era digital, em difusão incontrolável. Não chegam a ser música. Quem gosta de música de verdade compra um CD de boa qualidade sonora ou paga por um download pesado de alta definição. Ou um vinil.

No entanto, como nada se compara ao impacto e à sensação de ver e ouvir música ao vivo, de perto e em ambientes com boa acústica, a consequência direta da difusão maciça de música digital é uma espetacular valorização dos shows ao vivo, por serem uma experiência sensorial única e irrepetível, como o teatro.

94

MUSIC AND BUSINESS

Um dos clubes noturnos que Nelsinho mais frequentava em Nova York era o Ballroom, na rua 11 Oeste. Não era um salão de baile, mas uma boate com shows ao vivo, com um pequeno palco e duzentas pessoas espalhadas em mesas e cadeiras estofadas de vermelho. O piso também era de carpete vermelho e a decoração cafona puxava para o dourado, como nos anos 1950.

O dono da casa, Tim Johnson, um simpático sessentão gay, ficou amigo de Nelsinho e o convidou para ajudar na programação do Ballroom. Assim, Ney Matogrosso, Marina Lima, Elba Ramalho e outros brasileiros se apresentaram lá. Ney foi um sucesso absoluto, com críticas à altura de sua arte e originalidade, mas, tadinho, como autointitulado bicho do mato, não gostou nada da selva de concreto de Nova York e quase não saiu do hotel durante a temporada.

Nelsinho e Maricota ficaram cada vez mais próximos de Tim, que tinha um contrato para realizar um espetáculo anual na concha acústica do Lincoln Center, com 5 mil assentos entre árvores e flores. Ele chamou Nelsinho e Maricota para fazerem a curadoria artística e a produção. Dizia-se velho e cansado, e estava repartindo um ótimo contrato. Tinha uma boa verba de produção e vários patrocinadores: o espetáculo era de graça, em pleno verão, às cinco da tarde.

Pouco depois, Tim morreu e eles herdaram o contrato do Lincoln Center. Durante anos, em todo primeiro domingo de agosto havia um grande espetáculo brasileiro na concha acústica. O mais sensacional foi a reunião das trinta vozes do coral gospel da Igreja Mount Moriah com a bateria da Banda Didá, um Olodum só de mulheres criado pelo mestre Neguinho do Samba.

Era bem difícil coordenar a batida do samba-reggae com as levadas R&B do gospel, mas Nelsinho teve a sorte de seu afilhado afetivo João Marcello Bôscoli estar na cidade. Era tudo de que ele precisava: um baterista para reger a entrada dos tambores junto com o coral. Nem todas as músicas deram certo, e houve alguns desencontros – afinal, tinham feito só um ensaio de manhã. Mas a performance e a originalidade da mistura afro-baiana fizeram o público delirar.

Outra apresentação marcante foi de Dona Ivone Lara, que encantou o público como uma diva de blues e soul americano à frente de uma "samba-band" de percussão contagiante.

Também produziram um tributo a Carmen Miranda, que começou com Maria Alcina esfuziante e uma trupe de drags vestidas de Carmen Miranda. Abrindo o set com "Alô, alô" e "Tico-tico no fubá", Maria Alcina e sua voz de trovão enlouqueceram o público com um medley de marchinhas de Carnaval, que ia de "Mamãe, eu quero" a "Balancê", com as pessoas dançando entre as cadeiras.

Bebel Gilberto cantou a sincopada "O tic-tac do meu coração" e a maliciosa "Uva de caminhão" com estilo e aplausos. O saxofonista Leo Gandelman e Dom Salvador no acordeão fizeram belas versões instrumentais jazzy de clássicos lançados por Carmen, em dois números aplaudidos de pé. A Eduardo Dussek, vestido de marinheiro, coube o repertório mais malandro de Carmen, como "Disseram que eu voltei americanizada" e "Camisa listrada".

O gran finale foi com Marília Pêra, montada como Carmen, numa interpretação impressionante como figura e voz. "Era como se estivessem nos cassinos e nightclubs dos anos 1950 no Rio de Janeiro e em Nova York", comentou Nelsinho, enquanto Marília era aplaudida de pé pelo público, que também ovacionou a entrada no palco de Aurora Miranda, já bem velhinha, irmã e parceira de Carmen, para cantar "Cantores do rádio" com Marília.

Em paralelo ao show, Nelsinho e Maricota lançaram pelo seu selo Lux o CD *The Living Legend of Carmen Miranda*, uma compilação de gravações de Marisa Monte, Nara Leão, Ney Matogrosso, Caetano Veloso, Maria Bethânia, Gal Costa, Rita Lee, Marília Pêra e Maria Alcina, com capa de Antônio Peticov. Um belo disco, mas que vendeu pouco.

A grande façanha da Lux Records foi lançar no Brasil e nos Estados Unidos uma gravação ao vivo feita pelo master producer Tuta Aquino, do coral gospel da Igreja Mount Moriah, do Harlem. Nos Estados Unidos, o segmento gospel é gigantesco, ultracompetitivo, e o disco acabou sendo apenas mais um. Mas, no Brasil, em parte pelo público evangélico e em parte pelos que adoraram as músicas, o disco saiu pela Continental e teve enorme sucesso. Dois anos depois, seria relançado pela Som Livre, vendendo mais de 100 mil cópias. Praise the Lord, Hallellujah!

94
LATIN LOVER

Ao se mudar para Nova York, Nelsinho tinha já desistido de procurar um grande amor e estava longe de resolver seus problemas. Havia passado por uma tenebrosa separação, na qual sofrera tanto que se convenceu que não suportaria, física e psicologicamente, outra rebordosa assim.

Por isso, não daria chances para aquilo acontecer de novo, limitando-se a relacionamentos leves e sem maiores envolvimentos, sem criar apego nem vínculos mais fortes, sem correr o risco de sofrer por amor. Pois amor não haveria. Às vezes, carinho, outras vezes, amizade e algum tesão, não só de sexo, mas de inteligência e de humor. Aos 50, dava por encerrada a carreira conjugal. Já estava de bom tamanho.

Suas três filhas – então com 13, 18 e 23 anos – atualizavam a máxima de Xixa: "Quem não tem filhas não tem nada." Junto com Xixa e Nelson, elas lhe proporcionavam um colchão de afeto que o protegia de qualquer carência e de se entregar a falsas paixões e ilusões amorosas. Nelsinho não precisava de amor. Só de um pouco de sexo e de companhia. Que não faltavam em Nova York.

Numa feijoada no apartamento de Belisa Ribeiro, conheceu a americana Annie, que trabalhava no mercado financeiro, em Wall Street. Lourinha, olhinhos azuis, bem branquela, falava português muito bem porque havia trabalhado alguns anos numa financeira no Rio. Rolou um clima e logo ela estava convidando Nelsinho a visitá-la em seu apê no Lower East Side.

Mas o namoro durou pouco. Annie era boa pessoa, mas meio boba e ingênua para o que não fossem finanças e investimentos. Uma boa novidade foi a DR bilíngue, em que cada um acusava e se defendia na sua língua. Para equilibrar o jogo. Bater boca com fluência em outra língua que não a materna é o atestado final de que já a domina.

Foram juntos ao Rio. Ela queria conhecer a família, e teve direito a almoço de domingo e passeio ao Gavea Golf. No final, Nelson se mostrou preocupado e cochichou para Nelsinho: "Ihhh... cuidado! Essa quer casar."

As filhas a detestaram, como em princípio detestavam qualquer mulher que se aproximasse muito do pai. Mais ainda quando Annie usou várias roupas delas sem pedir nem avisar, como se fossem da sua nova família. Joana e Esperança ficaram putas. Ignoravam a gringa ou a tratavam mal.

Quando, de volta a Nova York, o pai contou que o namoro tinha acabado, comemoraram, aliviadas. Nelsinho ficava adiando, empurrando com a barriga, não querendo magoar a boa moça, mas acabou criando coragem e cumpriu o doloroso dever de dizer não. Pior seria confessar que, para um sul-americano provinciano e colonizado, conquistar uma nova-iorquina era a mais tola das motivações. Ao contrário de outros fins de caso brasileiros, gritados e passionais, com Annie foi tudo tranquilo e *low key*, sem choros nem desculpas nem cobranças. Não haveria telefonemas na madrugada. Nem chantagens emocionais. Cool.

94
RAPSÓDIA AMERICANA

Começou à noite e foi rápido. Nova York amanheceu coberta de neve, que não parava de cair em grandes flocos macios, cobrindo carros e árvores e estátuas e parques, transformando as ruas e as calçadas em uma única superfície branca e lisa.

Neve é muito bonita, mas só em fotografia. Na realidade, quando começa a derreter, nas sarjetas vai se formando uma camada de gelo e, debaixo dela, uma água suja e escura, conhecida como *slush*, em que as pessoas desavisadas enfiam os pés até as canelas.

Desde cedo, o prefeito Rudolph Giuliani e seus secretários estavam na televisão anunciando providências, orientando a população, mandando que todos ficassem em casa. Metrô, ônibus e carros não circularam, e nem poderiam, com as ruas cobertas de neve. Até Wall Street parou.

No fim da tarde, cessada a nevasca, as primeiras pessoas começaram a sair, meio assustadas e muito bem agasalhadas. Era um cenário emocionante: o manto branco cobrindo a cidade, o silêncio absoluto.

Com o comércio fechado e sem tráfego de veículos, uma das cidades mais barulhentas do mundo ficou silenciosa. Tão silenciosa que se podia ouvir a um quarteirão de distância gente conversando em tom de voz normal. Como um reflexo, os que começaram a sair para a rua falavam mais baixo, diante de um cenário novo e deslumbrante, com os últimos raios de sol do crepúsculo surgindo entre nuvens cinzentas.

É difícil imaginar Nova York sem aquele ronco contínuo e difuso do trânsito, dia e noite cortado pelas sirenes de polícia e ambulâncias, na polifonia da cidade que nunca dorme e que nunca para de fazer barulho, até que parou.

Quando as enormes máquinas de remover neve entraram na Broadway deserta, pensei, como muita gente, que seria bom se a cidade tivesse um dia de nevasca por mês – para acalmar o ritmo frenético, juntar as famílias e aprender a viver melhor com menos, trabalhando de casa, racionalizando hábitos de consumo e respeitando a natureza e a ciência.

Uma experiência estética, sonora, social e antropológica única, mas que funcionou também como uma lição de humildade diante da natureza e um convite à população para dar um tempo e refletir sobre a vida que se leva, ou que se é levado a viver.

Nelsinho não tinha nada a reclamar de Nova York. Estava aproveitando ao máximo a vida na capital do mundo, que atravessava uma era de grande prosperidade, após anos de decadência e até quase falência, renascendo com a política de tolerância zero do prefeito Giuliani, que transformou a cidade bandida num lugar seguro e lotado de turistas.

Ouvir Bill Clinton discursar era como assistir a um show de stand-up político – por trás, um ótimo time de redatores, alguns craques em comédia, e, à frente, um orador excepcional, com charme liberal, simpatia e capacidade de convencimento, tudo produzido como um espetáculo. Aliás, tudo nos Estados Unidos vira espetáculo, principalmente a política. E o crime.

Assistir ao vivo na TV, diariamente, a todos os detalhes do julgamento de um ídolo negro do futebol americano, O. J. Simpson, acusado de matar a ex-mulher e um amigo dela a facadas, era acompanhar o melhor seriado de todos os tempos, com surpresas, mistérios, reviravoltas e debate público acalorado.

Como nos melhores filmes, todas as provas incriminavam o réu, mas o sensacional advogado negro Johnnie Cochran, numa grande virada, contra todas as evidências, conseguiu absolvê-lo jogando a carta do racismo e fazendo seu *home run* graças a uma bisonhice da procuradora Marcia Clark, que apresentou como prova uma luva ensanguentada encontrada no local do crime.

Imediatamente, Cochran entendeu que uma luva de couro ensanguentada que ficou fechada num armário durante meses era uma oportunidade de ouro. E mandou que O. J. calçasse a luva. Não entrava de jeito nenhum. Era (ou tinha ficado) bem menor, encolhida. Então Cochran correu para o júri e, como um rapper, fez a rima da vitória: "If it don't fit/ you must acquit" ("se ela não cabe/ você tem que absolver"). E Simpson escapou.

Nelsinho também seguiu fascinado o escândalo da jovem cafetina californiana Heidi Fleiss, que foi presa e teve sua agenda de telefones apreendida, com nomes de dezenas de celebridades. Prostituição é crime nos Estados Unidos (menos em Nevada), e cafetinagem, pior ainda. Heidi era filha de um rico pediatra de Hollywood, patricinha criada em Beverly Hills, uma típica JAP (Jewish American Princess, "princesa judia americana"), que teve a ideia de agenciar mulheres para os amigos famosos.

Ela recrutava garotas bonitas em clubes noturnos e as convidava para suas festas, onde eram apresentadas a ilustres convidados, como Mick Jagger, Rod Stewart e Jack Nicholson. Se rolasse alguma coisa, no dia seguinte a garota recebia um envelope com um cheque de 1.500 dólares de Heidi. Ela dizia que algumas fingiam estupor e indignação na primeira vez, mas nenhuma havia recusado o cheque. Daí em diante, ficava estabelecida uma relação de trabalho com Heidi e vinham novas festas e novos cheques.

Jack Nicholson enlouqueceu as feministas interessadas em saber por que homens para quem a maioria das mulheres daria de graça, ou até pagaria para dar, pagavam essas garotas. "Vocês não entenderam. Não pagamos para transar com elas, mas para irem embora depois."

Nelsinho foi vítima de algumas hostilidades feministas em Nova York. Certa vez, quando ofereceu seu lugar no metrô a uma mulher que levava uma sacola pesada, ela reagiu como se fosse assédio: o que ele estava querendo? A gentileza não é algo a que os nova-iorquinos estejam acostumados. Em outra ocasião, sentado placidamente no metrô, lendo uma entrevista do jornalista e escritor Norman Mailer para a *Playboy*, foi apontado por uma senhora ofendida: "Shame on you! This is very disrespectful!" ("Que vergonha! Que falta de respeito!")

Nessa entrevista, uma das melhores coisas ditas por Mailer era: "As pessoas ficam procurando o amor como solução para todos os seus problemas, quando, na realidade, o amor é a recompensa por terem resolvido os seus problemas. Quem não entende isso nem encontra um amor nem resolve seus problemas."

95

JECA SET

Durante o tempo em que morou em Nova York, uma vez por ano Nelsinho testemunhava, constrangido e revoltado, a revoada de políticos brasileiros de vários partidos para uma trepidante semana de boca-livre em Manhattan, como "observadores" da Assembleia Geral da ONU, com tudo pago pelo suor de nossos impostos.

Além de estarem ali graças a uma fração do tempo e do trabalho, da vida, portanto, de Nelsinho, eles ainda o matavam de vergonha, com seus cabelos em tons graúna e acaju, seus ternos atarracados de tecidos brilhantes, adentrando o Plaza deslumbrados com a cafonice dourada do hotel, uns com as madames e outros com "convidadas", sempre com várias sacolas de compras, todos de tênis novos, desfrutando daquela festa até a última ponta. Mas, afinal, o que observavam esses observadores? Ficavam olhando um bando de gente falando em línguas que não entendiam, sobre assuntos que não lhes interessavam.

E por que essa sem-vergonhice tão cara e absurda ainda continua? Talvez porque, nessas caravanas da alegria, Nelsinho sempre se surpreendesse e se decepcionasse com a presença de alguns nomes que considerava respeitáveis, misturados aos trezentos picaretas de sempre. Para um brasileiro típico, como é o caso da maioria absoluta dos representantes do povo, é muito difícil, quase impossível, rejeitar uma boca-livre. É algo atávico, uma fome que não zera nunca. Quanto mais comem, mais fome têm.

Talvez como castigo pelos deboches capilares com o bonde da boca-livre, Nelsinho acabou vítima de seu próprio veneno.

Um dia, as filhas entraram numa onda de pintar cabelo com um maquiador conhecido de Betty Lago, que se dizia também tinturista. Satisfeitíssimas com seus novos looks e cores, Joana sugeriu: "Lança um molho aí, pai!" O molho foi lançado. Apesar de todas as recomendações de Nelsinho para que desse só uma escurecida nas laterais grisalhas, bem disfarçada, mantendo o cinza, saiu com um capacete negro graúna e as laterais grisalhas. As filhas gargalharam.

Triste seria ter que aparecer daquele jeito no programa *Manhattan Connection*, com Paulo Francis, Lucas Mendes e Caio Blinder, que tinha estreado fazia algumas semanas. Não havia o que fazer, a não ser descolorir todo o cabelo e tingi-lo de uma cor, tipo Silvio Santos, ou tentar umas mechas ou luzes, tipo Gugu Liberato. Achou melhor esperar que o cabelo natural castanho-escuro crescesse junto com os fios grisalhos. A pior parte foi que, com o tempo, o preto graúna foi descorando e virando acaju.

96
SEXO NO COLO

Levado por um amigo devasso e italiano – o que é quase um pleonasmo no caso do sociólogo Manfredo Rosi –, Nelsinho foi conhecer o que ele considerava um ícone da cultura sexual americana na era pós-aids.

Às duas da tarde, compraram duas entradas de 15 dólares para um clube na rua 24 Oeste. O corredor escuro levava a um salão cheirando a mofo, com poltronas, cadeiras e divãs espalhados, e um pequeno palco, onde uma moreninha dançava nua em pelo, desanimada. Era só uma vitrine; ela estava se mostrando no intuito de ser escolhida para, por 20 dólares e vestida, fazer uma *lap dance* para algum cavalheiro, dançando no colo dele pelo tempo de uma música.

As regras eram estritas. A mulher podia fazer o que quisesse – se esfregar, rebolar, remexer, de frente, de costas –, mas o cliente tinha que ficar parado, não podia tocá-la. Se o fizesse, apareceria no ato um segurança, para garantir que, legalmente, aquilo não era prostituição, proibida no estado de Nova York.

Com raras exceções, não eram mulheres bonitas; eram brancas, pretas e latinas, jovens e maduras, de aparência cansada, algumas certamente drogadas, para servir a clientela de meio-dia às oito da noite. De cara limpa, devia ser muito difícil fazer aquilo. Conversando num sofá absolutamente nojento com uma jovem inglesa que estava pagando sua universidade com suas *lap dances*, Nelsinho ficou conhecendo alguns truques do métier.

Havia homens que iam sem cueca e de moletons finos para se esfregarem no sexo delas, e alguns chegavam a ejacular, provocando grande lambança. Outros, depois de três músicas seguidas, ficavam tão excitados que tinham que ir ao banheiro – que rivalizava em imundice com o de *Trainspotting* – para se aliviarem.

Algumas mulheres marcavam programas para depois que saíssem do trabalho. (Imagina-se o sexo que elas poderiam oferecer depois de um dia inteiro naquela labuta.) Outras, mediante um suplemento, permitiam uma breve e secreta penetração, de camisinha; ou afastavam a calcinha, mas o cara não podia pôr o pau para fora, tinha que ficar só na esfregação.

No salão malcheiroso, à meia-luz, ouviam-se gemidos e gritos abafados nas poltronas e sofás imundos e pegajosos. Não era uma questão moral, mas de saúde pública.

96

LA BELLA DONNA

Nelsinho conheceu a italiana Costanza Pascolato num chatíssimo concurso de modelos em São Paulo. Não sabia onde estava com a cabeça ao ter aceitado aquela cilada. Sentado ao lado dela na bancada, comentou que não entendia nada, que votaria no que ela mandasse. Claro, a mulher era um ícone vivo, a mais elegante do Brasil.

"Meu Deus, que mulher bonita!", pensou, olhando seu perfil toscano. Aquele nariz italiano, os olhos de avelã e o jeito de olhar, os gestos, a classe, as roupas, tudo nela era bonito e adequado. E dentre as muitas lições que aprendeu com Costanza, duas seriam inesquecíveis: "Elegância é adequação" e "Quem é elegante se veste para si mesmo, não para os outros".

Dois anos depois, Nelsinho soube que ela estava em Nova York para a Fashion Week e pediu à amiga Amália Spinardi que fizesse uma ponte. Costanza estava mais bonita ainda, com 58 anos, cinco a mais do que ele. Convidou-a para jantar no Russian Tea Room, na rua 57. E depois foram ao Rainbow Room, no 65º andar do Rockefeller Plaza, que tinha

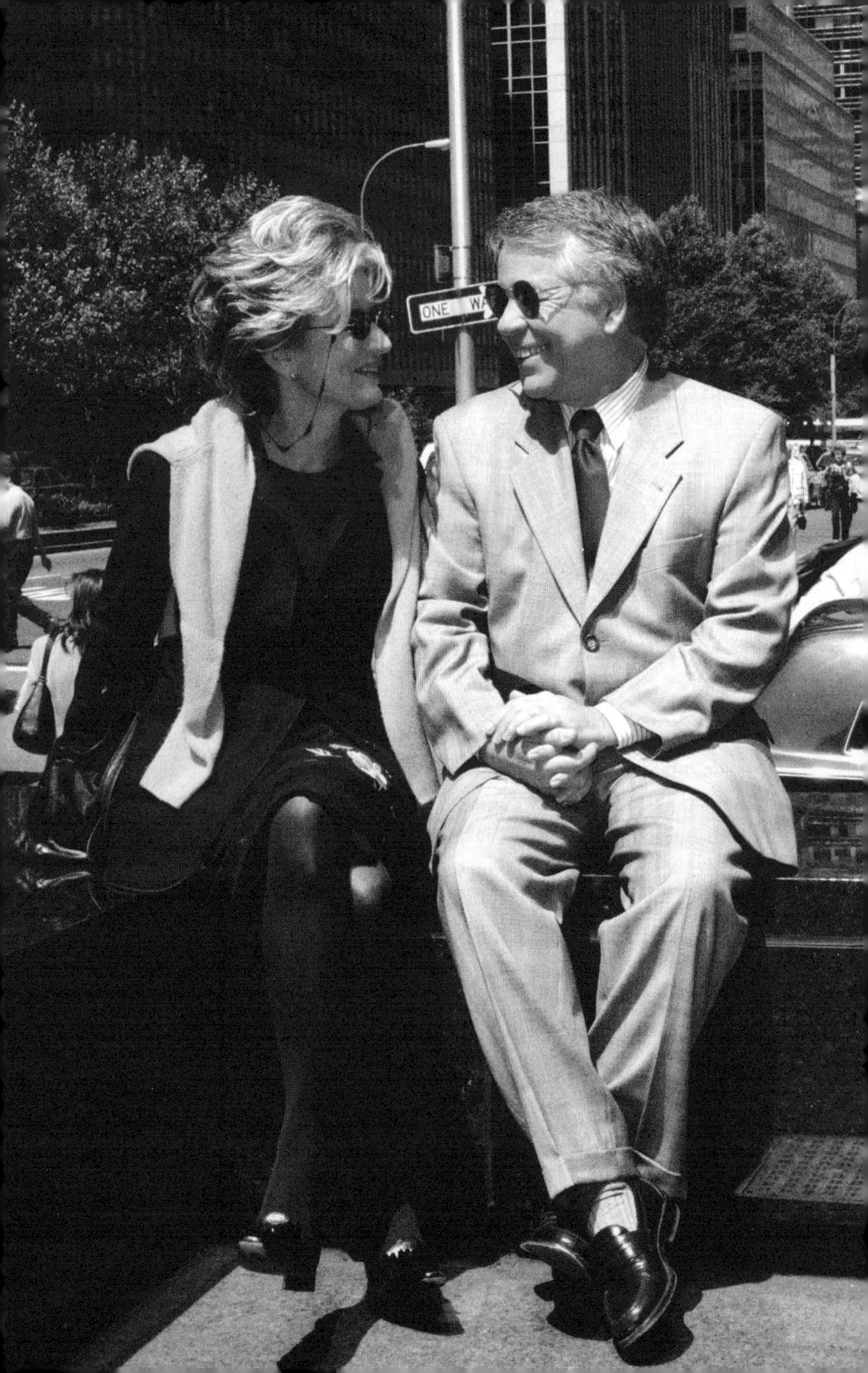
ONE WA

uma big band com crooner, para dançar como nos velhos tempos numa imensa pista redonda que girava lentamente, revelando a paisagem noturna de Nova York nas grandes janelas de vidro. Costanza não era só belíssima, mas inteligente e divertida, de espírito jovem e curioso. Começaram um namoro visitando a exposição de Mondrian no MoMA.

Depois foram ao aniversário de Matinas Suzuki no North Star Cafe, quando Nelsinho levou uma chamada de Caetano por reagir rindo às falas racistas de Paulo Francis no *Manhattan Connection*. Quando Francis falava barbaridades, Nelsinho só ria e sacudia a cabeça, como uma forma de comentar os absurdos que ele falava. Jamais teria coragem de enfrentar um bate-boca a sério com Francis. Já Caetano o chamava de "Filha de Fu-Manchu". E Nelsinho detestava ver dois de seus amigos brigando.

No domingo foram ao Harlem, à Igreja Mount Moriah, com seu maravilhoso coro gospel. Depois, visita à feira afro na avenida Lenox, almoço no tradicional Sylvia's, que serve *soul food*, comida de preto, feita de sobras e ingredientes baratos com temperos fortes que a tornam muito saborosa. Costelinhas carameladas, feijão-fradinho, couve, galinha frita, quiabo, batata-doce, pãezinhos de milho.

Quando Costanza voltou para São Paulo e, em seguida, viajou para a Tailândia, o namoro continuou por fax. Mas logo ela estava de volta a Nova York, onde ficou alguns dias antes de seguir para a temporada de desfiles na Europa.

Nelsinho a reencontrou no Rio de Janeiro, para onde ele ia cada dois meses, saindo de Nova York sexta à noite e voltando na quinta, para gravar o *Manhattan Connection* na sexta de manhã. Da Europa, Costanza lhe trouxera de presente ternos, camisas e gravatas das melhores grifes, que ela conhecia como ninguém. Sentiu-se o homem mais elegante de Nova York.

Daí em diante, passou a ser vestido por Costanza – ou com presentes dela ou com o que comprava sob sua orientação. Tê-la como personal stylist era como estar num táxi dirigido por Ayrton Senna. E, nas viagens que faziam juntos à Europa, as grandes beneficiadas eram as filhas dele, que ganhavam muitos presentes do pai, mas escolhidos por Costanza. Um luxo.

Com Costanza, todo elegante, sob o sol da Park Avenue, em Nova York.

Em qualquer lugar, entrar ao lado daquela senhora era um privilégio. Além disso, ela falava inglês, francês e italiano, era discreta e educadíssima, completamente independente, cuidava de sua vida e de seu trabalho, uma ótima companheira de viagem, bem-humorada e experiente.

Nelsinho brincava com ela dizendo que seu sonho de consumo conjugal era uma mulher italiana – apesar de todos os perigos que isso acarretava. E riam.

Também gostavam de conversar em italiano boa parte do tempo. Nelsinho se exercitava numa língua que amava, por sua expressividade, sua riqueza sonora, seus ritmos, sua infinidade de pragas, blasfêmias e palavrões. Para palavras doces é uma língua insuperável, deixando engraçadas até mesmo as brigas. Juntos, os dois comentavam as peculiaridades dos italianos, seu humor e sua malandragem, sua cultura familiar dominada pela *mamma*.

"Todo homem italiano é sem-vergonha", dizia Costanza, rindo.

Ela nasceu em Siena, na Toscana, e ainda pequena mudou-se para o Brasil com a família, fugindo da guerra na Europa. Em São Paulo, os Pascolato construíram uma bela história de resistência e determinação, fundando a Tecelagem Santaconstancia, naturalmente sob o comando da matriarca, a *signora* Gabriela.

Linda e educada nos melhores colégios, Costanza se casou com um rico businessman americano que vivia entre São Paulo e Nova York, e com ele teve as filhas Consuelo e Alessandra. Depois de alguns anos, o trocou por um italiano nobre e quebrado, perdeu a guarda das filhas, brigou com a família e teve que trabalhar. Começou na revista *Claudia*, onde era vista por algumas colegas como uma dondoca amadora que estava tirando o lugar de profissionais. Mas Costanza provou seu valor, crescendo na redação e firmando-se no mundo da moda. Com seu estilo pessoal, ela mesma era sua melhor propaganda.

Quando Nelsinho a conheceu, já era a maior consultora de moda do Brasil. Como autoridade máxima no assunto, via a moda não só como moda, mas como comportamento. E antropologia. Comércio. Até arte, às vezes.

Esta foi a sensação de Nelsinho quando, em Londres, ela o levou à loja-galeria-espaço cultural da fashion designer japonesa Rei Kawakubo, criadora da grife Comme des Garçons. Uma casa de quatro andares repleta de obras maravilhosas, roupas, figurinos, fantasias, de tecidos e cores surpreendentes, formas assimétricas, curvas e retas em harmonia, expressão moderna da estética minimalista japonesa com tecidos de última geração e a imaginação sem limites de uma artista.

E Nelsinho passou a se interessar também pelo mundo da moda, cada vez mais misturado ao da música pop. Conheceu pessoas muito interessantes, como o artista gráfico e diretor de arte Giovanni Bianco, um autodidata talentosíssimo que tinha trabalhado como feirante e iniciava uma carreira que o levaria aos mais altos níveis internacionais.

Amigo de Costanza e muito engraçado, Giovanni contou que sempre reclamava com ela: "Poxa, Costa, por que tudo que eu compro fica ruim em mim e tudo que você compra fica bom em você?" Giovanni ficava mal-ajambrado até com as marcas mais chiques. E Costanza ficava elegante com qualquer pano. Era uma elegância interior que se expressava na sua aparência. "Veio de fábrica", comentou Nelsinho. Ela riu.

E lembrou-se de um episódio da Semana de Moda em Paris, quando Giovanni batalhava por uma disputadíssima entrada em um desfile e pediu a Costanza que o levasse como acompanhante:

– Você diz que sou seu filho – sugeriu ele.

– O quê? Nem pensar! – disse ela, fingindo-se indignada. – Não é pela idade, é pela qualidade! – explicou, soltando uma gargalhada.

Gargalhada de grande dama.

Pela experiência, disposição e curiosidade, não poderia haver melhor companhia de viagem quando passavam curtas temporadas em Paris, Roma, Londres e Florença, que ela conhecia superbem, por muito tempo educando seu olhar e sua percepção estética.

O trabalho principal dela era ir às semanas de moda mais importantes e identificar as tendências e novidades, não só de design, mas de tecidos, novas fibras, estampas e padronagens que trazia para as coleções da tecelagem da família. Comprava o que lhe apetecia e botava na conta da empresa, onde as roupas iriam ser desmontadas e estudadas. Ao mesmo tempo, participava ativamente da cobertura jornalística, comentando os desfiles e as tendências.

Logo no início, Nelsinho propôs um protocolo de viagens, pelo qual não entraria em nenhuma loja de roupas com ela. Ficara traumatizado por experiências com a mãe e outras mulheres que levavam horas numa loja enquanto ele esperava em pé ou, com sorte, em alguma cadeira. Ou no café da esquina. Triste sina a de um acompanhante de compras. O pior é que sempre era consultado e obrigado a opinar, mas elas escolhiam o que queriam.

Nelsinho não queria passar por isso nunca mais e contou que seu pai, igualmente traumatizado com essa situação, chegara a levar um casal de amigos numa viagem à Europa, com tudo pago, boca-livre total, só para se livrar das compras com Xixa, que teria a amiga para acompanhá-la enquanto Nelson passeava pela cidade e ia a museus com o amigo.

Costanza riu da história e sempre respeitou o pacto. Mas este não a impedia de acompanhar Nelsinho quando era ele quem ia às compras, orientando suas escolhas e livrando-o de exageros, breguices e inadequações. Ter Costanza como *personal shopper* era um luxo exclusivo que seria invejado por qualquer mulher – ou homem – do Brasil.

Quando ela estava em Milão, Nelsinho telefonou para o hotel chamando "la Principessa Pascolato". Logo ela veio ao telefone, rindo. No fim do dia, ligou contando que na recepção, na portaria, o concierge, as arrumadeiras – todo mundo no hotel a estava chamando de Principessa. Com aquela pinta, era fácil acreditar.

Durante dois anos, viveram de pequenas temporadas em Nova York, São Paulo e Rio de Janeiro, além das viagens à Europa para as coleções e visitas à filha e aos netos em Florença. Costanza era muito boa para Nelsinho e cuidava dele "quase tão bem quanto eu", dizia Xixa, elogio máximo e sincero. Nelsinho brincava chamando-a de "gueixa toscana", alto elogio.

Era tão boa que Nelsinho a pediu em casamento em 1998. Ele entendia o casamento como uma aliança, duas pessoas que se aliavam para enfrentar a vida e se ajudarem a crescer. O anel era só um símbolo e não tinha nenhuma importância para ele, que detestava usar anéis, relógios e qualquer joia. Comprou as alianças na primeira joalheria que encontrou e não demorou para escolher o modelo mais popular há séculos: de ouro, arredondadas, caretas como as de nossos avós. *Back to basics*. Costanza mandou gravar os nomes dentro.

O casamento foi num domingo, na Igreja Mount Moriah, no Harlem, com o reverendo Johnson oficiando ao som do fabuloso coro gospel, numa cerimônia exclusivamente familiar: Nelson e Xixa, Esperança, Joana e Nina, Consuelo e Alessandra (filhas de Costanza), e mais ninguém. Mesmo assim, foram de "penetras consentidas" Maricota, a amiga Suzana Villas Boas e a esposa chinesa do acupunturista Dr. Yan, todas adoravam casamentos. Nelsinho ficou comovidíssimo quando integrantes do coro, seguindo a praxe local, lhe deram de presente notas de 20 dólares dobradinhas.

Depois da cerimônia no Harlem, ofereceram um grande almoço no histórico River Café, debaixo da Ponte do Brooklyn. Antipaticíssimo, o maître francês queria botar os convidados nas piores mesas, embora a reserva tivesse sido feita dias antes. Mas, diante do esculacho de Costanza em francês, acabou lhes oferecendo uma mesa junto à janela que dava para o rio. No dia seguinte, lua de mel em Nova Orleans. Cinco dias depois, voltaram a Nova York e a São Paulo.

No casamento, a distância era um fator de equilíbrio, evitava os atritos e os desgastes cotidianos. Os dias juntos eram poucos, mas de muita qualidade. Nelsinho achava que ficaria com Costanza pelo resto da vida. Só que não.

Na volta dele ao Brasil, as visitas se tornaram semanais, no Rio ou em São Paulo, onde ele tinha um quarto e um serviço de hotel seis estrelas no apartamento de Costanza em Higienópolis. E talvez a proximidade, bem como as diferenças entre os dois, tenham contribuído para o fim, embora nunca se saiba ao certo por que um casamento acaba. Felizes dos que o viveram durante algum tempo – já é uma grande vitória, que não precisa ser eterna, mas pode transformar e melhorar as pessoas.

98

BYE BYE NEW YORK

Nelsinho ficou muito abalado com a morte de Tim Maia, em 1998, poucos meses depois de encontrá-lo no Hotel Delmonico, em Nova York, para uma manhã de breakfast e bauretes, seguido por outro breakfast e outro baurete, e mais um breakfast...

Achou-o muito bem naqueles dias. Tim disse que não estava cheirando nem bebendo, e que só não dispensava o baurete porque era medicinal. Tomaram vários breakfasts e torraram vários bauretes em sua suíte do Delmonico. Conversaram o dia inteiro.

Quando Tim morreu, Nelsinho achava que ninguém poderia contar a sua história melhor do que ele. Sim, vários jornalistas competentes poderiam pesquisar e escrevê-la, uns melhor e outros pior. Mas nenhum conviveu tanto tempo e tão de perto com Tim quanto ele. O maior orgulho de Nelsinho era ter vários LPs autografados "com o respeito do Tim Maia" – e isto de um cara que não respeitava ninguém.

Mas, como em tudo que envolvia Tim Maia, haveria brigas, confusões e processos judiciais. Só o herdeiro legal de Tim, definido pela

Justiça, poderia autorizar a biografia, num tempo em que biografias precisavam de autorização.

Nelsinho não se conformou, mas deu seu jeito. Não precisaria de autorização para contar histórias de Raul Seixas, João Gilberto, Rita Lee, Caetano, Gil, Chico, de todos os grandes personagens da música brasileira, inclusive de Tim Maia, do início da bossa nova à MPB, ao tropicalismo, ao rock brasil e ao axé, de 1958 a 1992.

Nascido de uma limitação, *Noites tropicais* foi um sucesso de crítica e de vendas. Claro, as histórias de Tim Maia eram as mais divertidas.

Escrever em Nova York, olhando a neve, dava uma distância crítica da narrativa, avivava lembranças e provocava reflexões. Era como se contasse a história de outra pessoa, um jovem jornalista e compositor que havia participado de meio século de música brasileira. Um bom eixo era contar as histórias dos movimentos musicais paralelamente aos momentos políticos e sociais.

O livro de quinhentas páginas deu trabalho. Nelsinho escrevia dia e noite, e Nina descobriu que ele estava se tornando um ser mitológico, meio homem e meio cadeira: o "sentauro". Às vezes, ela o encontrava no mesmo lugar em que o deixara de manhã e debochava, com sotaque caricato: "Are you at home? Are you in town? Do you have a problem?"

O lançamento no Rio de Janeiro foi espetacular, uma festança no Parque Lage para oitocentas pessoas, com a piscina vazia funcionando como pista de dança e o DJ Dom Pepe comandando as picapes. Nenhum livro sozinho conseguiria ter um lançamento daqueles, que só foi possível porque a gravadora Universal, que editou um CD duplo com as 56 músicas de *Noites tropicais*, dividiu a conta com a Editora Objetiva. O presidente da Universal, Marcelo Castello Branco, sempre apoiou os projetos de Nelsinho e se tornou um amigo para a vida. "Marcelo, você é um cara tão legal que nem parece da indústria do disco" era um elogio que sempre lhe fazia.

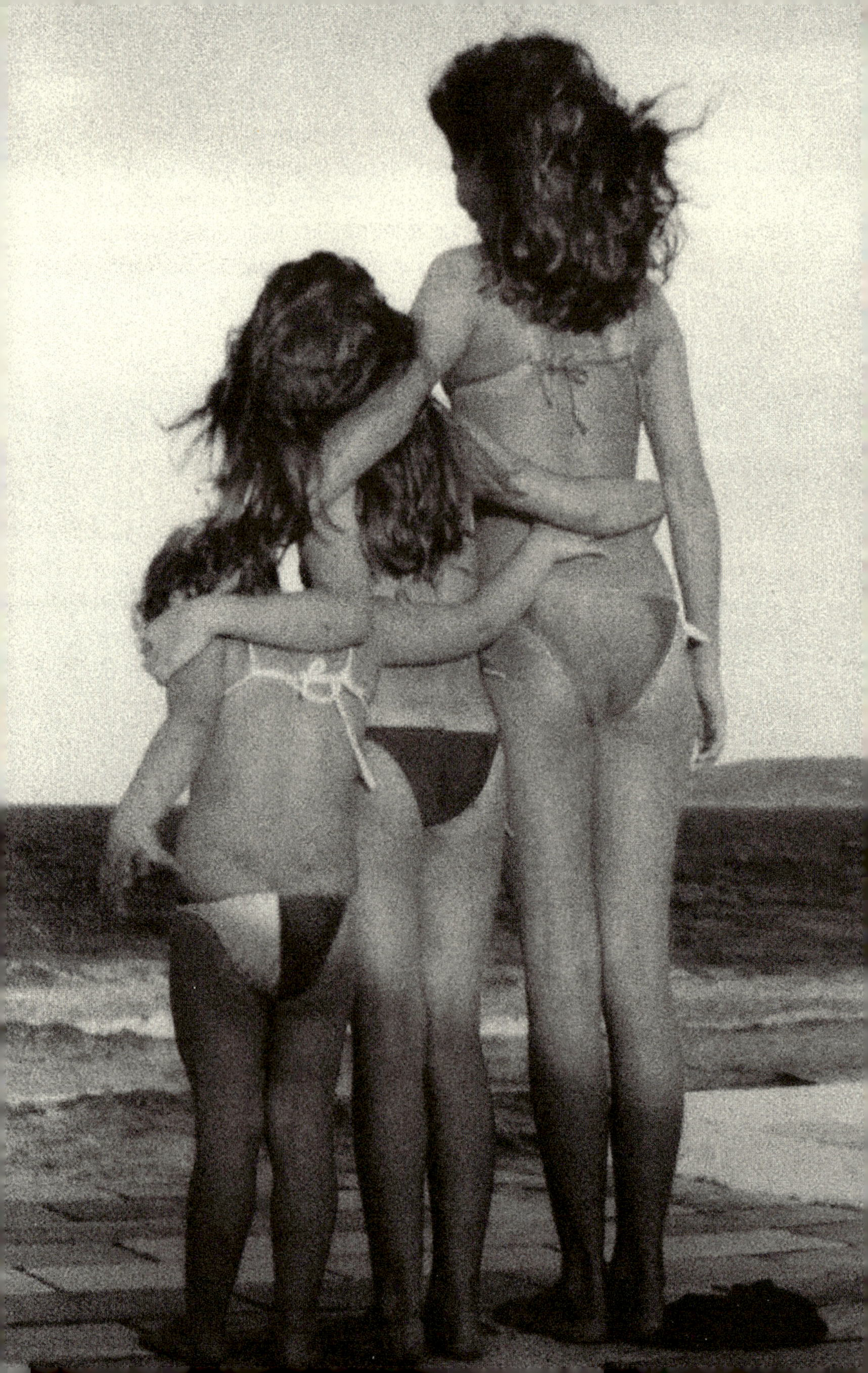

95
MORALISMO DE ARAQUE

Na sociedade americana puritana e hipócrita, Nelsinho começou a entender que, assim como a beleza, a obscenidade e a perversão estão nos olhos e na cabeça de quem as vislumbra nos atos mais inocentes e naturais.

Essa percepção era antiga, na verdade. Numa noite de 1987, no Canecão, estava abraçado com a filha Joana, uma gata de 17 anos, quando ouviram no escuro uma mulher sussurrando na mesa ao lado: "Olha só o Nelson Motta com uma garota que podia ser filha dele." Joana revidou na hora, rugindo: "Eu sou filha dele!"

Em Nova York, ele notou que, nos restaurantes, o olhavam esquisito quando o viam com a filha Nina, uma linda garota de 18 anos, trocando gestos de carinho e afeto, como sempre fizeram, bem à brasileira. Por causa da cultura puritana, os americanos se incomodam com contatos físicos; mesmo os amigos moderam beijos, abraços e gestos carinhosos, tipicamente latinos. Ficam tensos, afastam o corpo, parecem temer algum desdobramento indesejado, ou desejado demais – Freud ensinava que onde há medo há desejo...

Nina, Esperança e Joana olhando o futuro em frente ao mar de Búzios.

Então, Nelsinho e Nina resolveram se divertir com aqueles pervertidos que os viam, certamente com secreta inveja, como um cinquentão devasso e uma jovem depravada. Beijavam-se e abraçavam-se nos restaurantes como se estivessem em casa – com amor, inocência e naturalidade – e ficavam rindo dos que ao redor lançavam olhares de raiva e reprovação. No final, o golpe mortal: Nina erguia o braço, chamava o garçom e pedia a conta. E pagava com seu cartão de crédito (como dependente do pai)! Era intolerável: a jovem devassa ainda pagava a conta do velho tarado. E saíam abraçados e rindo das caras revoltadas, e invejosas, dos moralistas de araque.

Nelsinho adorava frequentar a rua 46 Leste, que estava se tornando a rua do Brasil, com vários restaurantes de comida brasileira, alguns até razoáveis, lojas que vendiam sandálias Havaianas, sabonete Phebo, pomada Minancora, farinha de mandioca, goiabada, jornais com um dia de atraso e a *Veja* na terça-feira, além de agências de viagens, consultórios médicos, salões de manicure, tudo brazuca.

Nelsinho e Maricota chamavam a rua 46 de "Baixada", em alusão à fluminense. "Vamos almoçar na Baixada hoje?" E nos domingos se perguntavam: "Vamos subir o morro hoje?", falando da Igreja Mount Moriah, no Harlem.

A Baixada foi crescendo e virou Little Brazil, com placa e tudo. E passou a promover um festival de música na rua, o Brazilian Day, ocupando vários quarteirões e atraindo milhares de pessoas. O festival foi uma criação do líder natural da comunidade brazuca, João de Matos, o "rei da Baixada", que tinha sido um dos primeiros a chegar a Nova York e a se dar bem, depois de anos de trabalho pesado à frente de uma agência de viagens e outros negócios.

A Baixada tinha uma cultura própria, alimentada por mitos e lendas de brasileiros em Nova York. Ou de portugueses, como a senhora Jacinta, que não aprendeu inglês e esqueceu o português. Traduzia *call me back*, "liga para mim", como "chama-me para trás", expressão que foi adotada imediatamente por Nelsinho e Maricota, às gargalhadas.

Na Baixada, quase todo mundo falava mal inglês, com sotaques macarrônicos, o que inspirou uma brincadeira de Nelsinho e Nina, cujo inglês era excelente, bem melhor que o do pai. Começaram a se exercitar numa nova língua que nem americanos nem brasileiros entenderiam.

Falavam "natation" em vez de *swimming*, "respiration" em vez de *breathing*, "toss" para *cough*, "geladeer" para *fridge*, "garf and fac" para *fork and knife*, "karn" para *meat*, "cop" para *glass*... uma novilíngua muito intuitiva e em constante evolução.

00
SCHOLAR DE SAMBA

Depois do lançamento de *Noites tropicais*, Nelsinho foi convidado a fazer uma palestra no Center for Latin American Studies, da Universidade Harvard, em Boston. Ao saber disso, Maricota comentou: "Agora você virou um verdadeiro scholar de samba", e gargalhou ao telefone.

Mas dessa vez Nelsinho abusou da sorte. Esqueceu de imprimir a palestra e Costanza teve que levar o disquete a uma papelaria em cima da hora. Com base no *Noites tropicais*, escreveu uma palestra longa demais. Pediu a um amigo jornalista americano que fizesse uma revisão final no inglês, mas não se preparou nem ensaiou a leitura. O resultado foi que, de tão nervoso e inseguro, passou os primeiros quinze minutos suando e gaguejando em péssimo inglês. Os estudantes eram compreensivos e aos poucos Nelsinho foi se firmando, algumas piadas funcionaram e conseguiu terminar, aos trancos e barrancos, com imerecidos aplausos. Tim Maia diria que a performance foi "quatro-quatro-meia", não chegava a cinco. Ainda bem que logo em seguida foram tocadas playlists brasileiras dançantes, escolhidas por Dom Pepe, uma vez que o evento tinha sido anunciado como "palestra-baile".

Meses depois, ele conseguiu se redimir na Casa de América, em Madri, com a mesma palestra, devidamente abreviada e com a ótima tradução para o espanhol de uma amiga sevilhana. Dessa vez ensaiou bastante, falando um espanhol fluente e caprichando nos sons ciciados de *corazón* e *pasión*, que adorava, mas com cuidado para não ficarem caricatos. Foi muito aplaudido, com alguns dos críticos musicais mais importantes da Espanha na plateia – como o amigo Carlos Galilea. Depois seguiram nos papos, tapas e vinho pós-palestra. *Noche de luces*.

Foi a Roma com Costanza e palestrou sobre o mesmo tema, em evento promovido pela Embaixada do Brasil, às onze da manhã, num belo jardim em que foram colocados 150 cadeiras e um bufê de café da manhã. Foi fácil. Depois de morar quatro anos em Roma, o italiano era a língua estrangeira que falava melhor; amava seus exageros, sua comicidade e sua sonoridade. Mesmo assim, por pura preguiça, pediu que traduzissem o texto original para o italiano. A língua é tão prolixa que a versão em italiano é muito maior do que a em inglês. E caprichou na pronúncia romana.

00
VOLTA AO LAR

No ano 2000, Nelsinho decidiu retornar de vez ao Rio de Janeiro. Com 20 anos, Nina concluíra o curso de teatro no Lee Strasberg Theatre & Film Institute e queria voltar ao Brasil e representar em sua língua. Muito justo. E voltou. Em 1996, havia nascido seu primeiro neto, Joaquim, filho de Joana e Lema, e Nelsinho queria vê-lo crescer. Estava casado com Costanza, que morava em São Paulo. Seus pais estavam ficando velhinhos, entrando nos 80 anos, e queria ficar mais perto deles.

What the fuck Nelsinho ia ficar fazendo sozinho em Nova York? Como dizia Tom Jobim, "Viver em Nova York é bom, mas é uma merda; viver no Rio é uma merda, mas é bom".

Na última ida ao Rio, já decidido pela mudança, Nelsinho visitou alguns apartamentos para alugar. Gostou de uma coberturinha duplex no Leblon e pediu que Xixa desse uma olhada. O leão rugiu ao telefone: "Este apartamento é uma porrrcaria, meu filho. Um muquifo cafona, e ainda com essa escada em caracol pavorosa, perigosíssima para seu neto. Nem pensar. Vou dar uma olhada por aqui."

Dois dias depois ligou, diretamente de um apartamento que estava para alugar na praia de Ipanema, quase esquina com Farme de Amoedo, fazendo uma descrição detalhada e cheia de elogios ao espaço e à decoração. E por um preço melhor do que o muquifo do Leblon. E ainda conseguiu que a locadora, "uma senhora muito fina", pintasse de branco o piso de tábuas, como "Nelsinho gosta".

– Posso fechar?

– Claro, mãe.

Xixa gostava de cobrar ao seu estilo os favores e presentes aos filhos. "Quem não tem mãe não tem nada" era uma de suas frases favoritas, que às vezes dizia na frente de pessoas que não a tinham mais. Com o tempo foi desenvolvida uma forma em pergunta e resposta:

– Quem não tem mãe tem o quê? – perguntava ela.

– Nada! – respondiam os filhos, às gargalhadas.

E Nelsinho viveu a sensação deliciosa de entrar pela primeira vez na casa em que iria morar. O apartamento tinha mobília moderna e elegante, uma imensa varanda e era bem mais barato que o apartamento de Nova York, além de mais espaçoso. Que vista seria mais bonita: o mar de Ipanema e as ilhas ou Manhattan acesa com todos os seus prédios clássicos que via das janelas do 26º andar? E ainda seria vizinho de Paula Lavigne e Caetano Veloso, que moravam no prédio ao lado.

Lembrou-se de uma cena do documentário de Barbara Kopple sobre Woody Allen em turnê europeia tocando clarinete numa banda jazz. De volta a Nova York, ele se queixa a Soon-Yi: "Quando estou em Paris, sinto falta de Nova York. E quando estou aqui, sinto saudade de Paris. Eu vivo num estado de insatisfação permanente."

Durante o tempo em que morou em Nova York, Nelsinho escrevia uma coluna semanal para o *Estadão*, que depois seguiu como uma página inteira aos domingos, intitulada "Manhattan Connections", aproveitando a onda de sucesso do programa, o primeiro da TV por assinatura do Brasil, com colunas de Lucas Mendes, Caio Blinder, Lúcia Guimarães e Nelsinho, que também era publicada no jornal *O Globo* e no *Diário de Notícias* de Lisboa, onde o programa era exibido na TV a cabo e provocava polêmicas e escândalos com os surtos politicamente incorretos de Paulo Francis e a absoluta informalidade que os jornalistas portugueses invejavam.

Nos últimos anos de vida, apesar de sua memória prodigiosa, Francis começava a ter esquecimentos pontuais, que justificava, debochado: "Hoje meu Alzheimer está péssimo." E ria. Mas ele não tinha doença alguma, só humor macabro: "A única coisa boa do Alzheimer é que todos os filmes são novos", e gargalhava.

96
PRIMEIROS E ÚLTIMOS

Com 58 anos, Nelsinho ficou feliz ao ser homenageado pela MTV como "O primeiro VJ brasileiro", por seu programinha *Papo Firme* na TV Globo, em 1969, e depois no *Jornal Hoje* e no *Sábado Som* – este, sim, o primeiro programa de rock internacional da TV brasileira. E nem eram clipes, mas números musicais extraídos de concertos de Jimi Hendrix, Janis Joplin, Pink Floyd, Black Sabath, entre outros, que o Brasil nunca tinha visto. Foi convidado a apresentar uma categoria de seus prêmios anuais em São Paulo, com o teatro lotado de jovens.

No camarim, foi visitado por vários artistas jovens – Simoninha, Max de Castro, João Marcello Bôscoli, VJs da MTV, Maria Paula, Astrid Fontenelle, músicos de bandas de rock –, e estava adorando a paparicação. Até que foi a um salão onde havia um grande bufê. Entre um salgado e um doce, olhou em volta e pela primeira vez constatou, aterrorizado: "Caceta! Sou a pessoa mais velha desta sala cheia."

Não durou muito o incômodo. Quando viu Jair Rodrigues entrando no salão, partiu para o abraço, e foi tão efusivo que Jair até ficou meio cabreiro. O "Cachorrão" estava comemorando seu sessentenário.

Nelsinho se deu conta de que sua geração era abençoada: na juventude, ganharam a pílula anticoncepcional; na maturidade, o Viagra; e na velhice, o Google. Liberdade, potência e memória.

96
FULLGÁS

Por indicação da Dra. Karla, sua dentista carioca, Nelsinho se tornou paciente do Dr. Jonathan Levine em Nova York, e passou a frequentar seu consultório na Quinta Avenida. Levine era um judeu nova-iorquino bonitão e simpaticíssimo, além de muito competente.

A grande novidade era o *laughing gas*, ou gás hilariante, que não chegava a provocar gargalhadas, mas tinha o efeito de um insistente zumbido de lança-perfume e provocava uma inconsciência leve e deliciosa. Lembrava velhos carnavais. Com fones nos ouvidos e dois tubinhos de gás nas narinas, naquela onda gostosa, o dentista podia lhe dar quantas anestesias quisesse e arrancar os dentes que bem entendesse e você nem notaria.

O gás de óxido nitroso era acoplado a um tanque de oxigênio e, terminada a sessão, bastava desligar o registro que o efeito passava imediatamente, sem deixar rastros de ressaca ou mal-estar. Com Levine e sua assistente, a Dra. Kellen Mori, uma japinha competentíssima de São Paulo, Nelsinho deu uma boa melhorada no teclado. Kellen contou que muitos dentistas acabavam se viciando no gás.

De volta ao Brasil, para sua alegria, a Dra. Karla, depois de infinitas burocracias e obstáculos do Conselho de Odontologia, sendo obrigada até a fazer um cursinho sobre anestesia, conseguiu autorização para instalar o gás maravilhoso no seu consultório em Ipanema.

"Eu amo ir ao dentista", dizia Nelsinho aos amigos incrédulos. Depois de uma pausa dramática, dava seus motivos: "Além de linda e supercompetente, minha dentista tem um gás maravilhoso."

Como entre os pacientes da bela Karla havia alguns doidões de carteirinha, tinha gente que inventava uma limpeza só para inalar o gás. Uma mais ousada chegou a propor: "Ô Karla, você podia botar um sofá aqui do lado, pra gente ficar deitada só tomando o gás... Esquece essa bobagem de odontologia."

02
SOB O SOL DE IPANEMA

Separado de Costanza desde 2000, Nelsinho reencontrou Dri Penna, uma garota grandona e animada, morena de traços fortes e beleza exótica, que conhecera em Nova York, onde ela tinha morado por dois anos. De inteligência e fala rápidas, usava as gírias mais atuais, era louca por música, trabalhava na Warner e adorava dançar. Era quase trinta anos mais nova que Nelsinho e logo se tornaram amigos. Ela foi ao lançamento do livro dele, *O canto da sereia*, e em seguida começaram a namorar.

Dri amava música eletrônica, sabia tudo, e, depois de algum tempo, certamente não havia nenhum jornalista musical da geração de Nelsinho que soubesse tanto quanto ele do que rolava de mais moderno. E Dri ouvia fascinada histórias da música brasileira, de personagens do mundo musical, que poucos de sua geração sabiam. Um troca-troca produtivo.

Preocupada com a saúde dele, ela o apresentou à ioga, de que era praticante havia muitos anos, tendo até viajado pela Índia em peregrinação. Meio relutante a princípio, Nelsinho acabou gostando de fazer duas sessões semanais em casa, com a professora Isabela, que continuariam pelos anos seguintes.

Em campanha contra o cigarro, que o acompanhava desde os 15 anos, Dri recusava-se, com toda a razão, a beijá-lo se estivesse com "boca de cinzeiro" e o convenceu a se tratar com a Dra. Cristina, uma médica especialista que Nelsinho chamava carinhosamente de "a cigarróloga".

Ele contou à médica que havia feito uma tentativa em Nova York com acupuntura na orelha e até havia parado com o cigarro, mas passou a fumar cachimbo sem tragar, o que era uma tortura, e sem saber que a nicotina entrava pela mucosa da boca e mantinha a adição. Não podia beber café, nem comer chocolate, nem tomar um gole de vinho sem fumar – era automático, pavloviano.

Poucos meses de abstinência depois, estava numa festa mamando seu cachimbo como uma chupeta quando passou um garçom com uma bandeja de vodca com suco de laranja, o famoso hi-fi de sua juventude. O álcool é o par perfeito do tabaco e desceu como uma bomba. Fumou cinco cigarros seguidos.

Ia ao consultório da "cigarróloga" duas vezes por semana para o que mais parecia uma psicanálise tabagística, já que envolvia não só a nicotina, mas hábitos pessoais e sociais arraigados, estilo de vida e outras intimidades. E muita conversa, alguns remédios e táticas e técnicas para se libertar do companheiro de uma vida inteira.

Foi duro, mas conseguiu parar por alguns meses; até tomava café sem querer fumar. E de fato passou a se sentir bem melhor, aguçando o paladar, o fôlego, a disposição para as caminhadas diárias no calçadão. Nadava três vezes por semana no Aquatop perto de casa. Podia beijar Dri a qualquer hora.

O único problema era que, com a falta de nicotina, o metabolismo fica mais lento, e o ex-fumante engorda, um clássico. Nelsinho engordou 6 quilos, que, para seu parco 1,67 metro, o transformaram numa barrica humana. Numa bela manhã, caminhando por Ipanema, cruzou com um casal de idosos, que pararam para conferir se era ele mesmo, da televisão. Ela veio até Nelsinho, olhou-o de alto a baixo, e disse, com cara de nojo: "Ô Nelson Motta, como tu está gordo, hein!"

Com Dri Penna na festa de seus 60 anos, no Gavea Golf.

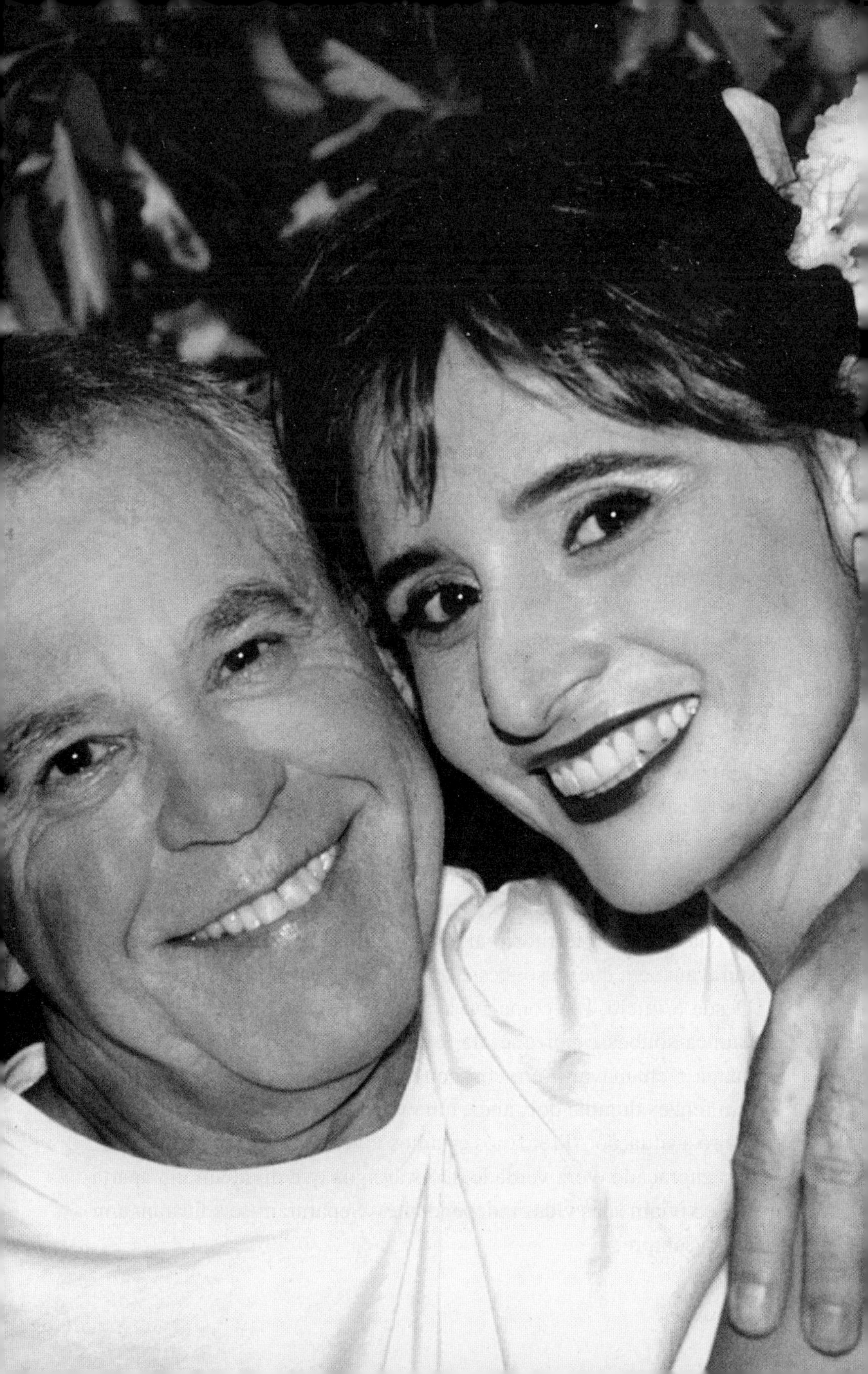

O marido, envergonhado, tentou levá-la. Nelsinho ferveu por dentro com a crua verdade e com o desacato de uma desconhecida. Então se lembrou da frase de uma camiseta de Nova York e mandou na lata: "Quem é gordo pode emagrecer, mas quem é feio não tem jeito."

Além de feia, ela também era gorda. E abusada.

Voltou a fumar.

Nelsinho e Dri passaram a morar juntos em Ipanema, mas viviam vidas separadas. Ela amava a night e a dança, era uma clubber vocacional. Ele gostava de acordar cedinho para caminhar no calçadão e se recolhia às dez. Ela saía de casa às onze, meia-noite, voltava enquanto ele dormia e só acordava depois das dez para trabalhar em seu escritório de promoção e marketing de artistas.

Nelsinho nunca perdeu um minuto pensando "Onde ela está? Com quem está? Fazendo o quê? A que horas vai chegar? Vai beber? Tomar ecstasy?". Sentia-se completamente vacinado contra o vírus demoníaco da possessão, do controle e do ciúme. Era uma conquista, uma vitória sobre o tanto que sofrera com esse inimigo.

Ela amava praia; ele, o sofá. Ela adorava dançar; ele preferia ler. Ela era festeira e noturna; ele, diurno e caseiro, passava o dia inteiro escrevendo. Cada um fazia o que queria. Tinham a música e a arte como ligação e às vezes saíam juntos para algum show ou alguma festa. Plena harmonia por contraste. Sem brigas e discussões. DRs, nem pensar. Viviam em um território afetuoso em que a amizade e o amor se misturavam sem que se soubesse quanto era de uma ou de outro.

Desde o início, Dri começou a chamá-lo carinhosamente, sem que ele nunca soubesse por quê, de Preto. Gostou. Era assim que Maria Bethânia o chamava. E em consequência passou a chamá-la de Preta. Foram felizes durante dois anos, uma vitória. Mas foi ela que entendeu primeiro a situação: "Preto, nós estamos vivendo como dois roomates!"

Era engraçado e era verdade. Dois amigos que dividiam um apartamento e viviam suas vidas independentes. Separaram-se e ficaram amigos para sempre.

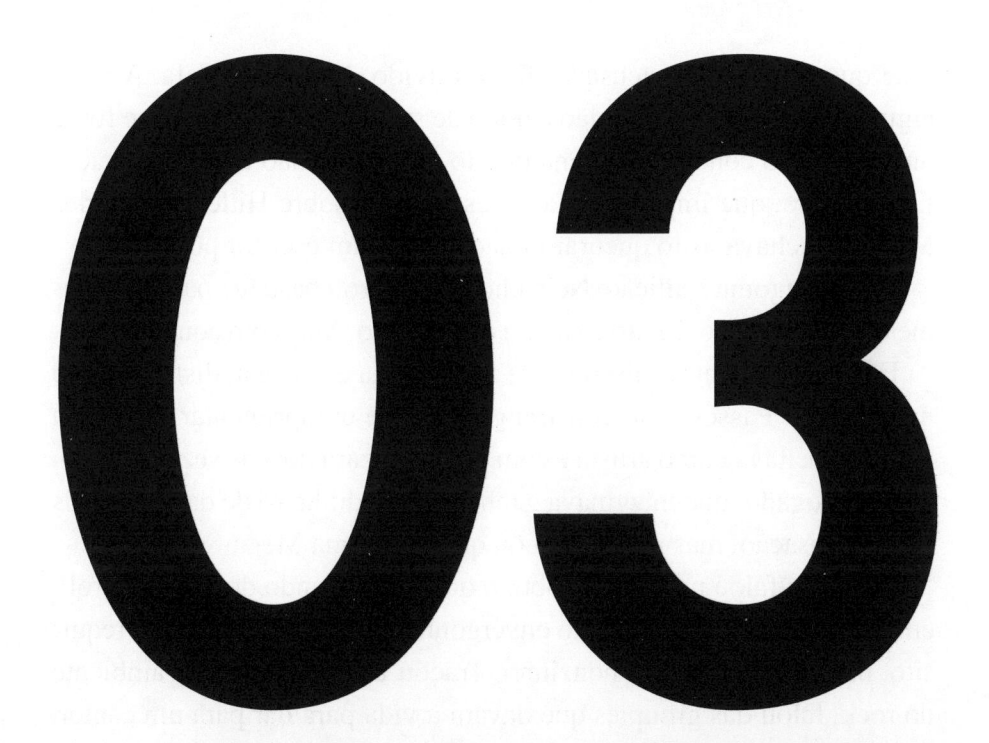

03
O PRIMEIRO PROCESSO

Três anos depois de seu lançamento, quando já tinha mais de 100 mil exemplares vendidos, *Noites tropicais* levou Nelsinho ao tribunal. Renato Barros, líder do lendário Renato e seus Blue Caps, contestava um trecho que contava que vários integrantes da Jovem Guarda foram acusados, em 1966, de abuso de menores por um juiz carioca e vários tiveram que fugir às pressas. Entre eles estavam Erasmo Carlos, Carlos Imperial e um músico da banda Renato e seus Blue Caps. Era tudo verdade, comprovado por jornais da época e testemunhos. Em nenhum momento Renato era citado ou acusado de nada.

Mesmo assim, a juíza Sonia tinha dado ganho de causa a Renato e arbitrado uma indenização milionária que quebraria a Editora Objetiva e levaria Nelsinho à falência.

Foi assim que ele ficou sabendo do processo em que era réu mas nunca tinha sido ouvido. "Ele mora em Nova York" foi a alegação, falsa, porque já estava no Brasil havia três anos.

A advogada da Objetiva entrou com pedido de anulação da sentença e de que Nelsinho, o acusado, fosse ouvido. Marcaram data. A juíza argumentava que só o cidadão é dono de sua biografia. Mesmo se fosse um criminoso condenado, tinha direito a que isso não fosse publicado. Era sua tese, que impediria que se escrevesse sobre Hitler ou Charles Manson. Achava justo quebrar uma editora e um escritor por isso.

Dias de agonia e aflição. Nelsinho se preparou bastante para o depoimento. Os fatos e o direito estavam do seu lado. Mas com aquela juíza...

Foi todo elegante e discreto, de terno cinza e gravata, disfarçando o nervosismo. Passou pelo constrangimento de cumprimentar Renato, a quem respeitava como artista e com quem cruzara poucas vezes na vida, e seu advogado, que imaginava ganhar algum dinheiro de danos morais com a acusação, mas nunca sonhou que seria uma Mega-Sena.

Nelsinho falou meia hora sobre o que era o mundo do rock and roll, em que a fama de bad boy não envergonha ninguém, é quase um requisito, não existe roqueiro bonzinho. Traçou um panorama do ambiente do rock, falou das groupies que davam a vida para dar para um cantor, um músico, um técnico ou até um roadie de sua banda favorita. Erasmo Carlos, que, na juventude, se envolveu com algumas groupies que o assediavam, chegou até a ser condenado no mesmo processo, mas isso não o impediu de se tornar um cidadão exemplar, pai de família, antimachista, antirracista, antissexista, admirado e respeitado por todos.

A história, quase uma nota de rodapé em um capítulo sobre a Jovem Guarda no livro, estava provada por inúmeras reproduções de jornais da época e confirmada pelo também condenado Carlos Imperial. Todas as provas falavam da condenação de um músico da banda de Renato, não dele. Que culpa teria Renato do comportamento dele? Era babá de músico? Nelsinho pensou, mas não disse.

Seguro de seus argumentos, estava inspirado e fez uma ótima palestrinha de meia hora sobre a mitologia do rock e da Jovem Guarda. Notou que a juíza ouvia encantada, como uma fã. Ou seria impressão dele?

No dia seguinte, com grande surpresa, Nelsinho recebeu um e-mail da juíza. Ela se dizia encantada com o depoimento dele, a inteligência, o charme, a simpatia, e, entre outros elogios, o convidava a fazer-lhe uma visita em seu apartamento no Leblon. Passado o susto inicial, Nelsinho respondeu que dois dias depois poderia dar uma passada rápida para um café. Ô loko, sô!

O pessoal da Objetiva ficou excitadíssimo, Isa Pessoa e Bob Feith brincavam que Nelsinho deveria fazer um sacrifício pela causa, se necessário fosse.

A magistrada quarentona não era feia, mas não chegava a ser bonita. O interesse de Nelsinho era antropológico, comportamental e jurídico.

Um temporal caía sobre o Leblon no fim da tarde quando ele tocou a campainha e a juíza abriu a porta, toda sorridente.

Sentou-se no sofá, a uma prudente distância da doutora, e contou mais algumas coisas sobre o mundo do rock para reforçar sua tese. Falou de grandes biografias que não existiriam com a tese dela. Mas ela tinha outras preocupações. Era divorciada, dizia que se sentia muito solitária e perguntava: "Como você faz para vencer a solidão?" Epa! Nelsinho ligou o sinal amarelo e mudou de assunto. Jogou conversa fora por quinze minutos e se despediu.

Sua advogada entrou com um recurso, mas, apesar do depoimento e da argumentação jurídica, a juíza manteve a sentença de morte para Nelsinho e a Objetiva.

Recorreram ao Tribunal de Justiça e ganharam por três a zero, com os desembargadores pulverizando a esdrúxula tese da juíza sapeca.

04
É A ARTÉRIA, ESTÚPIDO!

Nelsinho começou a sentir estranhas dores nas panturrilhas, que foram piorando a ponto de ter que interromper uma caminhada depois de alguns metros, tamanha era a dor.

Seu médico pediu uma ressonância magnética das pernas, que não revelou nada de errado. Indicou que o problema parecia ser ortopédico e viajou para um congresso. Mas as dores não passavam, e Nelsinho procurou um renomado ortopedista. O cara era um quarentão elegante e parecia muito seguro. Suas paredes estavam cheias de fotos de atletas que ele havia curado.

Ele diagnosticou uma tal de síndrome do túnel do tarso e iniciou uma série de injeções dolorosíssimas ao longo de todo o nervo que vai da panturrilha ao tornozelo, numa sequência de vinte picadas. Em cada perna. Nelsinho tinha que fazer respiração de hiperventilação para suportar a dor. Durante três meses, foi submetido a essa tortura duas vezes por semana. Pagando caro para sofrer. E as dores não melhoravam.

Nelsinho desistiu do renomado, que não se interessou em saber como ele estava nem por que não tinha mais voltado. Quando ligou, foi para convidá-lo para abrilhantar seu aniversário de 10 anos de casamento no Hippopotamus, junto com Lulu Santos e outras celebridades. Queria exibi-lo aos amigos e nem perguntou se Nelsinho ainda estava de pé ou com saudades de sua tortura, sua arrogância e sua incompetência.

O problema não era ortopédico, mas circulatório. A sorte do renomado era não morarem nos Estados Unidos, onde ele tomaria um processo milionário por negligência médica. Mas Nelsinho não queria um escândalo público; apenas passou a contar sua experiência inesquecível quando falavam dele.

Sem solução, procurou o médico de suas filhas, Dr. Fernando Portela, que o salvou. Pediu uma ressonância da cintura para baixo, que revelou um entupimento de 70% da artéria ilíaca, uma bomba que poderia explodir a qualquer momento. Elementar: o sangue não irrigava as pernas e elas doíam.

Nelsinho então foi submetido à implantação de um stent de titânio, que desentupiu a artéria e deixou o sangue fluir. De volta da anestesia, no quarto, viu que estava com um Band-Aid na virilha, por onde entrara o tubinho com microcâmera que levava o stent e o abria dentro da artéria. Sentia-se muito bem. Caminhou pelo quarto sem nenhuma dor, foi até a varanda, fumou um baseado e voltou para casa.

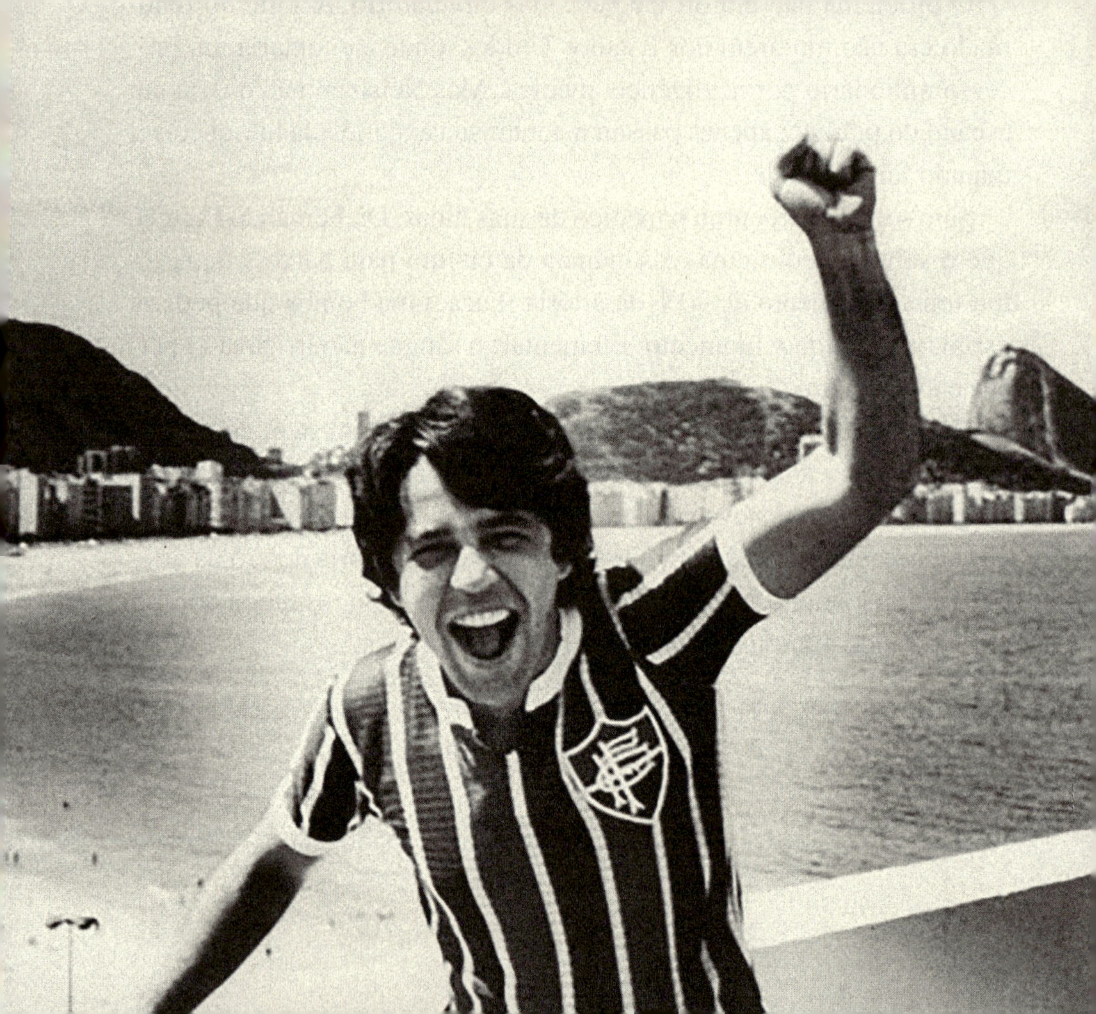

00

CORAÇÃO BOLEIRO

Em São Paulo, Nelsinho conheceu Rodrigo Teixeira, um garotão bonito e educado, filho de uma bela dama carioca sua conhecida e que estava começando na carreira de produtor com uma ótima ideia: a coleção de livros Camisa 13, unindo a paixão pelo futebol à literatura e ao cinema.

Rodrigo convidou treze escritores apaixonados por seus times do coração para escreverem livros sobre eles. Torcedores como Ruy Castro, Luis Fernando Verissimo, Washington Olivetto, Eduardo Bueno, Mario Prata, José Roberto Torero, Aldir Blanc e outros craques das letras, escrevendo sobre Flamengo, Internacional, Corinthians, Grêmio, Palmeiras, Santos, Vasco. Um timaço.

Nelsinho foi chamado para escrever o livro do Fluminense. O gênero era livre, podia ser conto, romance, reportagem, e o contrato, generoso: cada autor ganharia um "levado" para escrever o livro e manteria seus royalties sobre as vendas. Rodrigo ficaria com os direitos para o cinema, seu principal objetivo no projeto.

Saudações tricolores no terraço da cobertura em Copacabana, 1979.

O primeiro livro a sair foi o do rubro-negro roxo Ruy Castro, com um título que era um achado poético: o stendhaliano *O vermelho e o negro*, com o subtítulo "Pequena grande história do Flamengo". Era um lindo livro, porque não narrava só a história do Flamengo, mas a do Rio de Janeiro no início da década de 1920, quando os domingos eram dias de regatas na enseada de Botafogo, o esporte mais popular da época, enquanto o futebol começava como esporte inglês de playboys e mauricinhos, e o Flamengo nascia de uma costela do Fluminense.

Nelsinho preferiu contar não a longa história de glórias tricolores, mas a biografia do time legendário de 1975-1976. Conhecido como Máquina Tricolor, tinha entre suas estrelas Rivelino, Paulo Cesar Caju, Carlos Alberto Torres, Carlos Alberto Pintinho, Edinho, Dirceu, todos da Seleção brasileira, e o centroavante Narciso Doval, da Seleção argentina. O grupo não só ganhava jogos como dava shows de bola, encantando até torcidas adversárias.

A Máquina saiu da cabeça, da audácia e da criatividade de uma figuraça, o juiz Francisco Horta, presidente do Fluminense, que formou um time de estrelas sem um tostão, fazendo todas as estrepolias e irresponsabilidades em nome de um objetivo maior.

Além de tudo, Horta tinha humor e cara de pau, e nas entrevistas a Nelsinho e seu sobrinho Pedro Motta Gueiros, experiente repórter esportivo, contou casos hilariantes envolvendo grandes personagens do futebol brasileiro, como Vicente Matheus, o lendário presidente do Corinthians que se celebrizou por frases como "Quem tá na chuva é pra se queimar", "O Rivelino é invendável e imprestável", "Peço aos eleitores para naufragarem a nossa chapa", "Foi um jogo que agradou a gregos e napolitanos", e a imortal "O jogo só acaba quando termina".

Fluminense: A breve e gloriosa história de uma máquina de jogar bola é uma epopeia esportiva que dura dois anos, encantando a torcida no Brasil e na Europa, mas sem final feliz. A Máquina acabou sendo derrotada por 2 a 0 em pleno Maracanã, na semifinal do Brasileiro contra o Inter de Falcão, Carpegiani, Batista e Figueroa, muito mais aguerridos e combativos que os príncipes cariocas.

A outra derrota, de novo na semifinal do Brasileiro, entrou para a história como a invasão corintiana do Rio de Janeiro, com 70 mil torcedores da Fiel ocupando metade do Maracanã, o tempo todo apoiando seu time medíocre, mas guerreiro, contra o melhor time do Brasil. Debaixo de chuva, com o campo alagado, nivelando por baixo o jogo, os paulistas arrancaram um empate e acabaram ganhando nos pênaltis.

Outros livros da coleção eram ótimos, como o de Washington Olivetto sobre o Corinthians, metade só com mentiras deslavadas e muito mais engraçadas que a metade das verdades. E o do gremista patológico Eduardo Bueno, com uma apologia ao "futebol de macho", exaltando os cabeças de área e volantes de contenção, as retrancas, o espírito guerreiro, divertidíssimo.

Mas o único a virar filme foi o do palmeirense Mario Prata, uma comédia sobre um corintiano roxo que se apaixona por uma palmeirense – que só perde em fanatismo para o pai – e tem que fazer milagres e engolir sapos para se passar por palmeirense diante da namorada e do sogrão. Chegam a ir juntos a Tóquio para a final do Mundial de Clubes, até que a farsa acaba sendo descoberta. Mas tudo acaba bem, como no longa *O casamento de Romeu e Julieta*, dirigido por Bruno Barreto e baseado no livro.

02
NO MUNDO DA FANTASIA

Confirmando John Lennon, a vida era o que acontecia a Nelsinho enquanto ele estava ocupado fazendo outros planos.

Depois do bem-sucedido guia cultural *Nova York é aqui: Manhattan de cabo a rabo*, sugerido pelo mestre Zuenir Ventura a Roberto Feith, sócio da Editora Objetiva, no enterro de Paulo Francis, e dos 100 mil exemplares vendidos de *Noites tropicais*, Nelsinho foi cobrado por Xixa: "Olha aqui, meu filho, o *Noites tropicais* é muito bom, é ótimo, mas é um livro de jornalista, né? Para ser escritor de verdade, você tem que escrever um romance."

Nelsinho não quis discutir, mas não era qualquer jornalista que poderia ter escrito o *Noites*. O livro era a versão pessoal de alguém que não só testemunhou como participou dos movimentos mais importantes da música brasileira e conviveu com seus grandes personagens de 1958 até 1992. Resolveu aceitar a sugestão de Xixa como um desafio. E dedicou a ela sua primeira ficção, *O canto da sereia: Um noir baiano*. "A Xixa e Nelson, mãe e pai que me mandaram escrever este livro."

Além da ordem de Xixa, Nelsinho contou com a ajuda da amiga e uma de suas ficcionistas prediletas, Patrícia Melo, com quem foi almoçar depois de um movimentado Carnaval baiano, empolgado com o que tinha visto. Contou a ordem da matriarca às gargalhadas e Patrícia riu, mas disse que estava, sim, na hora de escrever uma ficção e que o Carnaval baiano era um ambiente muito propício. "Conta isso que você me contou e põe um cadáver na primeira página, o assassino na última, e no meio você vai enrolando o leitor."

Quando ainda moravam em Nova York, sua filha Nina, então com 20 anos, também lhe dera um bom empurrão uma noite ao chegar em casa meia hora depois do combinado. A bateria do celular tinha acabado, e ela encontrou o pai nervosíssimo, quase chorando, desesperado com o celular na mão, pensando em ligar para o 911 da emergência.

– C'mon, pops. Também não é pra tanto. Diz aí, o que você imaginou que podia ter me acontecido?

– Ah, sei lá, alguém empurrou você na frente do trem na estação do metrô... você foi cercada por uma gangue numa rua escura do Lower East Side... foi presa...

– Stop! Pó pará. Go write fiction!

Não se sabe se melhorou sua ficção, mas com certeza diminuiu muito sua paranoia com as filhas. Anos antes, havia se queixado com o analista da tensão e do desgaste da paranoia com as filhas adolescentes, e ele respondeu: "Para criar filhas adolescentes no Rio de Janeiro de hoje, a paranoia é o método."

Fim da sessão.

Quando Nelsinho começou a escrever *O canto da sereia*, já indicava no subtítulo "Um noir baiano" o seu caráter de paródia contraditória: a Bahia solar e luminosa era o oposto de noir; e, ao mesmo tempo, não havia nada mais noir que a Bahia negra e mestiça. Um romance policial com um investigador baiano pé de chinelo se metendo a desvendar o assassinato misterioso de uma jovem estrela do axé em pleno Carnaval era quase uma contradição em termos.

Xixa gostou. Fazia observações pontuais quando Nelsinho lhe mandava os capítulos, como um folhetim. Em dado momento, reclamou: "Tem muito sexo. Dá uma acalmada." Que ninguém ousasse atribuir a Xixa qualquer moralismo em suas críticas – era fã de Charles Bukowski, Philip Roth e Henry Miller, amiga de Cazuza e Neusinha Brizola, não se assustava com palavrões e putarias; era uma questão literária. Claro que o abuso de cenas de sexo desvalorizava as próprias cenas de sexo, que ficavam banalizadas e sem força. O melhor era concentrar, adensar, valorizar, como foi feito.

Quem não tem mãe não tem nada.

04

A MUSA ARMADA

Animado pela boa repercussão de *O canto da sereia* e sentindo-se mais tarimbado em truques da ficção, partiu para o segundo: *Bandidos e mocinhas*, um romance de morte e mistério, mas também uma (quase) impossível história de amor entre um bandido educado e uma delegada loura, sexy e impetuosa.

O Brasil havia mudado muito enquanto Nelsinho morava em Nova York. Antes, não haveria a possibilidade, por inverossímil, de um romance policial com uma heroína delegada, por falta tanto de credibilidade da polícia quanto de beleza e feminilidade entre as mulheres policiais.

Quase não acreditou quando viu na coluna de Joaquim Ferreira dos Santos a foto de uma loura espetacular de cabelos lisos até a cintura e olhos azuis, e arma na cintura: a delegada Monique Vidal, titular da 13ª DP, em Copacabana. Era a personagem que faltava. Só teria que tomar cuidado para não a mostrar fazendo barbaridades no livro, mesmo sendo outro personagem com outro nome. A musa poderia não gostar e era o tipo de mulher com quem ninguém quer brigar. Seria, literalmente, uma "chave de cadeia". Mas não deixaria de ser loura e sexy. Pela primeira vez na literatura policial brasileira, a protagonista era uma delegada, uma mulher forte, bonita e inteligente. E independente.

E usou como base para o bandido educado seu amigo de infância Dom Pepe. Negro e filho de uma cozinheira, ele foi criado em meio à família de um desembargador que morava no mesmo prédio que Nelsinho, estudou em ótimos colégios e era educadíssimo. Malandro e educadíssimo, como o personagem que Nelsinho imaginou, um chefe do tráfico que levava uma vida dupla.

Escreveu o livro em três meses e, quando ficou pronto, começou a falar para a imprensa da delegada, a do livro, chamando-a de "delegata", esclarecendo que nada tinha a ver com a delegada Monique, era pura ficção. Um pulp fiction carioca misturando o mundo teatral com o tráfico de drogas, favelas e mansões.

Na noite de lançamento, para compensar o público pelas abomináveis filas para autógrafos, Nelsinho montou na Livraria da Travessa, em Ipanema, uma leitura dramática de trechos do livro com um grande elenco: Marília Pêra lendo um trecho de Lana Leoni, a atriz assassinada; Fernanda Torres, da delegada Marlene; Lázaro Ramos, de Dida, o bandido educado; e Edwin Luisi, do marido traído, George Baker.

Apesar do elenco estelar e de muitos outros artistas e celebridades presentes, assim que a leitura acabou e Nelsinho foi para a mesa, a livraria parou: de conjunto jeans, salto alto e cabeleira dourada até a cintura, a delegada Monique entrou na fila cercada de fotógrafos e foi a estrela da noite.

Foi muito simpática com Nelsinho, tirou fotos, agradeceu a homenagem e o autógrafo. E uma repórter cochichou-lhe que ela andava sempre com uma pistola na bolsa e namorava um lutador de MMA.

Em 2004, na comemoração dos seus 60 anos de casamento, Nelson e Xixa encomendaram uma missa na capela da Casa Santa Ignez, pertinho da casa deles, na Gávea. Entraram os dois de branco, felizes e sorridentes, Nelson completamente apaixonado, grudado na mãozinha dela, sob os aplausos da família. Como filho mais velho, Nelsinho foi escalado para saudar os pais. Falou do milagre do amor e reclamou de uma impossibilidade: "Vocês estabeleceram um patamar tão alto que nem com todos os meus casamentos e os das minhas irmãs, juntos, conseguimos chegar perto."

06

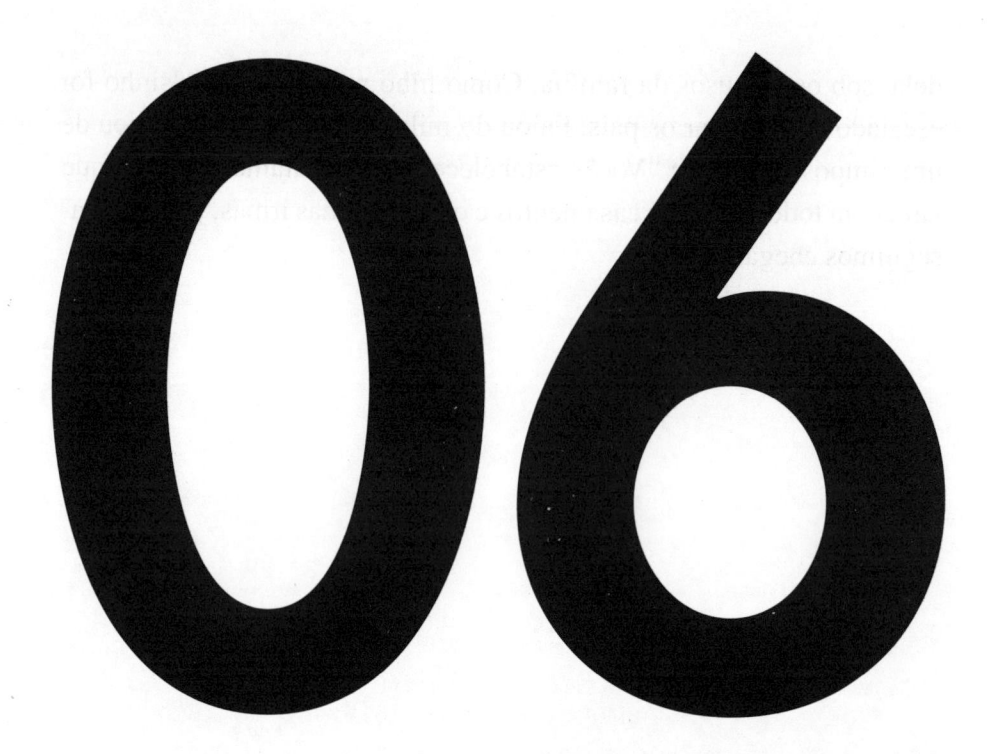

AO SOM DO MAR

Como se houvesse planejado, embora apenas seguisse sua intuição, Nelsinho finalmente escreveu um romance como queria, com a ajuda de sua querida editora Isa Pessoa.

Pouca gente faz ideia da importância do trabalho de um editor. É a pessoa que vai sugerir cortes, acréscimos, mudanças, funcionando como "analista literário" e "personal crítico" do escritor, para protegê-lo dele mesmo. Nelsinho adorava: era exatamente o que ele fazia quando produzia discos. Só que agora o artista era ele. E encontrou em Isa uma alma irmã, com muitas afinidades literárias. Uns 95% de suas sugestões foram acatadas por ele e melhoraram seus livros. *Ao som do mar e à luz do céu profundo* foi o sexto.

Ainda existem escritores das antigas do tipo "No meu texto ninguém toca", mas é tão pretensioso quanto ridículo, a não ser que se trate de um Jorge Luis Borges, um Dalton Trevisan, um Guimarães Rosa. Por que não contar com alguém para ajudar a melhorá-lo?

Xixa adorou: "É o seu melhor livro." Nelson também gostou muito, mas já deixara de ser um juiz confiável. Desde algum tempo gostava de tudo o que Nelsinho fazia, era totalmente coruja, atropelando critérios com o coração e dizendo: "Meu filho, você só me dá alegrias." Ouvir isso de um pai dá sentido a uma vida.

E Nelsinho se lembrava dos tempos duros, entre os 15 e os 30 anos, com o pai bufando em seu cangote, sempre pedindo mais, cobrando mais, com doçura, mas com rigor.

– Pai, tenho quatro empregos: o *Jornal Hoje*, a coluna de *O Globo*, a produtora de jingles e sou programador da Rádio Mundial.

– Mas precisa dar mais, melhorar, estudar, crescer.

Para Nelson, a vontade era como um músculo: precisava ser exercitada diariamente. Senão ficava flácida quando você precisava dela.

Depois de o filho ter dado algumas alegrias a ele, começando pela vitória no Festival da Canção, com 22 anos, e a coluna de jornal no *Última Hora*, aos 23, Nelson mudou radicalmente de atitude quando Nelsinho chegou aos 30. Passou a achar maravilhoso tudo o que ele fazia, mesmo as colunas piores e mais banais, e não era mais aquele avaliador confiável, como na época em que Nelsinho começou a escrever a coluna "Roda Viva" no *Última Hora*.

Todo dia de manhã, quando ia tomar café, encontrava a coluna comentada com tinta vermelha na letrinha pequena e caprichada de Nelson, ex-grande jornalista que abandonara a profissão, mas não a paixão, para ser advogado, como seu pai, seu avô e seu bisavô. Escrevia muito bem – era conciso, preciso, econômico –, e isso muito o ajudou na carreira de advogado. E muito ensinou a Nelsinho.

É claro que ele gostaria de ter um filho advogado que lhe sucedesse no escritório, mas Nelsinho achava que, no fundo, ele teria se realizado mais com sua carreira jornalística, que era sua vocação frustrada. Aos 22 anos, o pai o presenteara com um exemplar da obra poética de Fernando Pessoa em papel-bíblia, com a dedicatória: "Para meu Né querido, minha alegria, minha esperança, que vai ser aquilo tudo que eu gostaria de ter sido, o amor do Papai."

Quando Nelsinho fez 30 anos, o pai contou-lhe sua descoberta: "Se os pais conseguissem criar os filhos à sua imagem e semelhança, o mundo andaria para trás. São os filhos que ensinam aos pais, que aprendem com eles coisas novas que os transformam, que os fazem evoluir. São ideias novas, de comportamento, de cultura, de política, de filosofia. Que os fazem aceitar as diferenças. Como fez um machão como o João Araújo em relação ao Cazuza, tornando-se uma pessoa melhor. Ao aceitar no seu filho, por amor, aceita nos filhos dos outros. E assim o mundo evolui."

Cada coluna passou a ser "a melhor coisa que você escreveu na vida", e Nelsinho perdeu seu melhor crítico, ao mesmo tempo que ganhava seu maior fã. Por outro lado, passou ele mesmo a ser seu crítico mais rigoroso. Achava *O canto da sereia*, como dizia Tim Maia, "meio quatro-quatro-meia". Não chegava a cinco. O livro se revelou melhor como argumento de minissérie do que como romance. Aprendizado.

Bandidos e mocinhas era um pouco melhor, mais estruturado, com trama, personagens e escrita melhores. Sexo, traições, violência e mistério. O cenário era a violenta Baixada Fluminense em vez da festiva Salvador.

Já *Ao som do mar e à luz do céu profundo*, verso do Hino Nacional que sucede à maldição "deitado eternamente em berço esplêndido", Xixa considerava seu título mais bonito e seu melhor livro.

Pouco depois de terminá-lo, Nelsinho recebeu de um amigo uma gravação pirata, mas com ótima qualidade de som, de João Gilberto cantando o Hino Nacional no Teatro de Santa Isabel, no Recife, em 2002. A voz doce de João e seu violão harmonioso numa interpretação que tira toda a patriotada e a cafonice do hino e transforma o espírito marcial em amoroso.

Não é a avacalhação do hino em samba ou em bossa nova. É um refinamento do solene, deixando só o essencial, sem qualquer excesso, revelando a beleza da melodia com as harmonias de João e seu sentimento contido e leve. É o hino de um país que foi sonhado por outras gerações e nunca se realizou. O hino de um país imaginário.

Quando Fernando Meirelles lhe escreveu elogiando *Ao som do mar*, Nelsinho teve esperanças de ver o livro filmado por um grande diretor como ele. Imaginava na tela a protagonista, uma gata californiana atlética de 16 anos, louca por futebol e boa de bola, que ama o Brasil, falando um português fluente e cheio de gírias com um sotaque engraçado, que vai morar com o pai adido militar viúvo, um quarentão charmoso como George Clooney, no Bairro Peixoto, que era como uma pequena cidade do interior no meio da Copacabana de 1960.

Caroline jogava mais bola do que muitos garotos, mas teve que se impor para ser a única mulher do time que fundou e disputar o campeonato da praia, o Carioquinha, com bola e jogo de camisas dados pelo pai.

A chegada de Caroline, que a turma de garotos da rua chama não de "Carolaine" ou de "Quérol", mas de "Caróu", transforma a vida de vários jovens que estão virando adultos numa cidade que deixa de ser a capital da República. E num país que vive o fim da gloriosa e otimista era JK antes de entrar no moralismo e obscurantismo do farsante Jânio Quadros e sua renúncia estapafúrdia, que levou ao caótico governo João Goulart e ao Golpe de 1964.

Quando começou a escrever o livro, Nelsinho pensou em ir até o Bairro Peixoto, onde havia morado em 1960, época em que se passa o romance. Ainda bem que não foi. Assim que o livro saiu, um jornal o levou para fazer fotos no local. Viu meia praça ocupada por um playground, com uma enorme fonte cafona de cidade do interior, cercada por uma calçada de pedras portuguesas como Copacabana, prédios altos, médios e sem graça, restando poucos dos predinhos de três andares sem elevador e raras casas do cenário do livro. O choque foi tão grande com sua memória de uma grande praça de terra com um bambuzal e bancos de cimento, rodeada de casinhas e prédios de três andares, que pensou que seria muito mais difícil escrever o que escreveu depois de uma visita ao Bairro Peixoto tal como havia se tornado.

Os direitos de *Ao som do mar* foram comprados pela TV Globo para uma minissérie com roteiro de Patrícia Andrade e Nelsinho. Mas, quando a sinopse já estava aprovada e Nelsinho, mais animado do que nunca, veio um balde de água fria: a próxima novela das nove, *Avenida Brasil*, de João Emanuel Carneiro, seria justamente em torno do jogador de futebol Tufão. A história da garota americana que jogava futebol foi para escanteio. Faltou sorte.

06
DOUTOR EM AXÉ

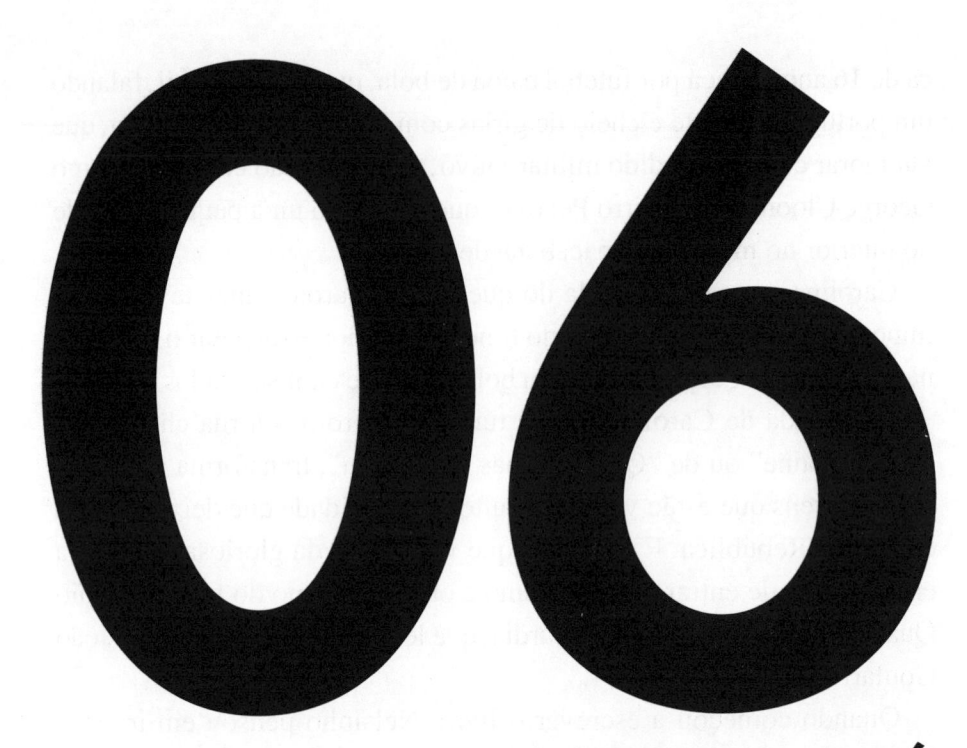

Antes de escrever *O canto da sereia*, Nelsinho fez um mestrado em axé como produtor do CD *Eletrodoméstico*, de Daniela Mercury, gravado ao vivo em Salvador em 2006.

Ao conhecer Daniela num show em Nova York, em 1993, ficou maravilhado. Encantou-se com o suingue, a energia, a musicalidade e a sensualidade baiana de uma grande cantora à frente de uma banda sensacional, puxada por uma percussão pesada e irresistível. O público enlouqueceu. Nelsinho teve pena da banda americana que se apresentaria em seguida.

Depois do show, foi cumprimentá-la no camarim. Não se conheciam pessoalmente, mas Nelsinho já gostava muito dela e de sua música e, antes de sair do Brasil, chegou a celebrá-la numa coluna como uma Iansã vingadora de espada na mão para quebrar a hegemonia do sertanejo que ocupava todos os espaços.

Em contraste com a melancolia e as terças tristes do sertanejo, Daniela trazia a alegria, a dança e a música das ruas da Bahia com uma instrumentação moderna e um ritmo irresistível. Era o que ainda se chamava de samba-reggae e só depois seria apelidado por um jornalista baiano de "axé music", com intenção pejorativa. Mas o nome era tão bom, tão adequado, que colou. Era verdade: Daniela trazia o axé, a felicidade, a esperança para o ambiente brega e sombrio do governo Collor.

Ficou para sempre gravada na memória "desafetiva" de Nelsinho uma foto histórica de Collor e Rosane no jardim da Casa da Dinda cercados por sessenta duplas sertanejas. Confirmava que cada governo tem a música que merece.

Em Nova York, ficou encantado com Daniela, uma exuberante morena de 28 anos, muito simpática e afetuosa, pura baianidade. O Oxóssi de Nelsinho se deu bem com o Oxalá de Daniela, e logo fizeram planos para o desenvolvimento de uma carreira internacional. Ela queria que Nelsinho, a partir de Nova York, cuidasse disso. Embora nunca tivesse atuado como empresário de cantores, poderia dar orientação artística, fazer contatos profissionais. Mas pediu a ela que consultasse seu empresário, Manoel Poladian, para evitar confusões.

Daniela seguiu para shows na Europa e Nelsinho recebeu um telefonema nervoso de Poladian, que administrava a carreira da cantora no Brasil e naturalmente não via nenhuma graça em perder seu controle no exterior, justo quando ela começava a decolar internacionalmente. Nelsinho achou melhor declinar. Mas ficou amigo de Daniela. Adoraria trabalhar com ela em outra oportunidade.

Em 2006, essa oportunidade enfim surgiu. Daniela o chamou para produzir seu novo disco. Mas a essa altura Nelsinho tinha se aposentado da carreira de produtor de estúdio. Não aguentava mais passar dias e noites enfurnado em uma caverna tecnológica, ouvindo mil vezes a mesma música – até que ficasse boa mas também insuportável, depois de tanta repetição. Simplesmente não tinha mais paciência.

Um de seus mantras era justamente "paciência–humildade–entrega", algo que havia orientado sua carreira de produtor. E seguia acreditando na humildade de reconhecer que o disco é do artista, oferecer-lhe canções e opções, atuando como um personal crítico, um psicanalista musical, com a entrega de um samurai para defendê-lo de tudo – e principalmente de si mesmo.

Foi assim desde Elis Regina, passando por Joyce, Marisa Monte, Sandra de Sá, Elba Ramalho, Fernanda Takai – e até com Tim Maia. Nelsinho se orgulhava de nunca ter tido uma briga, nem sequer um bate-boca acalorado, que seria normal, com qualquer artista que produziu. Ter conseguido isso só com Elis e Tim já seria uma façanha digna do Guinness. O mantra funcionava.

Em momentos de aperto sempre se lembrava do amigo Nesuhi Ertegün, lenda viva da indústria do disco: "Nesse nosso business é preciso desenvolver um 'segundo gosto', entendeu, my boy?"

Com Daniela não foi diferente. Não haveria estúdio; o disco seria ao vivo, gravado na concha acústica do Teatro Castro Alves, em Salvador, com convidados internacionais. Era juntar o útil ao agradável: uma temporada em Salvador, no 21º andar do Hotel Pestana, olhando o mar da Bahia e ensaiando com uma grande artista empenhada em evoluir, experimentar novidades, crescer e surpreender.

Todos os dias ensaiavam à tarde no estúdio bem equipado de Daniela, na Pituba, com pausas para lanchinhos; tudo no "tempo baiano" que Nelsinho adorava. Gostava de ir à Bahia para experimentar isso. Não se impacientava, não se apressava, não se irritava. Tudo acabava acontecendo na sua hora. Aprendeu que, no "tempo baiano", há quatro gradações: lento, lentíssimo, devagar quase parando e dorival-caymmi.

Grande profissional, obcecada pelo trabalho, com uma energia extraordinária, Daniela levava os ensaios a sério, cantando para Nelsinho como se estivesse sendo ouvida por 20 mil pessoas. Dava tudo e mais um pouco, suava a garganta e, claro, melhorava sempre. Nos longos voos em que a acompanhou em shows pelo Brasil, para vê-la em ação e ter ideias, os dois discutiram em profundidade o repertório, aproveitando a maior qualidade de Nelsinho como produtor: a de ajudar os artistas a escolherem as canções de um álbum, entre novidades, clássicos e pérolas escondidas.

Daniela queria mudar, mas sem deixar de continuar sendo ela mesma.

Era também a opinião de Nelsinho. Seria mais eletrônica, mais versátil e mais moderna, sem perder o suingue das ruas de Salvador, que tem nela um símbolo e uma paixão. Foi difícil, mas a gravação de *Eletrodoméstico*, com participação de Carlinhos Brown, do rapper italiano Jovanotti, da espanhola Rosario Flores e da portuguesa Dulce Pontes, ficou muito boa e deixou Nelsinho e Daniela felizes e orgulhosos.

Em paralelo à preparação do disco, Nelsinho fez um intensivão no mundo milionário do axé. No Carnaval, saiu no trio de Daniela e experimentou a emoção de estar a bordo de um navio no meio de um mar de gente cantando e dançando. E, como Daniela gostava de conversar, fez uma pesquisa completa para seu romance *O canto da sereia*. Sua protagonista seria uma fictícia nova rainha do axé chamada Sereia – loura de pele bronzeada, 22 anos e 1,80 metro, misteriosamente assassinada em cima do trio elétrico em pleno Carnaval.

07
SOM, FÚRIA E GARGALHADAS

Por fim, dez anos depois de várias contendas judiciais, ficou estabelecido que o único herdeiro de Tim Maia era seu filho Carmelo, que ele chamava de Telmo. Era quem poderia dar a indispensável autorização para uma biografia, como era exigido na época, antes de as biografias serem liberadas no Brasil.

Pensando em evitar futuros problemas – em se tratando de Tim Maia, qualquer coisa era sempre sujeita a chuvas e trovoadas –, Nelsinho propôs à Editora Objetiva que ela abrisse mão de 1% dos seus royalties, assim como ele, a fim de darem 2% das vendas a Carmelo. E um "levado" em dinheiro como adiantamento. Em contrapartida, ele não teria nenhum poder de veto nem qualquer ingerência sobre o texto. E assim foi.

Nunca imaginou que se divertiria tanto trabalhando. Recordar e pesquisar histórias de Tim era uma fonte permanente de gargalhadas. De vez em quando se pegava rindo sozinho diante do computador; às vezes, a história era tão louca e absurda que ele se perguntava se era mesmo verdade. Ia checar nos jornais da época e, sim, Tim tinha dito aquilo mesmo.

Como uma entrevista a Jô Soares, que abriu com Tim comentando em detalhes sua recente operação de fimose. Ou suas apresentações alucinantes no jazz bar People no auge da onda da cocaína no Rio de Janeiro, quando pegava uma flauta e dizia: "Não dá para cheirar e tocar flauta ao mesmo tempo." Gargalhadas. "Ainda bem que eu não cheiro." Gargalhadas. "E não toco flauta." E no meio das gargalhadas começava a tocar, até bem para um amador. Mais gargalhadas.

Nelsinho conversou longamente com o filho Carmelo e a irmã Luzia (mãe de Ed Motta), e, com a ajuda do pesquisador Denilson Monteiro, entrevistou amigos, músicos, parceiros, mulheres, empresários. Todos colaboraram bastante, cada um com suas histórias loucas e engraçadas de Tim Maia. Apenas as entrevistas para o jornal e a televisão – só no programa do Jô foram três, antológicas – já renderiam um livro de mil páginas. E hilariante.

Além de um gênio da música popular, ao fundir o funk e o soul americanos com rock, xaxado e samba-canção brasileiros, Tim criou um novo gênero musical: a black music brasileira. E era um comediante nato; tinha o tempo da comédia, a resposta sempre pronta, um senso de humor comparável ao dos maiores profissionais do ramo. Nelsinho dizia que ninguém o tinha feito rir tanto quanto Tim Maia; nem Chico Anysio, nem Jô Soares, nem Renato Aragão.

Não foi fácil terminar o livro. Nelsinho vinha fazendo uma série de palestras em várias capitais e aonde quer que chegasse, ao saberem que estava escrevendo uma biografia de Tim Maia, logo aparecia alguém com uma história doida de Tim na cidade. Belém, Salvador, Curitiba...

Para homenagear Tim, resolveu escrever os últimos capítulos em Amsterdã, o paraíso Maia, hospedando-se por duas semanas no Hotel Pulitzer, à beira de um canal, cercado de coffee shops onde a Cannabis era discutida como vinho e os vendedores eram como sommeliers, ou, no caso, cannabiers. Tim adoraria. Quase podia sentir a sua presença.

Nelsinho riu sozinho quando decidiu nomear os capítulos com o ano e o peso de Tim na época – 1970, 94 quilos... 1971, 105 quilos... 1995,

140 quilos... Ele ia ficar puto e ligar furioso: "Ô Nelsomotta... seu... seu... baixinho filho da puta", que era o máximo de que ele podia xingar seu amigo, que não roubava, não passava cheque sem fundos nem lhe aprontava sacanagens.

Além disso, Tim era escassos centímetros mais alto que Nelsinho, só que repetia a metragem na circunferência. Nelsinho dizia: "Tim, você não tem corpo; tem território", e ele se divertia. Eram mesmo muito amigos, desde que Nelsinho o conhecera e o levara para que mostrasse suas músicas a Elis Regina. Tim acabou gravando um dueto com ela, num espetacular lançamento de carreira.

Dias depois de entregar o livro à editora, Nelsinho recebeu em sua varanda, muito frequentada por pássaros de manhã cedo e no fim da tarde, uma estranha visita. Um pássaro amarronzado e gordo, bem gordo, muito mais gordo que os outros, que passou com dificuldade pela tela de proteção de náilon, veio andando pela sala, depois alçou um improvável voo até o alto da moldura de um painel e lá permaneceu, empoleirado. Nelsinho ficou receoso com a possibilidade de o bicho sair voando pela casa, não conseguir passar pela tela de volta, bater no vidro da varanda e cair ao alcance do gato Max (embora fosse mais provável que Max fugisse apavorado). Só podia ser ele, aprovando o livro. Recado dado, o passarinhão alçou voo no céu de Ipanema.

07

O BANCO DE RESPOSTAS

Vale tudo: O som e a fúria de Tim Maia teve um grande lançamento, com quatro páginas elogiosas de Mario Sabino na *Veja*. Prevendo ter que dar uma enxurrada de entrevistas, por conta da popularidade de Tim, e responder mil vezes às mesmas perguntas, Nelsinho criou um "banco de respostas".

Gravou longas entrevistas para *O Globo*, *Folha de S.Paulo* e *Estadão*, selecionou e arquivou as cinquenta perguntas mais prováveis e suas melhores respostas e avisou ao departamento de marketing e imprensa da editora que daria entrevista para qualquer jornal ou site que pedisse, de qualquer lugar, desde que fosse por e-mail. A editora exultou; era um sonho de divulgação.

Choveram pedidos de jornais de capitais e do interior, de vários estados, que a diligente assistente de Nelson, Lu, respondia recorrendo ao banco de respostas. Foram mais de cem entrevistas "exclusivas", que ganharam espaço – muitas vezes, capa – em jornais e sites de todo o Brasil. Nunca ninguém reclamou das respostas repetidas, afinal, as perguntas também eram. Nas raríssimas vezes em que teve que responder a uma pergunta original, a resposta foi incorporada ao acervo do banco.

Em uma semana, o livro chegou aos primeiros lugares da lista de mais vendidos, e lá permaneceu durante um ano, mas apenas uma semana em primeiro lugar; nas outras foi sempre o segundo, atrás de *1808*, de Laurentino Gomes, que Nelsinho leu e adorou. Mas não deixava de ser estranho Dom João VI e a Corte portuguesa serem mais populares que Tim Maia. Era animador o interesse dos brasileiros em história.

Depois de mais de 100 mil exemplares vendidos, *Vale tudo* começou a dar frutos. Primeiro, no teatro, com o convite do produtor Sandro Chaim para montar um musical baseado no livro, com produção executiva de Joana Motta, filha de Nelsinho, e dirigido por João Fonseca.

Tinha tudo para não ser nada. Um orçamento indigente de 250 mil reais concedidos pela prefeitura e um produtor aparentemente pouco animado, porque não colocou nenhum dinheiro seu na montagem. Cenários e figurinos paupérrimos, músicos recebendo o mínimo possível e elenco todo comissionado, que não ganhava salários, e sim uma participação na bilheteria, como uma cooperativa. Mas foi um exemplo do oposto da Lei de Murphy, pois tudo que podia dar certo, deu.

Como Nelsinho não entendia nada de teatro musical, detestando desde sempre os musicais caretas da Broadway, João Fonseca foi fundamental. Jornalista de formação, Nelsinho tinha a tendência de reportar em vez de fantasiar. João o mandava escrever as cenas em qualquer época ou local que ele encenaria. Tudo só com dois grandes tablados, doze cadeiras e um elenco competente. E, claro, um diretor hipercriativo.

O problema era o Tim Maia. Encontrar um ator que não só se parecesse mas também atuasse bem e cantasse como Tim era uma missão quase impossível. Depois de dezenas de testes sem encontrar ninguém, uma tarde João ligou para Nelsinho:

– Habemus Tim! – disse, eufórico.

– Como assim?

– Só que é branco, paulista, judeu e neto do Silvio Santos – informou, e riu.

– Fala sério, João!

– Vem ver.

Nelsinho ficou pasmo quando viu e ouviu o jovem Tiago Abravanel, realmente neto de Silvio Santos, cantar e ler textos como Tim Maia. Era um assombro. Gorducho e simpaticíssimo como Tim, com ótimo tempo de comédia, cantava maravilhosamente bem. Uma maquiagem deixando a pele mais escura, junto com várias perucas para as diversas fases de Tim e seus penteados. Faltaria só engordar alguns quilos numa dieta rica em junk food.

A estreia no Teatro Carlos Gomes foi apoteótica, com o público todo de pé ao som de "Vale tudo". Eufóricos e cantando, o governador Sérgio Cabral e o prefeito Eduardo Paes invadiram os camarins para cumprimentar o elenco. O sucesso foi tanto que o elenco, que tinha participação na bilheteria, ganhou durante toda a temporada salários de estrela, muito acima do valor de mercado.

Foram três anos de teatros lotados pelo Brasil. A combinação de 23 hits irresistíveis e as piadas hilariantes de Tim era matadora. O público cantava junto todas as músicas e gargalhava de se sacudir quando ouvia:

"Não fumo, não cheiro e não bebo, mas às vezes minto um pouquinho."

"Fiz uma dieta rigorosa: cortei álcool, açúcar e gordura. Em duas semanas perdi catorze dias."

"O problema do gordo é que quando beija não penetra e quando penetra não beija."

"Quantos baseados eu fumo por dia? Nenhum. Mas tenho um amigo que fuma de seis a sete por dia, coisa de 100 gramas, a cada quinze dias."

08

FOLHAS AO VENTO

Em setembro de 2004, Nelsinho foi convidado por Paula Cesarino, então chefe da sucursal da *Folha de S.Paulo* no Rio de Janeiro, para fazer uma coluna semanal na segunda página. Embora pequeno, o espaço era o mais valorizado do jornal, ao lado dos editoriais.

Paula acabou se tornando uma grande amiga. Quando foi convidá-lo, simpática e sedutora, diante da hesitação inicial dele, minimizou: "É uma coluna pequena." Ele aceitou. Tinha sido colunista dos jornais *Última Hora*, *O Globo* e *O Estado de S. Paulo*, faltava a *Folha* no currículo.

Quanto menor o espaço, mais difícil preenchê-lo, descobriu tardiamente, ralando horas e horas, escrevendo e reescrevendo um texto limitado a 1.700 caracteres. Dureza. Mas valeu como malhação literária, exercício de síntese. Lembrando-se de Drummond ("Escrever é cortar palavras"), Nelsinho ia cortando sem piedade trechos que tinham dado muito trabalho mas não cabiam. A regra era deixar só o filé-mignon, precisão no uso de cada palavra. No fim, acabou gostando do desafio. Tinha tempo para isso.

Como a coluna saía na sexta, já começava a escrevê-la na segunda. Não tinha compromisso com *hard news*; o tema era livre, podendo até ser uma crônica de costumes divertida, do ponto de vista de um "cronista correspondente" no Rio de Janeiro. Um trecho da primeira coluna:

Além de lindo, o Rio de Janeiro continua sendo a casa dos artistas, o grande palco, a porta de entrada no país, com o melhor e o pior do Brasil. Mas no Rio até as pobrezas são diferentes: há poucos lugares entre os mais caros e luxuosos da cidade com vistas tão deslumbrantes quanto as que desfrutam os favelados da Rocinha ou do Vidigal, sobre o mar azul de São Conrado. Ou os despossuídos da Cruzada São Sebastião no Leblon e os grã-finos do Country Club, que são vizinhos e se misturam na praia de Ipanema, todos iguais, seminus ao sol.

Muitos desses excluídos vivem melhor do que muitos operários em suas casinhas apertadas em subúrbios distantes, do que muita classe média sufocada em muquifos de Copacabana. E muito melhor do que alguém nas mesmas condições econômicas nas medonhas periferias de São Paulo ou Belo Horizonte, onde tudo é feio e o clima, péssimo. Um dos irônicos paradoxos cariocas: até entre excluídos há privilegiados.

Ainda longe da precisão e da síntese pelas quais ele batalhava, "Coisas do Rio" provocou protestos raivosos de paulistas ofendidos.

Todo dia dedicava um bom tempo a reescrever a coluna da semana, até a hora do fechamento. O texto ia se depurando, como se cozinhasse em fogo baixo, e, mesmo quando parecia pronto, sempre podia ser melhorado. Acrescentar um tempero. Tirar uma gordura. Era um jogo. E um grande treinamento para quando fosse escrever um romance, um conto ou uma biografia, como um pianista que exercita os dedos todos os dias.

Sua inspiração era uma adaptação do "método joão-gilbertiano", a repetição ad nauseam, como um mantra, da canção durante anos, até cantá-la em público ou gravá-la. Um conselho que Nelsinho dava em suas palestras para aspirantes a escritor era colocar na tela do computador uma fonte bem grande e assim ver o real peso de cada palavra, que em fontes menores passavam batidas no meio do texto.

Nelsinho gostava muito de Paula e conviviam bastante, ela trabalhava no centro da cidade e adorava almoçar no Copacabana Palace contemplando o mar. Era uma pessoa adorável, muito inteligente e bem informada, além de agradável, bonita e simpática. E dava a ele notícias do QG em São Paulo.

O jornal estava feliz com a repercussão das colunas. Otavio Frias Filho, dono e editor-chefe, estava gostando muito e queria conhecer Nelsinho. Assim, um dia, foram todos à churrascaria Porcão, no Aterro do Flamengo, que tem uma vista de tontear paulista. Nelsinho ficou encantado com Otavio. Já admirava seus textos e suas posições, sua administração do jornal, suas experiências de vida – ele chegou a ser ator em uma peça que Nelsinho escreveu. A conversa foi ótima, mas foi a única vez que esteve pessoalmente com Otavio.

Só voltaram a se falar quando Nelsinho saiu do jornal, em setembro de 2011, por um motivo bizarro: uma crônica sobre o show em que Roberto Carlos e Caetano Veloso cantaram Tom Jobim, como parte dos eventos comemorativos dos cinquenta anos da bossa nova, produzidos por Monique Gardenberg. Na verdade, nem fazia muito sentido escrever a coluna – o show já tinha acontecido e seria exibido pela TV Globo em um especial –, mas Nelsinho ficou tão irritado com uma crítica desrespeitosa feita por uma repórter não especializada da *Folha* que decidiu dar sua versão do espetáculo.

Nelsinho garantia que todo mundo, ao ver o show na televisão, lhe daria razão e que a crítica da repórter lembrava aquele velho estilo *Folha* dos anos 1980, mal-humorado e metido a iconoclasta, que ainda tinha no crítico Pedro Alexandre Sanches um arquétipo e um amigo que Nelsinho chamava carinhosamente de "malvadinho da *Folha*". Esta foi a coluna:

> Vamos economizar palavras: Roberto Carlos é um cantor absolutamente perfeito. E vamos ser objetivos: está cantando cada vez melhor. Imagi-

nem então quando ele canta uma seleção de canções maravilhosas de nosso compositor maior, Antonio Carlos Jobim? Com todo o respeito por sua obra autoral com Erasmo, Roberto nunca fez um show com um repertório melhor do que esse. Era impossível dar errado. Foi o que tinha de ser: musicalmente perfeito, um espetáculo histórico e inesquecível, como se verá na televisão.

Mesmo assim, por alguma estranha força política, sociológica, filosófica, ideológica, psicológica, religiosa ou sexual, o show foi criticado duramente por sua "mediocridade, frieza, caretice, previsibilidade e arrogância". Como dois e dois são cinco.

Quando a diretora-executiva do jornal, Eleonora de Lucena, não gostou e reclamou, Nelsinho não entendeu direito – estaria ela questionando a idoneidade profissional dele? Imaginando um possível conflito de interesses? Ela queria que ele publicasse uma nota dizendo que tinha participado da produção do show. Nelsinho pediu demissão imediatamente.

Só a insinuação já era ultrajante. Não devia satisfações a ninguém. Muito antes de ser colunista da *Folha*, já dirigia shows, produzia discos, fazia músicas, escrevia livros, não era alguém que devia seus eventuais prestígio e credibilidade ao jornal para o qual escrevia.

O fato é que, dentro da mesma programação dos cinquenta anos da bossa nova, Nelsinho tinha sido convidado por Monique para dirigir um "Tributo a João Donato", com Roberta Sá, Fernanda Takai, Marcelo Camelo, Bebel Gilberto e Marcelo D2 cantando seus clássicos com a fabulosa Orquestra Ouro Negro e arranjos de Mario Adnet. E, na noite da gravação do show de Roberto e Caetano em São Paulo, Nelsinho zanzava pelo backstage quando Monique lhe pediu que anunciasse o show, o que nem apareceria na gravação. Nenhum problema.

"Boa noite, São Paulo. Com vocês, Roberto Carlos e Caetano Veloso." E saiu do palco. Como se isso pudesse comprometer sua "isenção", embora não estivesse ali para julgar ninguém, só contar como foi o show, o que as pessoas constatariam depois no programa de televisão. Era ridículo. Mas afrontoso.

Logo Eleonora passou a mandar e-mails contemporizando, minimizando o episódio, e irritada, vendo o pedido de demissão como exagerado, uma frescura, uma bravata.

"Aprendi com meu mestre Evandro Carlos de Andrade que certas perguntas só podem ser respondidas pedindo demissão", foi o último e-mail dele para ela.

Vendo que Nelsinho estava irredutível, Eleonora passou as negociações para Plínio Fraga, da sucursal do Rio, amigo de Nelsinho e namorado de Paula. Em um almoço muito cordial, conversou-se muito, mas nada mudou. Paula estava em Paris, em ano sabático, não poderia fazer nada.

O imbróglio chegou a Otavio Frias, que trocou e-mails com Nelsinho em alto nível. Entendia e respeitava a atitude dele, sua independência e integridade profissional, mas achava uma tempestade em copo d'água. Finalmente disse que o admirava como um maverick, um aventureiro, e estava defendendo os interesses do leitor da *Folha*, que perderia um excelente cronista. Desejaram-se sorte e se despediram.

Uma semana depois, Nelsinho estreava nos jornais *O Estado de S. Paulo* e *O Globo*, simultaneamente. Sem o empecilho de trabalhar na concorrente *Folha de S.Paulo*, logo em seguida era convidado por Ali Kamel, diretor de jornalismo da TV Globo, e Erick Brêtas, editor-chefe do *Jornal da Globo*, para apresentar uma coluna semanal de cinco minutos sobre cultura e comportamento no jornal, um verdadeiro upgrade profissional: passava a falar para 10 milhões de espectadores em rede nacional.

Acabou ficando com uma dívida de gratidão com Eleonora: sem ela, nada disso teria acontecido. Ô sorte!

18
O NOVO VELHISMO

Com 64 anos, Nelsinho um dia acordou pensando na música dos Beatles "When I'm Sixty-Four" e comentou numa coluna sobre o "novo velhismo":

Nunca imaginei que iria ficar velho. Para mim, velhos eram aquelas pessoas de mais de 50 anos, de cabeça branca e óculos, aposentados na cadeira de balanço, com uma manta sobre as pernas e chinelinhos de lã. Todos os paparicavam e os tratavam como crianças, ninguém os levava a sério.

Felizmente, ficar velho hoje é muito melhor do que quando eu era criança. Não só pelos avanços da ciência, que prolongaram a vida e melhoraram sua qualidade, mas pela evolução da sociedade e da tecnologia, que nos facilitam o cotidiano, quebram preconceitos e permitem a gente de qualquer idade ser produtiva e ter todos os direitos, e deveres, da vida social. Nunca imaginei que minha mãe, com 88 anos, continuaria fumando (moderadamente) e tomando seu uisquezinho, que estaria na internet e fazendo análise. Ela não liga de ser velha, mas detesta ser chamada de "terceira idade". Ou, pior, de "melhor idade".

Nunca me passou pela cabeça que um dia eu seria capaz de furar filas em aeroportos, bancos e cinemas com a tranquilidade dos justos, logo eu, que sempre respeitei a lei e sempre detestei e combati todas as formas de privilégio.

Regra de Nelson pai: se outras pessoas estão esperando numa fila, ou esperando qualquer coisa, você também pode esperar. Nelsinho aperfeiçoou para as filhas: se tiver que esperar numa fila, faça como um exercício de paciência, uma malhação interior. Às vezes recebe um telefonema de filha dizendo que está malhando. Não na academia, mas numa fila de banco.

Mas lamento só ter descoberto que tinha esses direitos aos 63 anos. Mal informado, pensava que eram só para quem tinha mais de 65. Perdi três anos de moleza! Nos aeroportos, furando feliz filas imensas, como se fosse os nossos parlamentares. Assim como eles, mas por motivos diversos, não sinto a menor vergonha. Nem de minha idade nem de meus direitos legítimos. Vou logo perguntando: "Qual é a fila dos velhinhos?"

O problema é que os velhinhos demoram muito tempo no check-in, esquecem o bilhete, a senha do cartão, batem papo com a atendente; enquanto a fila normal atende três pessoas, a preferencial atende um. E os velhinhos ainda concorrem com crianças pequenas e seus pais.

E fechava a coluna:

Mas o politicamente correto americano continua criando eufemismos patéticos e denunciando "preconceitos" contra gente que já viveu mais. Não querem mais que nos chamem de "cidadão sênior", porque ninguém chama alguém de menos de 60 anos de "cidadão júnior". Nem "idoso" eles aceitam. O correto é dizer "adulto mais velho" ou, singelamente, "homem" ou "mulher". Depois do racismo, do sexismo e do pobrismo, o velhismo.

Além de tentar nos tirar o orgulho de havermos sobrevivido até aqui, querem nos obrigar ao ridículo.

Fazendo graça para Marília, grávida de Esperança, 1974.

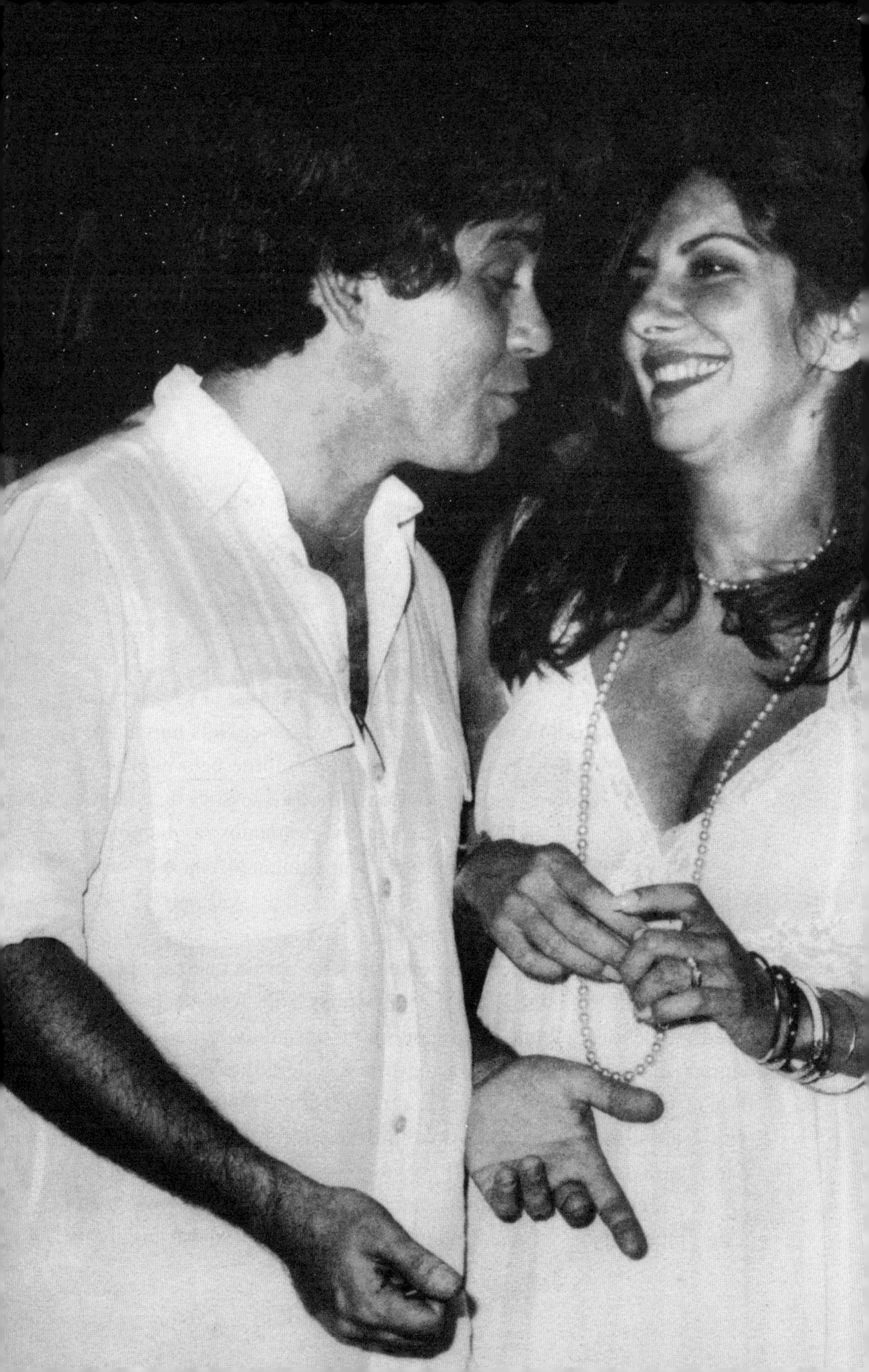

06
ON THE ROAD

Convidado pelo produtor cultural Marcelo Andrade, Nelsinho adorou a ideia do projeto TIM Grandes Escritores: uma turnê pelo interior de Minas Gerais fazendo palestras sobre seus livros e sessões de autógrafos, cinco cidades de cada vez, em viagens de menos de duas horas entre elas. Era um cachezinho cultural, mas juntando cinco dava um bom "levado".

Além disso, o projeto adquiria cinquenta livros do escritor e os doava à biblioteca da cidade, o complemento perfeito para o interesse gerado pelas entrevistas e palestras do escritor convidado. As palestras eram gravadas e depois exibidas nas escolas e no portal do projeto. É difícil imaginar melhor programa para o estímulo à leitura. Zuenir Ventura, Marina Colasanti, Affonso Romano de Sant'Anna, Laurentino Gomes, Sérgio Cabral pai e Ignácio de Loyola Brandão foram alguns dos convidados para as turnês.

As expectativas de Nelsinho foram superadas já na primeira sequência de cinco cidades. Todas tinham um centro cultural bacana, bons auditórios, sempre lotados por um público interessado, pela boa promoção e pela falta de eventos nessas cidades. Muito espaço nos jornais e nas rádios locais. Uma delícia. Sentia-se um popstar.

Voltou para casa eufórico pelas boas palestras, em que as histórias de Tim Maia sempre garantiam muitas gargalhadas, e pelas viagens por lindas paisagens do interior mineiro – com suas montanhas azuladas, a beleza das cidades históricas, as paradas na estrada para baseadinhos e lanchinhos, a comida mineira, a gentileza das pessoas, a companhia adorável de Marcelo. Em duas semanas, retornaria para uma série de mais sete cidades.

– E quando você volta? – perguntou Nina.
– Daqui a três quilos – respondeu, e gargalhou.
Esperança debochou:
– Hahaha. Papai in concert.

Assim percorreu trinta cidades, promovendo seus livros e conversando com seus leitores. Passou por Montes Claros, Araguari, Patos de Minas, Varginha, Três Corações, Uberaba, Uberlândia, Betim, Contagem, Ipatinga, Divinópolis (onde foi honrado com Adélia Prado na plateia), Sete Lagoas, Viçosa, Itabira, Araxá, São João del-Rei, Tiradentes e Poços de Caldas (cidade onde foi gerado, durante a lua de mel de Nelson e Xixa em 1944; aproveitou para ficar hospedado no mesmíssimo Palace Hotel, podia até fantasiar que na mesma cama).

11

O DRAGÃO E A BANANEIRA

Desde 1982, um ano depois da morte de Glauber Rocha, Nelsinho queria escrever uma biografia de seu querido amigo e extraordinário artista e personagem humano. Em 1989, depois de várias entrevistas com dona Lúcia, mãe de Glauber e sua velha amiga, foi à Bahia e, em Itaparica, conversou horas com João Ubaldo Ribeiro, que, além de um dos maiores amigos de Glauber, imitava com perfeição sua voz e seu sotaque baiano carregado.

Entrevistou Helena Ignez, a primeira mulher de Glauber, o artista plástico Calasans Neto, os cineastas Orlando Senna e Roberto Pires, o filósofo Luiz Carlos Maciel, o produtor Rex Schindler, o professor Fernando da Rocha Peres, o escritor João Carlos da Rocha Matos e muitos outros que conviveram com Glauber durante sua juventude na Bahia.

Desde o início, Nelsinho sempre pensava em um recorte de tempo que contasse a juventude de Glauber, sua formação na Bahia, até a sua explosão internacional com *Deus e o diabo na terra do sol*, em 1964, com apenas 25 anos. E já tinha o título: "A primavera do dragão".

Não queria ir além disso nem fazer uma biografia completa, sobretudo pelos últimos e tristíssimos anos de Glauber, quando foram vizinhos na praia de Ipanema e conviveram intensamente. Glauber sofria fisicamente pelo Brasil, somatizava os podres da pátria, chorava pelo país, estava doente e sem dinheiro. Sua ida ao Festival de Veneza com *A idade da Terra*, em 1980, foi trágica, e sua doença e sua morte aos 42 anos eram polêmicas.

Nelsinho não queria se meter com nada disso, mas contar a história de Glauber explodindo de talento, vitalidade e precocidade nos Anos Dourados do governo JK e na "Renascença baiana", com grandes mestres internacionais ensinando nas escolas de música, teatro e dança do Teatro Castro Alves. Sua ideia era contar a história de um Glauber que ele não conhecera, porque só foram apresentados justamente na première de *Deus e o diabo* no Cine Ópera, em Botafogo, quando várias cenas do filme foram saudadas por explosões de aplausos da plateia.

Porém, quando tinha trinta páginas prontas e o título, soube que seu amado mestre Zuenir Ventura também estava escrevendo uma biografia, mas completa, do berço ao túmulo, de Glauber, de quem fora grande amigo. Já tinha até ido a Paris e Lisboa para fazer entrevistas com seus amigos europeus.

Nada a fazer, a não ser esquecer. Jamais se atreveria a concorrer com seu mestre, ainda mais que seu livro cobriria apenas uma parte da vida de Glauber, e o de Zuenir, a vida inteira. Quando Nelsinho ligou para dizer que estava desistindo, o mestre reagiu com a generosidade de sempre: "As duas podem ser complementares." Uma pena, mas foi apenas uma infausta coincidência. Seguida de outra.

Passados seis meses, Nelsinho recebeu a notícia de que Zuenir tinha perdido todas as suas pesquisas e entrevistas: estavam numa pasta no porta-malas do carro de uma amiga que tinha sido roubado. Zuenir ficou louco. Pôs anúncios em jornais prometendo gratificação, foi a programas de rádio, implorou publicamente, em vão. Meses depois, comentou com Nelsinho, lembrando o lado místico e esotérico de Glauber, que talvez não fosse a hora, que Glauber estava dizendo que não era. Envolvidos em outros trabalhos, tocaram a vida e o assunto foi esquecido.

Até que, em 2008, Nelsinho encontrou Zuenir num almoço na famosa "Lage do Moreno", a cobertura do jornalista Jorge Bastos Moreno, na Gávea, e ouviu sua sugestão: "Você deveria retomar aquele seu livro sobre o Glauber."

Como seu mestre mandou, Nelsinho entrevistou os companheiros do Cinema Novo – Cacá Diegues, Paulo César Saraceni, Zelito Viana, Luiz Carlos Barreto –, todos com histórias engraçadas e amalucadas de Glauber, claro, além das conquistas de um gênio precoce e carismático, dotado de personalidade fascinante, movido a poesia e imaginação.

Todos que o conheceram sabiam que Glauber mentia fluentemente. Ficcionava para adequar os fatos às suas teorias, o real e a fantasia mesclados e inseparáveis; era um estilo de linguagem em que mentiras e verdades eram fruto de uma imaginação prodigiosa. Também se divertia pensando em conspirações, atentados, golpes de Estado, planos para matar o governador, em fantasias compartilhadas com os jovens amigos.

Lançado em 2011, *A primavera do dragão: A juventude de Glauber Rocha* foi massacrado na *Folha de S.Paulo*, sob a alegação de ser quase uma fraude intelectual, um livro recheado de mentiras. Claro que estava repleto de mentiras, mas as mentiras não eram do autor, e sim de Glauber.

Em seguida, o escândalo: numa carta desaforada, o professor baiano Rocha Peres reclamava, furioso, porque lhe tinha sido atribuído no livro o apelido de "Bananeira", quando, na verdade, assim era conhecido Fernando Rocha, um jornalista. Rocha Peres ficou puto, com toda a razão, embora o apelido nada tivesse de pejorativo. Nelsinho também ficou puto: pela cagada que fizera e pela eloquência provinciana do ofendido.

O que o tranquilizava era saber que João Ubaldo gostou do livro, elogiou o ritmo da narrativa e não reclamou de nada. Muito menos das mentiras de Glauber, algumas contadas pelo próprio Ubaldo.

Nelsinho fez o que tinha que ser feito. Publicou a resposta:

Rochas que voam. Primeiro, quero me desculpar com o professor Fernando Rocha Peres e o jornalista Fernando Rocha, por ter atribuído a um o apelido do outro ("Bananeira"), equívoco pontual que será corrigido na próxima edição e que em nada afeta a narrativa em que o protagonista absoluto é outro Rocha: Glauber.

No verão de 1989, quando fui a Salvador fazer entrevistas para uma biografia do jovem Glauber, fui muito bem recebido por Fernando Rocha Peres, que pode ter esquecido, mas gravou uma entrevista em que contou com muito humor alguns ótimos episódios das encenações teatrais da Jogralesca, da revista *Mapa* e de farras juvenis de Glauber, como a do cabaré Tabaris, que termina com os jovens dando nomes falsos de poetas e escritores famosos para o delegado. Se o citei indevidamente em algum episódio em que ele não estava presente, me desculpo e prometo corrigi--lo na próxima edição. Eram muitos os amigos, conhecidos e colegas de Glauber em sua juventude; um a mais ou a menos não faz grande diferença para contar como Glauber Rocha se tornou Glauber Rocha.

As "conspirações" de araque – como os planos de pichar o navio *Ciudad de Toledo*, explodir bancas de jornais, fuzilar políticos, sequestrar banqueiros, "espalhar o caos bakuniniano" na Bahia – que compõem alguns dos momentos mais divertidos da história obviamente não eram sérias, apenas fantasias anarquistas de jovens movidos a álcool e alegria, e me foram relatadas por "conspiradores" como o artista plástico Calasans Neto, o escritor João Ubaldo Ribeiro e o cineasta Orlando Senna, em entrevistas gravadas, às gargalhadas. E também pelo próprio Glauber Rocha, sempre às gargalhadas, como lembranças de exercícios de imaginação de jovens inteligentes e abusados. Não são para levar a sério, mas mostram o espírito, o humor e a imaginação de Glauber e de alguns de seus amigos de bravatas e fanfarronadas. As "mentiras" não são do autor, mas da imaginação livre e efervescente de Glauber.

O próprio João Ubaldo, com o brilho habitual, já contou em crônica a hilariante "conspiração" para assassinar políticos (Ubaldo seria o atirador escalado por Glauber...) e explodir bancas de jornais em que foi adotado um código secreto – chamando as bombas de "maçãs" – e que era tão secreto que no dia seguinte todo mundo já sabia na Livraria Civilização Brasileira, e a operação foi abortada. Nenhum leitor o levará a sério, mas se divertirá e conhecerá um pouco do "estilo Glauber Rocha", que gostava de dar ares de conspiração até para combinar um simples cinema com amigos.

Desprezo as ofensas, agradeço as informações e farei as correções desses equívocos pontuais e irrelevantes para a narrativa da formação de um protagonista extraordinário cercado por personagens que se tornaram gigantes da cultura brasileira, como Nelson Pereira dos Santos, Cacá Diegues e João Ubaldo Ribeiro, e por muitos pequenos e grandes amigos, conhecidos e colegas, que se misturam ao longo da sua juventude e, ao contrário de Glauber, se dissolveram no tempo.

João Ubaldo achou a resposta ótima, educada e honesta, mas desnecessária a ferroada no último parágrafo: "Ali você estragou tudo." Pegando pesado, Nelsinho desrespeitava uma das mais sábias máximas de seu pai: "A verdade não é para ser usada como espada, mas como escudo." Paciência. Foi escudo e espada. Coisa de escorpiano.

O livro foi um fracasso de vendas, mas em 2016 teve seus direitos para o cinema comprados pela produtora Vania Catani e estava sendo roteirizado até o fechamento desta edição.

14
CONTANDO HISTÓRIAS

Depois de um livro de memórias, duas biografias, um guia cultural, um de crônicas e três romances, Nelsinho partiu para um novo desafio: um livro de contos. Um gênero que adorava na juventude, território de Dalton Trevisan, Borges, Cortázar, Mark Twain, John Cheever, Rubem Fonseca, Sérgio Sant'Anna, e que, por ser mais curto, parecia mais fácil de escrever, mas com o tempo e a prática aprendeu que era um dos mais difíceis. Um exercício de síntese de ideias e de linguagem. Fazer mais com menos. Fazer menos com mais.

A primeira experiência de Nelsinho com o conto tinha sido traumatizante, quando, em 1973, escreveu apressadamente algumas histórias sob o título de *O piromaníaco*, lançado pela Rocco, sem qualquer edição, por uma gentileza de Paulo Rocco, que era seu vizinho de escritório. Muito pouco se salvava; algumas ideias boas porém mal realizadas, como a história de um leão perseguindo uma gazela narrada na primeira pessoa; outras eram coisa de amador. Fracasso absoluto de público e de crítica. Nelsinho sempre teve vergonha do livro e o escondia em sua biografia. Mais maduro e experiente, agora talvez fosse uma boa oportunidade para a desforra.

Havia algum tempo vinha colecionando ideias para histórias curtas, que já prenunciavam a atração pelo conto. Logo o conto, que depois de uma era de glórias estava relegado aos gêneros menos populares. Só poesia vendia menos. Misturou então memórias e fantasias e começou a escrever. Foi para Salvador e, no 21º andar do Hotel Pestana, vendo toda a Bahia de Todos os Santos por inteiro brilhando ao sol, onde tinha escrito boa parte da biografia de Tim Maia, de *O canto da sereia* e de *Bandidos e mocinhas*, levou um mês para esboçar treze histórias.

Era uma estranha ligação essa da Bahia com a produtividade. Ou talvez com a inspiração. Ou com a água. Ou com o famoso jererê "solto baiano". Nelsinho trabalhava com grande prazer até a hora do almoço, dava um mergulho na piscina, comia alguma coisa e voltava para a labuta, onde ficava até o fim do dia. O chamado "tempo baiano", naturalmente mais lento, contribui para se pensar melhor, com mais calma, para se escrever melhor. Jorge Amado e João Ubaldo que o digam.

Só de passar pelo túnel de bambu na saída do aeroporto em Salvador, o coração de Nelsinho batia diferente, mais lento. "Sorria, você está na Bahia", pedia o cartaz, mas nem precisava. Pisou lá pela primeira vez no Carnaval de 1969, mas já era apaixonado antes mesmo de conhecer a cidade, pelos livros de Jorge Amado e as canções de Caymmi, e pelas descrições e histórias dos amigos Caetano, Gil e Glauber.

Ao vivo era tudo isso e muito mais. As cores, o mar imenso, o casario colonial, o povo simpático e divertido, o som das ruas, o trio elétrico de Dodô e Osmar, tal e qual Caetano tinha descrito a Nelsinho uma tarde no Antonio's, em 1967, em plena polêmica da guitarra elétrica na música brasileira. Nelsinho quase não acreditou quando ouviu que desde 1950 Dodô e Osmar arrastavam multidões atrás de uma fubica Ford com suas guitarras distorcidas, que haviam inventado e batizado de "pau elétrico". Sim, a guitarra elétrica era baiana, seu som fazia parte da música das ruas, como o cavaquinho e o violão, só que elétricos.

E em São Paulo e no Rio, onde ninguém sabia disso, acusavam o instrumento de ser símbolo do imperialismo cultural ianque para corromper nossos jovens, em um dos mais ridículos eventos da música brasileira, quando, em 1967, vários artistas – entre eles Elis Regina, Geraldo Vandré, Jair Rodrigues e até Gilberto Gil – participaram em São Paulo de uma passeata de protesto, com faixas e cartazes, contra... a guitarra elétrica. Não gritavam "Abaixo a ditadura!", mas "Abaixo a guitarra! Abaixo a guitarra!", de punhos fechados. Enquanto isso, Dodô e Osmar estremeciam o chão da praça Castro Alves.

Nelsinho voltou da Bahia com treze contos, escolheu dez e os reescreveu incontáveis vezes, até que afinal adquiriram um formato adequado para um livro. Seriam dez histórias independentes, cada qual ambientada numa cidade e numa época – como Barcelona em 2005, Ipanema em 1982, Buenos Aires em 1978, Nova York em 1993 –, com personagens diferentes e histórias com começo, meio e fim. Porém...

No nono conto, alguns personagens que apareciam em histórias anteriores – as de Copacabana em 1964, Brasília em 2007 e Londres em 1958 – surpreendentemente se encontram em Paris, no Café de Flore. Na última história, passada na ilha de Boipeba, em 2009, todo o mistério se revela e o leitor se dá conta de que todas as histórias estão interligadas.

A capa criada por Luiz Stein era no estilo dos velhos jornais populares: "Filha vira cafetina para chantagear o pai!", "Pai e filha no motel assaltado. Cada um com seu amante!", "Largou o marido para consolar o marido da filha!", "Filho faz filme erótico sobre a vida da mãe!". Na quarta capa, a advertência: "Tudo o que você vai ler aqui foi vivido, ouvido, testemunhado ou imaginado por Nelson Motta, e nem ele sabe mais o que é realidade ou ficção."

O livro já estava na gráfica e Nelsinho ainda não tinha um título que pudesse cobrir todos os temas. O melhor que encontrou foi "Força estranha", mas a editora Isa Pessoa descartou a ideia:

– Mas isso é uma música do Caetano.

– Eu sei. Vou pedir autorização a ele.
E pediu. Caetano respondeu:
– É uma honra.
E o livro foi dedicado a ele.

11
UM GÊNIO DA ALEGRIA

Assim que o conheceu nos camarins da boate Night and Day durante a temporada de *A pequena notável*, com Marília Pêra, em 1971, Nelsinho ficou encantado com Joãosinho Trinta, com sua inteligência e doçura. Voltaria a reencontrá-lo no réveillon do Morro da Urca de 1980, quando ele fez uma espetacular cenografia saudando Iemanjá, que inspirou as noites de samba na segunda-feira, quando a Beija-Flor subia o morro para um show que os turistas adoravam. Chorou muito quando soube da morte do carnavalesco, em 2011.

Nelsinho sempre dizia que não era torcedor de nenhuma escola. Declarava-se um fanático pelo Grêmio Recreativo e Revolucionário Joãosinho Trinta, vibrando e torcendo pela escola que ele comandasse, fosse a Beija-Flor ou o Salgueiro, a Grande Rio ou a Viradouro. Questão de estilo.

Tudo no pequeno João era grande, imenso, menos o nome e a altura. Joãosinho não apenas foi o maior e mais revolucionário carnavalesco da história, mas também um dos nossos maiores artistas plásticos, cenográficos e coreográficos, com suas monumentais instalações vivas cantando e dançando no asfalto como uma ópera popular em movimento.

Como na máxima de Rita Lee, "Brinque de ser sério, leve a sério a brincadeira", Joãosinho tratava o Carnaval com extremos rigor e seriedade, mas, quando sua obra viva entrava na avenida, ele brincava como uma criança, explodindo de alegria. É inesquecível a imagem de sua figura diminuta e esfuziante, fantasiado de lixeiro, de braços abertos, comandando a bateria, os passistas, os destaques e as alegorias monumentais que criava com sua mania de grandeza e de beleza. Como na utopia de Caetano, Joãosinho queria "luxo para todos", ainda que fugaz. Anárquico e libertário, encheu a passarela de mulheres e homens lindos e nus, ou quase, quebrando tabus e arrombando as portas da caretice em nome da beleza e da alegria. Ninguém foi mais censurado e proibido do que ele, ninguém ousou mais do que ele.

Porque Joãosinho acreditava na revolução da alegria, no poder libertador da festa, na força da beleza e do prazer. Mulato, índio, cafuzo, não tinha cor, representava a síntese de uma raça brasileira feita de sensualidade, imaginação e exuberância. Seus desfiles surpreendiam, provocavam e emocionavam por sua liberdade criativa no tratamento de temas históricos nacionais e mundiais, em que o Egito e a Índia se misturavam a São Luís do Maranhão e ao seu amado Rio de Janeiro.

Internacional e cosmopolita, sacudiu Paris com a Beija-Flor sambando na Avenue des Champs-Élysées durante a Copa de 1998 e nos incontáveis shows que dirigiu na Europa e nos Estados Unidos, unindo o mais popular e o mais sofisticado do Brasil na imensidão de seu talento e de sua arte.

12
ATOR DE DOCUMENTÁRIO

Em 1986, no tempo em que escrevia *Armação ilimitada* ao lado de Euclydes Marinho, Antonio Calmon e Patrícya Travassos, Nelsinho e todo o time eram fãs do tabloide de humor *O Planeta Diário*, escrito por Hubert, Reinaldo e Claudio Paiva. Rolavam de rir com aquele humor diferente, baseado em notícias falsas, com o formato e a linguagem de um jornal de verdade. Era uma inspiração para a comicidade do seriado, completamente fora dos padrões da TV Globo.

Depois o pessoal do *Planeta* juntou-se à turma da revista *Casseta Popular* – Marcelo Madureira, Bussunda, Helio de la Peña, Beto Silva, Claudio Manoel –, formando uma espetacular trupe de doidões que fez o Brasil rir, principalmente de si mesmo, sob o nome de Casseta & Planeta.

Nelsinho ficou amigo de todos e tornou-se um herói para eles depois que conseguiu passar três semanas em Turim, durante a Copa do Mundo de 1990, dividindo um quarto de hotel com Marcelo Madureira sem espancá-lo ou esganá-lo. É, às vezes ele era bem pentelho, mas ficaram bons amigos para sempre. Debaixo daquela casca grossa mora uma doce criatura.

Numa de suas vindas de Nova York ao Brasil, Nelsinho foi convidado a participar do programa deles na TV. Era um comercial de xampu: uma loura burra cobria a cabeça com a espuma do miraculoso xampu da inteligência e debaixo da espuma surgia Nelsinho de peruca loura. Mais um produto Tabajara.

Uma das coisas de que Nelsinho mais sentia falta em Nova York, além do futebol – a TV só transmitia o campeonato mexicano, que é pior do que nada –, eram os programas do Casseta, que via em suas seis ou sete viagens anuais ao Brasil. Amava seu humor ao mesmo tempo selvagem e sofisticado, sempre inteligente.

Também gostava muito das crônicas de Agamenon Mendes Pedreira, que Hubert e Marcelo escreviam para *O Globo* de domingo. E, em 2012, foi convidado pelo "velho picareta" a participar de seu filme. Na cena, Nelsinho atribuía a Agamenon façanhas e mentiras fenomenais, e acabava se descontrolando: "O que é que estou fazendo aqui? Nem sei mais de quem estou falando. Já falei em tanto documentário que virei 'ator de documentários'."

Era verdade. Nelsinho participou de tantos documentários dando depoimentos sobre Simonal, Elis Regina, Tim Maia, Paulo Francis, Chacrinha, bossa nova, tropicalismo, Raul Seixas, Nelson Rodrigues, entre outros, que foi chamado pelo crítico de cinema André Miranda de "o ator de documentários em maior atividade no momento".

Era o álibi de que precisava para negar gentilmente os pedidos de entrevistas que chegavam sem parar e decidir que só falaria sobre trabalhos de que tivesse participado pessoalmente: o disco de Elis, a criação das Frenéticas, a parceria com Lulu Santos, as trilhas de novelas, os livros sobre Tim Maia e Glauber Rocha, o lançamento de Marisa Monte...

Os pedidos de prefácios, apresentações e releases de livros e discos se multiplicavam, e a solução foi não fazer mais nada para ninguém, sem exceções. Afinal, eram tantas pessoas que pediam, muitas desconhecidas, que ou fazia para todas ou não fazia para ninguém.

Ao mesmo tempo, foram suspensos os "depoimentos" para trabalhos de conclusão de curso. Nelsinho se perguntava se esse pessoal imaginava que ele ia parar tudo que estava fazendo para trabalhar, de graça, para um desconhecido.

A alguns sugeria que lessem o *Noites tropicais*, porque o livro respondia a todas as perguntas; tudo que ele sabia de melhor estava ali. "Mas não tem um caso curioso? Uma coisa divertida?"

"Se tivesse, teria colocado no livro, né? Ou você acha que eu ficaria guardando esse tempo todo só para você?" Pensou, mas não disse.

Nelsinho procurava seguir a máxima de seu pai: "Cruzou seu caminho e precisou de ajuda, tem que ajudar", mas se virasse apresentador, "prefacista" e "releasista" profissional, não faria outra coisa na vida e ficaria com sua opinião completamente desmoralizada.

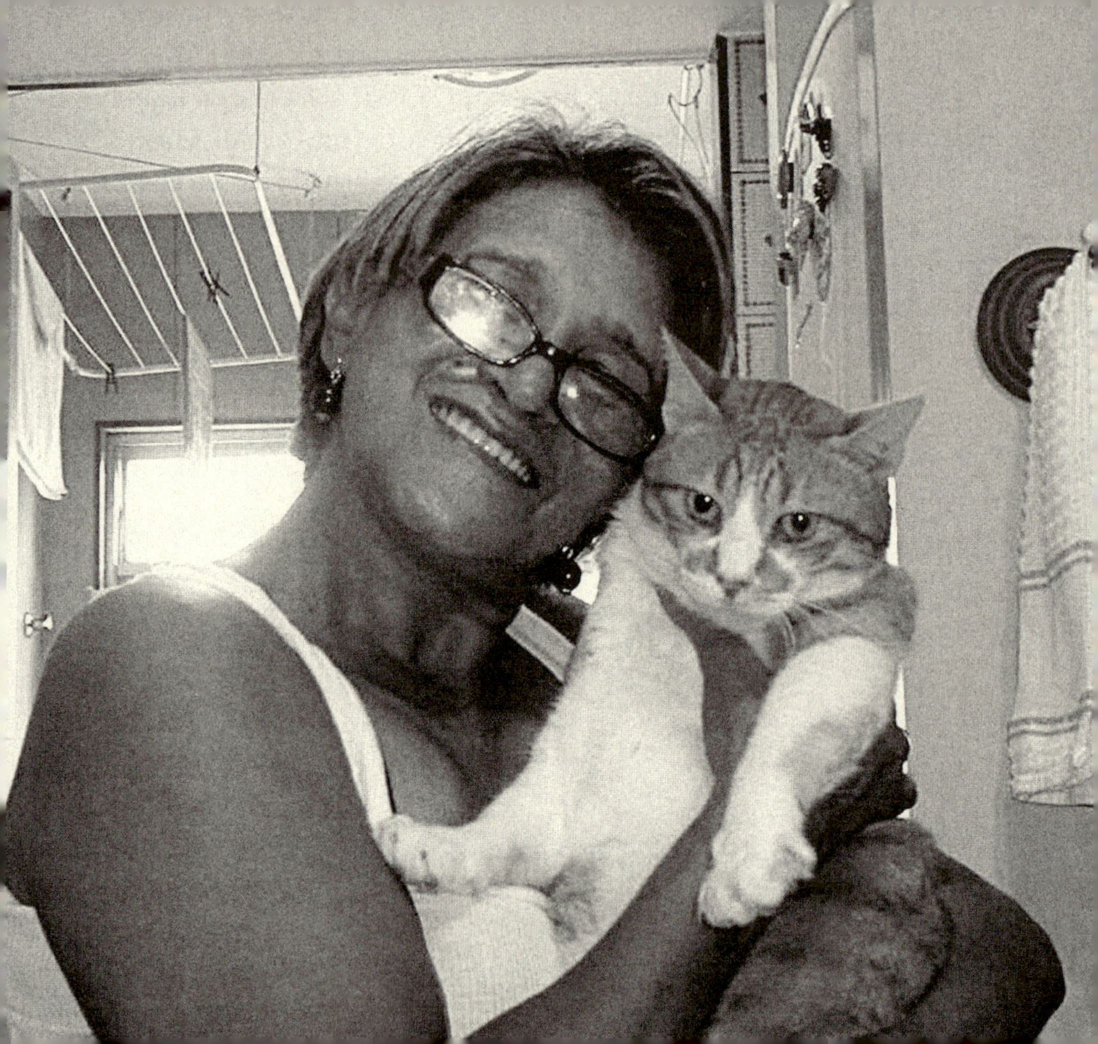

12
PÁGINAS DA VIDA

Depois de 25 anos de convivência harmônica e discreta, sem um se meter na vida do outro, sem nenhuma briga, sua fiel cozinheira, Maria, a Mari, com a qual Nelsinho brincava apresentando-a como "a verdadeira mulher da minha vida" – pois sobrevivera a três esposas diferentes e o ajudara a criar suas filhas –, lhe confidenciou uma bomba.

Aos 20 anos, mãe solteira, abandonada pelo namorado e pela família, e desempregada em Belo Horizonte, ela dera à luz duas meninas. Foi acompanhada na gravidez e no parto por um bondoso médico do posto de saúde casado com uma pediatra. O casal não podia ter filhos e propôs a Maria que lhes desse as gêmeas em adoção.

Sem trabalho, sem recursos e sem família, já seria duríssimo criar uma filha sozinha, que dirá duas. Entregues aos pais adotivos, elas poderiam crescer numa boa família com todas as condições de lhes proporcionar uma vida confortável e afetuosa, bem como uma boa formação pessoal e profissional.

Maria hesitou muito, sofreu para decidir, mudou de ideia várias

Mari, a mestra dos sabores, com Max, o dono da casa.

vezes, e, quando as meninas tinham dois meses, no último momento, com o coração partido, decidiu ficar com uma delas e entregou a outra ao casal de médicos, assumindo o compromisso de jamais procurá-la.

Mudou de cidade e trabalhou duro por trinta anos a fim de dar uma boa educação à filha, que depois se casou e teve um filho. Mas, mesmo mantendo o compromisso de não se aproximar, o coração de mãe de Maria sempre acompanhou a distância a vida da outra filha e de sua família adotiva.

Sabia que a filha era médica cardiologista e tinha dois filhos, e também que o pai adotivo havia morrido e a mãe estava muito doente, com Alzheimer. Então decidiu que havia chegado a hora de conhecer a filha e os netos. Mas não podia simplesmente telefonar ou bater na porta dela, anunciando: "Mamãe chegou!"

Nelsinho sugeriu que o melhor seria escrever uma carta contando toda a história, para que a filha pudesse ler e reler e refletir com calma. E só depois decidir, como nas novelas, se queria conhecer sua mãe biológica. Ou não.

– E se ela a odiasse por tê-la dado em adoção? – perguntava Maria, temerosa.

– Talvez fique feliz com uma irmã gêmea e uma "nova mãe" – dizia Nelsinho, tentando animá-la.

Coube a ele a mais importante missão de redator de sua vida: escrever a carta de Maria contando à filha toda a verdade. Como ela iria reagir? Conseguiria Maria se reunir com a filha e os netos num final feliz? Levou dois dias caprichando na carta que Maria assinou.

A resposta foi a pior possível: depois de uma semana, tocou o telefone. Era o marido da filha, furioso, agredindo e humilhando Maria, dizendo que a esposa não queria conhecer a cozinheira que a abandonara. Nunca! Maria chorou o dia inteiro.

Três meses depois, a filha perdida ligou para Maria. Tinha se divorciado do marido, um péssimo sujeito com quem vivia às turras, e encontrara a carta, que ele havia escondido, como nas novelas. Choraram e conversaram por uma hora, falaram dos netos, da vida. E marcaram de se encontrar no Dia das Mães em Belo Horizonte.

13

A SEREIA CANTOU

Mais de dez anos se passaram entre o lançamento de *O canto da sereia* e a estreia da minissérie em quatro capítulos, dirigida por José Luiz Villamarim, com roteiro de Patrícia Andrade, George Moura e Sergio Goldenberg. A produção consagraria Isis Valverde como Sereia, a estrela do axé, e a tornaria um dos grandes sucessos do ano e concorrente ao Emmy.

Nelsinho preferiu não ter qualquer participação no roteiro, confiando nos roteiristas e no diretor. Jorge Amado dizia que o autor nunca deve se meter em uma adaptação para não se aborrecer: no fim das contas, o filme é do diretor. Villamarim foi muito gentil, conversou bastante sobre o roteiro com Nelsinho, quis sugestões de elenco. Pediu também que ele fizesse uma palestra ao elenco sobre o livro e os personagens.

No original, a Sereia imaginada por Nelsinho era uma louraça muito alta e gostosona, de saltos altíssimos, seminua num maiô de fios dourados, para parecer uma entidade viva. Mas Villamarim, que tinha acabado de dirigir Isis na triunfal *Avenida Brasil*, disse que ele

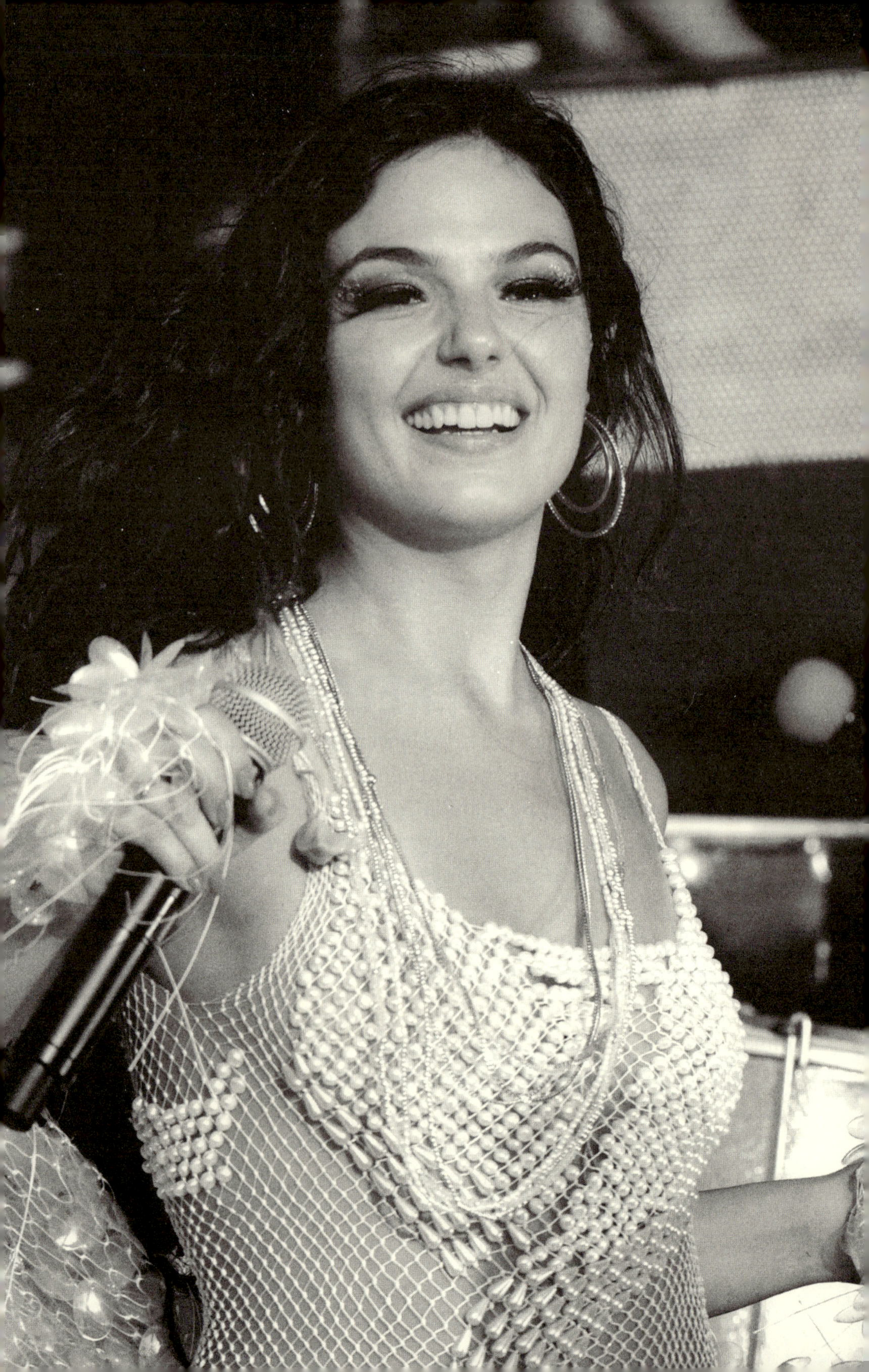

podia confiar que a menina era fantástica. Ok. Linda. Talentosa. Mas nunca tinha cantado...

"Pois eu aprendo", disse ela, confiante. As cenas altamente dramáticas exigiam uma atriz que fascinasse e comovesse o público. A garota era mesmo impressionante, daquelas que só pensam naquilo: em representar bem. Fez um intensivão de canto, andava com uma foniatra a tiracolo o dia inteiro, ensaiou até cair e arrasou em cima do trio elétrico como uma verdadeira estrela do axé. Pelas lentes de Waltinho Carvalho, ficou com 2 metros de altura.

Poderia ter visto os capítulos antes, ou até mesmo quase prontos, mas Nelsinho preferiu assistir como o público, com os comerciais e as chamadas, em quatro semanas, esperando ansiosamente e cada vez mais feliz e orgulhoso com o resultado final. Ficou hipnotizado por Isis Valverde e fascinado por Fabíula Nascimento, que fazia a mãe de santo que se apaixona por um devoto que a procura devastado pelo fim de um amor. Tudo com espetacular trilha sonora montada por Hermano Vianna. E o melhor: transformaram o papel originalmente pequeno do presidente do fã-clube de Sereia, o gay Só Love, num dos grandes protagonistas da série, graças à arrebatadora e comovente interpretação de João Miguel vivendo uma estranha história de amor com sua deusa.

Ao contrário do clássico "O livro era melhor", para Nelsinho, a minissérie se mostrou melhor do que o livro, e disse isso em todas as entrevistas. O livro havia sido sua primeira obra de ficção, e, na adaptação, alguns personagens foram melhorados e as investigações da morte de Sereia tiveram outra solução, mais bem montada que a do livro. Não via nenhum demérito em dar os devidos créditos aos roteiristas e ao diretor, afinal, sem o livro não haveria nada daquilo.

Enquanto escrevia o livro, às vezes Nelsinho ria sozinho com um de seus personagens favoritos, Tuta Tavares, famoso marqueteiro do governador corrupto e patrocinador da carreira de Sereia, que naturalmente se baseava nos gênios da publicidade baiana Nizan Guanaes, João Santana e Duda Mendonça, só que careca, gorducho e gay, para que nenhum deles se sentisse parodiado. Até incluiu uma boa frase de Nizan na boca

Isis Valverde, maravilhosa Sereia em cima do trio elétrico. Sai do chão, Salvador!

de Tuta: "E como disse Nizan: dinheiro não traz felicidade. Felicidade é que traz dinheiro."

Quando tudo estava fluindo, a ficção se nutrindo da experiência e da fantasia, a sensação de liberdade era absoluta. Não precisava de ninguém, de patrocinadores, produtores, músicos, atores, cenários, figurinos, câmeras, microfones, nada. Bastava escrever na tela em branco "uma manada de elefantes" para que o leitor a visse e ouvisse o seu tropel. Cada leitor iria completando o livro, imaginando e dando forma aos personagens e cenários. Não há duas pessoas que leiam de maneira igual o mesmo livro. O leitor é sempre um coautor da obra.

Enquanto tinha controle da história e dos personagens, a sensação de onipotência do escritor era incomparável, mas, quando a trama enguiçava, travava, por dias e dias, era humilhante, e ninguém podia ajudá-lo. Ainda bem que metade era ficção e metade era uma crônica da Salvador pós-jorjamadiana, moderna, rica e poderosa, com a Baixa do Sapateiro cheia de igrejas evangélicas e cines pornô, farmácias e bancas de ervas, Bahia império da folia e das rainhas do axé. Hemingway só disse que Paris era uma festa em movimento porque não conheceu Salvador no Carnaval.

Paradoxalmente, para quem teve cinco discotecas, Nelsinho não gostava de dançar. Sentia-se meio envergonhado por sua timidez e falta de ritmo, e meio exibicionista por dançar em sua própria pista. Em compensação, adorava ver os outros dançando. Fosse em festas, em discotecas ou no Carnaval de Recife, Rio de Janeiro e Salvador, adorava ser um voyeur de danças e de corpos; achava bonito, alegre, sensual, provocante as pessoas abrindo suas asas, soltando suas feras e caindo na gandaia.

13

O GATO COMEU

O dia começou com um grande susto. Assim que Nelsinho terminou a aula de ioga, Mari veio aflita dizer que o Max não estava bem. O gato estava todo mole, trôpego, mal conseguia ficar de pé, logo caía, tentava de novo, cambaleava e caía. Era uma cena de partir o coração. Max foi colocado na cama e Mari levou uma vasilha de ração e outra de água, que ele comeu e bebeu com avidez mesmo deitado. O veterinário Marcelo foi chamado e chegou em seguida.

Max tinha horror do veterinário. Sentia sua presença quando ainda estava no elevador e corria para se esconder porque sabia que coisa boa não vinha. Dessa vez, porém, estava tão caído que nem se importou em ser examinado.

"Ele está com as pupilas muito dilatadas", disse Marcelo. E perguntou em voz baixa: "É possível ter maconha na casa?"

Nelsinho soltou uma gargalhada de alívio. Era só isso: Max estava doidão. Tinha comido algum resto de maconha e, como era sua primeira vez, chapou direto. Sua fome e sua sede eram simplesmente uma

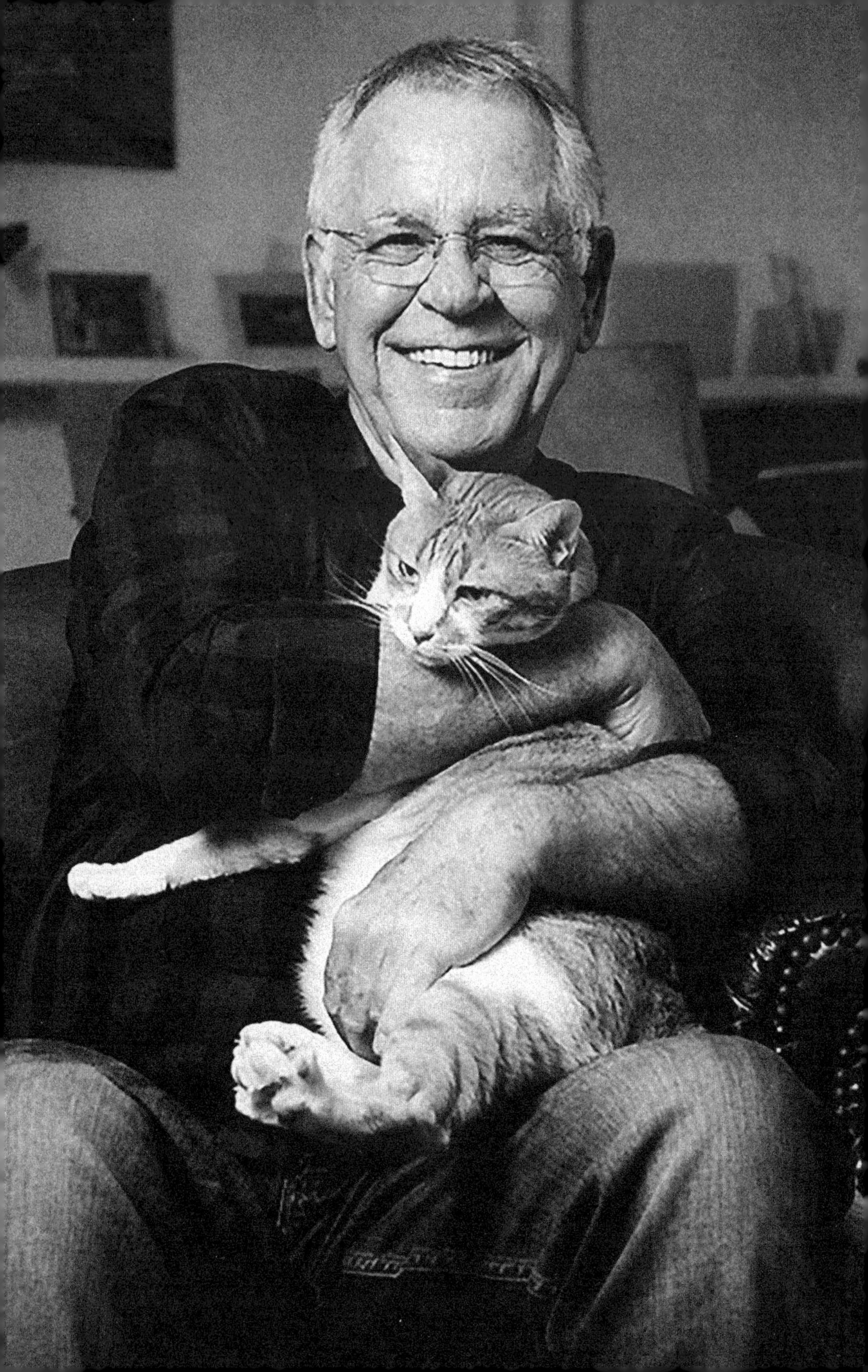

larica felina. Marcelo disse que era muito frequente com cachorros, mas menos com gatos. Duas horas depois, a onda passou e Max já andava normalmente e miava pedindo comida.

Com Max meio contrariado, mas indiscutivelmente lindo.

14

TIM NA TELA

Com o sucesso do livro *Vale tudo* e do musical no teatro, o cinema seria a próxima etapa da ressurreição de Tim Maia. Os direitos do livro foram disputados por vários produtores, ficando no final entre Rodrigo Teixeira e Suzana Villas Boas, dois amigos de Nelsinho.

Rodrigo acabou levando, e contratou Mauro Lima para dirigir, vindo do sucesso do excelente *Meu nome não é Johnny*, baseado no livro de Guilherme Fiuza. Empolgado, Cauã Reymond se associou à produção e faria um dos principais papéis, uma mescla dos personagens do cantor Fabio e de Nelsinho no livro, que viravam um só no roteiro escrito por Mauro e Antonia Pellegrino.

Logo que os direitos foram adquiridos, Antonia, que também era filha e neta de amigos de Nelsinho, o procurou para uma conversa sobre Tim. Estava perdida. Tinham que fazer um recorte de tempo na vida dele, mas eram tantos e tão intensos os episódios cômicos e dramáticos que era muito difícil escolher os mais importantes. E ainda havia a melhor parte: a música. Como escolher, entre os vinte grandes hits de Tim, aqueles que seriam cantados ou dublados no filme?

Embora Cauã, Rodrigo e Mauro fossem todos gentilíssimos, convidando Nelsinho para um dia de filmagem, pedindo opiniões, ele seguiu à risca o conselho de Jorge Amado, de não interferir em adaptações de seus livros, e fez questão de deixar o filme nas mãos talentosas e competentes do diretor, que estava fascinado pelo personagem de Tim Maia. Mauro sabia muito bem como valorizar e humanizar os personagens marginais, como no caso de Johnny, e Tim seria um prato cheio.

A sequência de abertura era sensacional. Uma bandinha de adolescentes tocava chá-chá-chá numa quermesse de igreja e, no final da música, o baterista gordinho começa a reclamar e xingar, parte pra cima dos colegas e, furioso, se lança de braços abertos sobre a câmera. Puro Tim Maia.

O jovem Tim é feito por Robson Nunes, e o Tim mais velho, por Babu Santana. E talvez aí esteja um dos problemas do filme. Enquanto Robson é perfeito na juventude de Tim, uma fase mais leve e divertida, Babu interpretou o Tim-bandido da maturidade, pesado, só reclamando, criando caso, brigando, incomodando, dificultando uma empatia do público com o personagem. O problema não era Babu, excelente ator, mas seus textos e ações.

Talvez, no seu fascínio pelo lado marginal de Tim, que se não fosse um gênio do pop certamente teria sido um chefão do tráfico, Mauro tenha minimizado um traço fundamental e indispensável da personalidade de Tim: o humor e a simpatia, que temperavam sua fúria e seu lado marginal. Nem suas piadas mais conhecidas – talvez por isso mesmo – estavam no filme, para decepção de Nelsinho, acostumado a ver o teatro explodindo em gargalhadas com as tiradas de Tim.

O Tim velho do filme é grosso e sombrio, é chato, não tem o menor humor e nenhuma simpatia. Sem dúvida, ele também era assim em alguns momentos. Mas, se fosse só isso, seria insuportável.

Depois de uma primeira parte divertida e musical, no final da segunda metade o público quer se livrar do personagem incômodo. Ninguém sai entusiasmado com o filme, ninguém se lembra da excelente primeira parte. Talvez seu ponto fraco tenha sido o boca a boca negativo, que levou o filme a vender pouco menos de um milhão de ingressos quando as expectativas eram de várias vezes isso, dados a popularidade do personagem e o sucesso do livro e do musical. E a cena mais polêmica do filme nunca existiu.

Os roteiristas não se basearam apenas no livro de Nelsinho, mas fizeram novas entrevistas e pesquisas e, a partir delas, criaram uma cena em que Roberto Carlos e Erasmo, reis da juventude, saem do auditório cercados de fãs e seguranças, enquanto Tim, desempregado e faminto, tenta se aproximar e pedir ajuda a seus velhos amigos da Tijuca. Até que alguém da comitiva amassa uma nota de 10 cruzeiros e joga no chão para Tim pegar. A cena é revoltante e provocou imensa reação contra Roberto, mas nunca existiu.

Antes de tudo, estava para nascer alguém que fizesse isso com Tim Maia e ele não voasse em cima, como na cena de abertura, chutando, dando cabeçadas e cusparadas entre palavrões. Por isso, nem Nelsinho nem ninguém que conviveu com Tim jamais ouviu ou imaginou tal cena. Era fake old news. Mas acabou marcando o filme.

Na vida real, pelo contrário, Roberto chamou Tim para cantar no programa da Jovem Guarda, conseguiu-lhe o primeiro contrato para um single na CBS e gravou seu primeiro grande hit "Não vou ficar", que lançou Tim como compositor e lhe rendeu muito dinheiro de direitos autorais. O que mais Roberto poderia ter feito? Uma massagenzinha nas costas? Um beijinho?

14

ELIS REVISITADA

Mais seguro com o sucesso do musical de Tim Maia, Nelsinho aceitou o convite dos produtores Aniela Jordan e Luiz Calainho para escrever um musical sobre Elis Regina. E chamou a excelente roteirista Patrícia Andrade, de *Dois filhos de Francisco*, casada com seu sobrinho Pedro, para dividir com ele o texto. O diretor seria Dennis Carvalho, velho amigo de Elis e de Nelsinho, que sugeriu meio de brincadeira o título de "Elis, a musical" e todos riram e concordaram. Ela era mesmo "a musical".

Nelsinho tinha visto, em 2002, uma pequena montagem sobre Elis incrivelmente bem interpretada por Inez Viana, que não só se fazia parecida com Elis como, quando se fechavam os olhos, às vezes dava a impressão de ser a própria Elis cantando. Pena que a peça não fosse boa, pelos diálogos pobres e as situações pouco elaboradas, mas Nelsinho teve ali pela primeira vez a sensação estranhíssima de se ver como personagem em um palco, interpretado por Rodrigo Pandolfo, que era até bem parecido com Nelsinho aos 25 anos, só que mais bonito.

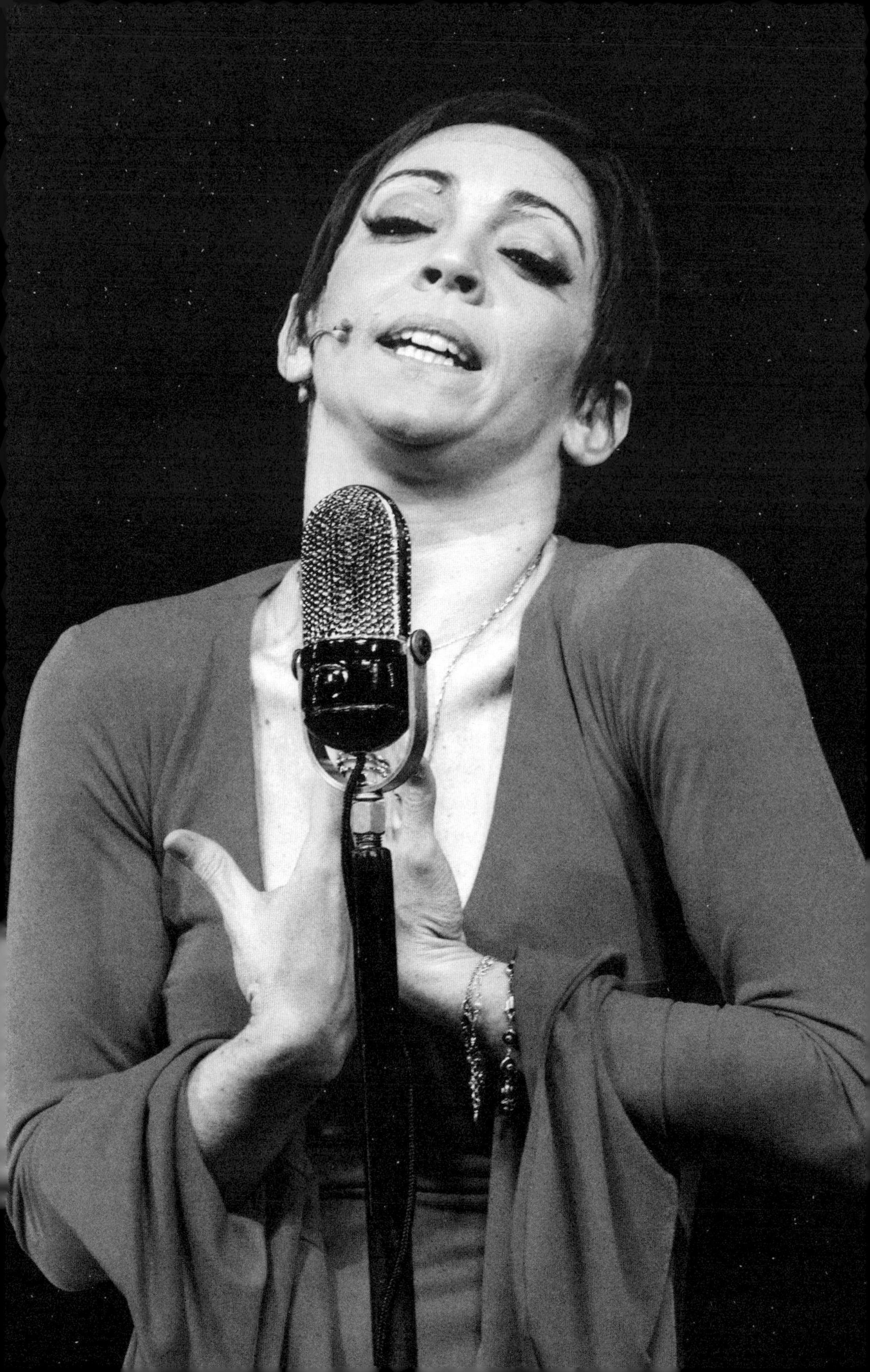

Na nova e grandiosa montagem planejada pelos produtores, o texto trazia de novo o personagem de Nelsinho, algo inevitável por ter sido produtor, namorado e amigo de Elis. E foi muito bem interpretado por Thiago Marinho.

Difícil foi encontrar a atriz para ser Elis – e cantar como Elis. Foram dezenas de testes, com boas atrizes que não sabiam cantar e boas cantoras que não sabiam atuar; umas mais parecidas com Elis, outras menos; mas nenhuma perto do que Dennis e os produtores queriam e de que precisavam desesperadamente. Todo o elenco já estava escalado. Só faltava Elis.

Até que, incentivada por Nelsinho, que a conhecia como a voz do grupo Ipanema Lab, apareceu Laila Garin, que nem queria fazer o teste, porque não aceitaria um papel secundário, e achava que não tinha chances como Elis.

Era uma baiana de cabelos ruivos cacheados, olhos azuis e pele muito branca. O oposto de Elis. Sem maquiagem nem qualquer ajuda de figurino ou cabelos, bastou Laila cantar os primeiros versos de "Fascinação" para, como se tocados por uma corrente elétrica, os diretores Dennis e Henrique Sauer, Nelsinho, Patrícia e os produtores tivessem certeza: "Habemus Elis!"

Depois Laila ainda cantou uma versão arrebatadora de "Como nossos pais" e arrasou numa cena de briga entre Elis e Ronaldo Bôscoli, interpretado por Felipe Camargo. Nessa altura o papel já era dela. Quem mais se surpreendeu com a escolha foi Laila. E iniciou seu processo de transformação em Elis.

Em cena, maquiada, com lentes de contato escuras e uma peruquinha de cabelos pretos e curtos como Elis, Laila andava como Elis, falava e ria como Elis, e, principalmente, cantava como Elis, sem copiá-la ou cloná-la, numa interpretação teatral perfeita. Quando terminava a peça e iam cumprimentá-la no camarim pela performance arrebatadora, era difícil acreditar que aquela ruiva cacheada de olhos azuis pouco antes havia sido uma perfeita encarnação de Elis Regina. A força da arte.

Naquele ano, Laila colecionou standing ovations e ganhou todos os prêmios importantes de teatro no Rio e em São Paulo, como Atriz Revelação do Ano.

Laila Garin grandiosa e arrebatadora em "Elis, a musical". Até Elis teria gostado.

Quando Nelsinho fez 70 anos, convidou-a para participar do disco comemorativo *Nelson 70*, cantando a delicada "Noturno carioca", parceria recente com Erasmo Carlos. A música fala do Rio noturno visto do alto de Santa Teresa num momento de paz e plenitude.

> Somos só nós dois
> não há mais ninguém
> nessa imensidão,
> as palavras não
> vão poder dizer
> nossa emoção,
> tanto sentimento não precisa
> de poema ou melodia,
> paz e alegria não precisam
> de romance nem canção...

14
POR UM FIO

Um dia, Nelsinho acordou com o olho esquerdo irritado, coçando muito. Talvez fosse um cisco, um cílio, um grão de areia. Pingou colírio, e nada de melhorar. Foi até o espelho de aumento, examinou minuciosamente e não tinha nada. O olho só estava um pouco avermelhado, talvez de tanto coçar.

Era como se tivesse um cisco invisível no olho, um grãozinho de areia arranhando, incomodando. Nelsinho só pensava naquilo, não conseguia se concentrar em mais nada. Passou o dia com vontade de arrancar o olho para se livrar daquilo.

No fim da tarde, desesperado, foi a uma clínica oftalmológica e a médica encontrou a razão dos seus males: um cílio finíssimo havia entrado no furinho do canal lacrimal, que tinha exatamente a mesma espessura do cílio, uma possibilidade em milhões, um reverso da sorte. Rapidamente, ela tirou o pequeno cílio com uma pinça, desbloqueando o canal lacrimal, e mostrou o que a insignificância de um fiozinho pode fazer com uma pessoa.

Nelsinho refletiu mais uma vez sobre a fragilidade humana e sua precariedade. "Tudo está por um fio" era uma de suas máximas para as filhas. Por mais dinheiro, poder e força que se tenha, um reles cílio pode incapacitar e enlouquecer uma pessoa. Ou uma dor de dente, que não há rei, bilionário ou presidente que aguente; é como uma tortura, e o nivela ao mais humilde e insignificante dos mortais.

Certo dia, seu pai comentara que, depois de anos e anos de estudos religiosos, metafísicos e filosóficos, usando toda a sua inteligência e lógica, todo o rigor de seus argumentos, chegara a uma conclusão inexorável, que acabou virando lei familiar: "Fazer o que tem que ser feito."

Todo mundo sabe o quê, mas fica arranjando desculpas para não fazer. Ou esperando que outro o faça.

14
EM NOME DO PAI

Nelson pai, que com o tempo e a carreira de Nelsinho passou a ser chamado de Nelsão, sempre foi muito ativo e entusiasmado em tudo o que fazia. Advogado bem-sucedido, montou um dos maiores escritórios do Rio de Janeiro, formou muitos advogados e tornou-se mentor de muitos outros, não só pelo seu saber jurídico mas por sua personalidade de irradiante simpatia, generosidade e calor humano. Nelsão gostava de gente. De ajudar.

Foi grande amigo do revolucionário pensador e teólogo austríaco Ivan Illich, um radical crítico social e da Igreja católica, que escreveu livros devastadores sobre educação, como *Sociedade sem escolas*, de 1971, e ficou conhecido como "o profeta de Cuernavaca". Nelsão também foi um dos fundadores do Banco da Providência com dom Hélder Câmara, de quem era advogado e amicíssimo. E tinha como máxima: "Cruzou o seu caminho e pediu ajuda, tem que ajudar."

Não interessavam os motivos: se aquela pessoa cruzava seu caminho naquele momento, naquele lugar, não era por acaso. Sim, mesmo com o risco eventual de pequenos golpes, explorações, farsas, era preciso ajudar. Uma vez, brincando com ele, Nelsinho repetiu a piada da esquerda festiva de Ipanema, segundo a qual alguém ia dar um trocado a um mendigo e o companheiro advertia: "Não dá esmola que atrasa a revolução. É preciso acirrar as contradições do capitalismo."

Nelsão atrasou muito a revolução, mas salvou da fome e da humilhação, ainda que por um dia, quem cruzou seu caminho. Ele detestava os cínicos pães-duros que diziam que, se desse dinheiro, a pessoa ia gastar tudo em cachaça.

"Porra, se um homem está tão fodido e abandonado na rua, o melhor a fazer é tomar cachaça para esquecer que está vivo."

Chegou ao extremo de encher uma caixa com notas pequenas para quando parasse no sinal na praça do Jockey, a caminho de casa, e fosse cercado pelo enxame de moleques que corriam para seu carro em algazarra. E distribuiu notas para todos, todos os dias, durante anos. Sabia o nome de vários, brincava, dava esporro nos metidos a malandros, protegia os menores dos maiores. E partia feliz para casa, acreditando que quem dá ganha muito mais que quem recebe.

Sua casa ficava no Alto da Gávea, no meio da floresta, com um riacho passando no jardim que, com o tempo, virou um esgoto. Em trinta anos, a Rocinha foi crescendo e se aproximando da casa, e o riacho passou a ser usado como lixeira. Até os 88 anos, Nelsão ia todos os dias dirigindo seu Honda, que chamava de "morcego negro", da Gávea ao escritório no centro da cidade, onde dava expediente em tempo integral. E distribuía esmolas na ida e na volta. Era um esmolista profissional.

Um dia, ele se queixou para Nelsinho de que, no escritório, a essa altura com mais de cinquenta advogados, sua sala era a maior e mais luxuosa, e lá passava os dias como um xamã, sendo reverenciado e recebendo jovens e veteranos, tanto do próprio escritório quanto de outros, que vinham lhe pedir opiniões, dicas, conselhos, revisões, chamando-o de mestre, mas ninguém lhe trazia trabalho. Não lhe pediam pareceres pagos, o alugavam de graça. Depois de uma carreira brilhante, ele se sentia inútil, superado, incapaz, ainda que convencido de estar plenamente apto a trabalhar.

No convívio familiar, continuava ótimo, saudável, sempre inteligente, divertido e afetuoso; claro que, vez por outra, tinha lapsos e fazia confusões, mas estava perfeitamente lúcido. Devia estar muito triste por dentro, mas não comentava com ninguém além de Xixa. Nelsão não era de reclamar. A certa altura, cansou, parou de dirigir e de frequentar o escritório, e passou a ficar em casa, sempre bem-vestido e arrumado.

Gostava de dar comida para os micos que saíam da mata e visitavam a varanda onde tomava o café da manhã. Também curtia brincar com eles. Um dia, imaginou uma experiência metafísica com os bichinhos. Colocou um boneco inflável azul na varanda e passou a deixar fartos pedaços de banana à sua volta, durante dias. Os micos deliraram. Então ele tirou o boneco. E as bananas sumiram. Os micos piraram; gritavam, chiavam, e nada.

O deus da fartura os tinha abandonado. Os micos estavam perplexos. Deviam ter rezado mais e feito mais sacrifícios, Nelsão contava, divertido. Então logo voltou a alimentá-los, sem nenhum deus, como um messias. E ria, não dos micos, mas dele mesmo e dos homens e suas religiões.

14

ANJOS E DEMÔNIOS

Como advogado, Nelsão acreditava no poder da inteligência e da razão para entender e explicar o mundo, resolver problemas e disputas, e também para ajudá-lo em questões metafísicas, que desafiavam sua espiritualidade difusa porém intensa. Ele queria acreditar, mas para isso precisava entender a presença do mal no mundo, então mergulhou em profundas pesquisas sobre os demônios e seus poderes. Leu vários livros, sabia seus nomes (que dizia para Nelsinho não repetir em voz alta), hierarquias, atributos e malefícios; tornou-se um demonólogo amador. Mas não bastava.

O estudo aprofundado do mal e de seus agentes não explicava sua presença no mundo harmônico e amoroso de Deus, mas a trajetória dos anjos caídos o levou a pesquisar com igual intensidade a contraparte deles: os anjos de luz, os arcanjos esplendorosos, os guardiães do bem contra a maldade satânica de que são alvos os filhos de Deus. Os anjos da guarda. Acumulou dezenas de livros em várias línguas sobre anjos e demônios.

Mas não tinha religião formal. Detestava o dogmatismo e a intolerância, a hipocrisia e as políticas repressivas e retrógradas das igrejas. Parecia que sua religião era a caridade, a compaixão e a tolerância. Porque as maiores e mais demoníacas matanças da história da humanidade foram, e continuavam sendo, em nome de Deus.

Contava que as legiões satânicas estavam sempre ativas, e mais numerosas, e lembrava a pergunta clássica que os exorcistas fazem aos endemoniados para identificar o inimigo: "Quem é você? Qual é o seu nome?" E a voz satânica rosnava ameaçadora, como em *O exorcista*: "Meu nome é legião." E eram mesmo. Às vezes muitos demônios tomavam uma só pessoa. São legiões satânicas, que, no mundo inteiro, enfrentam os anjos de luz, de bondade e de amor.

"É difícil acreditar nisso?", perguntava Nelsão, e ele mesmo respondia: "Difícil é acreditar no Brizola e no Lula", e ria, "e vocês acreditam."

Uma tarde, voltando do escritório pelo Aterro do Flamengo, Nelsão viu um carro parado debaixo de uma ponte e um homem acenando, desesperado. Parou para ajudar. Era um assalto. Saiu do carro e foi rendido por três sujeitos armados. Nesse momento, contou depois, ele se sentiu, e até se viu, cercado e protegido por todos os seus mortos queridos – pai, mãe, irmão, avós – e, como a porta de seu carro ainda estava aberta, pulou dentro e acelerou para a vida. Com seu anjo da guarda no banco do carona.

Ele acreditava em anjos da guarda, e parece que eles também acreditavam nele, pois o salvaram de dois desastres de carro pavorosos: um com os filhos pequenos, sem ninguém sofrer nada, e depois outro, na Via Dutra com só duas pistas, debaixo de um temporal, quando o carro dirigido por seu irmão Paulo derrapou e se desgovernou, capotou e rolou pela ribanceira até a beira de um rio 10 metros abaixo.

Acharam que Xixa estava morta, mas estava só desmaiada, sem ferimentos. Nelsão saiu com um pequeno corte na perna; Paulo e sua mulher, Teresa, incólumes. Logo Xixa acordou e foi levada para um hospital próximo para exames: estava intacta. E os quatro anjos da guarda, exaustos.

14

O INVERNO DO PATRIARCA

Na aposentadoria forçada, Nelsão não queria sair para nada. Passava os dias em sua poltrona favorita, olhando o jardim e a floresta e lendo jornais. Muito de vez em quando se interessava pela TV, mas não queria mais saber de livros. Passava a semana com Xixa, e a grande alegria deles era o almoço de sábado com a família e eventuais convidados, botando a vida em dia e sempre elogiando a "direção de cozinha" de Xixa.

Um dia, Nelsinho disse que o estava achando meio murcho e ele respondeu: "Estou de saco cheio. Já vivi demais." E, realmente: seus 89 anos seriam pelo menos 200 no tempo lógico lacaniano.

Sofreu grandes perdas, como a de seu irmão Paulo, aos 60 anos, a quem acompanhou durante dois anos de sofrimento por causa de um câncer; sobreviveu a dois desastres pavorosos de carro e a um assalto que poderia ter sido fatal; fez imensos sacrifícios; segurou incontáveis rabos de foguete de filhos, parentes e amigos; mas não teve doenças; arrancou bastante dinheiro, viajou muito; viveu um grande e permanente amor com Xixa, o respeito e a admiração de todos que cruzaram com ele e a gratidão de amigos e discípulos advogados, sempre seguindo sua máxima "Quem recebeu mais, tem que dar mais".

E assim passou seus últimos anos, cada vez mais desinteressado de tudo, comendo como um passarinho e sentado na cadeira a contemplar o jardim. Reconhecia todos e era amoroso com todos, mas não queria saber de conversas longas e sérias. Gostava muito de papear, desenhar e contar histórias para a bisneta Marina, de 3 anos. Falavam a mesma língua. Mas Nelsão foi se alheando do mundo, embora não tivesse nenhuma doença física ou mental. Parecia às vezes deprimido. Para os médicos que o examinavam dizia "Estou ótimo", e, para a família, que não se preocupasse. E acendia um cigarro.

Um sábado, depois do almoço de família, ele se sentiu mal, desmaiou e foi levado para o quarto. Deitado na cama sem sentidos, muito pálido e imóvel, Nelsão estava cercado de filhos, netos e bisnetos, Xixa pegando em sua mão, Nelsinho temia que fosse a cena clássica do leito de morte.

Quando ele soltou pela boca uma golfada avermelhada, Joana gritou: "Está vomitando sangue!" e começou a chorar, mas era o vinho que ele tinha tomado, e um sinal de que estava vivo. Logo voltou a si e se levantou, lépido: "É bom para vocês irem treinando", e soltou uma gargalhada. Depois partiu para o banheiro: "Estou louco para dar uma mijada."

Foi definhando aos poucos, cada vez mais alheio e desinteressado, num processo de demência senil, mas sem perder a ternura. Tinha uma cuidadora que o ajudava até a tomar banho, como um bebê, o que ele detestava. Parecia estar esperando a morte chegar. Com serenidade e aceitação. Nelsinho se indagava o que ele ficava pensando o dia inteiro, mas não ousava lhe perguntar, só o acariciava como a um filho, contava suas novidades e sempre ouvia: "Meu filho, você só me dá alegrias." Isso não tem preço. Vale uma vida.

Estava com 92 anos quando Nelsinho foi se despedir dele porque ia viajar para Lisboa e Barcelona com as filhas.

– Ah, que bom. Lisboa é uma maravilha. Como você está?

– Muito bem, pai, mas o que interessa é: como *você* está?

– Ficar velho é uma merda, meu filho.

– Mas, pai, não ficar é pior ainda.
E riram juntos pela última vez.

Foram suas últimas palavras para Nelsinho, que teve de voltar às pressas de Barcelona com as filhas. Quando estavam fazendo a conexão em Lisboa, a neta Fernanda, médica e psicanalista, que fazia a interface com os médicos, ligou para Nelsinho: "Vocês vão encontrar com ele cruzando o Atlântico pelo céu."

Fernanda contou que ele havia sido internado com falta de ar – o que, segundo o pacto entre eles, era um dos únicos motivos para internação. O outro era dor. No hospital, a respiração, mesmo ajudada, voltou muito frágil, mas os rins pararam e o coração batia cada vez mais fraco. Alguém disse: "Vamos fazer uma diálise."

Fernanda disse que não iam fazer nada, baixou a luz, mandou que lhe aplicassem um poderoso sedativo para não sentir dores e adormecer em paz. Ligou seu celular numa gravação pirata de João Gilberto do Hino Nacional e esperou. No monitor, a luzinha verde do coração foi diminuindo, diminuindo e apagou.

Nelsinho não quis ver o pai morto; preferia lembrar-se dele vivo e feliz. Nem entrou na sala do velório; ficava zanzando, falando com amigos, fumando na porta da capela. Na hora de o padre fazer as orações fúnebres, achou que tinha o dever de ficar ao lado de Xixa e de suas irmãs à beira do caixão. Mas não olhou para baixo. E o padre começou a falar, a falar, um monte de baboseiras e clichês. Não tinha noção de quem era Nelsão, mas falava, e falava. Xixa (e todo mundo) foi ficando irritada, e quando o padre disse "Agora vamos relembrar...", foi cortado por Xixa, firme: "Não vai relembrar nada. Vamos acabar logo com isso."

E o caixão foi fechado.

14

XIXA FOREVER

Em um clássico amoroso, no ano em que comemoraram 70 anos de casamento, cinco meses depois de Nelsão, foi a vez de Xixa partir. Sofreu um AVC, foi internada no Hospital Pró-Cardíaco, entubada e, uma semana depois, Nelsinho recebeu às seis da manhã o telefonema que mais temia. Como num clichê literário e cinematográfico, ele a reviu em diversas fases de sua vida, numa sucessão de memórias em que se misturavam risos e lágrimas.

Chegou ao hospital de manhã cedo e a encontrou numa espécie de pré-velório, numa sala montada na garagem do hospital. À cabeceira, sua amiga Marisa Monte cantava para ela. Nelsinho esperou, ouvindo de longe. Como não havia mais salas de velório disponíveis no São João Batista, Xixa foi velada ao ar livre, sob uma tenda amarela, na entrada lateral do cemitério, entre árvores e flores.

Depois do funeral, Nelsinho partiu para Búzios com a filha Joana, os três netos e a sobrinha Patrícia com as suas duas filhas, em busca de um colchão de afeto, disposto a se entreter ao máximo para não pensar naquilo. Teria a vida inteira para isso. Por sorte, no meio da adversidade, era época de Copa do Mundo e Nelsinho assistia a quatro jogos completos por dia, com comentários e resenhas, até dormir entorpecido por overdoses de futebol. Uma noite sonhou que estava tomando sorvete com Xixa e acordou feliz.

Às vésperas do fatídico Brasil e Alemanha, teve uma intuição, uma premonição, ou talvez até um conselho de Xixa, e convocou Joana: "Filha, como dizia a vovó, sinto cheiro de pólvora. Vamos amanhã para Lisboa e depois encontramos suas irmãs que estão em Berlim."

Desembarcaram de manhã cedo e, sob o sol de Lisboa, percorreram as calçadas de pedra portuguesa, onde não havia clima de Copa do Mundo, Portugal tinha levado uma chinelada de 4 a 0 da Alemanha. À noite, foram assistir ao jogo do Brasil na casa do amigo Domingos com vários amigos tugas, só Nelsinho e Joana de zucas. Portugas e brazucas contra a Alemanha.

Diante dos portugueses perplexos com a sucessão de gols alemães, Nelsinho só imaginava como aquele massacre estaria sendo visto no Brasil. Encerrada a partida, os portugueses fizeram alguns comentários entre taças de vinho, mas sem debochar nem tripudiar do 7 a 1. O que não entendiam era como os brasileiros poderiam torcer pela Alemanha numa eventual final com a Argentina. E ainda mais tendo sido humilhados por ela. Eles detestavam os alemães e tinham seus motivos. Nelsinho tentou explicar a relação de amor e ódio com os hermanos, a rivalidade dentro da fraternidade que alimenta os dois. Eles amam odiar os brasileiros. E odeiam amar. E vice-versa.

Depois, voltaram a pé para o hotel, tranquilos na cidade silenciosa, imaginando como estaria o Brasil. A tragédia em tempo real na internet, as manchetes sinistras, a comoção nacional. Ninguém mais falava de Copa do Mundo em Lisboa. Nem no dia seguinte, quando partiram para Berlim a fim de encontrar Esperança e Nina.

Nelsinho nunca havia estado em Berlim, que Esperança e Nina amavam. Gostou da modernidade, da eficiência e da liberdade, com os alemães peladões curtindo o verão à beira do rio, o trânsito fluindo lento e silencioso entre as bicicletas. Visitou o Museu do Muro com horror; Joana passou mal e teve que sair.

Hospedaram-se num ótimo hotel, antigo e confortável, numa área da antiga Berlim Oriental. Nelsinho ficou horrorizado com a arquitetura do período soviético, que lhe pareceu saída de um pesadelo arquitetônico, e chamava a Friedrichstrasse de "Pavorrozenstrasse". Assistiram à final da Copa pela televisão, torcendo pela Alemanha, não por vingança, mas por ser o melhor time, e, no dia seguinte, percorreram a cidade em festa pela chegada dos campeões.

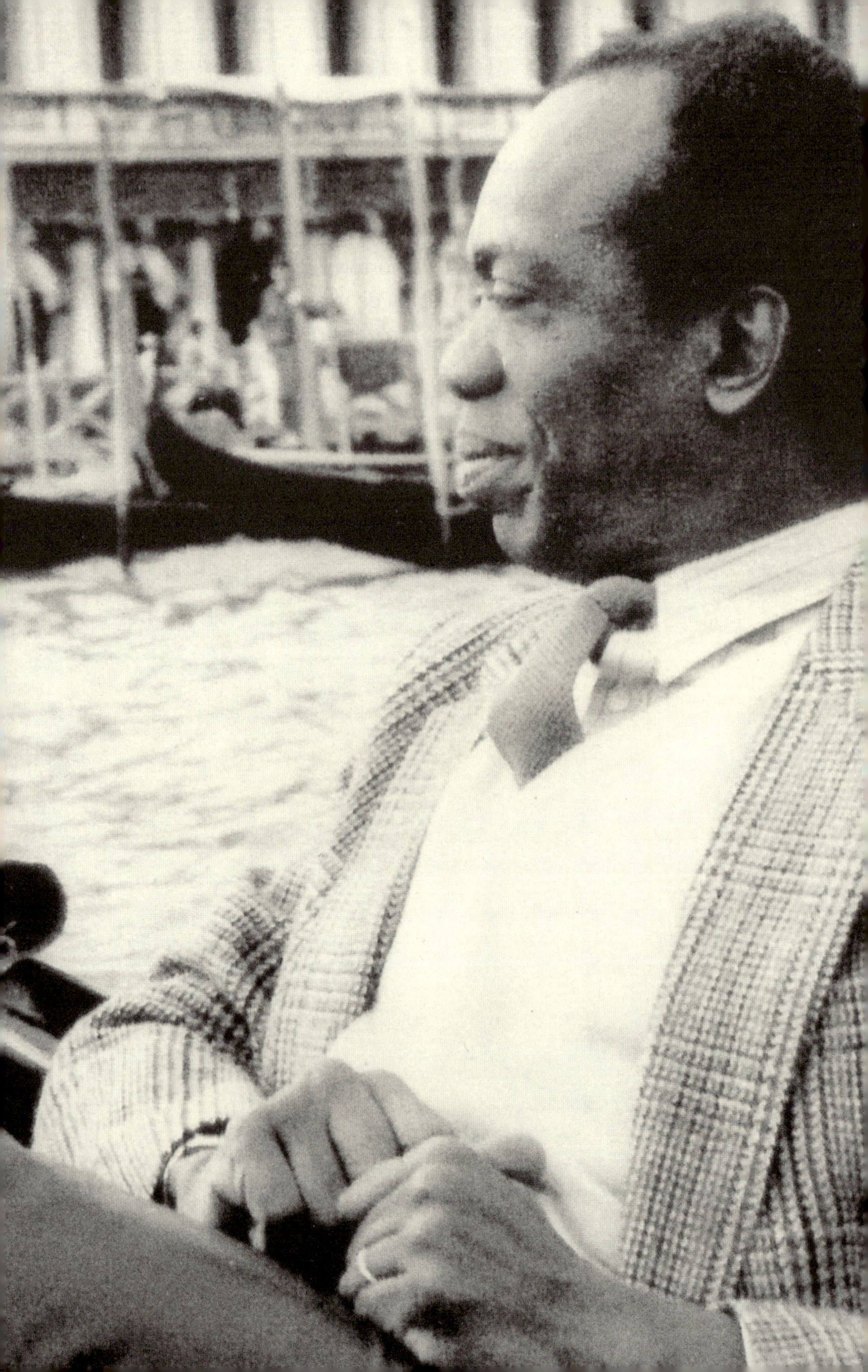

14

PEPE IN THE SKY WITH DIAMONDS

Na véspera de fazer 70 anos, Nelsinho recebeu a visita de Dom Pepe, levado por sua mulher, Anna, de cadeira de rodas, cheio de dores e já muito combalido pelo câncer de próstata que enfrentava havia dez anos. Mesmo assim fizera questão de ir cumprimentar seu bróder. Não era só uma saudação, era uma despedida. Poucos dias depois, Dom Pepe morreria em casa, na Barra, sem sofrimento, e Nelsinho foi o primeiro a chegar, com Nina, que tinha lhe dado a notícia que ele esperava a qualquer momento.

Um ano antes, Nelsinho havia conseguido com seu primo oncologista, Rodrigo Erlich, que vive em Nova York, um remédio de última geração, fabulosamente caro, mas que acabou saindo barato, porque deu uma sobrevida de um ano a Dom Pepe em condições razoáveis. Depois, porém, o remédio deixou de fazer efeito e não havia mais o que tentar. Só esperar.

Por sorte, quando Anna notou que ele jazia morto na cama, estava na sua casa para tratar de outros assuntos o advogado Valter, genro da cozi-

Dom Pepe, o mouro de Veneza, contempla as águas turvas do Gran Canal.

nheira Maria, que acalmou a trágica Anna (afinal, ela era grega) e foi um anjo tomando todas as providências de liberação do corpo, atestados, cremação e toda a merda fúnebre legal. Dom Pepe era tão responsável que tinha deixado até um seguro-funeral.

Nelsinho entrou no quarto e desabou em lágrimas sobre seu irmão. Abraçou-o e beijou-o. Juntamente com Nina, o vestiram no alto style que lhe era característico. E, claro, colocaram-lhe um boné branco para completar o look que ele amava. E que nós amávamos.

Com o coração partido, Nelsinho escreveu no Facebook:

Dom Pepe forever

Hoje perdi meu mais antigo e querido amigo. Nos conhecemos aos 8 anos de idade e nunca nos separamos. Além de um pioneiro da discotecagem nas noites cariocas ao lado de Big Boy e Ademir, Dom Pepe era um DJ sensacional – como sabem todos os que dançaram e se alegraram com suas músicas no Dancin' Days, no Noites Cariocas, na Paulicéia Desvairada e no African Bar. Mas sobretudo foi um ser humano raro no afeto, no companheirismo e na alegria. E no talento para viver e fazer amigos.

A identidade secreta de Dom Pepe era Luiz Francisco, mas só sua mãe o chamava assim. Rosa era cozinheira na casa de um desembargador vizinho de minha família, num edificiozinho do Bairro Peixoto, e Dom Pepe foi criado junto com os filhos do patrão. Era educado, estudou no Pedro II, falava inglês. Aos 20 anos, ficou conhecido em Ipanema como "Pelé", num tempo em que todo neguinho carioca era chamado de Pelé, e virou discotecário da boate Sucata, de Ricardo Amaral. Mas logo foi para Londres, onde conviveu intensamente com Júlio Bressane, Neville d'Almeida, Caetano Veloso, Gilberto Gil, Hélio Oiticica e outros brasileiros exilados. E como "Peleh" não funcionava com os ingleses, se tornou Dom Pepe. Para sempre.

Casou-se com uma grega bonita, Anouska, abrasileirada para Anna, com quem ficou até o fim da vida. Circulou pela Europa inteira fazendo amigos e divertindo as pessoas com seu humor, sua malandragem e seus discos de música brasileira.

Nós nos reencontramos em 1976, quando ele voltou ao Brasil e o chamei para ser o apresentador do festival Som, Sol & Surf, em Saquarema, estrelado por Rita Lee, Raul Seixas e Angela Ro Ro. E não nos desgrudamos mais. Primeiro na discoteca Dancin' Days, que deve muito do seu sucesso tanto às Frenéticas quanto ao DJ Dom Pepe, que incendiava a pista com petardos musicais e gritava, às gargalhadas: "Agora vocês vão pular feito pipoca!"

No Noites Cariocas, em 1980, com o fim da disco music, ele lançou com Júlio Barroso a "música pra pular brasileira", fazendo a pista ferver só com discos de artistas brasileiros de rock, samba, frevo, samba-rock, baião, Rita Lee, Tim Maia, Pepeu Gomes, Zé Ramalho, Banda Black Rio, que não ficavam devendo em nada às melhores pistas do mundo – como sabem os muitos gringos que subiam ao Morro da Urca e pulavam feito pipoca.

Em 1982, Dom Pepe foi à Copa do Mundo na Espanha e se tornou personagem de meu livro *Resenha esportiva*, sobre nossas aventuras em Sevilha e Barcelona, incluindo suas incontáveis tiradas que provocavam risadas em várias línguas.

Depois de discotecar mil e uma noites no Morro da Urca, dividindo a pista com Lulu Santos, Paralamas, Titãs, Barão Vermelho, Blitz, Gang 90 e as Absurdettes e mais de 150 bandas de rock dos anos 1980, Dom Pepe foi passar uma temporada em Roma, onde já estávamos Euclydes Marinho e eu, e vivemos seis meses de algo muito próximo da felicidade plena e fugaz na Cidade Eterna.

Comendo, bebendo, rindo, fumando haxixe, nos divertindo com os italianos, passeando pelas ruas de Roma e falando da vida e da arte e da beleza que nos rodeavam dia e noite. Como irmãos.

Ficamos hospedados no Residenza Archimede, em Parioli, bairro de mauricinhos e velhos fascistas, mas bonito. Era um predinho de quatro andares, e os apartamentos tinham embaixo uma boa sala com cozinha e, no mezanino, quarto e banheiro.

Foi lá que Dom Pepe levou um grande susto quando ouviu pancadas fortes na porta e uma voz de mulher gritando "Pulitzia, pulitzia!". Entrou em pânico, jogou a preciosa maconha na privada e foi atender à porta gelado. Não era a polícia, que em italiano se diz "polizia", com a tônica no zi, mas a arrumadeira, para fazer a limpeza, "pulizia", com a tônica do li, na língua de Dante, do verbo "pulire", limpar.

O residence também tinha um pequeno mas bem equipado bar no térreo, onde tomávamos café de manhã. O barista Franco foi quem mais se divertiu com a desventura de Dom Pepe e até ofereceu um drink de consolação. Franco ficou amigão de Dom Pepe, mas nunca entendeu seu bizarro café da manhã: "Un cappuccino e due Campari."

O melhor do residence era a cantina Da Domenico, de uma família do Abruzzo, no térreo. Vivia lotada, o que, pelo nível de exigência gastronômica dos romanos, era um atestado de qualidade. Com o tempo e a intimidade, Domenico até preparava pratos fora do menu e entregava no quarto, proporcionando um dos melhores room services da cidade.

Ao longo de 62 anos, na riqueza e na pobreza, na saúde e na doença, nos sucessos e nos fracassos, nas paixões correspondidas e nas dores de corno, nos momentos de glória e nas rebordosas monumentais, nas grandes jogadas e nas roubadas, estive mais próximo de Dom Pepe do que de minhas irmãs de sangue – ele era um irmão por escolha que me ensinou muito da vida, da música e da amizade.

Nossa aventura seguinte foi o African Bar, em 1991, uma ideia dele baseada – e bota baseado nisso – numa boatezinha africana de bambu e teto de palha que tínhamos conhecido em Roma. Numa casinha de dois andares no Leblon, havia um piano bar com Johnny Alf, sim, Johnny Alf, ídolo da juventude de Nelsinho, no térreo e, no andar de cima, uma pista de dança com Dom Pepe lançando a novidade do samba-reggae do Olodum e da Banda Reflexus, os novos sons afro que vinham da Bahia, e mais: com quatro percussionistas tocando ao vivo junto com o disco. A pista explodia.

Nossa última temporada na noite foi em 1990, com o Mama Africa, no Morro da Urca, outra ideia dele, que era uma versão de massa do African Bar, com tudo aumentado, doze percussionistas tocando ao vivo com o som de Dom Pepe e grandes shows de artistas com pegada afro-brasileira.

Com sua inteligência, sua simpatia e seu humor, Dom Pepe era um príncipe da malandragem carioca, exímio dançarino e marreteiro vocacional, que passou a vida alegrando as pessoas e fazendo amigos de todos os sexos e gerações. Se dava bem em qualquer ambiente, das favelas às coberturas da Vieira Souto, mas seu habitat natural era o Arpoador, aonde pediu que suas cinzas fossem jogadas ao vento e ao mar.

Adeus, bróder. Obrigado por tudo.

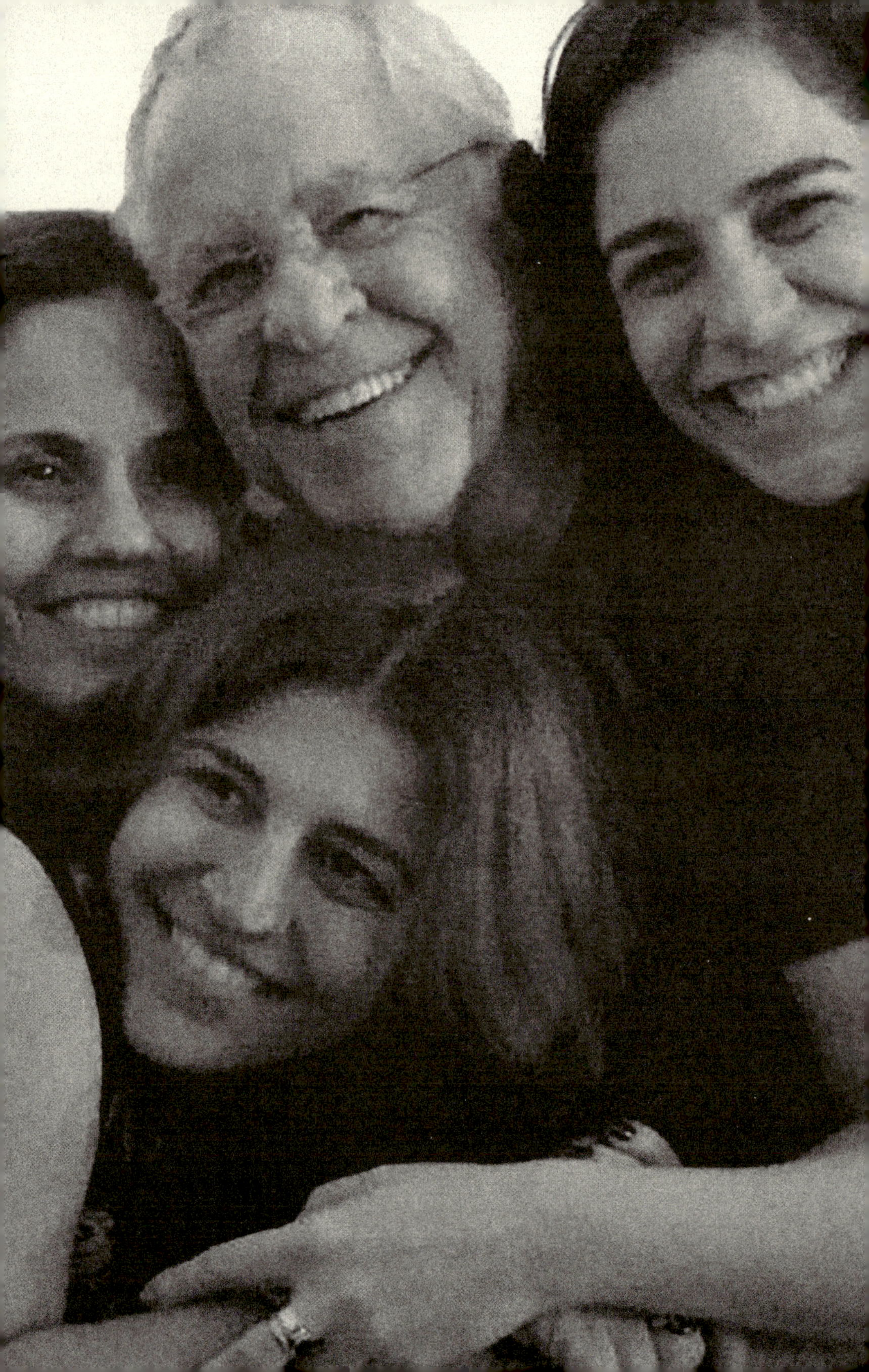

18
O MELHOR E O PIOR

O ano de 2014 foi especial na vida de Nelsinho. Ao agradecer o Prêmio Faz Diferença, de *O Globo*, ele explicou os motivos.

> No ano em que comemoro meus 70 anos, ganhei vários prêmios, disco, livro e série de TV – e perdi meu pai, minha mãe e meu melhor amigo da vida inteira, o DJ Dom Pepe.
>
> Meus pais fizeram a diferença na minha vida, me mostrando o mundo da música e dos livros, me educando no amor, na liberdade, na tolerância e na permanente abertura para o novo.
>
> Com meu amigo, aprendi o valor do caráter e da lealdade, e também o suingue da malandragem e das alegrias das noites cariocas, e que a graça da vida está na diferença e na aceitação do outro.
>
> Nesses meus cinquenta anos de vida profissional, trabalhei com música, televisão, teatro, cinema, literatura e casas noturnas, mas desde o início sempre fui e continuei sendo um jornalista, movido pela vontade de... curtir e compartilhar.

Com Joana, Esperança e Nina, suas grandes sortes na vida.

Como um Facebook humano, dediquei minha vida a procurar boas novidades para contar aos amigos e comentar. É minha maior alegria e motivação para trabalhar.

Meu pai sempre me dizia que quem recebeu mais tem que dar mais – e como a vida foi muito generosa comigo em oportunidades, mestres, filhas, netos e amigos, minha forma de retribuir é dividir – e multiplicar – minhas descobertas e criações, na esperança de que meu trabalho possa fazer alguma diferença alegrando, divertindo, emocionando e esclarecendo um pouco as pessoas.

Nelsinho foi ao evento com o neto Joaquim, de 18 anos, que queria ser advogado. Voltando para casa, entendeu que tinha realizado de forma indireta duas vocações frustradas: do seu pai, como jornalista, e da sua mãe, como compositora.

Também tinha dado um novo sentido à terrível "praga de mãe" de Xixa: "Filho és, pai serás, assim como me fazes, assim te farão." Com filhas tão maravilhosas, ele entendeu que isso era um prêmio por ter sido um bom filho.

15

WORLD FADO

A ideia do amigo português Domingos Folque Guimarães, em parceria com o legendário basketballer brasileiro Antonio Sartori, era sensacional, a começar pelo nome: Projeto Safado – um encontro dos pais do samba com os filhos do fado.

Grandes clássicos do samba brasileiro – de Cartola, Nelson Cavaquinho, Zé Kéti, Assis Valente, Ary Barroso, até o surgimento de Paulinho da Viola – cantados pelas novas estrelas do fado, como Ana Moura, que gravou com os Rolling Stones e Prince; António Zambujo, expressão do fado cool, joão-gilbertiano; a fabulosa Carminho, mais tradicional, de uma família de fadistas; e a morena Cuca Roseta, que Nelsinho tinha visto fascinado no filme *Fados*, de Carlos Saura.

Em Lisboa, fez os convites a Zambujo, que já conhecia do Brasil, e a Ana Moura, os dois aceitaram encantados, e marcou um jantar com Cuca Roseta e seu empresário, Miguel Capucho. Foram ao tradicional Solar dos Presuntos. Cuca era muito bonita, simpática e educada, e

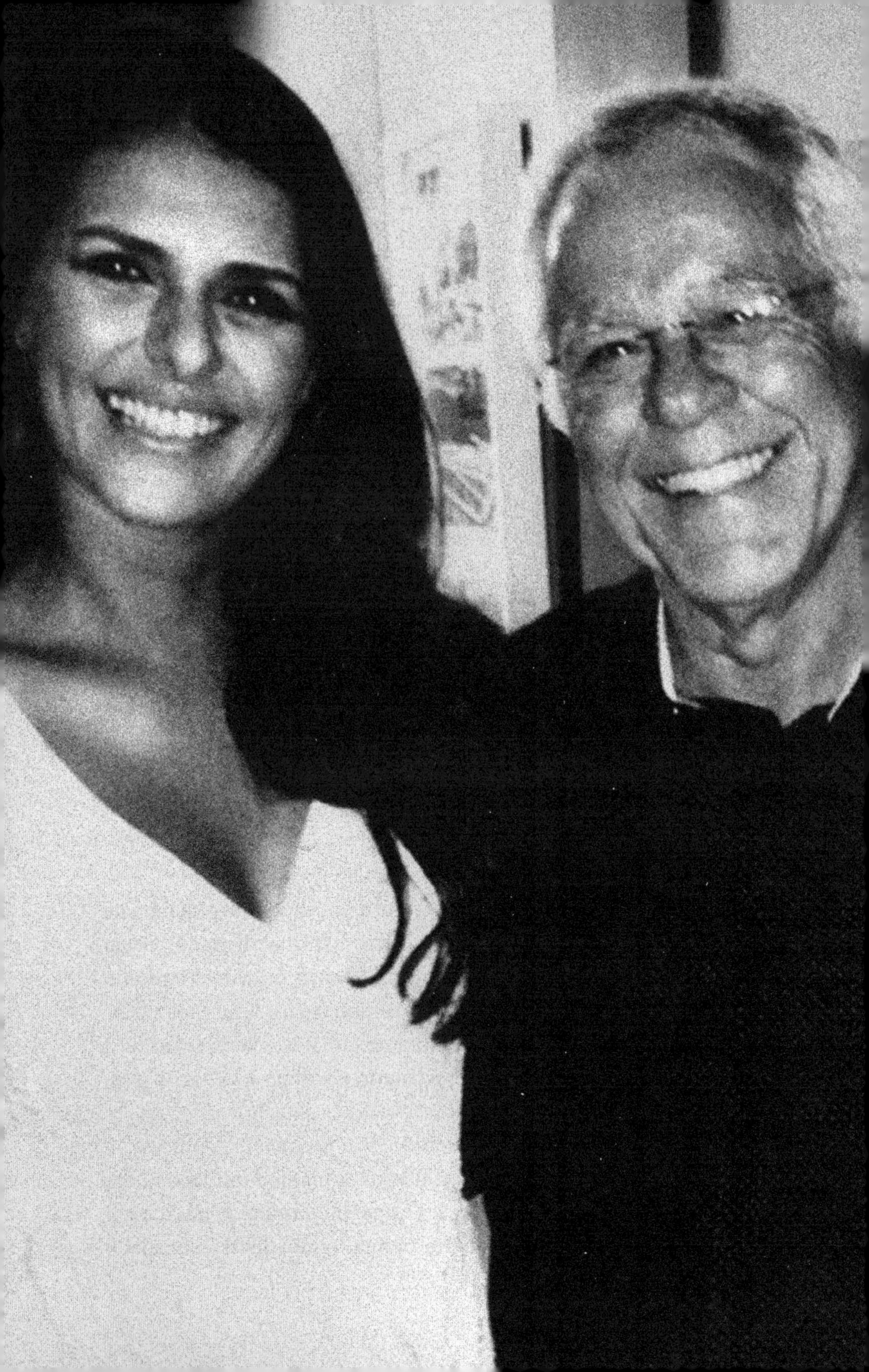

Miguel, uma figuraça feita de alegria e entusiasmo. Nelsinho e Cuca tiraram fotos segurando a bandeira do Sporting.

Cuca aceitou logo o convite para o Safado, mas tinha outros planos. Já conhecia o trabalho de Nelsinho com Elis, Marisa e Daniela, e algumas de suas músicas com Lulu e Dori Caymmi, mas disse que fez uma pesquisa no Google sobre ele e havia concluído que era a pessoa ideal para produzir seu terceiro disco. E o convidou na lata, indo direto ao assunto.

O primeiro disco dela, de que Nelsinho gostava muito, tinha sido produzido pelo argentino Gustavo Santaolalla, criador do Bajofondo Tango Club e premiado produtor de trilhas sonoras em Hollywood, que se encantou com o talento de Cuca quando a ouviu cantar no Clube do Fado, em Lisboa.

Nelsinho riu, agradeceu e explicou que não podia aceitar, pois tinha se aposentado da carreira de produtor com o CD ao vivo de Daniela Mercury em 2006. Não tinha mais saco para estúdios. Apreciou muito o convite, mas declinava. O que não o impedia de lhe dar ideias e sugestões para o disco. E começaram a tomar vinho e planejar um disco baseado no conceito de "World Fado", clássicos brasileiros e portugueses, e até algo em italiano, francês ou inglês, arranjos modernos com as sonoridades típicas do fado.

No fim do jantar, Nelsinho estava seduzido pelo projeto, que tinha tudo para dar certo, com uma ótima cantora e um repertório multinacional luxuoso. As gravações seriam em Lisboa, no moderníssimo e bem equipado Atlântico Blue Studio. E convidaram o músico e produtor português Ricardo Chaves para cuidar dos arranjos, da direção musical e do trabalho pesado de estúdio.

Depois de alguns meses de e-mails transatlânticos discutindo músicas e ideias, o repertório foi montado, começando com "Pra machucar meu coração", de Ary Barroso, entre o fado e o samba-canção, cantada em perfeito sotaque brasileiro; depois um clássico dos anos 1950, a lindíssima "E la chiamano estate", de Bruno Martino; uma versão em português de Nelsinho para o "Carnaval em Cádiz", de Jorge Drexler; "Verdes são os campos", do mestre português Zeca Afonso; e a diver-

No Rio de Janeiro, com a beleza lusitana da fadista pop Cuca Roseta.

tida "Amor ladrão", de Cuca, que remete à Jovem Guarda brasileira como um improvável fado-rockabilly. Nelsinho ainda contribuiu com "De onde vens", parceria de juventude com Dori Caymmi, e com a nova "Primavera em Lisboa", um fado jobiniano com Ivan Lins, que estava morando na capital portuguesa.

– Alô, Ivan! Estou produzindo o disco da Cuca Roseta. Terias alguma música nova pra ela?

– Tenho cá um fadinho que acabou de sair do forno – disse, com sotaque lusitano. – Você faz a letra?

– Manda!

Ficou assim:

Cada pedra da calçada
na cidade ensolarada faz
voltar atrás, lembrar de nós,
cada dia que se passa
nessas ruas, nessas praças, traz
a tua voz a me chamar.
Barcos pelo rio, rumo ao oceano,
tantos desenganos,
volto mais uma vez ao lugar
onde a felicidade me achou,
onde senti o gosto do amor.
Nesses becos e vielas,
essas flores nas janelas são
mais belas só
por te lembrar,
nas esquinas e colinas,
nos castelos e nas catedrais,
ao pé do cais,
nós dois.

Tudo ficava bonito na voz de Cuca. Nelsinho encantou-se com sua maneira precisa e emotiva de cantar, com seus arabescos mouriscos sem arestas nem excessos e com a graça de sua juventude e beleza mediterrânea, dando uma nova voz e uma nova imagem ao fado na era do audiovisual e da globalização.

E finalizou para ela uma canção com Djavan cuja letra estava pela metade havia anos. Grande letrista, Djavan fez bem-vindas mudanças que amenizaram o pessimismo e a desilusão da letra original, que advertia sobre o lado ruim do amor. Mesmo assim ficou bem triste.

Cuca foi ao Rio só para gravar com Djavan, que a recebeu como uma princesa em seu estúdio na Barra da Tijuca. Emocionada, fez um belo dueto com o mestre na canção melancólica como um fado:

> O amor não é somente o amor,
> quem amou já sabe,
> mas esquece.
> O amor não traz só luz e calor,
> cega e enlouquece
> de dor.

Cuca chamou o disco de *Riû* – como o Tejo e o de Janeiro, e verbo da sua risada –, que foi muito bem recebido pela crítica e pelo público em turnês por Europa, Ásia e América do Sul. Em Buenos Aires, fez muito sucesso, também por um motivo extramusical que a divertiu muito: "cuca" é uma popular gíria portenha para vocês sabem o quê, e ainda por cima roseta!

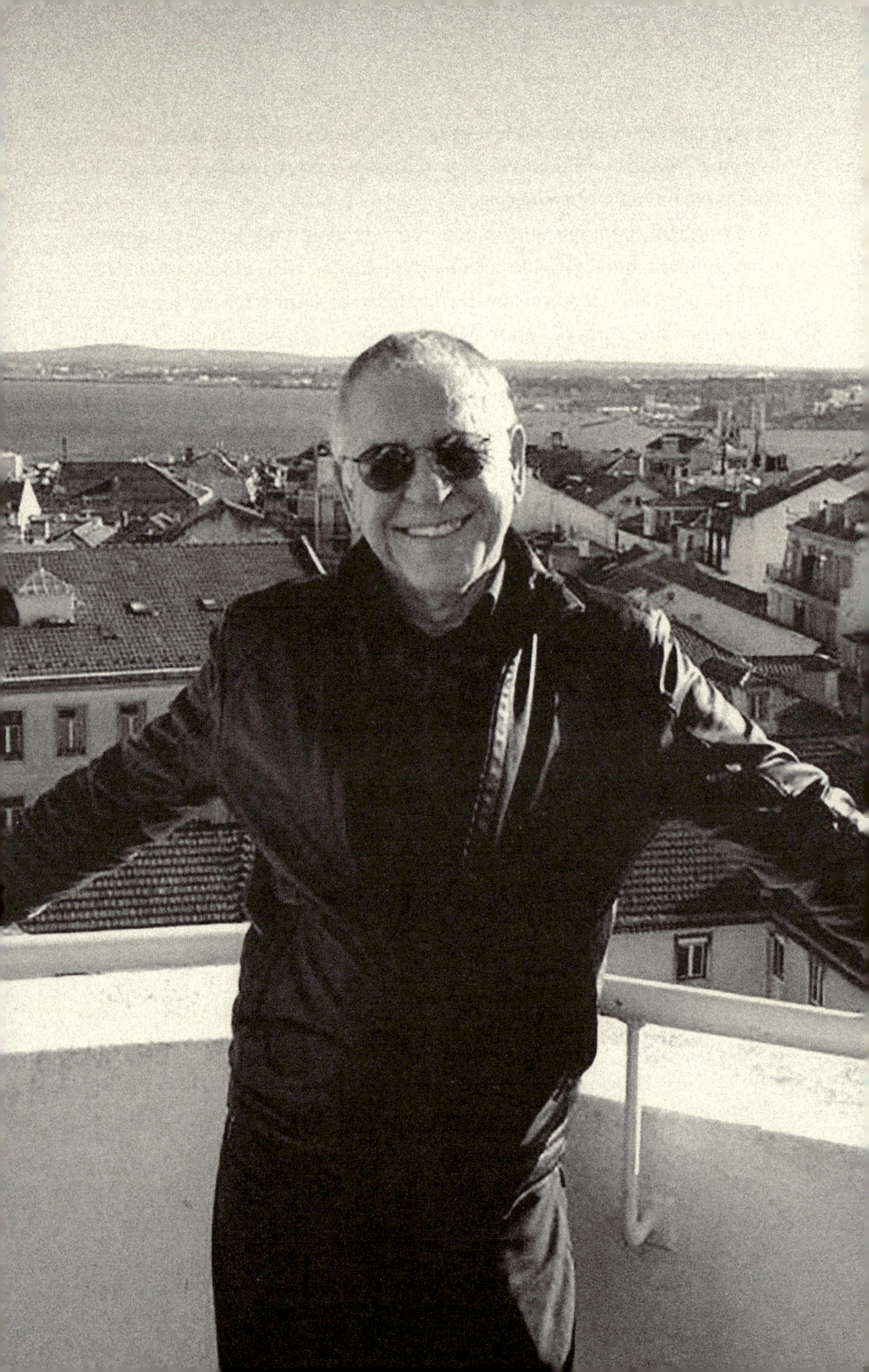

15
MATCH POINT EM LISBOA

A cena é uma bola de tênis equilibrada sobre a rede, antes de cair, sem qualquer razão ou motivo, para um lado ou outro da quadra, definindo o jogo. O filme é *Ponto final – Match Point*, de Woody Allen, mas poderia ter acontecido domingo em Lisboa, no Estádio José Alvalade, onde Nelsinho foi assistir ao jogo Sporting x Gil Vicente pelo campeonato português, que ninguém chama de Portuguesão.

Convidado por amigos torcedores do Sporting, que, dizem eles, equivaleria no Rio de Janeiro ao Fluminense, assim como o Benfica seria o Flamengo e o Porto, o Vasco da Gama, Nelsinho adorou o estádio moderníssimo e, sobretudo, a espetacular qualidade e a variedade do bufê no camarote da cervejaria que patrocinava o campeonato.

Como chegaram muito antes da partida, passaram o tempo comendo e bebendo na área externa do camarote, numa varanda que avançava sobre as cadeiras, no ponto mais alto do estádio. Domingos Guimarães bebia cerveja, Zé António, vinho, e Nelsinho fumava um cigarro, liberado na área aberta. Conversavam sobre os escândalos políticos brasi-

Na laje de Anabela e Zé António, em sua querida Lisboa ensolarada.

leiros e portugueses quando, num gesto mais estabanado, esbarrou na garrafa de cerveja que Domingos havia colocado na mureta do camarote, 10 metros acima das cadeiras.

Ainda viu a garrafa rodando no ar em câmera lenta e rumando como um míssil sobre um casal de idosos sentado lá embaixo. Paralisado pelo pânico, não conseguiu nem gritar, vendo a garrafa passar raspando pela cabeça branca da senhora e explodir atrás da cadeira. Enquanto gritavam desculpas desesperadas, o casal reagia assustadíssimo e justamente indignado, afinal, um deles poderia ter morrido.

Naquela fração de segundo em que a garrafa passava rente à cabeça da senhora e se desviava, talvez movida pelo vento do momento e do acaso, sua vida poderia ter mudado. Nelsinho se viu um homicida imperdoável, devastado pela culpa, vivendo um filme de terror numa terra estrangeira. Para piorar, a garrafa assassina era da patrocinadora do campeonato. Pediram desculpas efusivas gritando e acenando os braços.

Dez minutos depois, um segurança do estádio, muito educado, veio saber o que havia acontecido. Eles se desculparam e o caso foi encerrado. A cervejaria decidiu colocar uma proteção de acrílico na mureta.

14

VIVA MARÍLIA!

Nelsinho soube pelas filhas que Marília estava muito doente, com um câncer se espalhando pelos quadris e o pulmão. Tentou visitá-la, mas ela avisava pelas filhas que não queria que ele a visse. Dizia que estava muito feia.

No Dia das Mães, como sempre fazia, Marília ligou para cumprimentá-lo, numa antiga brincadeira dela em que Nelsinho era "uma mãe" para as filhas.

– Parabéns, papai. Está aí todo contente no seu dia, né?
– Obrigado, minha querida. E você, como está?
– O médico me deu três meses de vida – respondeu, na lata.

Nelsinho ficou mudo, engasgado, e só conseguiu gaguejar:
– Milagres acontecem.
– É, milagres acontecem – disse ela, incrédula.

Foi a última vez que conversaram. Tinha notícias diárias, cada vez piores. Dois meses depois, Nelsinho recebeu de manhã cedo um telefonema de Esperança:

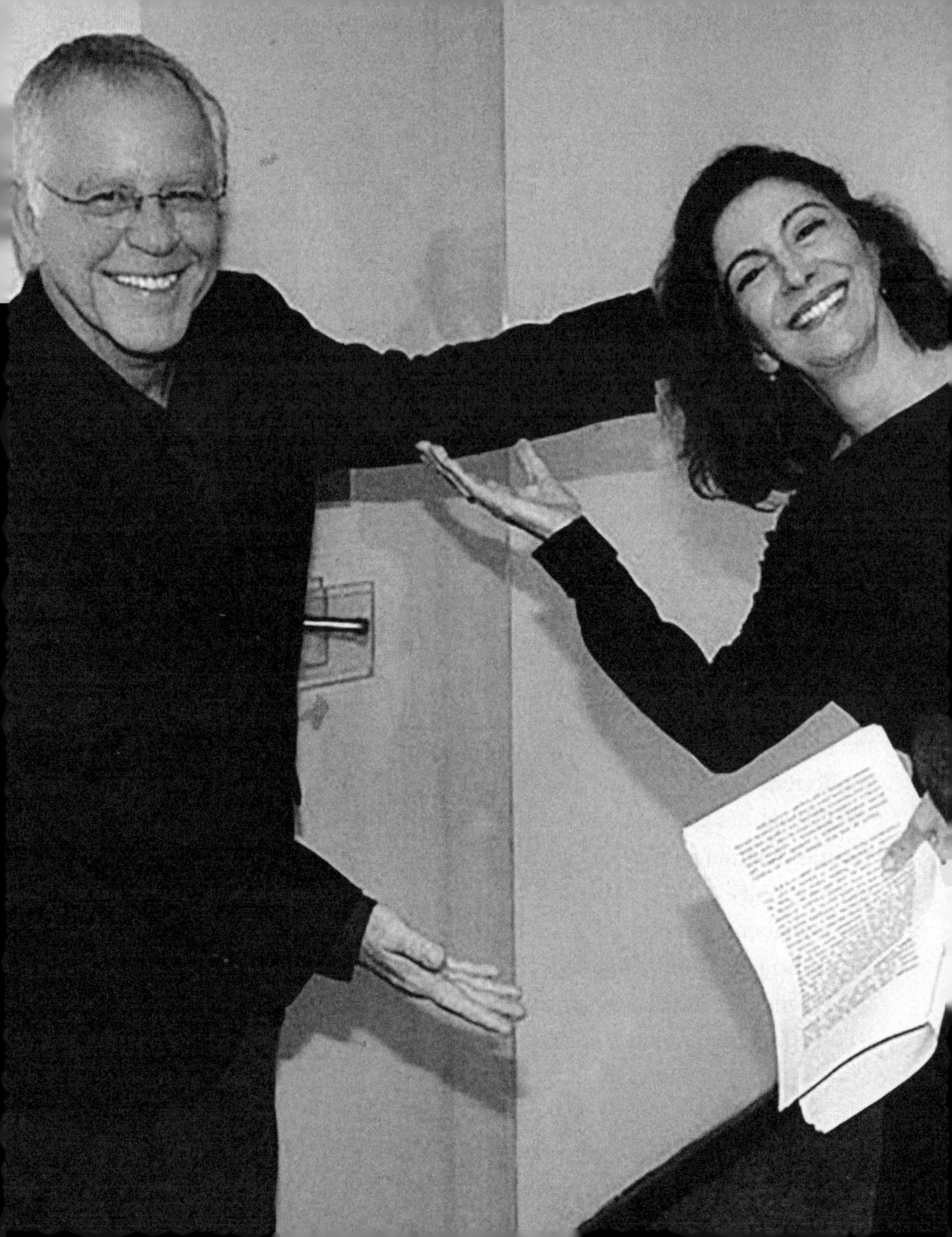

"Pai, a mamãe partiu."

A primeira vez que viu Marília foi no teatro, naturalmente. E a última também: deitada num caixão no centro do palco do teatro que leva seu nome, no Leblon, atrás da cortina fechada, num velório só para a família e os amigos próximos. Nelsinho beijou-lhe a testa fria. Ela estava bonitinha, magrinha e serena no caixão. De repente, a cortina começou a se abrir lentamente, mostrando Marília no caixão, e o público que lotava o teatro se levantou e explodiu na mais bela e emocionante ovação que Nelsinho já tinha visto.

Em 1971, ela era uma loura platinada de 26 anos e interpretava uma vedete bagaceira e mulher de um gângster de araque numa paródia de teatro de revista hilariante, *A vida escrachada de Joana Martini e Baby Stompanato*. Além de rir muito, Nelsinho ficou encantado com aquela magrela que se fazia de gostosa, tão divertida e desbocada, que cantava, dançava e representava com tanta alegria e sensualidade. A primeira vez com Marília não se esquece.

Um ano depois, estavam casados. Alternando temporadas no paraíso e no inferno durante oito anos, movidos a fortes sentimentos e pensamentos imperfeitos, tiveram duas filhas. Nelsinho testemunhou o crescimento e participou da trajetória de uma das maiores atrizes da nossa história, que levou emoção, alegria e consolo a milhões de pessoas que choravam e gargalhavam com seus personagens, se comoviam com seus tipos sofridos e se aterrorizavam com suas vilãs malvadas. Marília vai fazer muita falta porque era muitas, cada uma melhor que a outra. E ele conviveu com várias delas: no teatro – seu território sagrado e seu campo de batalha –, no cinema, na televisão e na vida real – onde seu personagem era o mais complexo e imprevisível.

O papel de mãe também era muito difícil para a diva. Ela amava os filhos e se esforçava, entre seus trabalhos incessantes, para prepará-los para a vida do jeito que podia e sabia. Disciplinada e disciplinadora,

Rasgando seda gestual com Marília, com amor e respeito.

Marília reclamava que Nelsinho era muito liberal e permissivo com as filhas e, de gozação, dizia que ele era uma verdadeira mãe para as meninas.

Para Nelsinho, o melhor papel de Marília foi Maria Callas em *Master Class*, uma diva amadurecida e amargurada ensinando alunos da Julliard School sobre a vida, a arte e o amor. Era uma interpretação com tanta técnica e emoção que teria feito chorar a própria Callas. Entre as malvadas, ele amou – e teve muito medo – da megera Perpétua, em *Tieta*, e da maligna e medonha Juliana, de *O Primo Basílio*. Pensar que uma mulher daquelas dorme ao seu lado é de tirar o sono, dizia.

Marília gostava de cantar, de dançar, de marido, de filhos, de amigos, de sexo, de dinheiro, de luxo, de rir, de silêncio, mas amava mesmo, acima de todas as coisas, o teatro, que foi sempre sua maior paixão. Talvez por isso chegou tão alto e tão fundo e foi tão longe.

Os dois se encontraram e se desencontraram muito pela vida. A última vez foi em Nova York, no inverno de 1983, e a penúltima, durante uma semana feliz em Barcelona, no verão de 1982. Juntos ou separados, brigavam muito, quase sempre por causa das filhas, mas nos últimos anos ficaram muito amigos. Dois meses antes de partir, Marília havia lhe pedido uma música para o disco que estava gravando na Biscoito Fino. Ele se lembrou de uma linda valsa do maestro Lyrio Panicali, dos anos 1960, que Leila Pinheiro tinha lhe mostrado havia muito tempo. E fez a letra.

O título original da versão instrumental de Lyrio era "A última valsa", mas, sabendo que Marília estava doente, achou melhor trocar para "Sonho de valsa" – e ela pensou que a música sempre se chamara assim e adorou. Pena que não teve tempo de gravar. Ficou como um derradeiro gesto de amor, respeito e admiração. E saudade.

Sonho de valsa

Luz do amanhecer
nas sombras do jardim,
um cheiro de jasmim me faz viver
de novo um tempo tão feliz.
Tardes de verão
de tantas emoções,
um beijo, uma canção
e um sonho de amor sem fim.
O amor não traz a paz
o amor quer sempre mais
é a valsa que nos faz dançar,
bater mais forte os corações.
A lua encontra o mar,
a sombra esconde a luz,
teu corpo enfim encontra o meu
e dança! dança mais!
Valsas tropicais
bailando na memória,
nos golden rooms do sonho,
nos salões, à luz da lua à beira-mar.
Noites de verão
que nunca esquecerei,
que não vivi, sonhei,
como a valsa que não dancei.

S'IMBORA O MUSICAL
A HISTÓRIA DE WILSON SIMONAL

16
A REDENÇÃO DE UM ZUMBI

Animado com o sucesso do musical de Elis Regina e com a parceria com Patrícia Andrade, Nelsinho a convidou para escreverem *S'imbora, o musical – A história de Wilson Simonal*, com produção luxuosa da filha Joana e de Luiz Oscar Niemeyer, direção de Pedro Brício e Ícaro Silva brilhando como Simonal.

 Não foi difícil encontrar o ator para fazer Simonal. Ícaro era excelente no drama, na comédia e, principalmente, no mais difícil: cantando como Simonal. Com maquiagem e caracterização, ficava muito parecido, só que bem mais bonito. Até os filhos de Simonal – Max, Simoninha e Patrícia – se emocionaram. Nelsinho gostava muito deles, a quem conhecia desde pequenos. Era até parceiro do talentoso Max de Castro no samba-funk "Sonho de verão" e tinha grande admiração por Simoninha, que, além de ser um amor de pessoa, foi heroico nos últimos e dolorosos anos de Simonal, segurando a barra da família com sua produtora de jingles.

 Nelsinho nunca chegou a ser amigo de Simonal, mas o conheceu

Ícaro Silva resgatando Simonal, sua grande música e sua história trágica.

bastante e não se conformava com seu assassinato cultural. Foi um grande cantor, que tinha muitos defeitos, como a arrogância, a vaidade e, por vezes, a burrice, que o levaram a escolhas equivocadas. A pior delas foi pedir a fãs que eram agentes do DOPS que sequestrassem e "dessem um aperto" no contador de sua produtora, acusado por Simonal de o estar roubando. Claro, o contador foi direto para a delegacia e denunciou Simonal. Julgado e condenado, o cantor puxou cadeia e foi "enterrado vivo", considerado delator dos órgãos de repressão, o pior crime numa época em que muita gente estava sendo torturada nos porões do DOPS e não delatava.

Mas Nelsinho sabia, tinha certeza, que Simonal não era dedo-duro. Podia fazer as piores coisas, como no caso do contador, mas não tinha condições "técnicas" para dedurar ninguém. Não entendia nada de política, não tinha a menor convivência com artistas de oposição, não teria nada para contar. Jamais foi visto em qualquer das infinitas assembleias de artistas de oposição em teatros. Quem seria louco de contar a Simonal que fazia parte de uma organização clandestina? Para quê? O DOPS sabia quem eram os artistas de esquerda. Mas Simonal não estava interessado; só queria saber de louras e carrões e de desfrutar sua popularidade, que rivalizava com a de Roberto Carlos.

Foi arrogante e burro: em vez de contratar uma auditoria para saber quem o estava roubando na produtora, chamou dois agentes da odiada polícia secreta da ditadura. E isso lhe custou a morte em vida, o ostracismo e a desmoralização, exilado no esquecimento, fazendo showzinhos em bares e churrascarias, virando um zumbi. Um zumbi que bebia muito, e não lhe faltavam motivos.

Ao escrever *Noites tropicais*, Nelsinho teve uma longa conversa com César Camargo Mariano, em Nova Jersey. Soube de muitas coisas sobre Simonal contadas por alguém que trabalhara e convivera com ele nos melhores anos de sua carreira, cujos arranjos haviam sido decisivos para seu sucesso e que sabia muito sobre sua queda.

Depois dessa conversa, Nelsinho achou que era hora de reabilitar Simonal como um cantor extraordinário – entre nossos maiores –, não como um condenado que cumprira sua pena. E dedicou um longo capítulo à ascensão e queda de Simonal, atribuindo-a também ao racismo, pois o cantor foi o primeiro negro brasileiro a agir como os marrentos negros americanos, o primeiro a fazer sucesso com canções românticas, chocando a sociedade branca com suas louras e sua ostentação. Para Nelsinho, se Simonal fosse um artista branco, isso não teria acontecido, ao menos não com tanto ódio e essa intensidade.

Quando Nelsinho foi pedir as indispensáveis autorizações para o uso de fotos no *Noites tropicais*, Simonal estava internado num hospital de São Paulo e disse que só autorizaria depois de ler o texto. Então leu. E gostou. E ficou emocionado. Morreria três meses depois, um pouco menos infeliz, porque pelo menos parte de sua história de glória e humilhação fora contada corretamente.

Até o fim da vida, lutou para provar que não era dedo-duro, tentou de tudo, até obteve um documento do Ministério da Justiça comprovando que nada constava a respeito dele nos arquivos do DOPS. Mas não adiantou. Informantes não são registrados. Só que nunca apareceu alguém dizendo que foi dedurado por ele.

Fã de Simonal e comovido pela sua história em *Noites tropicais*, o humorista Cláudio Manoel produziu e dirigiu, juntamente com Calvito Leal e Micael Langer, um emocionante documentário. *Simonal: Ninguém sabe o duro que dei* traz depoimentos do contador e de todos os envolvidos. Começa com cenas dramáticas de Simonal envelhecido e decadente, com um velho terno branco dos anos 1970, cantando numa pracinha entre crianças, babás e pipoqueiros. Corta para o mesmo homem com o Maracanãzinho aos seus pés, cantando com ele e obedecendo a seus comandos, como um coro dócil e animado.

"Para mim, Simonal é um caso único, uma mistura de suicídio com assassinato cultural", disse Cláudio no lançamento do filme, que foi o documentário de maior sucesso de 2009 e ganhou vários prêmios na categoria, abrindo caminho para o musical de Nelsinho e Patrícia Andrade. E depois para o filme *Simonal*, dirigido por Leonardo Domingues, com um excelente Fabrício Boliveira protagonizando sua ascensão e queda, ao lado de Isis Valverde como sua mulher, Teresa.

A história de Simonal também foi contada nas ótimas biografias *Nem vem que não tem: A vida e o veneno de Wilson Simonal*, de Ricardo Alexandre, e *Simonal: Quem não tem swing morre com a boca cheia de formiga*, de Gustavo Alonso.

E assim Simonal renasceu, finalmente reconhecido como um dos maiores cantores do Brasil.

16

A VOLTA DO PRIMEIRO MESTRE

Depois de mais de seis décadas, Nelsinho reencontrou seu querido professor Adauto, do internato do Colégio de São Bento, através do filho dele, que fez contato com Nelsinho. Já estava bem velhinho, mas ainda lúcido. Nelsinho tinha 72 anos, já era bem conhecido como escritor e lhe deu o *Noites tropicais* com a dedicatória: "Ao querido professor Adauto, com gratidão, meu dever de casa."

16
TECNOLOGIA DO DESAPEGO

Foi Esperança quem lhe chamou a atenção: "Pai, já reparou que você paga pelo aluguel de mais um quarto só para guardar livros e discos que não ouve nem lê?" Bingo.

Nelsinho resolveu então se desfazer de todos os seus livros. Ou de quase todos. Dos cerca de três mil ficou só com uns duzentos, muitos com dedicatórias preciosas e alguns que ainda pretendia ler ou reler. O resto foi entregue a um livreiro alternativo, que os distribuía em presídios, escolas e comunidades carentes, em sebos onde eram vendidos a um real e podiam ser muito mais úteis do que enchendo sua estante e ocupando seu quarto.

Uma estante cheia, como as várias que ele tinha, era algo bonito, aconchegante, uma bela decoração, símbolo de status cultural, mostrando a sua história através do que você leu – e do que não leu. Mas aqueles livros seriam bem mais úteis a muita gente que poderia ler e se divertir, se emocionar e aprender com eles.

Esse movimento de desapego havia começado antes, quando Nelsinho decidiu passar adiante os livros que lia e de que gostava para quem gostava de ler, freando a acumulação e aumentando a circulação. Fez o mesmo com os CDs, depois de gravar no laptop o que mais gostava – e de saber que tudo o mais estava disponível no Spotify, Deezer, YouTube, Vimeo.

Em seguida, doou ao Museu da Imagem e do Som uns setecentos livros sobre música e cinema brasileiros que acumulara em cinquenta anos, quase todos já lidos. Aproveitou e doou também todos os CDs e LPs de música brasileira, guardando apenas uns poucos autografados ou de valor afetivo. No MIS seriam bem mais úteis do que em sua casa.

E, se precisasse de algum livro para um trabalho, era só pedir emprestado ao MIS. Diante das estantes meio vazias, pensou: e por que não doar todos os outros livros, romances, ensaios, biografias, história, poesia, bons e ruins, que li e que não li, que ganhei, que nunca vou ler?

Não se tratava de "desprendimento" ou "generosidade". Era apenas um exercício de desapego, em seu próprio benefício, para seu bem-estar. Não perdeu nada – ganhou um quarto em sua casa para usar melhor. Era uma prova de amor pelos livros e discos.

"Mas novos livros e CDs não paravam de chegar", pensou, rindo.

Mais uma vez Nelsinho viajou a Salvador em busca de descanso e festa, o paradoxo do bem que só a Bahia tem. E foi logo a uma grande casa de festas com apresentação do Boi Garantido de Parintins, que o deixou maravilhado, com as músicas e as morenas meio índias, o suingue diferente, as fantasias. Animou-se com algumas caipiroscas e acabou sendo rebocado por uma jovem senhora alegre e extrovertida.

Foi acordado no hotel por Esperança ao telefone.

– Bom dia, pai! Tudo bem aí?
– Mais ou menos, filha. Estou meio enjoado, com dor de cabeça...
– Vai ver você comeu uma baiana estragada.
Gargalhadas.

16
A BIG LOURA

Nelsinho caminhava pelo calçadão de Ipanema de manhã quando viu passar trotando pela ciclovia uma loura madura, bonita e enorme, de pernas longas e fortes, que reconheceu Nelsinho, diminuiu a marcha, sorriu e deu um tchauzinho. E seguiu.

No meio da tarde, foi cortar o cabelo no salão Crystal Hair, em Ipanema, e, enquanto esperava, viu pelo espelho uma loura bonita lavando os cabelos. Notou que ela o viu também. Seria a mesma da praia? Era parecida. Talvez alguma amiga de sua irmã. Uma cliente habitual do salão? Enquanto cortava o cabelo, ela saiu, e Nelsinho lamentou a oportunidade perdida e até pensou em perguntar à cabeleireira quem era.

De volta para casa, caminhando pela rua Garcia d'Ávila, quem estava parada em frente à loja Louis Vuitton? A loura. E sorrindo. Era muita coincidência. Ou sorte.

Começaram a conversar animadamente enquanto caminhavam em direção à praia. Júlia era juíza em uma cidade do interior de São Paulo e falava com sotaque carregado, de porrrta, amorrr, sorrrvete, como

Xixa. Uma mulher muito bonita, inteligente e educada. Nelsinho a convidou para tomar um café em sua casa, a uma quadra da praia. Tomaram café, conversaram e marcaram um breakfast no Hotel Caesar Park para o dia seguinte.

Depois do café da manhã, foram para a casa de Nelsinho e o romance começou. Com tantas coincidências e sinais, não tinham outro caminho. Júlia se despediu rindo de si mesma: "A história da juíza que perdeu o juízo."

Nelsinho a chamou de Big Loura e deu-lhe o livro de Dorothy Parker traduzido por Ruy Castro. As filhas a aprovaram e a chamavam de Big Loura também. A doutora tinha quase 1,80 metro e era o sonho de grandeza de um baixinho. Ela voltou feliz para sua cidade e começaram um affair interestadual, com ela vindo de vez em quando ao Rio e os dois viajando juntos para Roma e Buenos Aires. Não era propriamente amor, mas uma boa amizade e companheirismo, sem complicações.

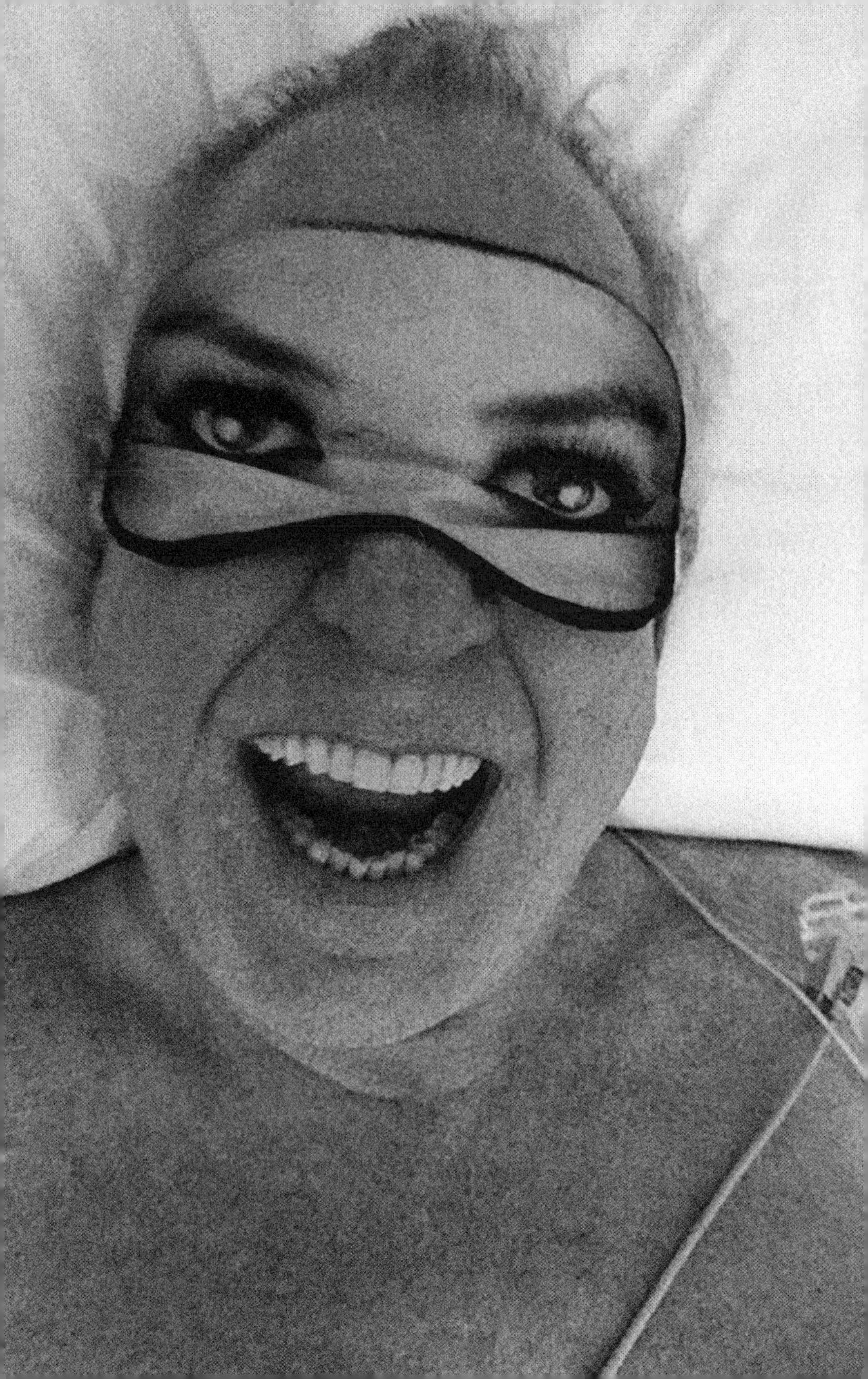

17

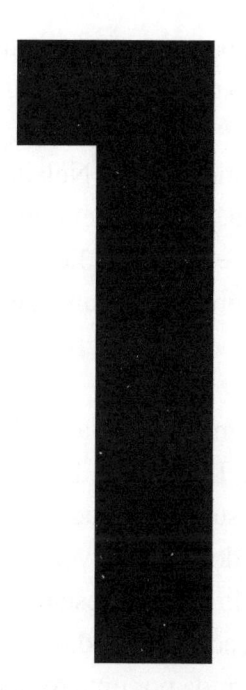

A SAGA

Tudo começou num inverno gelado em Buenos Aires, quando Nelsinho caminhava descalço pelo quarto e comentou com a Big Loura sobre o extremo conforto do Alvear Palace Hotel, onde até o chão carpetado era aquecido. Ela, também descalça, não entendeu nada.

Ele ainda não sabia disso, mas era na verdade uma sensação neurológica de calor na sola dos pés, ainda que estivessem frios por fora. A sensação permaneceu pelos dias seguintes, mesmo depois de voltarem ao Brasil. Era apenas um pequeno incômodo, perfeitamente tolerável. Só que não.

Com o tempo, a sensação de calor nos pés foi aumentando e Nelsinho também passou a ter dores nas pernas, nas coxas e nas panturrilhas. E levou dois tombos monumentais: um em Ipanema, voltando da zona eleitoral para casa, ao tropeçar no meio-fio e se estatelar no asfalto de uma esquina perigosa. Ainda bem que instintivamente se protegeu com as mãos e os braços e saiu sem danos, só dolorido. O outro foi no inverno de Nova York, quando tropeçou numa tampa de porão desnivelada e

Humor no CTI do CopaStar, entre fios, tubos e dores.

foi salvo de maiores danos pelo reflexo, levantando com a ajuda de um simpático negão só com os joelhos ralados, mesmo cobertos pelo jeans, e as palmas das mãos feridas.

No entanto, como as dores nas pernas só aumentavam, Nelsinho pediu a seu médico a indicação de um neurologista. O doutor era muito simpático e afetuoso, disse que era fã de Nelsinho e que tinha lido seus livros. Fez uma série de exames no consultório, prescreveu um remedinho e o tranquilizou. Talvez fosse uma reação à vacina de gripe, não era nada grave.

Só que não. Em janeiro, Nelsinho teve a boa mas malfadada ideia de viajar com os netos Antonia e Joaquim e a Big Loura para Lisboa e Roma. Caminhando pelas ruas e colinas milenares, subindo escadarias do Estádio Olímpico, da Piazza di Spagna, as pernas doíam cada vez mais. Nos últimos dias mal conseguia dar alguns passos do hotel ao restaurante mais próximo. Embarcou de volta para o Rio em cadeira de rodas.

Essa foi a parte boa. De cadeira de rodas, empurrada por uma romana simpática, passa-se direto pelas intermináveis filas da emigração e do check-in, e depois ainda se tem a vantagem de ser o primeiro a entrar e a sair do avião.

Assim que chegou, foi fazer uma ressonância magnética e, quando o exame terminou, entreouviu um médico comentando com o outro atrás do vidro – "um baita edema na medula". Ainda deitado, Nelsinho gelou. Não sabia o que era, mas pelo nome devia ser uma coisa gravíssima. E era.

Seu médico clínico, o Dr. Portela, ficou preocupadíssimo e disse que deveriam procurar imediatamente o Dr. Paulo Niemeyer. Uma sorte. Além de ser um dos maiores neurocirurgiões brasileiros, de fama internacional, Paulinho era amigo de Nelsinho desde a Copa do Mundo de 1970, no México, quando fora levado pelo tio, o lendário Carlinhos Niemeyer, o Nini, como assistente na equipe do telejornal *Canal 100* e dividiram o Motel de las Americas, em Guadalajara, com Armando Nogueira, o fotógrafo Alberto Ferreira, Carlos Lemos, Oldemário Touguinhó e outros jornalistas que alugaram o pequeno motel inteiro, cujos quartos ficavam em volta de uma piscina.

Depois de examinar a ressonância, Paulinho disse que era uma fístula medular, também uma expressão apavorante, que tentou explicar, mas Nelsinho só entendeu que se tratava de uma pequena veia que tinha invadido a medula e estava pingando sangue no liquor que corre dentro da coluna e é o combustível dos neurônios. Era como água na gasolina; os neurônios enlouqueceram e o estavam paralisando da cintura aos pés.

Enquanto Nelsinho era preparado para a cirurgia, Paulinho avisou às filhas dele: "Seu pai tem 50% de chances de voltar a andar. E 50% de não." Seis horas depois, Paulinho disse que tudo tinha corrido bem e que a tal fístula fora cauterizada. E pediu nova ressonância para ter certeza de que o problema tinha sido eliminado. Só que não.

A ressonância mostrava que uma nova, pequena e maldita fístula tinha aparecido na parte de baixo da medula. Apesar da oposição das filhas, que queriam pelo menos uma semana de intervalo até uma nova cirurgia de seis horas, Nelsinho decidiu que era preciso fazer o que tinha que ser feito – no dia seguinte mesmo, Domingo de Páscoa.

A nova fístula foi eliminada e, após a cirurgia, Paulinho lhe disse: "Você foi muito corajoso." Um novo exame de ressonância mostrou a medula limpa de fístulas. Ainda levaria tempo até que eliminasse todo o liquor contaminado com sangue e o organismo produzisse um fluido puro para alimentar os neurônios. Mas Nelsinho voltaria a andar, assegurou Paulinho, que passou a merecer a eterna gratidão de Nelsinho por sua extrema dedicação e generosidade. Além de o curar, lhe deu as cirurgias de presente.

Deitado, não conseguia mover as pernas. Tinham virado geleia. Os fisioterapeutas fizeram as primeiras tentativas de levantá-lo e botá-lo em pé. Em vão. Uma fisioterapeuta muito simpática e bonitinha tentou erguê-lo pegando-o por debaixo dos braços, mas faltou força física e os dois acabaram se embolando e caindo sobre a cama, às gargalhadas, ao mesmo tempo que a porta se abria e entravam Paulinho e vários médicos, que ficaram sem entender a cena. Por fim, uma manhã, o fisioterapeuta Manuel enfiou seus braços entre os dele e, abraçados, o levantou da cama e o colocou de pé por breves segundos. Nelsinho chorou de emoção e deu um beijo na careca de Manuel.

Depois de tantas anestesias para cirurgias e exames, Nelsinho ficou íntimo do anestesista e até escolhia a droga: Propofol, a mesma que, por overdose, matou Michael Jackson. A vantagem dela é que, quando passa o efeito, ao contrário de substâncias como álcool, maconha, cocaína e tranquilizantes, que provocam desconforto, mal-estar ou vontade de consumir mais, o Propofol garante ao paciente uma onda de bem-estar ainda por muitas horas.

Também ficou eternamente grato não só aos médicos e às enfermeiras, às filhas e ao neto que o acompanharam por longas noites, mas a Tatá Werneck, que o fazia rir todas as noites com seu programa no Multishow. Inesquecível o programa em que ela perguntou à ruiva Marina Ruy Barbosa se ela era daquelas que combinava a cortina com o tapete, sob as gargalhadas do auditório. E dos ocupantes do quarto 302 do CopaStar.

Depois de dezessete dias no hospital, Nelsinho voltou para casa em cadeira de rodas. Era muito emocionante ver de novo o mar de Ipanema, reencontrar Max e Mari. Da comida do hospital para a culinária gourmet da Mari era como passar do inferno ao paraíso. Mas, justiça seja feita, como não tinha restrições alimentares, Nelsinho se esbaldava com milkshakes, sundaes, cachorros-quentes e toda a junk food hospitalar disponível.

Em casa, teve que ficar um mês de repouso, acompanhado por enfermeiros dia e noite, e por Max, deitado no canto de sua cama o tempo todo, só o deixando para rápidas fugidas para comer ou para a caixa de areia. Todas as manhãs, os médicos visitavam Nelsinho e se comoviam com "o guardião" sempre no mesmo lugar, numa fidelidade felina, tão boa quanto a canina, só que mais independente.

Quando Nelsinho afinal pôde se levantar da cama, com a ajuda de um enfermeiro, para iniciar os primeiros exercícios de fisioterapia, dando alguns passos com muita dificuldade num andador em volta da mesa da sala, Max entendeu que o pior havia passado e passou a dormir com Nelsinho só vez por outra, alternando com seus outros points na casa. Considerando que gatos não têm dono, têm staff, foi uma enorme prova de amor e fidelidade. Além disso, *a tree is a tree, a dog is a dog, a cat is a person.*

A recuperação foi lenta e dolorosa. Fazia fisioterapia duas vezes por dia, andando pela sala apoiado no braço do fisioterapeuta, até o momento em que, de repente, Léo o soltou e ele deu alguns passos sozinho. Nelsinho se lembrou do pai o empurrando na primeira bicicleta e o soltando na pracinha do Bairro Peixoto – só que Nelsinho foi direto no poste. Percorria inúmeras vezes um circuito pela sala que narrava ao estilo Galvão Bueno: "Contornam a grande curva da mesa e entram no retão da sala de jantar, percorrem a curva do sofá, passam pela TV e seguem pela chicana da cadeira de balanço, entram na reta da varanda..."

A primeira vez que caminhou sozinho no calçadão, ainda com o fisioterapeuta Léo ao lado, fez um vídeo e mandou para as filhas e os amigos. Esperança, assídua consumidora de séries, delirou de alegria e postou: "The Walking Daddy".

Como tinha três colunas para o *Jornal da Globo* já gravadas, ficou só uma semana fora do ar. Assim que voltou para casa, ainda imobilizado na cama, chamou a equipe de gravação e pôs em prática a "Operação Tancredo Neves". Foi carregado e sentado no sofá, como um boneco, e gravou a coluna normalmente. A repercussão foi boa. Espectadores comentavam que ele estava mais à vontade, parecia estar em casa...

A partir daí, sua casa virou o cenário de suas colunas do *Jornal da Globo*, sempre com o auxílio luxuoso do diretor Tonico Duarte e do lendário cameraman Toninho Marins, uma amizade de quarenta anos, que encontrava os melhores ângulos e iluminava com carinho até dar o seu ok: "O coroa tá pintoso."

17

A MORENA E O MORENO

Era preciso fortalecer os músculos, que, pela doença e pela inatividade, tinham amolecido, apesar dos trinta anos de caminhadas diárias pelo calçadão. Nelsinho só voltou a andar depois de muitos exercícios, muitos passeios diários pelo playground do prédio, até voltar ao calçadão e aos movimentos na areia.

Sua primeira aparição pública foi na feijoada de aniversário de 30 anos da querida Andréia Sadi na "Laje do Moreno", uma cobertura na Gávea com vista deslumbrante do Jockey, da Lagoa e da praia, onde Jorge Bastos Moreno reunia políticos, artistas, jornalistas de todos os estilos e gerações em volta da célebre "feijoada da Carlúcia", sua chef, insuperável também pelas sobremesas obscenas. Moreno não era gordo por causa de glândulas ou metabolismos: era porque comia muito da comida maravilhosa de Carlúcia, treinada meticulosamente por ele.

Nelsinho e Moreno chamavam Andréia, pelas costas, por seu tipo de beleza árabe e a esperteza para obter informações, de "Raposa do Deserto". Quando soube, ela riu muito e amou.

A chegada foi emocionante, subindo com dificuldade a escada para o terraço, amparado por um enfermeiro, um negão enorme e muito bonito, todo de branco, que provocou um frisson entre a ala gay – e também hétero – dos convidados. Moreno adorou e brincou com Nelsinho: "Nem precisava vir, bastava mandar o enfermeiro."

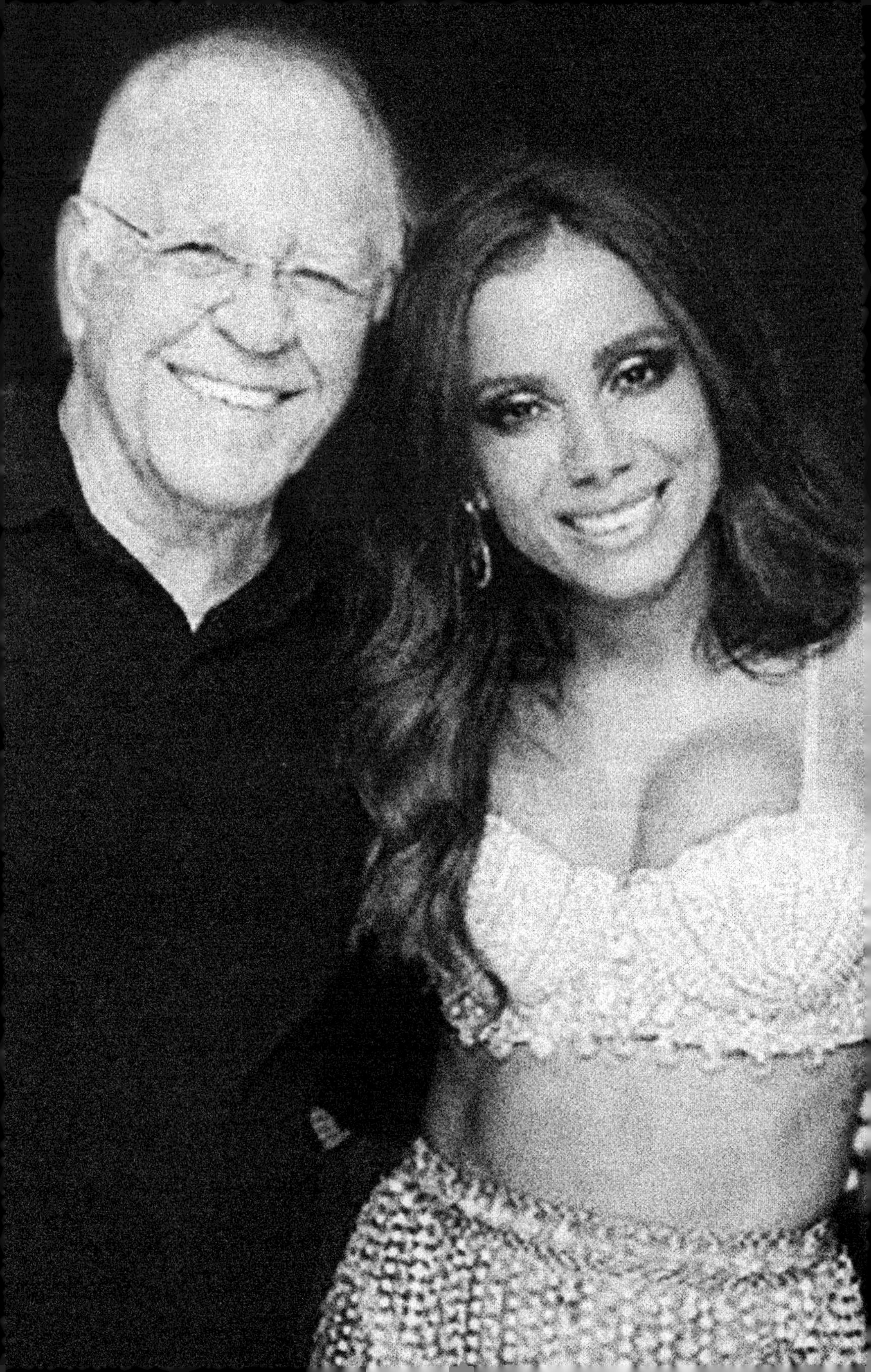

17

ANITTA E SEU BOROGODÓ

Com uma bengala que fora de seu pai, que não a usava por necessidade mas por estilo, Nelsinho chegou tirando onda a uma festa na casa de Caetano e Paula Lavigne, onde foi fotografado junto com Milton, Djavan, Gil e Lulu. Conheceu Anitta e a adorou. Parecia um cartoon, uma Jessica Rabit de Honório Gurgel, com muito mais rebolado. Ficaram amigos.

Ele foi um dos primeiros "críticos musicais" a reconhecer que Anitta era especial, enquanto a maioria daqueles ligados à "boa música" (como se rotulavam) a xingavam de tudo quanto fosse mais ofensivo – no mínimo, diziam que cantava com a bunda.

Cantava também com a bunda, por que não? Cantava com a voz e o corpo inteiro, essa era uma de suas maiores qualidades. Apesar do sucesso pop internacional, muitos ainda a chamavam de "funkeira", pejorativamente, para confiná-la em uma favela musical. Mas por que ela incomodava tanto?

"Não tem voz! É desafinado! É afeminado", gritava a velha guarda quando João Gilberto apareceu, há cinquenta anos, em defesa das

Um grande fã e defensor de sua amiga Anitta, no aniversário dela.

"grandes vozes" da Rádio Nacional. Anitta não é João Gilberto, mas foi alvo da mesma gritaria. Com sua participação impecável na abertura das Olimpíadas, a convite de Caetano Veloso e Gilberto Gil, além de ganhar o aval dos dois orixás da música brasileira, ela calou a boca dos críticos e encheu os olhos e ouvidos de todos com uma voz doce, afinada e suingada cantando "Sandália de prata".

No século XXI, não é mais possível compará-la a grandes vozes de gerações passadas, porque a música popular passou a ser um produto audiovisual digital, e nisso Anitta é a rainha absoluta, desde o início construindo uma imagem mutante e sensual em torno de sua música ultradançante.

E reconstruiu o nariz, a boca, os cabelos, os peitos, a bunda, a barriga, como queria, à força de sua vontade e seu dinheiro, com cirurgias, dieta e malhação. Vista de perto, tudo se harmoniza com seu estilo envolvente, sedutor, divertido e inteligente.

Quem seria capaz de se propor o desafio de lançar um clipe por mês durante um ano? E mais: com ótimas músicas em português, espanhol e inglês, de bossa nova eletrônica a reggaeton e funk de favela, filmados da Amazônia ao Vidigal, enlouquecendo o Brasil com seu biquíni de fita isolante.

Como requisito indispensável para uma carreira internacional, Anitta aprendeu, sabe-se lá como, a falar inglês e espanhol fluentes, com ótimo sotaque, dá entrevistas para emissoras americanas e latinas, faz piadas, seduz o público, sempre segura e à vontade.

Sair de onde saiu, dos cafundós de Honório Gurgel, pobre, baixinha, sem estudos, parecida com tantas anônimas das periferias, e chegar aonde chegou não é pouca coisa. E ela só tinha 24 anos. E era sua própria empresária, decidindo cada passo da carreira.

Nunca um artista brasileiro tinha ido tão longe e tão alto no mundo ultracompetitivo do pop internacional. Era um fato. Mas Nelsinho recebeu uma chuva de mensagens de ódio, chamando-o de traidor da música brasileira, de oportunista, de vendido (quanto ela te paga?). Afinal, por que Anitta incomoda tanto?

Tom Jobim explica: no Brasil, o sucesso é ofensa pessoal.

Também adorou conhecer Mr. Catra, um negão simpaticíssimo que Nelsinho admirava como um dos fundadores do funk carioca, por seu humor e sua inteligência, criando frases e pensamentos imortais como: "Quer romance? Vai ler um livro. Quer fidelidade? Compra um cachorro. Quer amor? Volta pra casa da mamãe, vagabundo!". Ou: "Ter dinheiro é fácil. Difícil é ter estilo."

A história de Catra era incrível, e Nelsinho ficou com muita vontade de escrever sua biografia. Ele adorou a ideia. Catra foi adotado pequeno por uma família de classe média alta, estudou em bons colégios, teve uma boa formação. Mas vivia numa contradição: para o pretinho criado na classe alta era tão difícil socializar com a playboyzada branca quanto confraternizar com os pretos pobres da favela, onde era visto como um playboy.

Batizado como Wagner Domingues Costa, começou com uma banda de rock, depois hip hop, samba, e misturou tudo em batidas contagiantes, em pancadões que também empolgavam quando Catra viajava à Europa e aos Estados Unidos, onde, ainda que não entendessem as letras, adoravam o ritmo e a sonoridade dos versos em sua voz poderosa.

Ficou célebre uma série de funks proibidões de Catra sobre bandidos, polícia e facções criminosas: "Não faço apologia do crime. Falo da realidade da favela."

Catra era fino. Formado em direito, falando inglês, francês, alemão e hebraico, pessoalmente era um cavalheiro, mas nos palcos, onde incendiava bailes superlotados com rimas pesadas e batidas irresistíveis que faziam todo mundo dançar, era o indiscutível "Rei do Funk": "O funk foi o único movimento cultural que conseguiu nivelar todas as classes sociais. Eu sou operário do funk. Faço três ou quatro shows por noite. Ninguém no Brasil trabalha mais do que eu."

Claro, Catra sustentava 33 filhos e três esposas, que o amavam e viviam na possível harmonia, cada uma na sua e todas na dele.

"Relacionamento é assim: se não tiver química, física e biologia, vira história."

"Para entender uma mulher, primeiro tem que entender que não tem como."

Um personagem desses, com uma história dessas, merecia um livro. Nelsinho estava empolgado para escrevê-lo e já tinha até o título: "Papai chegou!", seu bordão de apresentação nos shows. Mas não sabia que ele estava muito doente, com um câncer no estômago. Papai estava de partida. Alguns meses depois de conhecê-lo, Catra partiu, aos 49 anos. E continua merecendo uma biografia.

18

HOME STUDIO

Com a casa transformada em estúdio, Nelsinho foi convidado por Miguel Athayde, diretor de jornalismo da GloboNews, a fazer a série *Em Casa com Nelson Motta*. Nela contaria histórias de grandes artistas, em linguagem coloquial e espontânea, num ambiente íntimo e caseiro, como fazia com amigos que o visitavam.

Afinal, estava no mundo do espetáculo havia 55 anos e tinha uma memória fabulosa, mesmo fumando maconha a vida inteira. Relatava as histórias para a diretora Cristina Aragão, que ficava atrás da câmera, olho no olho, como se falasse a cada um dos espectadores.

Ao longo dos episódios, compartilhou suas histórias com Vinicius de Morais, Tim Maia, Elis Regina, Rita Lee, João Gilberto, Tom Jobim, Nelson Rodrigues, Raul Seixas, Lulu Santos, Maria Bethânia, Anitta e outras estrelas com quem teve o privilégio de conviver de perto como amigo. Todos eram fartamente ilustrados com precioso material de arquivo garimpado pela produção.

E ainda contava com a participação especial do gato Max, desfilando sua beleza durante as gravações. Chegou até a estrelar uma chamada em que a cena de gravação era mostrada do ponto vista dele, que também fazia uma "narração" em off na voz de Evandro Mesquita, muito apropriada a seu temperamento malandro e preguiçoso. Agradou tanto que Nelsinho recebeu várias mensagem sobre ele. E uma fã mais afoita escreveu: "Minha gatinha Rita ficou apaixonada pelo Max."

18
NO CASTELO DO REI

Biografia não é um assunto muito recomendável para conversar com Roberto Carlos, que se aborreceu muito e sofreu um grande desgaste ao proibir judicialmente a circulação do excelente livro de Paulo Cesar de Araújo, *Roberto Carlos em detalhes*, obra heroica escrita sem sequer uma entrevista de Roberto, só com pesquisas em jornais e revistas, velhos programas de rádio e entrevistas com amigos do Rei. Aliás, Roberto detesta ser chamado de Rei.

Nelsinho defendeu a qualidade e a honestidade do livro numa coluna no *O Globo*:

> É um dos maiores e melhores tributos que um artista brasileiro já recebeu em vida. E um dos mais merecidos, por tudo o que Roberto nos deu de bonito, de emocionante e de positivo, durante tanto tempo. Por ter sobrevivido a tantas dores e sofrimentos, sempre maior e melhor, para alegrar e consolar o nosso pobre país com suas canções, que, por registrarem tão bem nossos momentos, são as trilhas sonoras de nossos sentimentos.

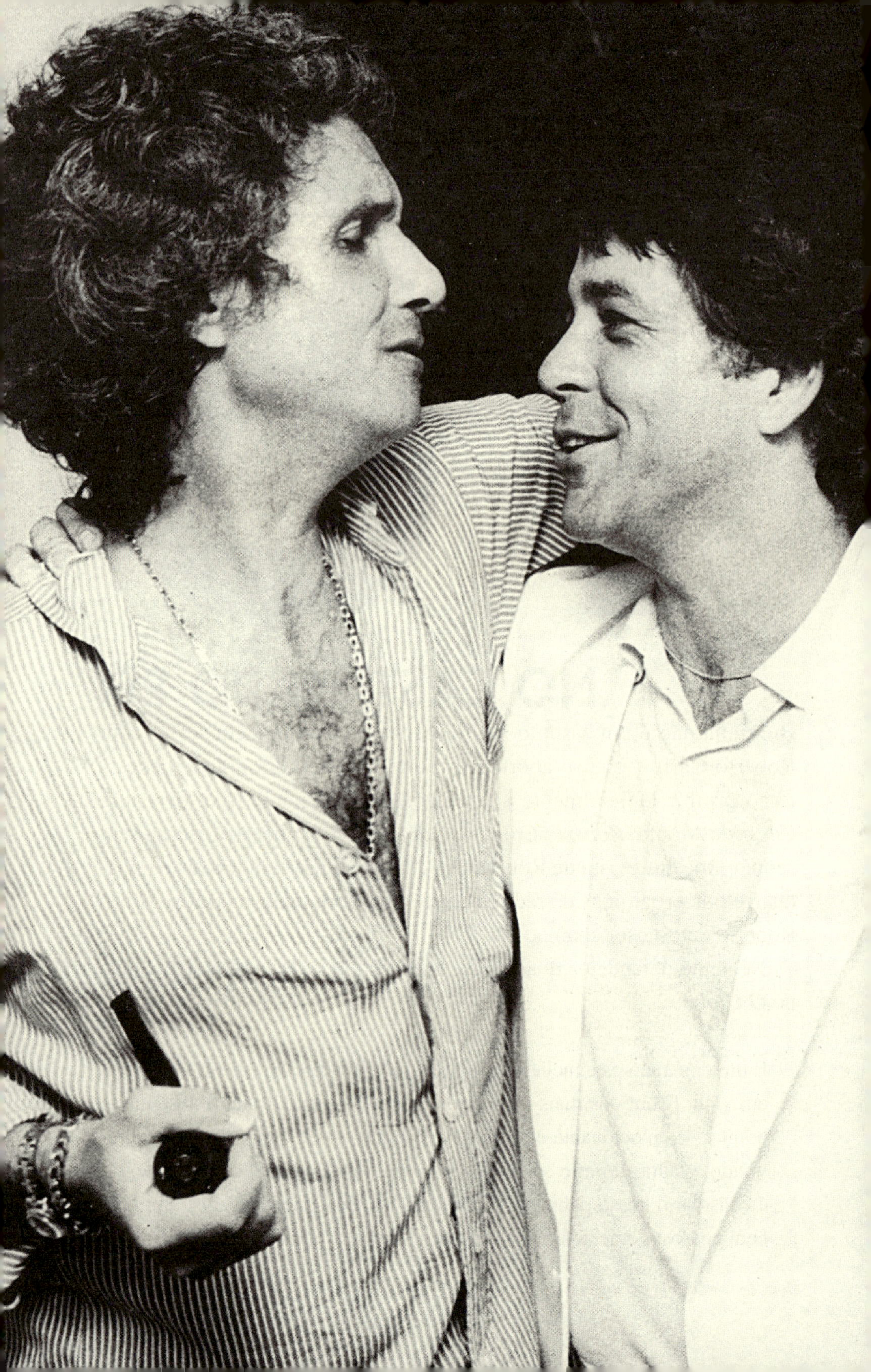

Tenho imenso amor, respeito e admiração por Roberto Carlos, mais ainda depois deste grande livro que nos conta em tantos detalhes, sem nunca ser vulgar ou sensacionalista, como ele viveu e sentiu, como pensa e cria, como se tornou quem é. Talvez existam pequenas incorreções na narrativa, apesar de todas as informações terem suas fontes identificadas, mas com certeza nada de grave ou relevante.

Nelsinho tinha ficado amigo de Paulo Cesar de Araújo, conhecido como PC, depois de se encantar com seu livro *Eu não sou cachorro, não*, recomendado por Caetano. Nele o autor mostrava que os artistas populares chamados de "bregas" e "cafonas" nos anos 1970 – Odair José, Agnaldo Timóteo, Nelson Ned, José Augusto, Fernando Mendes – foram muito mais subversivos e transgressores que os chamados "universitários" – Chico, Caetano, Gil, Ivan Lins, Gonzaguinha, João Bosco e outros.

Nelsinho foi a primeira pessoa que PC procurou para entrevistar sobre Roberto e de cara desaconselhou-o a mergulhar nessas areias movediças. Mas cedeu quando PC contou seus motivos.

Morava em uma pequena cidade no interior do Espírito Santo, era muito pobre e vivia na esperança de ver um show de seu ídolo, várias vezes anunciado e nunca realizado. Até que um dia foi confirmado o show no estádio, um campinho de futebol com arquibancadas baixas.

PC não tinha a menor possibilidade de arranjar dinheiro para o ingresso, mas sua esperança era de algum modo entrar de graça. Na noite do show, sua mãe o vestiu com a melhor roupa de domingo, um terninho branco de calças curtas e sapatos engraxados, afinal, a ocasião era solene. Com outros meninos pobres, PC foi até a entrada para carros no "estádio", onde seguranças abriam caminho para a entrada do Rei.

Portão fechado, um dos produtores de Roberto viu aqueles meninos e amoleceu o coração, dando ordem para a segurança liberar a entrada. Porém, quando PC ia passando, foi barrado pelo produtor: "Ah, não, meu filho, você tá muito bem-vestidinho e pode pagar uma entrada." E PC ficou sozinho, chorando diante da porta do estádio, ouvindo a banda fazer a introdução para a entrada de Roberto.

Com ele, em momento quase comprometedor de tanto amor, 1974.

Nelsinho quase chorou e o ajudou no que pôde, pois conhecia Roberto desde 1961, quando ele ainda tentava ser cantor de bossa nova em showzinhos em universidades ou em festinhas por Copacabana.

Em outra coluna, depois de encerrado o processo, reafirmou a qualidade do livro, no qual nada havia de comprometedor para Roberto, cujos motivos para proibi-lo Nelsinho e todo o Brasil continuavam sem conhecer. Talvez pelas descrições detalhadas (e possivelmente desnecessárias) da doença e morte de Maria Rita, com boletins médicos, exames. Roberto teria reclamado da revelação de um breve romance com Maysa, mas o próprio filho dela, Jayme Monjardim, fez uma minissérie na TV Globo contando seus amores, seu alcoolismo e suas loucuras. O fato é que ninguém sabia o que o incomodava no livro. Desesperado, PC disse que tiraria, sem discutir, tudo o que Roberto quisesse para o livro não ser proibido. Em vão. O julgamento em São Paulo foi patético.

O juiz era fã do Rei e se encantou com sua presença. Mas não só. Discretamente, entregou-lhe um CD com gravações caseiras dele mesmo cantando músicas de Roberto Carlos. E começou o julgamento. Roberto e seus advogados não aceitavam nenhum acordo; queriam o livro fora de circulação, sabe Deus por quê. Aos jornalistas, Roberto dizia que sua história pertencia só a ele e só ele poderia – e iria – escrevê-la. Dizer que ninguém poderia ganhar dinheiro com ela a não ser ele, multimilionário, talvez o artista mais rico do Brasil, não fazia sentido.

Às tantas do julgamento, aos prantos, PC ofereceu toda a receita dos direitos autorais a Roberto, que não aceitou. A venda do livro foi proibida e foram recolhidos os exemplares já nas livrarias, que acabaram sendo incinerados, como no filme *Farenheit 451*. Mas só não leu quem não quis, pois o texto já circulava na internet e em edições clandestinas. Roberto foi massacrado na imprensa.

Pouco depois, Nelsinho foi convidado para um show de Roberto no Canecão. Como sempre, emocionante e perfeito em todos os detalhes. Estava meio cabreiro de ir ao camarim porque o assunto biografia ainda estava quente, mas acabou indo, com Gilberto Gil e Lenine. Quando Roberto entrou, foi direto a Nelsinho e falou alto, abraçando-o: "Teve gente do meu pessoal aqui que estava dizendo que eu não devia ter te convidado para o show, porque você falou mal de mim. 'Ele não falou mal. É meu amigo, foi respeitoso. Só tem uma opinião diferente da minha.' E cochichou no seu ouvido: 'Um dia vou te contar e você vai entender tudo.'"

A proibição do livro acabou dando o maior impulso para a revisão da lei sobre as biografias, liberando-as para publicação sem autorização, arcando autor e editora por eventuais mentiras e danos morais na Justiça. A "Lei do Livro Livre" foi promulgada pela ministra Cármen Lúcia, do STF, que sintetizou a questão: "Cala a boca já morreu."

Em 2018, Nelsinho voltaria a encontrar Roberto, que finalmente iria ter a sua história contada num filme dirigido por Breno Silveira, e Nelsinho e Patrícia Andrade foram convidados a escrever o roteiro. No alto de uma colina da Urca, o escritório-estúdio de Roberto tem uma vista deslumbrante da baía de Guanabara. Dody Sirena, seu empresário, deu os avisos de sempre: nada de marrom ou preto, entrar e sair pela mesma porta...

Nelsinho imaginou uma piada cromática. Foi todo de azul: camisa, calça, suéter, até o tênis era azul. Roberto entrou, cumprimentou todo mundo e riu: "Poxa, bicho, não precisava exagerar."

Contar num filme a vida de Roberto Carlos era uma tarefa hercúlea, ciclópica, uma missão quase impossível. Mas todos estavam animados. Roberto logo entendeu que, como havia se transformado numa entidade, num mito, numa lenda vida, era preciso humanizá-lo, com fraquezas, perdas, micos, pés na bunda, sofrimentos de amor, escolhas erradas. E começou a contar sua história, revelando muita coisa que ninguém sabia, paixões, fracassos, intimidades.

Na segunda reunião, Nelsinho chegou primeiro e o encontrou esperando na porta. Antes mesmo do boa-tarde, Roberto foi logo perguntando:

– E aí, bicho, tens fodido muito?

Nelsinho levou um susto, gaguejou "hein?" e foi interrompido por Roberto:

– Humm... não gostei da hesitação.

– É que minha mulher mora em Brasília e...
– Ah, entendi. Menos do que gostaria, né?

A ideia inicial era o filme começar na infância, com o célebre acidente em que perdeu uma perna, de que ele fala com naturalidade e desenvoltura, chegando até os primeiros shows no Canecão com grande orquestra, na virada dos anos 1970, numa mistura de Frank Sinatra com Rei da Jovem Guarda, que marcam uma mudança definitiva em sua carreira. Era preciso fazer um recorte de tempo – um filme tem só noventa minutos e a vida de Roberto daria uma série de dez episódios.

O roteiro tinha uma versão final escrita por Patrícia com supervisão artística de Glória Perez e Nelsinho. O diretor era excelente, e não faltaria dinheiro para uma luxuosa produção. Mas até o fechamento desta edição, o que se sabe é que a biografia de Roberto se ampliará para uma série na TV Globo, contando toda a sua vida.

19
MÚSICA E SENTIMENTO

Convidado pelo amigo Peninha, codinome do jornalista e escritor gaúcho Eduardo Bueno, Nelsinho escreveu *101 canções que tocaram o Brasil* pela Estação Brasil, selo da Editora Sextante. Foi quando conheceu o editor Pascoal Soto e Marcos e Tomás Pereira, donos da editora, netos do lendário José Olympio e filhos de Geraldo Jordão Pereira, que deu o primeiro trabalho de designer a Nelsinho em 1965 e editou seu primeiro livro, *Música, humana música*, em 1978.

Nelsinho não queria fazer uma seleção de "melhores", "mais belas", "mais importantes", porque isso não existe, além de ser uma arrogância. Decidiu fazer uma coletânea das músicas que mais tocaram o Brasil – que tocaram no rádio, na televisão, nas ruas, no coração das pessoas. Músicas que tocaram os sentimentos dos brasileiros, como a debochada "Apesar de você", de Chico Buarque, em plena ditadura, ou a tristíssima "Coração de estudante", de Wagner Tiso e Milton Nascimento, trilha sonora da agonia, morte e funeral de Tancredo Neves.

O livro, que teve inestimável colaboração do amigo e crítico musical Antônio Carlos Miguel, começa com Chiquinha Gonzaga e "O abre alas" e fecha com Marcelo D2 e "À procura da batida perfeita". Embora tenha ficado muito bacana, de certa forma era frustrante: ler tanta informação sobre músicas tão importantes dava uma vontade automática de ouvi-las.

Por isso caiu do céu a ideia de Juca Worcman, diretor do Canal Curta!, que tinha sido assistente de Nelsinho no talk show *Noites Cariocas* em 1982, de transformar o livro numa série de televisão de treze episódios. Apresentada por Nelsinho, com roteiro do sobrinho Pedro Motta Gueiros, produção de Diogo Gonçalves e direção de Roberto Oliveira, foi exibida no Canal Curta! em 2020 e está disponível na plataforma de streaming Tamanduá.

19
O AU REVOIR DO MESTRE

Em junho de 2019, Nelsinho foi acordado às três da manhã por um telefonema de Antoine, filho de André Midani, e já sabia o que ia ouvir: André tinha partido, aos 85 anos, vencido por um câncer em seu cérebro privilegiado.

O velório foi na sua linda casa no Alto da Gávea, com um jardim florido e um gramado margeado por um riacho que separava a casa da floresta. O caixão estava na sala de estar, como ele queria, com uma garrafa de Veuve Clicquot ao lado. Também havia um bufê gostoso, como sempre acontecia em sua casa, e todo mundo tomava champanhe no gramado ensolarado e lembrava suas aventuras com André. Muitos artistas, vários discípulos e amigos. Ninguém chorava. Não havia tristeza aparente. Celebravam sua vida. Tudo como ele gostaria. Gil e Jorge Ben Jor juntaram seus violões para cinco músicas em tributo de André, que em 1975 produziu o antológico álbum *Gil & Jorge: Ogum, Xangô*, só com os dois tocando e cantando livres no estúdio.

André era um dos mais antigos amigos e mestres de Nelsinho e foi homenageado no Facebook:

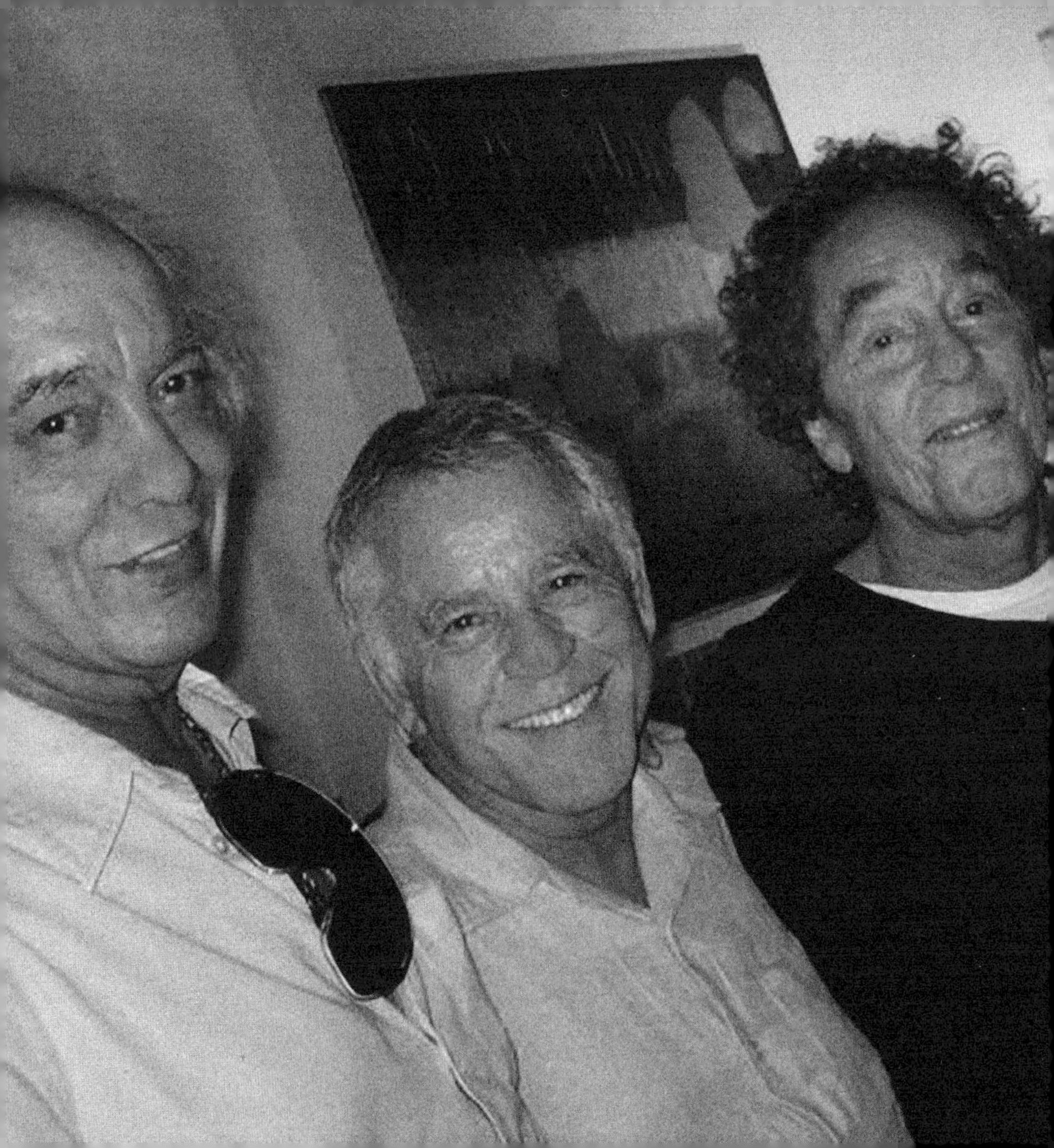

Ao mestre, com carinho e amor

A música brasileira deveria fazer uma estátua para André Midani. Poucos a amaram tanto e fizeram tanto por ela como esse sírio louro, meio árabe e meio judeu, com sotaque francês, que chegou ao Brasil com 20 anos e uns trocados, fugindo da Guerra da Argélia.

Encantou-se com o Rio de Janeiro e, sem conhecer ninguém, resolveu ficar. Como vendia discos em Paris, telefonou para a gravadora Odeon na maior cara de pau, falando inglês, e, talvez por isso, foi logo recebido e ganhou um emprego. A indústria fonográfica brasileira nunca mais seria a mesma.

Em 1958, quando era assistente do produtor Aloysio de Oliveira, participou ativamente do lançamento do *Chega de saudade* de João Gilberto e da bossa nova. E ouviu do diretor comercial da Odeon que seria um fracasso: "Isso é música para veados."

Com menos de 30 anos foi dirigir a Capitol mexicana e, em 1968, voltou ao Brasil para ser presidente da Philips. E trouxe a ideia das trilhas sonoras de novelas, que eram um sucesso no México. Fez um acordo com a TV Globo e me chamou para produzi-las. De jornalista musical, virei produtor de discos. O resto é história.

André voltou ao Brasil em plena efervescência do tropicalismo e se apaixonou pelo talento e ousadia do movimento. Tornou-se amigo de Gil e Caetano e os apoiou totalmente, mesmo nos piores momentos, com sua gravadora.

E que gravadora! Em dois anos, a Philips tinha no seu cast a fina flor da música brasileira dos anos 1970: Tom Jobim, Elis Regina, Chico, Caetano, Gil, Jorge Ben Jor, Rita Lee, Tim Maia, Raul Seixas, Ivan Lins, Gonzaguinha, Nara Leão, Gal Costa, Baden Powell, MPB4, Quarteto em Cy... André publicou um anúncio com todos numa foto e a legenda: "Agora só nos falta o Roberto" (que era da CBS). Faltava o Milton também (que era da Odeon), mas a provocação era a cara de André. E o espírito de sua companhia.

Foi um dos grandes nomes do rock brasileiro dos anos 1980 como presidente da Warner. Lançou e acreditou nos Titãs, Ira!, Kid Abelha, Ultraje a Rigor, Lulu Santos, Marina Lima, Frenéticas...

Sem tocar nem cantar, André fez música. E história, alegrando e emocionando gerações.

Com o parceiro Erasmo e o mestre André Midani, celebrando a amizade.

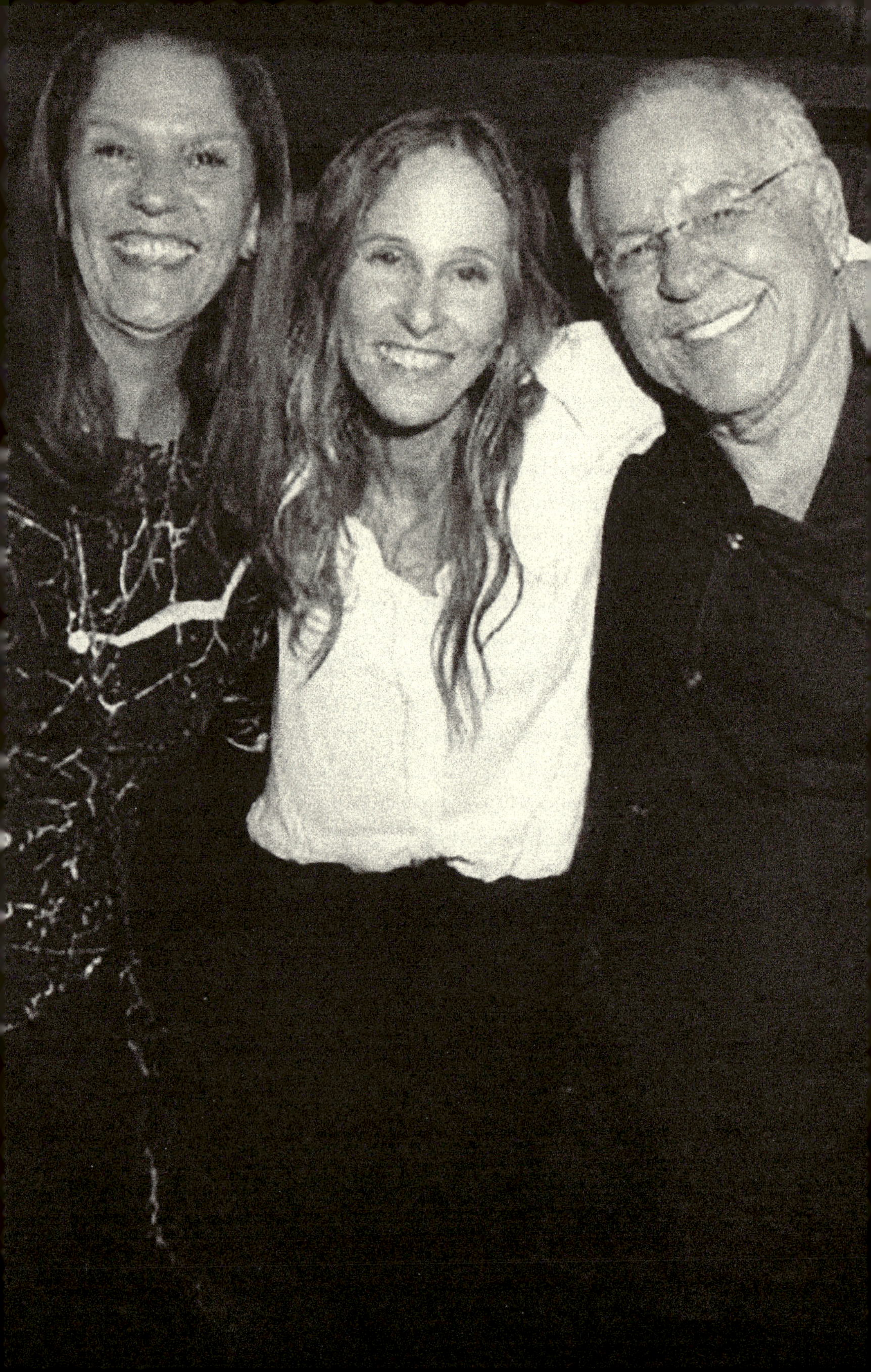

19
DIAS DE DANÇA

Suave mas insistentemente pressionado pela filha Joana, durante anos, para que escrevesse um musical sobre sua lendária discoteca Dancin' Days, onde ela havia comemorado seu aniversário de 6 anos, Nelsinho afinal escreveu, em outra parceria com Patrícia Andrade. *O frenético Dancin' Days* contava a história de quatro meses de liberdade, dança e alegria em 1976, em plena ditadura.

Era uma homenagem aos amigos que a criaram e a viveram: Dom Pepe, que tinha partido havia cinco anos; Scarlet Moon, que morreu em 2013; o produtor Leonardo Netto; as Frenéticas; e o administrador Djalma Limongi, comunista e careta, gerenciando um bando de doidões que o adoravam. Nelsinho mais uma vez subia ao palco como personagem, dessa vez com seu melhor intérprete, Bruno Fraga, que no palco era bem parecido, só que mais bonito, e cantava maravilhosamente bem. Já o Nelsinho real era bem desafinado e sem nenhum ritmo, tinha dificuldade de cantar e bater palmas ao mesmo tempo e só poderia alegar em seu favor, como João Gilberto, que seu suingue era todo do pescoço para cima.

Com Patrícia Andrade e Deborah Colker na estreia de O frenético Dancin' Days.

Joana foi audaciosa: convenceu a amiga e grande coreógrafa e diretora internacional Deborah Colker, a Debinha, que nunca tinha aceitado dirigir um musical de teatro porque não queria fazer cópias da Broadway, a fazer um musical do seu jeito, mais parecido com teatro de revista e chanchadas da Atlântida do que com os espetáculos americanos.

Para Nelsinho, foi uma sorte conhecer e trabalhar com Deborah, uma das maiores artistas que viu em ação. O espetáculo ficou maravilhoso. Com lindos cenários pop de Gringo Cardia, coreografias diferentes, bem brasileiras, um clima disco contagiante, Debinha e Jaqueline tiravam a pele do elenco de tanto ensaiar os movimentos acrobáticos e complexos.

Para completar, o diretor musical Alexandre Elias adquiriu samplers dos melhores instrumentistas do mundo, tudo pago e licenciado, e formou uma grande orquestra digital. As cordas, fundamentais nos arranjos disco, eram da London Philharmonic Orchestra; a seção rítmica e os metais, de grandes músicos negros americanos. Alexandre escreveu os arranjos e os tocava em seu laptop.

Era tão perfeito – afinal, o digital que saía das caixas de som era igual ao digital que estaria sendo captado no palco – que até o experimentado produtor Marco Mazzola, um dos maiores do Brasil, adorou o espetáculo e perguntou a Nelsinho:

– Cadê a banda?

– Tá na nuvem – respondeu, às gargalhadas, exultante com o atestado de qualidade dado pelo ouvido profissional de Mazzola.

Um dos pontos altos e alguns dos melhores momentos de humor do espetáculo eram o contraste entre Djalma, interpretado por Cadu Fávero, que era amigo do Djalma real, e o bando de doidões que ele tentava administrar.

Djalma não chegou a ver o espetáculo: morreu de infarto uma semana antes da estreia e, emocionado, Nelsinho chorou a perda do amigo no Facebook:

Meu comunista de estimação
    Conheci Djalma Limongi em 1971, como administrador da produção

de *Apareceu a Margarida*, com Marília Pêra, no Teatro Ipanema. No pior da ditadura, uma peça de teatro com uma professora tirânica, desbocada e anárquica dando uma aula furiosa para seus alunos – a plateia.

A peça de Roberto Athayde era uma "metáfora explícita" do que vivíamos. O público era tratado como uma classe de idiotas e analfabetos.

Djalma era comunista do Partidão, ligado a Paulo Pontes, Vianinha, Dias Gomes, Augusto Boal, o pessoal do Grupo Opinião e outros comunas e simpatizantes secretos, e naturalmente adorava a Margarida. Mas tinha muito medo de reações violentas. Várias pessoas se levantavam no meio da peça indignadas e saíam gritando impropérios. Uma dessas foi a mulher de um general, e, no dia seguinte, a peça foi proibida. Os dias eram assim. Djalma sempre do lado.

Barbudinho, é claro, Djalma se vestia com despojamento, mas usava uma incrível piteira, que lhe dava um ar aristocrático em contraste com seu marxismo militante. Eu adorava discutir política com ele. Teorias conspiratórias. Paranoias delirantes. As noites eram assim.

A vida nos levou pelos mesmos caminhos muitas vezes. Do teatro político, ele foi parar comigo em festivais de rock, para me ajudar a administrar aquelas loucuras perigosas em 1975, com o Hollywood Rock, e, no ano seguinte, com o Som, Sol & Surf em Saquarema, e finalmente virou administrador de uma impensável discoteca. A Frenetic Dancin' Days Discotheque, no Shopping da Gávea, onde nasceram as Frenéticas e a inspiração de Gilberto Braga para a ambientação da sua novela *Dancin' Days*.

Foram só quatro meses, mas triunfais, e Djalma e sua piteira administraram aquele desvario de um bando de amigos doidões. Nada mais improvável do que Djalma numa discoteca. Mas ele foi fundamental, não só com seu trabalho, mas com seu humor, sua ironia e também no convívio, com uma falsa sisudez que escondia um homem amoroso e delicado. E culto e inteligente. E, sim, com seu charme de durão e sua conversa mole, ele sempre atraiu garotas bonitas à sua volta.

De lá fomos para o Morro da Urca, com o Noites Cariocas, durante a década de 1980, Djalma administrando quatro mil jovens subindo de bondinho toda sexta e sábado para a ilha de liberdade e alegria que era o

Noites. "Bondinhos e mais bondinhos repletos de consumidores ávidos" era a frase que ele adorava dizer quando eu ligava para saber o movimento. Era ele, sempre foi, o cara que cuidava do dinheiro, que dava limites e prudência a meus desvarios com seu bom senso e lealdade.

Sempre gostamos de discutir política. Na ditadura, com posições bem próximas, porque todos eram contra. Mas também depois, na democratização, porque ele ficou ainda mais comunista, só que na legalidade, e eu fui me tornando um liberal radical do tipo independente, com ojeriza a partidos, seitas e torcidas organizadas.

Discutimos política a vida inteira, com cortesia e respeito, sempre com humor, ultimamente pelo WhatsApp. Quase todo dia quando eu acordava tinha uma mensagem provocativa do Djalma, postada na alta madrugada, quando ele ia dormir, depois de mais uma noite recebendo amigos no La Fiorentina, onde era muito mais do que um relações-públicas, era a alma da casa.

A última foi sobre as eleições: "Já comprei em doze prestações o terno que vou usar na posse do Lula." Eu respondi: "kkkkk"

Hoje não teve mensagem do Djalma, uma das melhores pessoas que conheci e uma das que mais amei.

Leonardo também não chegou a ver a peça, se recuperando em casa de problemas neurológicos, mas assistiu a uma sessão de casting para o ator que o interpretaria e, gay assumido, brincou com Joana: "Olhe lá, não vai me botar muito veado na peça, hein? Olhe que eu lhe processo."

Numa grande piada visual, para ambientar o clássico disco-gay "YMCA", do Village People, Gringo fez entrar em cena uma imensa e belíssima cabeça de veado prateada, como uma alegoria de escola de samba. Nelsinho já tinha visto algumas vezes o público aplaudir a entrada em cena de uma cenografia impactante, mas gargalhar era a primeira vez.

Para o final do espetáculo, Debinha e Gringo criaram uma cena com um grande painel em preto e branco mostrando Nelsinho, Dom Pepe, Leo, Djalma e Scarlet na flor da idade, e seus intérpretes na peça em frente a cada um deles. Nelsinho quase chorava toda vez que via.

A peça representava, 43 anos depois, uma ilha de alegria e liberdade em tempos sombrios, com as ruas agressivas e perigosas, assim como tinha sido em 1976 o Dancin' Days real na ditadura.

Inspirado por uma morena tatuada por quem se apaixonara, Nelsinho fez uma versão em português do clássico "Can't Take My Eyes Off You", que virou "Boa demais para ser verdade", cantada por Bruno Fraga para um amor imaginário na peça.

> Você é boa demais
> pra ser verdade, mas é,
> você me olha e me diz
> que não precisa dizer,
> que o meu prazer é o seu,
> que o seu desejo é o meu.
> I love you, baby,
> me dá um beijo como o primeiro,
> como fosse o beijo derradeiro,
> alegra o meu coração...

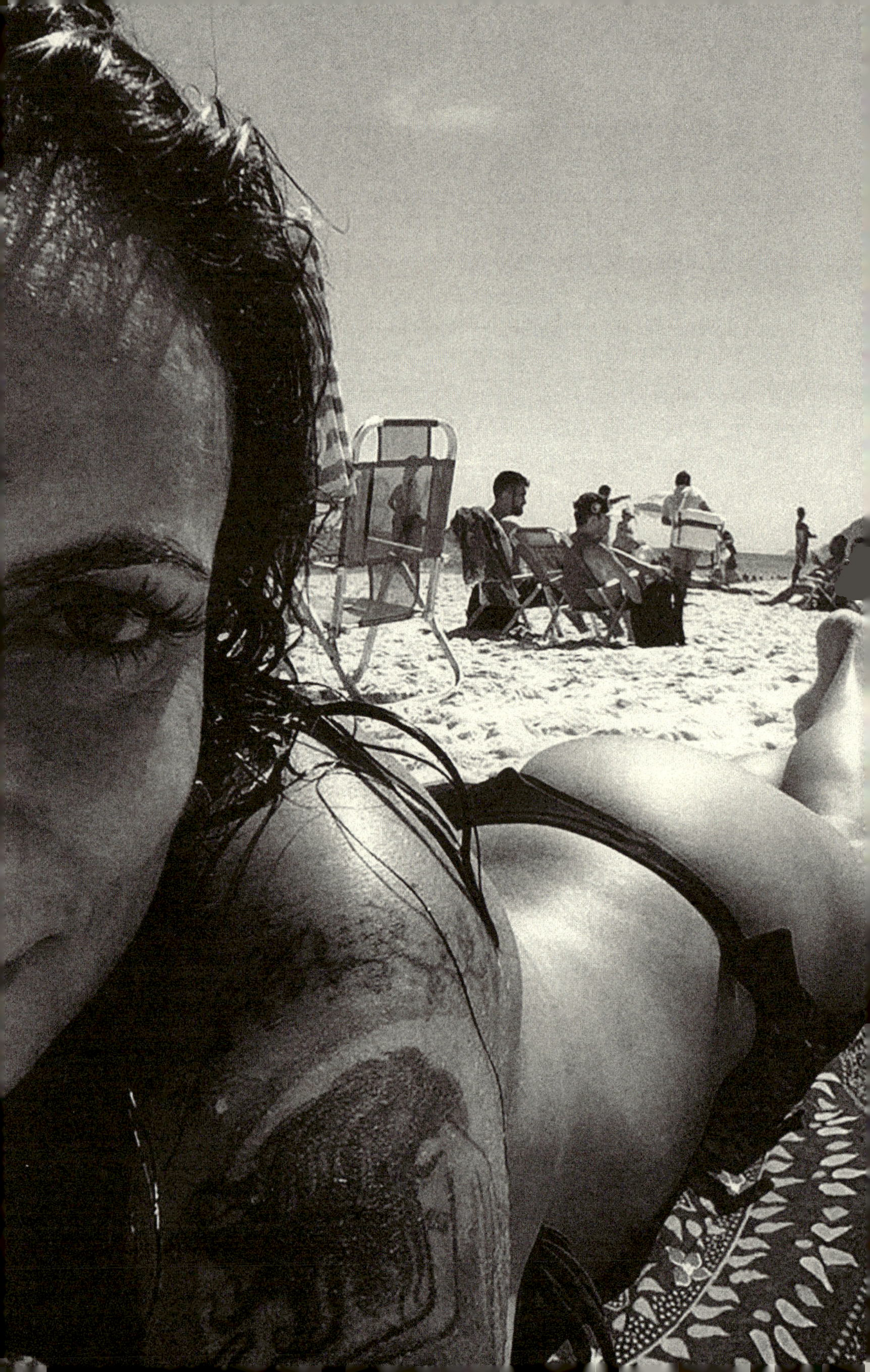

17
A MORENA TATUADA

Sete meses depois das cirurgias e da rotina intensa de fisioterapia, Nelsinho já estava andando mais ou menos bem quando, no feriado de 15 de novembro, foi descer um degrau em casa, escorregou e caiu gritando, se contorcendo em dores e segurando o tornozelo. Fratura na fíbula, um ossinho que liga a perna ao tornozelo, afetando também os ligamentos. Seis semanas com o pé direito naquelas abomináveis botas ortopédicas. Teve que parar as caminhadas e a natação e começar novas fisioterapias.

Às vésperas do Natal, depois de intensa troca de correspondência, começou um romance com uma bela morena baiana de 48 anos, de braços tatuados, que morava em Brasília. Apaixonado, convidou-a para passar o réveillon em Búzios com a filha Joana, o genro, Lema e os três netos, e ela foi corajosa o bastante para aceitar.

Diante de Drica de biquíni, Joana comentou: "O papai é mesmo um homem de sorte. Com 73 anos, todo estropiado, conquistou uma gata dessas. E sem sair de casa!"

Drica, a morena tatuada, em Ipanema.

Duas semanas depois, ela voltava ao Rio para um fim de semana amoroso com direito a show de Chico Buarque. Mas, na véspera da viagem, quebrou um dedo do pé em casa e chegou ao Rio com o pé esquerdo numa bota ortopédica.

Depois do show, no camarim, Chico brincou com o casal: "Vocês se conheceram no consultório do ortopedista?"

Felizes em Lisboa, e em qualquer lugar.

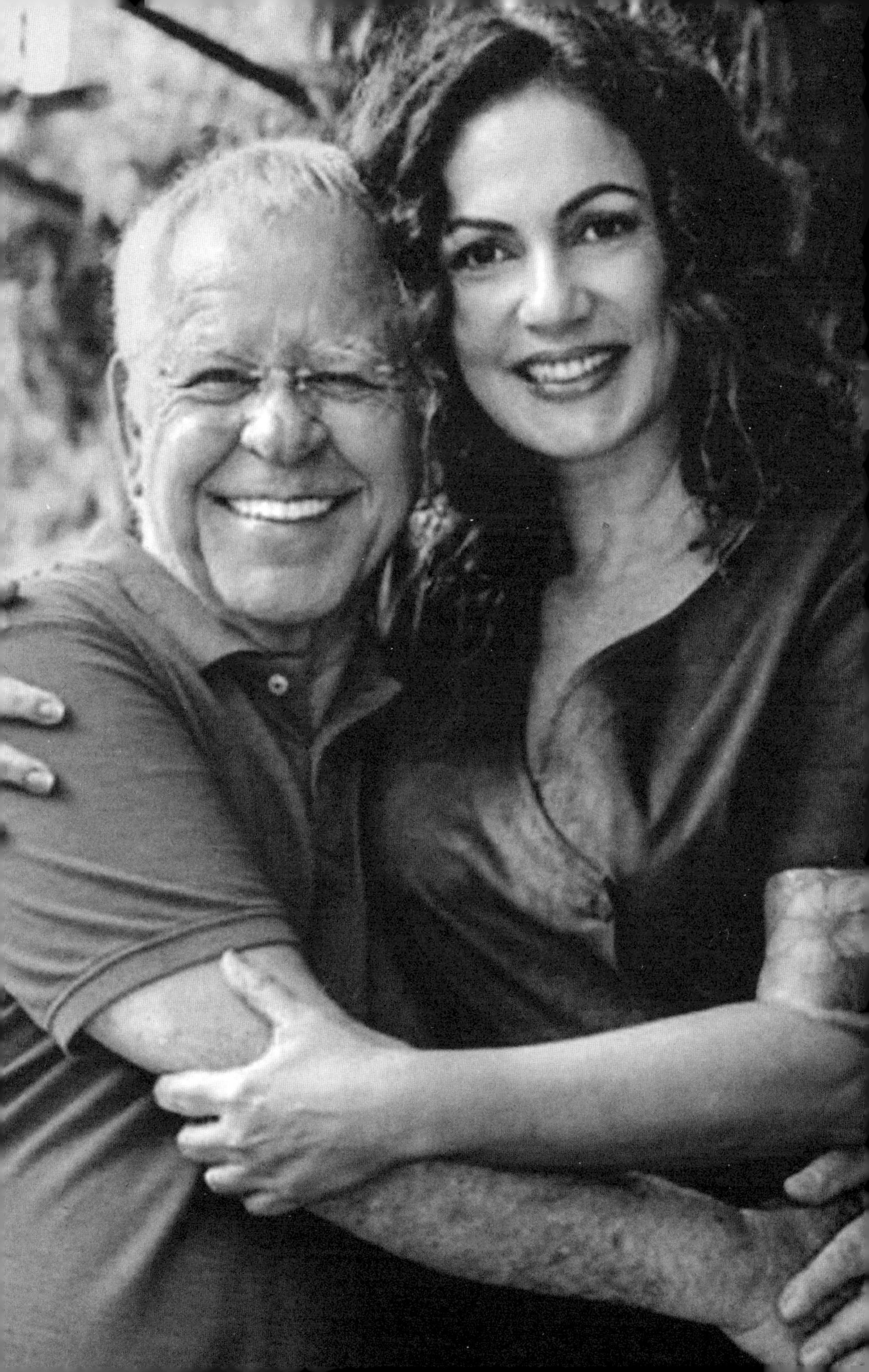

15

FLASHBACK

Eles se conheceram na fila do caixa da deli Talho Capixaba, no Leblon. Carregado de pães, presuntos e queijos, Nelsinho cruzou o olhar com o de uma morena no meio dos outros clientes. Uma bela morena madura, com sorriso aberto e uma tatuagem colorida de sereia que lhe cobria todo o braço esquerdo. Sorriu de volta, a fila andou, a morena ficou para trás.

Dias depois, recebeu no Facebook uma mensagem:

Possivelmente você não vai se lembrar de mim, mas no último fim de semana nos "vimos" rapidamente no Talho Capixaba do Leblon. Vc sorriu para mim. Eu sorri para vc. Mas, por timidez, deixei passar a chance de dizer que sou muito fã do seu trabalho, da sua história e certamente seria da sua pessoa caso tivesse tido coragem de me aproximar e trocar meia dúzia de palavras contigo. É como meu pai dizia: "Perde-se uma chance. Perde-se uma história." Bj grande Nelson. ♥

Quando ele viu a página dela no Face, era a mesma morena bonita, que se chamava Adriana, ou Drica, tinha um sorriso sedutor, cabelos cacheados e um corpão. E tatuagens, porque o outro braço era tomado por uma pena de pavão colorida. Respondeu amistosamente. Começaram a trocar mensagens e músicas e artistas e histórias de vida.

Foi quando ele teve a ideia ousada, talvez baseado nos conselhos do pai dela, de convidá-la para uma palestra que faria no fim de semana em um evento no resort Transamerica, em Comandatuba, para o qual tinha o direito de levar acompanhante. Depois de alguns dias, para sua surpresa, ela aceitou, mas foi logo dizendo com elegância e clareza que não haveria qualquer compromisso de nada. Ele sabia, pelo tipo de mulher que ela parecia ser. Pediu dois quartos para o fim de semana e a passagem de Salvador para a morena tatuada sem qualquer expectativa, na pura aventura, talvez intuição.

Tampouco esperava por uma gripe fortíssima, agravada pelo ar-condicionado do avião. Estava muito mal quando ela chegou, toda simpática e sorridente, com roupas leves e folgadas. E sandálias nos lindos pés – para Nelsinho, algo decisivo entre seus fetiches de beleza feminina. Era boa de papo nos almoços e jantares, vivida e experiente, segura e sincera, inteligente e sensível. Tudo muito cordial. Nelsinho empenhou-se em ser agradável, diverti-la, contar-lhe histórias, mas estava um bagaço.

Pior, passou a noite tossindo e com calafrios de febre. A gripe piorou, a febre subiu, ele perdeu a voz e, na manhã seguinte, ainda teria que fazer a palestra. Pior, para uma plateia ultrasseleta e poderosa de empresários.

A palestra foi um desastre. Nelsinho ardia em febre, estava fraco e inseguro, falou bobagens e irrelevâncias. Foi a pior palestra de sua vida. Ficou com vergonha do público. E de Drica, que o consolava, dizendo que não havia sido tão ruim assim...

Conversaram sobre viagens, casamentos, filhos – ela tinha uma garota de 15 anos – no almoço e no jantar, e, no domingo de manhã, partiram para Salvador, onde ela morava, em horários diferentes. Ele tinha um encontro com o prefeito ACM Neto, que queria convidá-lo para montar um espetacular Museu da Música num velho casarão da Cidade Baixa.

Despediram-se com um abraço e dois beijinhos.

Em Salvador, foi tratado pelas mãos e as agulhas da mestra nipo-baiana do shiatsu, Carmen Maki. Passou a noite chamando a governança do hotel para trocar os lençóis molhados de suor. De manhã, porém, ressuscitou. Recuperou a voz e foi encontrar o prefeito. Depois voltou ao Rio cheio de planos para o Museu da Música. A morena sumiu.

Inovação: lua de mel com netos. Com Drica, Joaquim, Marina e Antonia em Sevilha.

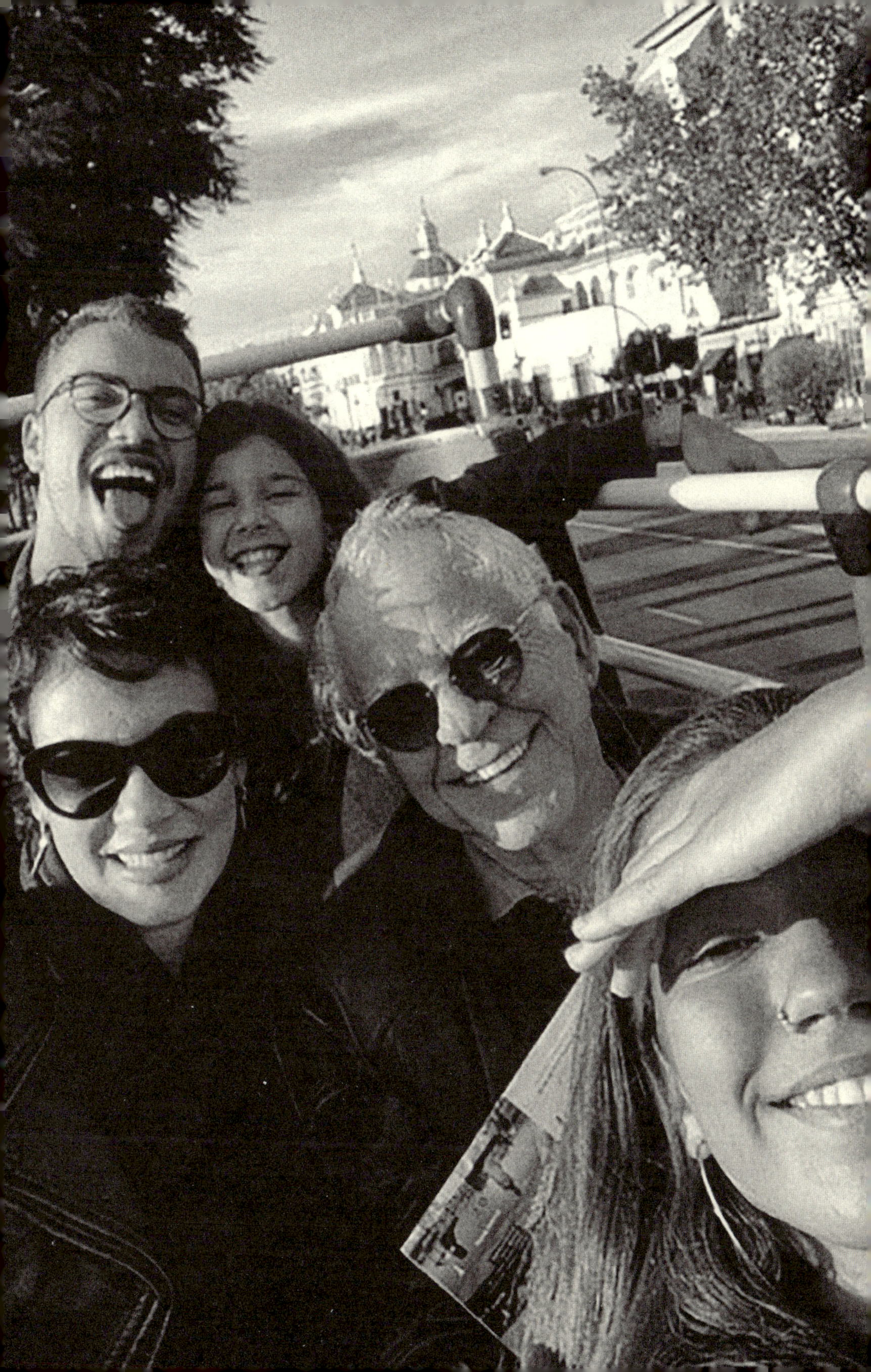

17

A VOLTA DA MORENA TATUADA

Passados seis meses das cirurgias na coluna, que o livraram de não andar nunca mais, Nelsinho reencontrou a morena. Com o tempo e a fisioterapia, ia se recuperando. Já conseguia fazer caminhadas na praia e subir escadas. Seus músculos aos poucos se fortaleciam, mas ainda sentia muitas dores quando a morena mandou-lhe um e-mail dizendo que viria ao Rio para acompanhar uma regata da qual iria participar sua filha adolescente Renata.

Nelsinho então a convidou para almoçar em sua casa, onde estão seus melhores trunfos: a vista da praia de Ipanema e a comida sublime da cozinheira Mari.

Era novembro, e ela chegou sorridente e perfumada num vestido leve e vaporoso. Achou-a mais bonita do que em Comandatuba. Ela adorou a vista e elogiou a comida. Conversaram no sofá vendo o mar, o pôr do sol de Ipanema, esquecidos do tempo numa tarde de conversa e música. Nelsinho caprichou na playlist, ela elogiou o DJ. Quando se despediram, já era noite.

E noites são para sonhar. Nelsinho se esqueceu de suas dores e foi dormir feliz, com o coração quente. Ela voltou para Brasília, para onde tinha se mudado por causa de um novo trabalho num fundo de previdência privado.

Começaram uma intensa troca de mensagens e músicas. Foi ficando cada vez mais encantado com a morena, com seu humor, inteligência e sensibilidade. Gosto musical. Afinidades afetivas. Trocaram confidências, experiências, intimidades, foram se enrolando de mansinho em palavras e sentimentos. Ele foi se apaixonando pelo jeito de ser dela. Uma mulher corajosa, livre e independente, e também sedutora e naturalmente provocante, que parecia se divertir com as palavras, histórias e sentimentos dele. E admirava muito suas letras de música e seus livros.

E, graças a Deus, e à sua experiência de vida, Drica valorizava mais a inteligência e o talento do que os músculos e abdomes sarados, e ligava seu desejo mais a admiração do que a beleza e idade. Sorte dele. E dela, de encontrar um homem experiente, independente e romântico, pronto para um novo amor e cheio de esperanças aos 73 anos. Nelsinho pensava no doutor Roberto Marinho, que, aos 87, se apaixonou e se casou com a bela viúva dona Lily, um antigo amor de juventude, e foram felizes para sempre até a morte dele, aos 99 anos.

Quando ela voltou ao Rio, às vésperas do Natal, e veio encontrá-lo, já estavam praticamente namorando, virtualmente. Abriu a porta nervosíssimo, com seu "uniforme de trabalho" – bermudas e camiseta –, e ela sorriu no meio de seus cabelos cacheados e num vestido leve e rosado. E de sandálias, com aqueles pés lindos de unhas vermelhas. Tomaram vinho e conversaram no sofá até que o desejo os levasse ao beijo que tanto ansiavam e sabiam que logo aconteceria.

Como seria? E se não fosse bom? O beijo é tudo. Nelsinho estava nervoso. Havia oito meses que não beijava ou tocava uma mulher. E logo aquela mulher tão bonita, que parecia tão sensual, com aquela boca irresistível. O primeiro beijo com a morena tatuada nunca se esquece.

"E aí, larari larará lariri lariri", como cantavam Chico Buarque e Thaís Gulin em "Se eu soubesse".

Quatro horas depois, se despediram felizes, e ela foi dormir na casa da amiga onde estava hospedada. Combinaram se encontrar no dia seguinte. Nelsinho perdeu o sono. Aquela mulher era um sonho. Ou um prêmio de merecimento pelos sofrimentos por que tinha passado sem reclamar.

É, mas com uma mulher daquelas, pensava, com todas as histórias que sabia dela depois de horas e horas de conversa sincera, com aquela personalidade forte, era para tomar cuidado. Cuidar e cultivar, aceitar e respeitar, para merecer o amor dela e oferecer-lhe o seu.

Nelsinho adorava contar-lhe histórias, ela adorava ouvir (no seu status do WhatsApp escreveu "Conte-me uma história"), era inteligente, tinha humor e sensibilidade, dizia o que pensava, com muita educação e respeito diante da pouca intimidade que ainda tinham. Não é na cama que se constrói uma intimidade, pensava Nelsinho, e ela era da mesma opinião. É preciso ir se conhecendo aos poucos, de mansinho, mas com profundidade. Quanto mais a conhecia, mais gostava dela. Seu projeto de vida para compensar a distância Rio-Brasília era viver com ela uma sucessão interminável de luas de mel, só mudando de cidade.

> Às vezes, na distância,
> ela parece não ter
> existência real,
> ser só fotos e vídeos, imagens,
> miragens diante dos meus olhos
> misturando sonhos e memórias
> com velhas e novas histórias,
> sem certeza do amanhã.
> Mas chega de saudade,
> a realidade é que só há paz e beleza
> quando estou ao lado dela,
> em cima, embaixo, abraçado,
> falando e ouvindo, emocionado,
> que felicidade é beijar a sua boca
> e por ela inteiro ser beijado.

O mais importante é que ele tinha certeza não só de que estava apaixonado por ela mas também de que ela o amava de verdade. Uma mulher como aquela não fazia joguinhos de cena, escolhia quem ia escolhê-la, quando quisesse. Ela tinha escolhido Nelsinho. E postou no Instagram:

De mansinho, de levinho, com jeitinho, carinho, respeito, admiração e mútuo desejo, deu-se o amor! E antes mesmo de o amor acontecer, eu, "entorpecida" em meus sonhos, disse pro Cara Lá de Cima que o que eu mais queria era te fazer bem... Acredito que ele acreditou em mim e me presenteou com você! Obrigada por cada segundinho junto de ti! Bj cheio de amor, carinho e desejo, do jeito que a gente gosta!

Esse encontro de desejos e admirações, juntando respeito e safadeza, corpo e alma, só podia ser amor. Essa vontade de proteger, cuidar, fazer bem, se misturava aos sentidos e aos instintos. A aceitação plena da pessoa como é está na base da construção de um amor verdadeiro. Era nisso que Nelsinho acreditava. Drica também.
    Diz a lenda que homens gostam de ver, e mulheres, de ouvir. Se for verdade, combinavam, como um escritor e uma leitora, como um diretor e uma atriz, como um voyeur e uma exibicionista.
    Nelsinho tinha experiência suficiente para não se abalar com seduções de quem não queria ser seduzido. Drica era para ele um ideal de mulher, farta e forte, de temperamento intenso e elevada autoestima. Parecia mesmo alguém que, depois de dois anos de solidão em Brasília, finalmente se apaixonou por si mesma, como ela dizia. Era uma mulher madura, segura e experiente, com valores próximos aos dele e, como ele, tinha muitas histórias de vida, de paixões, amores e desilusões. Nem ela nem ele estavam precisando de um amor, mas este veio como uma dádiva.
    E com humor. Quando Nelsinho mostrou-lhe a foto de um amigo baiano, ela comentou, casual:
— Namorei o irmão dele.
— Garota namoradeira, hein? – disse ele.
E ela, na lata:
— Só perco pra você.

E explodiram numa gargalhada cúmplice.

Até inspirou um pequeno poema que Nelsinho fez para ele mesmo, para ela e para todos:

Meu passado me condena,
não à culpa, à vergonha ou ao remorso,
nem à mentira e ao esquecimento,
mas a ser quem sou agora,
feito dos erros e acertos das palavras e dos gestos,
dos ganhos e perdas, dores e prazeres, sentimentos e razões,
de encontros e desencontros, de tantas ilusões.
Melhor disse Octavio Paz, o poeta,
"Pureza é aquilo que fica
depois de todas as somas e restos."

Escritor profissional, para Nelsinho era um prazer escrever para ela, trocar histórias e experiências, palavras de amor. Confiava mais no que escrevia do que no que falava sem pensar. Ela também se expressava muito bem, com precisão e sinceridade. O amor se aprofundava na memória e na pele.

Sim, a beleza está nos olhos de quem vê. Já os olhos que amam veem com a memória e a fantasia, com as lembranças da pele, dos cheiros e dos gostos.

A história da morena tatuada, que estava apenas começando, poderia ter o subtítulo "Crônica de uma sedução". Difícil seria saber quem seduzia quem.

Desde cedo, Nelsinho foi viciado em beleza. Naquela beleza que os seus olhos veem, que vivem procurando desde sempre em quadros, esculturas, fotos, filmes, pessoas, animais. Como escreveu o amigo José Eduardo Agualusa: "Amamos não o que nossos olhos enxergam, mas quem nosso coração demanda. O ser amado é, quase sempre, uma invenção indulgente de quem ama."

Era verdade: parte de Drica era real e outra, inventada, e não se sabia onde uma começava e a outra terminava, o que não fazia qualquer diferença. Nelsinho encontrou nela um ideal de mulher particular, que só seus olhos veem.

Depois de uma sequência de luas de mel e seis meses de grande felicidade, completamente apaixonado, Nelsinho escreveu um livro secreto: um pequeno romance sobre um romance, de trinta páginas, contando o encontro dos dois, com realismo e paixão, inspirado em Henry Miller e Anaïs Nin, escrito para uma única leitora. Drica tinha um livro só dela: *A morena tatuada*.

Ô sorte!

Quando Nelsinho completou 75 anos, Pascoal Soto telefonou todo animado, convidando-o a contar sua história.

Cinco meses depois, Nelsinho estava atrasado: só havia conseguido escrever cinquenta páginas e já tinha mudado várias vezes a data de entrega a Pascoal quando estourou a pandemia do coronavírus. Cada um em sua casa.

Nada mais triste e cruel para dois amantes apaixonados, separados por 1.200 quilômetros e sem perspectivas de um próximo reencontro. O que seria deles sem WhatsApp, FaceTime, fotos, vídeos, áudios para amenizar – ou aumentar – a saudade?

Mesmo no horror da pandemia, e apesar de longe de sua mulher e de suas filhas, netos e bisneto, Nelsinho foi um senhor de sorte.

Como viveu nos últimos anos em uma quase quarentena voluntária, quebrada só para viagens, saindo muito pouco de casa, não houve grandes mudanças no seu dia a dia. Continuou em casa, comendo as delícias preparadas pela Mari e prestando serviços ao Max, que é tão encantador que fez de uma rainha das panelas uma "babá de gato" e de Nelsinho, que estudou tanto, um "recreador/massagista de gato". Como dois avós caducos, fazem todas as suas vontades e atendem ao primeiro miado. Max os ajudou a ocupar o tempo e alegrar seus olhos e corações.

Nelsinho passava seus dias feliz ao laptop, fazendo o que mais gosta, admirando a praia de Ipanema deserta e o mar mais limpo do que nunca. Escreveu 250 páginas em dois meses e terminou o livro que você acaba de ler.